Si c'était à refaire...

Distribution pour le Canada:

2185, autoroute des Laurentides
Laval (Québec) H7S 1Z6
Téléphone: (450) 687-1210
Télécopieur: (450) 687-1331

Danielle Ouimet

Si c'était à refaire...

LES ÉDITIONS PUBLISTAR
Une division de Éditions Quebecor Media Inc.
7, chemin Bates
Outremont (Québec) H2V 4V7

Directrice des éditions :	Annie Tonneau
Direction artistique :	Benoît Sauriol
Révision :	Andrée Laganière, Corinne De Vailly
Correction :	Paul Lafrance, Luce Langlois
Infographie :	Roger Des Roches – SÉRIFSANSÉRIF
Couverture :	Michel Denommée
Photo de la couverture :	Daniel Auclair
Coiffure :	Alvaro
Maquillage :	Dany Cournoyer
Stylisme :	Martine Leroy
Photos de l'intérieur :	Sauf indication contraire, les photos proviennent de la collection de Danielle Ouimet

Nous reconnaissons l'aide financière du gouvernement du Canada par l'entremise du Programme d'aide au développement de l'industrie de l'édition (PADIÉ) pour nos activités d'édition.

Gouvernement du Québec — Programme de crédit d'impôt pour l'édition de livres — Gestion SODEC.

Dépôt légal: premier trimestre 2005
Bibliothèque nationale du Québec
Bibliothèque nationale du Canada
ISBN: 2-89562-139-X

À mon fils, Jean-François,
pour donner un sens au temps perdu.

Prologue et remerciements

1986

Alors que, furieuse, j'avais envoyé flotter un billet d'avion non utilisé dans la soupe de **Pierre Péladeau**, un jour qu'il déjeunait au restaurant du Ritz, je renchérissais quelques jours plus tard avec une lettre d'insultes. Touché, il s'empressa de me rappeler pour me laisser savoir qu'il appréciait tellement mon style que, si un jour j'avais envie d'écrire, il me publierait sans hésiter. « Quebecor t'attend », insista-t-il, sans glisser mot de mon comportement hystérique.

1987, ou dans ces eaux-là...

En cure d'amaigrissement dans les Cantons-de-l'Est, je prends mes messages à distance. J'en ai un de **Pierre Foglia** qui accepte de m'accorder la petite heure que je lui réclame. Le film *Valérie* va avoir 20 ans et mes souvenirs sont encore si vivaces que je voudrais lui proposer d'écrire un livre, ensemble, sur l'événement. Ce n'est pas tant de parler du film lui-même qui m'intéresse, mais plutôt du *boom* social de l'époque d'où tant de chavirements avaient émergé. Pierre refusa ma demande – et je n'aurai pas été la seule à qui il aura dit non –, mais une de ses remarques me restera longtemps en tête : « Danielle, vous êtes tout à fait capable de le faire toute seule. C'est vous, après tout, qui avez vécu l'événement. »

2000

Le téléphone sonne chez moi.

– Danielle, c'est **Jacques Laurin** (des Éditions de l'Homme), pourrait-on se rencontrer ? J'ai quelque chose à vous suggérer.

Monsieur Laurin est un homme exceptionnel avec qui j'ai immensément de plaisir à converser. Il me propose d'écrire les péripéties de ma vie pour en faire une sorte de biographie. Certainement pas encore mes mémoires, mais plutôt un recueil d'événements vécus.

– Je vais le faire à une seule condition, Jacques. Que ce ne soit pas un auteur qui l'écrive, que ce soit moi qui le fasse, et que vous m'accordiez tout le temps nécessaire pour le faire.

Et j'ai commencé. Il y avait évidemment un contrat à signer. Contrat qui me faisait tiquer en raison d'une clause qui donnait le privilège à l'éditeur de percevoir des droits en cas d'adaptation du livre pour le cinéma. Je me suis tant et tant de fois fait exploiter au cinéma, que j'étais récalcitrante, cette fois, à confier « ma vie » à une maison d'édition.

Le travail était commencé et j'avais toujours beaucoup de plaisir à rencontrer Jacques Laurin, mais je différais la signature du contrat, me disant qu'il serait toujours temps, si les premiers textes lui plaisaient, de reparler des clauses. Quelques mois passèrent, pour ne pas dire la première année, et, finalement en possession de quelques chapitres à livrer, j'appelai la maison d'édition :

– Monsieur Jacques Laurin s'il vous plaît.
– Il n'est plus ici, madame.
– Que voulez-vous dire par « il n'est plus ici » ?
– Il a pris sa retraite, madame. Voulez-vous parler à son remplaçant ?
– Non merci, c'est à M. Laurin que je désire parler.

C'est effectivement avec M. Laurin, et lui seul, que je désirais faire affaire. J'étais sidérée. Et mon livre ? Pourquoi ne m'avait-il rien dit ?

Encore sous le choc, j'allai à mon rendez-vous, le jour même, avec **Claude Leclerc**, vice-président des Éditions TVA et responsable du magazine *Le Lundi*. En tant que porte-parole de cette publication à la télévision, on m'offrait d'écrire une série de textes « grandes rencontres » avec d'autres artistes qui, tout comme moi, avaient plus de 40 ans de métier.

Attablés au restaurant, nous discutions des plaisirs de l'écriture et je lui glissai mot de l'aventure dont je venais de faire les frais. Par le plus grand des hasards, non seulement M. Leclerc me confirma le départ de M. Laurin, mais il ajouta que son remplaçant déjeunait justement à deux tables de nous.

– Je peux te le présenter, Danielle.

– Oh non. Ce n'est pas nécessaire. Je voulais faire affaire avec M. Laurin, un homme pour qui j'ai le plus grand respect. Et pour tout te dire, les choses se placent d'elles-mêmes. Il y a 20 ans, les Éditions de l'Homme avaient publié un livre qui m'avait fait beaucoup de mal. Ça m'embêtait royalement de travailler avec eux. Il y a sûrement une raison à ce qui arrive, et je préfère ne pas insister.

Malgré tout, le nouveau directeur des Éditions de l'Homme vint me saluer et confirmer son poste en remplacement de M. Laurin.

– Dois-je en conclure que si l'on vous approchait, vous pourriez être intéressée ? avança alors Claude Leclerc.

– Bien sûr. Le travail est entamé. Montrez-moi votre contrat type et je verrai.

On me le présenta quelques heures plus tard. Dans le bureau des Éditions TVA, je rencontrai **Annie Tonneau** qui démontra non seulement une confiance sans faille en mon projet, mais accepta tout de suite d'agréer à mes demandes et d'épouser mon rythme, mes états d'âme, mes peurs… J'ai signé…

Je n'avais pas sitôt signé qu'un nouvel appel allait me renverser.

– Bonjour Danielle, c'est Jacques Laurin. Il faudrait bien se rencontrer. Où en êtes-vous avec votre manuscrit ?

– Mais… Jacques ! Vous n'êtes pas à la retraite ?

– Il est vrai que j'ai pris trois mois de vacances. Je suis, disons, en semi-retraite. Mais évidemment, je termine ce que j'ai commencé et j'attends avec impatience vos premières pages.

Décidément, le mauvais sort s'acharnait sur ce projet. Mais du même coup, ayant effectivement signé avec le Groupe Quebecor, il me semblait détecter l'intervention de Pierre Péladeau qui se faisait encore, de l'au-delà, omniprésent dans ma vie. Je l'imaginais, assis sur son nuage, en train de se bidonner de ce coup fumant.

Durant les quatre années qu'ont duré les affres de l'écriture, Annie Tonneau venait de temps en temps réveiller mon enthousiasme, aplanir mes craintes ou mes doutes, pallier mes pannes d'idées, et m'assurer que tout était possible. Comme j'insistais pour écrire le livre moi-même, elle eut parfois maille à partir avec ma façon d'écrire. Dans mes périodes noires, je demandai donc à un auteur, ami de longtemps, de corriger mes textes qui avaient parfois des ratés dans le fil de la narration. **Robert Gauthier** a beaucoup simplifié mes idées et m'a permis surtout de les rendre plus limpides. Rien n'est plus difficile que cette chose, apparemment simple, que de s'exprimer avec précision, de résumer trois lignes en une seule. Merci Robert. Si jamais un jour je continue dans cette voie, tu m'auras donné les outils pour permettre à mon écriture d'aspirer aux qualités qui colorent la tienne. Et à ta tendresse aussi qui m'accompagne depuis plus de 30 ans.

J'ai fait tant et tant de choses dans ma vie qu'il m'était difficile de tout mettre en ordre chronologique. Il fallait trouver la manière et je l'ai trouvée en donnant à chaque chapitre un thème déterminant : ma jeunesse, le cinéma, la télévision, la radio, mon fils et mes amours, évidemment. Mais malgré tout, quel désordre ! Il me manquait le recul qui me permettrait de structurer toutes ces idées. Il paraît que ça s'appelle « éditer ». Grâce à Annie, c'est alors que **Jean-Pierre Bélanger** a fait son apparition dans la vie de mon texte. Je connaissais bien Jean-Pierre avec qui j'avais travaillé à *Bla Bla Bla*. Je me souviens d'ailleurs d'un jour où, alors que je le ramenais de Québec après l'enregistrement de l'émission, peu après la parution de son roman à succès *Le tigre bleu*, nous avions longuement parlé de l'écriture en tant que thérapie et du ravissement dans lequel elle peut nous plonger. Je lui avais confié que j'avais, moi aussi, envie d'écrire. « Si tu le sens, fais-le, Danielle. » Et c'est lui, ce jour-là, qui venait m'aider à mettre mes pensées, écrites en vrac, dans un ordre intelligible. Et quand je dis en vrac... !

Mais si, à la relecture, tout était ordonné avec satisfaction, je retrouvais les mots du correcteur et non « ma voix ». Un livre, ça « s'entend » aussi. Il me manquait encore quelque chose, une touche féminine peut-être.

J'étais à me demander comment résoudre ce nouveau problème, insoluble dans ma tête, quand je rencontrai **Andrée**

Laganière, auteure, traductrice et correctrice. J'étais au lancement du second roman d'un de mes anciens amoureux, **Eric Rill**, quand celui-ci me suggéra :

– Tu devrais rencontrer mon ex-femme, Danielle. Elle a révisé et corrigé mes deux romans, et vous avez d'ailleurs plein de connaissances communes.

Sous le coup de l'impulsion, je lui demandai, le même soir, si je pouvais lui faire parvenir un chapitre de mon livre ; j'ajoutai que je serais heureuse de travailler avec elle s'il était révisé à ma convenance. J'avais enfin trouvé celle qui allait me donner « le ton ». Elle m'a aussi donné les ailes pour aller plus loin, en plus d'apaiser mes doutes quant à la manière de déployer ces sentiments nécessaires pour expliquer les gens et les choses.

Et finalement, **Corinne De Vailly**, essentielle et pointilleuse correctrice qui me fit remarquer – avec bonheur, car j'adore apprendre – que la langue française telle qu'elle est utilisée aujourd'hui peut être « vierge et martyre ». Merci pour tes judicieuses précisions, Corinne.

Écrire un livre, c'est très dur. Écrire sa vie, c'est l'enfer ! Heureusement qu'ils étaient là.

À tous ceux-là, merci, merci et merci !

J'abuserai encore de cet espace pour souligner l'attention particulière de quelques autres complices. **Michel Desrochers**, la référence des années CJMS ; **Edward Rémy**, celle d'*Échos Vedettes* et de *Toute la ville en parle* ; **Pierre Savard**, l'âme des années Saranac ; mon merveilleux **Serge Bélair**, mon idole de tous les temps, pour son attention et les précisions qu'il a su apporter sur tant de détails oubliés, de même qu'**Andrée Aubé**, ma complice de *Bla Bla Bla*, ma « mémoire vive » pour certains chapitres.

Mais aussi tous ceux qui m'ont prêté la chaleur de leur maison : **Claude Théberge**, le peintre, et son spectaculaire nid d'aigle sur le Cap Blanc, à Percé ; **Jean Nadeau**, frère de Pierre, pour sa tendresse et pour nos rires au bord de la mer au Nouveau-Brunswick ; Mme **Janette Lemarquand** et son énergisant centre de thalassothérapie, l'Auberge du Parc, à Paspébiac ; **Serge Savard**, l'une de mes idoles de jeunesse, qui m'a accueillie à Cuba à son hôtel El Senador ; de même que M. **Jean-Marc Lacroix**, des archives de Radio-Canada, qui m'a procuré un résumé de toutes mes apparitions à la maison d'État. J'ai fait le compte : en tout, plus de 10 000 émissions en 40 ans de métier.

Ben, dis donc, j'en ai des choses à raconter !

La famille

Je ne suis pas conformiste. Toute ma vie, j'ai tenté de le prouver. Et si le côté « gentille demoiselle » que l'on m'attribue parfois reflète surtout mon immense respect de la vie, des gens et des choses, il n'en reste pas moins que je demeure une incorrigible délinquante, une rebelle. Et naïve avec ça ! Ce que je considère comme une qualité. Je vois la vie par le bon bout de la lorgnette, et faire fi des aléas du quotidien est un soulagement dont j'abuse.

Quant à ce sourire béat, que la critique me reproche souvent et qui peut même me donner un petit air « nounoune » et déconnecté de la réalité, il me permet d'y gagner en qualité de vie. Le sourire vous donne une longueur d'avance dans la perpétuelle course à l'image associée au métier. En plus, le sourire adoucit les contacts humains, bien qu'il puisse arriver qu'il produise l'effet contraire. Il y en a que le bonheur dérange.

Mes colères, elles, sont terribles, soudaines et dévastatrices. Souhaitez, je vous prie, ne jamais y assister. Fort heureusement, je n'ai aucune rancune. Je peux tout tailler en morceaux et oublier, trois heures plus tard, le pourquoi de la dispute, m'étonnant même que quiconque en ait gardé le souvenir. Je suis ce qu'on appelle « une bonne pâte ».

Ma vie m'a-t-elle comblée ? Je répondrais que j'aurais aimé être quelqu'un d'autre, et peut-être mener une vie différente.

Mon côté mystique, investi du désir de guérir les maux de la terre, aurait facilement trouvé son accomplissement dans des missions en Afrique. Mon profond désir de justice aurait pu m'envoyer, en tant qu'agent secret, déjouer les complots des puissances hostiles, alors que mon grand besoin de solitude me fait rêver d'interminables fouilles archéologiques aux confins de la jungle équatoriale. Que des ambitions simples, finalement! Née un 16 juin, je suis du signe des Gémeaux, ascendant Lion. Y aurait-il quelque explication à y trouver?

On peut toujours rêver, mais il n'existe pas, en ce moment, un seul métier qui puisse me plaire davantage que le mien, une seule situation qui me semble plus enviable.

J'aurais sans doute, il y a longtemps, aimé être tout ça, et bien d'autres choses, s'il n'y avait eu Lucille, ma mère, mon double, mon amour.

Je ne me souviens d'aucune de ses caresses, bien qu'elle ait dû me couver comme une poule n'ayant pas assez de plumes pour me faire disparaître dans son giron. J'étais l'aînée. Elle m'a toujours dit qu'un premier enfant ne naît pas avec son mode d'emploi replié dans la main, et qu'avec l'arrivée du premier bébé arrivent aussi les erreurs. Peut-être le disait-elle pour s'excuser d'en avoir trop fait, de m'avoir étouffée d'un amour à la fois rigide et débordant. Je ne lui en fais pas le reproche mais, toute ma vie, chacun de ses gestes me mettra face à une alternative: me soumettre à sa loi ou imposer ma façon de faire, quelles qu'en soient les conséquences.

Ma mère m'a aimée à outrance. J'en ai tiré un équilibre salutaire accompagné de l'urgence perpétuelle de vouloir rompre à coups de dents le «cordon ombilical» nous reliant l'une à l'autre. Pour respirer par moi-même, me libérer de son emprise, briser les tabous, m'éclater selon les normes de ma conscience à moi et non de la sienne. Je m'y suis appliquée jusqu'aux derniers jours de sa vie. Je reconnais toutefois qu'eût-elle laissé libre cours au « pur sang » qu'elle avait engendré, ma vie eût été tout autre, et pas nécessairement heureuse. On m'a éduquée très sévèrement. Je me conformais aux exigences, mais gardais mes coins d'ombre, mes pensées secrètes, mes instants de rébellion. Et pour m'évader de ce trouble intérieur, je tombais facilement dans l'échappatoire de la rêverie.

Je me souviens, entre autres, d'une aventure où déjà – je devais avoir cinq ou six ans – mon désir d'autonomie me faisait m'installer sur le balcon de notre appartement du boulevard Décarie pour suivre des yeux le passage des tramways. Mon regard s'y accrochait jusqu'à ce qu'ils disparaissent. Je rêvais de partir avec eux. Puis un jour, sans le dire à personne, j'ai traversé la rue et suis allée me poster devant les portes de cet « engin de liberté ». Le conducteur, évidemment, ne m'a pas laissé monter. Mais cette bravade me donna le courage d'affronter ma mère à la moindre remontrance, et de la menacer sans cesse de m'en aller. Excédée par ces crises répétées, ma mère, un bon matin, glissa un 10 sous dans la poche de mon manteau en me disant : « Puisque tu veux t'en aller, eh bien va-t-en ! Les 10 sous, c'est pour t'acheter du lait. » Elle m'a conduite dans le corridor et a refermé la porte derrière moi. Elle a dû croire que ce revirement de situation me servirait de leçon. Mais au lieu de me démonter, j'ai tout de suite compris qu'il me fallait profiter de ce rare moment de liberté. Je suis donc allée parcourir mon nouveau royaume, me promenant pendant plusieurs heures dans le quadrilatère de l'immeuble où nous vivions. Le soir venu, un peu craintive tout de même, je m'étais cachée sous l'escalier de l'étage supérieur, observant avec amusement ma mère affolée et les policiers partis à ma recherche. Le retour au bercail ne fut pas très drôle !

Nul doute que de ces perpétuels combats entre elle et moi – jamais violents, toujours tacites – est née une spirale de dépendance affective. J'avais grand mal à la décevoir. Je percevais chez elle une telle volonté, un tel désir de me voir acquérir une expertise en tout, que j'en vins à développer une épouvantable angoisse : celle de ne jamais pouvoir me mesurer à la perfection de ses rêves. Elle n'aspirait qu'au meilleur ; je ne pouvais me permettre de la décevoir, et cette hantise allait continuer de m'accompagner tout au long de ma vie, à chaque fois que je douterais de mon travail, quel qu'en aura été le succès, ou à chaque fois que je craindrais de n'être pas à la hauteur de ce que l'on attendait de moi.

J'adorais ma mère. Elle est décédée à 84 ans, le 17 septembre 2000. Ce jour-là, n'étant plus l'enfant de personne, je suis enfin devenue adulte, mais ce n'était plus mon désir. La transition faisait mal. Jusqu'à la fin, ma mère m'avait traitée comme si je n'avais encore que 10 ou 12 ans. Elle ne tolérait pas que je quitte sa maison sans me passer le peigne dans les cheveux, parce que « ça fait plus présentable devant les gens » ! Elle avait aussi cette habitude de dire en public à de purs inconnus, me frottant l'épaule d'une main à la fois douce et fière : « C'est ma fille, vous savez ! » Ce qui m'horripilait à l'époque me manque aujourd'hui. J'étais sa réalisation. Enfin, pas tout à fait, puisque je me suis appliquée tant de fois à « casser le moule ».

Elle était belle. Immensément belle. Je ne m'en suis rendu compte que très tard. Trop tard. C'est en composant un cahier souvenir pour les 50 ans de ma sœur, et en regroupant toutes les photos de sa vie, que j'ai découvert, sur ces clichés racornis, la merveille qu'avait été ma mère. Elle devait avoir tout juste 25 ans, ou peut-être un peu plus, sur ces photos – elle n'a jamais su paraître vieille –, et l'on voyait déjà qu'elle était femme de caractère. En regardant ce bout de photo sépia, il m'a semblé percevoir le poids de son destin. J'ai vu sa jeunesse nimbée du grand amour que lui portait mon père ; j'ai vécu le vide qui s'est installé en elle, quand elle a décidé de devenir épouse et mère. À cette époque, tout s'arrêtait au mariage et à la réalisation du couple. Mon père a su la combler sans doute, mais sa vie à elle n'était faite que de devoirs : être bonne épouse, bonne mère, ce qu'elle s'appliqua à faire.

J'allais être sa revanche. Première-née, j'étais celle qui lui ferait vivre ce qu'elle avait sacrifié en épousant mon père, même si elle l'a aimé au-delà de tout. Elle n'a pas eu les mêmes exigences avec ma sœur Judith, née 13 mois plus tard. Il serait ingrat de m'en plaindre, je n'ai eu que le meilleur. Et si j'ai aujourd'hui une vie exceptionnelle, c'est en grande partie grâce à son amour et à ses attentions. Évidemment, ce n'est qu'avec le temps que je suis arrivée à comprendre les revers de cette éducation, les effets néfastes de l'ambition jamais assouvie, de la recherche d'une perfection rarement atteinte, et de l'orgueil fracassé dans la défaite, tout ce qu'elle aurait voulu m'éviter, mais qui se révèle être la rançon du succès et de l'ambition. Cette quête constante où j'essayais de « devenir » m'isolera si bien que je vivrai auprès de ma sœur comme si, dans le fond, j'étais seule. Toute jeune, je savais déjà que tout – liberté, discipline, réussite – ne dépendait que de moi et de personne d'autre. Jeune, déjà, j'étais vieille.

Ces prémices allaient marquer toute ma vie professionnelle, mais plus profondément encore ma vie amoureuse. Pour chacun de mes hommes, un choix s'est imposé : aimer et subir, ou me consumer et être ? Me sacrifier ou me réaliser ? En d'autres mots, être amoureuse ou libre ? J'ai longtemps cru que les deux options ne pouvaient s'épouser. Qui saurait être assez grand, assez fort pour briser ma passion du métier et en allumer une autre ? Ma mère a fait de moi une femme forte. Je ne fais pas un métier qui donne dans la dentelle. S'imposer requiert une disponibilité de tous les instants et, même amoureuse, j'ai sacrifié bien des moments à deux aux promesses que je me suis faites – pour plaire à ma mère – de ne jamais avoir une vie morne et ordinaire. Cette spirale en provoquait une autre, car il m'a fallu assumer, dans mon choix de vie, que si les succès sont enivrants, ils n'existent que pour être dépassés et que les défaites se révèlent de pénibles descentes dont pas un homme n'a su atténuer la douleur. Du moins, je ne l'ai jamais permis à personne.

Tous ces conflits me tenaient en alerte, me donnant l'impression de progresser en contrôlant ma vie, ce qui n'était pas nécessairement le cas. Ce n'est qu'avec le temps, encore une fois, que j'ai bien vu que j'avais tout faux. Un juste équilibre aurait été plus normal.

Mon père était un être magique. Beau. Trop beau même. Sur la photo de fiançailles de mes parents, j'ai posé des yeux pleins de questionnements: avaient-ils raté leur vie, leur idéal? Et s'ils avaient eu le courage d'aller plus loin que les simples épousailles? Serais-je là? Qui a éteint l'autre et est-ce à cela qu'on tend en s'épousant? C'est sûr, ils étaient faits pour la grande vie. Et si c'était moi l'éteignoir? Se pouvait-il que ç'eût été moi?

La scène se passe en mai 1971. On fête les 30 ans de mariage de mes parents. Je viens de leur offrir un voyage en France, accompagné d'un chèque de 1 000 $ pour leurs dépenses. Papa pleure. C'est la première fois que je le vois pleurer. Maman, pensant lire 100 $ sur le chèque, me remercie et s'inquiète davantage des billets d'avion. Elle n'a pas encore lu la destination inscrite sur le livret. Elle pense que je leur offre un voyage à New York. Dans son trouble, désarçonnée par la réaction de mon père, elle lui demande:

– Mais où est-ce qu'on s'en va, Georges?

– En France, «Toune». À Paris d'abord. Puis sur la Côte d'Azur et, pour finir, en Italie. Et Danielle s'en vient avec nous!

Elle m'a regardée, ahurie. Son rêve se réalisait enfin. Elle a éclaté en sanglots à son tour. Une fois l'émotion passée, elle voulait tout de suite se rendre à la banque mettre le tout dans le coffret de sûreté !

Ils avaient un mois pour se préparer avant le départ. J'avais prévu qu'ils arrivent à Paris le 14 juillet pour que papa puisse assister au défilé militaire sur les Champs-Élysées. Trente ans plus tôt, alors que, lieutenant dans l'armée, il s'acheminait en bateau vers la France, la fin de la guerre avait été proclamée. Il avait toujours regretté cette incursion ratée. Mais en ce jour de mai 1971, la boucle était enfin bouclée.

Ce voyage, c'était ma récompense après le purgatoire, ma façon à moi de remettre le compteur à zéro pour l'infortune que ma naissance avait pu leur causer. Lors d'une conversation anodine, quelques années plus tôt, j'avais appris que ma mère, jeune fille, avait projeté un voyage en France. Mais cela coûtait cher et elle avait dû choisir entre le voyage et le mariage que mon père venait de lui proposer, puisque la guerre était finie. Qu'à cela ne tienne, ils se marieraient et feraient leur voyage de noces en France ! Mais un mariage coûte cher, la France devrait donc attendre l'année suivante. L'année avait passé, les rêves avaient pris de l'ampleur, l'argent était là et… voilà que le premier bébé s'était annoncé. Danielle allait faire son entrée. Et cela coûte très cher, un bébé ! Ils ont oublié la France. La vie normale a chassé le beau rêve. De cet aveu de ma mère, je ne m'étais jamais remise.

J'ai toujours eu une image idyllique de la vie de mes parents. Ma mère ne m'aurait d'ailleurs pas autorisée à la voir autrement. Mais ça n'avait pas dû être drôle tous les jours. Je me souviens parfaitement d'une de ses rares colères, alors que le poêlon de fonte avait volé au-dessus de la tête du paternel. Je n'ai le souvenir que de deux ou trois colères semblables dans ma famille, mais j'ai hérité de cette capacité de rage sourde et sournoise perpétuant, dans une sorte de rite atavique, les règlements de comptes « au féminin » de la famille Bruneau. Car il arrivait aussi à ma grand-mère maternelle, Lauda – une femme remarquable que j'aimais encore plus que ma mère –, de régler quelquefois, m'a-t-on dit, les problèmes de cette façon.

Je connais peu les membres de la famille Ouimet, tous originaires de Sainte-Rose. Encore aujourd'hui, il arrive que des inconnus se présentent à moi, affirmant être de la famille. Mais cette lacune a été comblée récemment lorsque nous nous sommes tous donné rendez-vous dans une cabane à sucre.

Mon grand-père paternel était garagiste. Mon père l'est devenu, malgré la volonté de ma mère qui aurait préféré le voir poursuivre la carrière militaire ou devenir homme d'affaires – ce qu'il fit à une certaine époque en ouvrant avec ma mère un commerce d'importation de parfums venant de France. Mon grand-père Ouimet était propriétaire du seul garage vente-réparation « à la mode » de l'époque. De nombreux comédiens, dont Paul Buissonneau, se souviennent et me parlent encore des « petites Ouimet » qui accompagnaient parfois papa Georges, le samedi, pour permettre à maman de se reposer. Après coup, mon père eut la brillante idée de lui donner deux garçons, engendrés six ans plus tard que les filles, de quoi la tenir occupée. Je dis « après coup » car, avant même de fournir des mâles à la famille, il ne s'était jamais formalisé du fait que nous soyons des filles, Judith et moi. Nous avons toujours été traitées comme des princesses, mais des princesses qui l'accompagnaient à la chasse et à la pêche. Nous étions, dès l'âge de quatre ou cinq ans, des habituées du lac Baskatong et du Club Estèbe. Et ces expéditions nous voyaient partir en groupe de plusieurs voitures, tirant et halant des canots et de la boustifaille pour une armée.

Ma grand-mère Ouimet, Marie-Blanche Gariépy, nous accompagnait régulièrement. Courtaude, moelleuse et d'ample poitrine, elle avait le coude leste sur le « p'tit blanc ». Elle s'accrochait, plus qu'elle ne le portait, un sac à l'épaule, bourré de gélules de médicaments pour tous les maux de la terre. Que le pancréas fasse défaut ou qu'il y ait une éraflure à couvrir de gros becs mouillés, elle allait chercher d'un doigt agile et replet ses petites pilules Dodd's pour les reins ou Carter pour le foie, sans oublier le miraculeux onguent Ozonol qui, ma foi, à l'écouter, aurait pu nous guérir du cancer. Et invariablement elle nous disait :

– Prends ça, mon 'tit chien, t'auras p'us mal, ça s'ra pas long !

Plus audacieuse que bien des gens de cette époque, elle avait, dans la cinquantaine avancée, appris à conduire, acquérant une désagréable habitude qui nous donnait de ces maux de cœur ! Elle accélérait abruptement, puis laissait décroître la vitesse pour renfoncer tout aussi sèchement l'accélérateur, imprimant au corps de ses passagers un intolérable et constant va-et-vient.

Un événement marquant d'une de ces expéditions de pêche me revient à l'esprit, provoquant encore, à me le remémorer, un irrésistible fou rire. Nous faisions souvent jusqu'à cinq heures de route, de sentiers de terre en traversées de rivières sur deux planches de bois montées sur des pierres. Avec toute la boisson qui se prenait lors de ces expéditions, ça prenait de l'équilibre ! Vers la troisième ou quatrième heure, une incontournable pause pipi s'imposait, pause « dans la nature », il va sans dire.

Comme dans un film au ralenti, je revois encore ma corpulente grand-mère aller se cacher derrière la voiture, descendre et retenir d'une main sa culotte à « grands-manches » tout en s'appuyant de l'autre sur le pare-chocs. Mais voilà soudain qu'elle glisse, essayant en vain de se retenir, ce que sa culotte à mi-mollets ne lui permet plus de faire. Appuyée sur le pare-chocs, je la vois encore esquisser les pas d'un tango saccadé tout en scandant une litanie de noms bibliques que les saints n'auraient certes pas approuvée. C'est que mon père avait négligé de mettre le frein à main. Vous devinez le reste.

Mais elle n'était pas au bout de ses peines. Au milieu de la nuit, dans le camp de bois rond où il n'y avait ni électricité, ni toilettes, ni eau courante, j'ai entendu des pas furtifs se glisser entres les lits de camp. Il faisait noir comme chez le loup.

– J'ai soif Georges. Où est l'eau ?

– Pas loin du poêle à bois, m'man.

Re-glissade dans le noir. Elle avait pris le bidon, l'avait approché de ses lèvres… Dès la première gorgée, un râle amplifié par les ténèbres a jailli du fin fond de l'abîme.

– Beurk, qué cé ça ? a-t-elle éructé avec peine.

Elle venait de s'enfiler une gorgée de naphtaline. Elle avait une santé de fer. Rien n'y paraissait le lendemain.

Nous passions parfois le jour de l'An chez elle. Elle avait une façon de faire cuire la dinde et une recette de farce que personne dans la famille n'a jamais su reproduire. On se passe encore d'ailleurs la rôtissoire qui servait à la bête en pensant, mais en vain, que l'ustensile pourrait peut-être faire la différence ou nous en livrer le secret : peine perdue. Son sens de la fête était incomparable. Souvent, nous arrivions chez elle pour trouver le jardin décoré de petits drapeaux plantés dans les arbres. Tous, neveux et nièces, enfants des quatre frères et sœurs de mon père, avions nos chapeaux de papier pointus et nos flûtes-serpentins. On sortait les jeux de poches et de fers à cheval et on essayait de ne pas trop traumatiser les lapins et les poules qui « picossaient » nos restants de croûtons dans l'enclos jouxtant le jardin. Quand nous étions très sages, grand-papa Hector nous emmenait dans le grenier de la grange contempler avec ébahissement – et scepticisme dans mon cas, je croyais que c'était lui qui les colorait – les petits œufs roses et bleus de son élevage de pigeons rares. C'est de sa mère que mon père avait hérité ces envies de perpétuels plaisirs car, à l'évidence, mon grand-père avait une vie plus secrète et plus contemplative.

Les hommes de la famille Ouimet ont tous été de joyeux lurons. Comme ils étaient fièrement indépendants, on pourrait croire qu'ils avaient choisi la vie maritale uniquement parce que c'était la norme à l'époque. Sans jamais avoir entendu de ragots sur les flirts possibles de mon grand-père Hector, je n'aurais pas donné le bon Dieu sans confession à mon père. À cet effet, une rumeur était devenue une évidence dans la famille. Au décès de mon père et au premier jour de l'exposition de sa dépouille, ma mère s'était rendue au salon avant l'ouverture. Quelle n'avait pas été sa surprise d'y découvrir, soutenue par ma tante Jeanne, une femme en pleurs, presque couchée sur le corps du défunt. Ma mère, interloquée, l'avait questionnée délicatement. Il avait alors été question d'une « première blonde d'avant son mariage »... mais, avouons-le, rien pour justifier de tels épanchements ! Mon père, à son décès, avait largement passé le cap des 30 ans de mariage. Tant d'effusions après toutes ces années ?

Tandis que nous y sommes, la rumeur voudrait que j'aie, quelque part, un demi-frère plus âgé que moi. Ce sont les propos que m'a tenus ma mère, au décès de mon père. Curieusement, elle n'en avait rien soufflé au reste de la famille, me faisant la seule dépositaire d'un secret sans doute lourd à porter. Essayait-elle de me passer un message sur ce qu'elle concevait comme la duplicité des hommes ? Mais ce fut là sa seule faiblesse, car mon père, pour elle, était un dieu. Finalement, après concertation avec mes frères et ma sœur, on a fini par convenir que c'était plutôt sympathique, et personne ne s'en offusqua. Comme ma mère s'était obstinée à ne voir que le côté parfait de son mari, elle ne se prononça, rebiffa ou questionna jamais sur le fait qu'il avait pu, sans sourciller, mener une double vie. TOUT ça n'existait pas ! Dès lors, ma mère ne voulut jamais savoir le pourquoi, à la mort de son mari et une fois l'accessibilité à ses comptes réglée, de la disparition de gros montants desdits comptes. Pas de questions non plus sur l'envoi à la maison d'un papier de rappel de voiture pour un véhicule ne nous ayant jamais appartenu officiellement. Elle n'a jamais voulu faire de lien avec la possibilité d'une vie parallèle. Autre grand mystère : sur son lit de mort, mon père avait inscrit d'une main tremblante sur un sac de papier d'emballage traînant sur sa table de chevet : « Germ... (Or, la femme qui s'était couchée sur sa dépouille répondait au nom de Germaine), va voir à l'île aux Grues. » Voir qui ? Quoi ? Comme pour amplifier tous ces mystères, on trouva aussi les clés d'un coffre de sûreté dans un des classeurs de mon père. Clés sans inscription, sans description, sans destination. Rien ! Il est mort sans jamais en parler et en ne laissant presque rien à ma mère, si ce n'est la maison où nous avions vécu pendant 20 ans et qu'elle a dû vendre pour vivre. S'il y avait de l'argent quelque part ailleurs, il aurait certainement pu lui être utile !

Il ne faut pas se méprendre. Mon père a été un bon père. Je l'adorais. À son départ, ma mère s'est enveloppée dans les grandes ailes noires du deuil et ne les a jamais rouvertes pour quiconque susceptible de lui donner un peu de joie ou d'affection. Elle ne nous a même jamais donné l'impression qu'elle en aurait eu la moindre envie. Quoique, à 80 ans, coquettement, elle prenait un drôle d'air pour nous dire : « Un homme a essayé de m'embrasser dans l'ascenseur. » Plaisanterie, peur ou désir ? Ou cherchait-elle à voir si nous aurions approuvé ? Je regrette beaucoup aujourd'hui que nous ne l'ayons pas encouragée davantage. Il y avait eu un temps pour pleurer mon père, il y aurait dû en avoir un autre pour retrouver le sourire, plutôt que d'apprivoiser une solitude et un ennui que notre présence constante n'arriva jamais à alléger.

Mon père était un homme rigide, sévère, formé par l'armée; il n'avait que quelques passions: ses filles et ses fils, la pêche et la chasse, la nature et la boisson. C'était également un «donneux» de cadeaux. Il ne nous oubliait pratiquement jamais. Au retour du travail, il avait toujours une petite boîte pour nous. À tel point que ma mère m'a raconté qu'il nous arrivait parfois d'oublier de les ouvrir, tant c'était devenu routinier. Un jour, s'en apercevant, il avait cessé. À peine avions-nous eu le temps, Judith et moi, de nous en étonner. Je tiens de lui ce côté dépensier, faisant mienne la maxime disant que: «S'il y en a eu un jour, il y en aura aussi demain. Et s'il n'y en a plus, on fera avec!»

Stoïque, il n'était pas homme de paroles et de mots, et il m'a fallu apprendre à le connaître à travers les non-dits. Cette incapacité à laisser paraître ses sentiments, par ailleurs si conforme aux normes de l'époque, n'a pu que m'influencer. Aguerrie au mutisme, j'ai appris à comprendre les êtres à travers leurs silences, davantage que par leurs bavardages. Qualité éminemment utile en interview. Avec le temps toutefois, et grâce au métier que j'exerce, j'ai fini par apprendre que l'expression des sentiments pouvait devenir un plaisir plutôt qu'une menace.

Côté cœur, mes hommes ont longtemps hérité du fardeau de me prouver qu'ils m'aimaient, alors qu'ingratement et ne sachant comment m'y prendre, j'ai rarement pu moi-même leur exprimer mon amour.

Je n'ai jamais su avec certitude si la vie de mon père avait été heureuse ou malheureuse. Je le savais infiniment libre dès qu'il mettait les pieds dans le bois, et infiniment opprimé par toute contrainte. Le mariage faisait-il partie des contraintes? Vivant selon les schèmes et valeurs acceptés de l'époque, il s'acquittait de ses devoirs par respect pour sa famille, conservant une attention soutenue à ses responsabilités familiales et un amour complice envers ma mère. Ce qui ne l'empêchait pas, à l'occasion, de donner plein de « petits coups de couteau dans le contrat de mariage ».

Mais revenons aux possibles galipettes de la famille Ouimet. Sans jamais qu'aucune preuve ni rumeur des incartades de mon grand-père Hector ne soit parvenue jusqu'à moi, je présume qu'il a bien fallu que mon père « prenne de la graine » quelque part ! J'en conclus que mon grand-père, avec ses sorties quotidiennes à l'hippodrome Blue Bonnets, trouvait ainsi le moyen de sauter la « balustrade ». Le jeu et les paris remplissaient sa vie et se sont peut-être, à l'occasion, révélés utiles. Quant à mon père, il utilisait la chasse pour prétexte. Je n'ai jamais eu la moindre certitude concernant ses soi-disant incartades, mais il avait une façon de décrire les courbes et la beauté des Amérindiennes des réserves que déjà, jeune, j'avais grand-peine à ne pas imaginer ce qu'il pouvait vivre lors de ses absences. Sans pudeur, il parlait de leurs dents blanches et de la finesse de leur peau cuivrée. Maman jouait à la femme jalouse et feignait de vouloir le frapper. Il riait aux éclats et levait le bras en faisant mine de se protéger. Tout cela était diffus. Malgré les rires et les plaisanteries, tout baignait dans le sous-entendu. Est-ce à ces images puisées à la source de ses fantasmes à lui que je dois d'avoir eu deux amoureux amérindiens par la suite ? Je n'en serais pas étonnée. Une petite fille cherche souvent à plaire à son père. Était-ce ma façon de me glisser dans sa vie secrète, son univers caché ?

Georges et Hector étaient des mordus de courses hippiques. À la mort d'Hector, on a trouvé un nombre incalculable de carnets remplis de chiffres, d'annotations, de statistiques de gains et pertes, couvrant des semaines complètes d'assiduité aux gradins. Je les ai encore chez moi. Il faut dire que mon grand-père, à titre d'échange publicitaire visant à faire connaître son commerce, fournissait à Blue Bonnets la camionnette qui tenait la barrière de départ des chevaux. Combien de dimanches ai-je passés à aller contempler cette « fierté familiale » roulant sur la piste? Il profitait donc d'une situation privilégiée pour réaliser des gains substantiels, tout en jouissant de l'accès libre aux séances d'entraînement des jockeys le dimanche après-midi. De cette façon, il était aux premières loges pour se faire une idée des chevaux qui réaliseraient les meilleures performances le soir même. Ajoutez à cela les conversations de paddock et vous comprendrez qu'il gagnait souvent! Pour ces sorties à l'hippodrome, il fallait s'habiller comme pour la messe, ce qui a permis à mon père d'inventer une phrase que j'utilise encore quand je veux complimenter quelqu'un sur son élégance: « T'es beau comme un cheval à quatre piasses! » Un pari régulier étant de deux dollars, le double représentait une belle mise!

Mon grand-père était un ratoureux et, lui aussi, un être de grands silences. Il manipulait sa famille comme des pions sur un échiquier. Chacun se surveillait. C'était à qui bénéficierait de ses passe-droits ou de ses largesses monétaires. Le grand mystère qu'il faisait de ses « avoirs » faisait rêver la famille. Cela a duré jusqu'à sa mort. Sans être millionnaire, Hector était à l'aise. J'ai su par ouï-dire que mon père était son préféré. Cela créait des envies.

D'autant plus que, guidé par ma mère, mon père aimait se payer du luxe, le genre de luxe qui poussait les autres à se demander d'où pouvait provenir tout cet argent. En fait, c'était bien relatif. Il ne s'agissait pas de grandes extravagances. Une voiture neuve, un fusil de chasse, un téléviseur couleur faisaient bien l'affaire. La famille se fâchait et réclamait la pareille. En fait, mon père dépensait toujours tout. Une vraie passoire. Jamais d'économies.

À travers les conversations familiales, j'ai très vite appris, et avec grand malaise, que certains de mes oncles et tantes Ouimet pouvaient me pincer les joues en me disant à quel point j'étais belle, sans en penser un traître mot. Ils aimaient bien sûr l'enfant que j'étais. Le malaise était ailleurs. Mes robes de princesse, mes cours spéciaux et mes études privées: tout les agressait. Va encore pour la beauté, tous les enfants sont beaux, mais on « flashait » trop, ma sœur et moi. Et mon grand-père Ouimet prenait un malin plaisir à désunir ceux qu'il avait engendrés. Je le soupçonne même de s'en être amusé allègrement.

Je vous ai dit qu'il possédait le garage Ouimet automobile, situé rue Saint-Hubert, angle Saint-Grégoire, et qui est devenu les Automobiles Popular, aujourd'hui. Mon oncle Robert s'occupait des finances, mon oncle Henri, de l'atelier de carrosserie – le *body shop* comme on l'appelait en ce temps-là – et papa, de la direction. Dès que mon grand-père eut placé ses enfants aux commandes, il décida qu'il pouvait se permettre de prendre une retraite anticipée sans jamais oublier d'aller chercher sa petite enveloppe le vendredi soir. Garagistes de père en fils ! Le rêve du patriarche se réalisait. Si cette perspective réjouissait les autres, ce n'était pas le cas de mon père. Quoiqu'il le fît méticuleusement, et y prît goût éventuellement, le métier de garagiste l'ennuyait au plus haut point. Papa avait été militaire avant de se marier. Il était lieutenant dans le régiment de Maisonneuve. D'ailleurs, j'ai encore ses boutons de veste et quelques épinglettes sur lesquelles il est inscrit *Tria juncta in uno* (« Trois en un »). L'armée, c'était sa fierté. Diriger des hommes, la discipline, les ordres, l'uniforme, le pouvoir, tout cela le grisait. Il aurait peut-être quand même pu éviter de rapporter certains « petits souvenirs » à la maison comme des obus et des grenades armées qu'il laissait traîner au sous-sol, entre le marteau et le ventilateur. Nous en avons même retrouvé, 30 ans plus tard, au fond de quelques boîtes non étiquetées. Comme ces objets jouxtaient les fusils de chasse et les revolvers toujours armés disséminés dans les tiroirs de la maison, cela faisait partie du quotidien.

En fait, mon père a fait l'armée, mais non la guerre. À la veille du départ en mer, alertée par l'imminence de la fin de la guerre, la moitié de son bataillon avait déserté. Le temps de regrouper ceux qui restaient et d'amorcer la montée du bateau, la paix avait été proclamée avant qu'il n'atteigne la haute mer, ce qui se révéla plus tard être un drame pour ma mère. Comme le vaisseau n'avait pas atteint la ligne des eaux territoriales avant la proclamation de la paix, ma mère s'était vu retirer le droit de toucher sa pension de femme de militaire ayant exercé un commandement.

L'armée, c'était à n'en pas douter la seule place où mon père avait pu donner des commandements sans souffrir aucune réplique. À la maison, entre ses filles et ma mère, il était en minorité! Sans jamais lever le ton, elle avait du répondant, la Lucille! Il s'amusait d'ailleurs, lorsque nous étions trop bruyantes, à nous lancer des ordres en anglais, comme dans l'armée:

– *Atten... tion! About! Turn! One, two...*

Ce qui ne manquait jamais de nous amuser au plus haut point.

Après son décès, maman distribua entre nous – et même aux petits-enfants qui ne l'avaient pas connu – des objets lui ayant appartenu du temps du régiment. Un peu pour maintenir sa légende, j'imagine. Pour le garder vivant et perpétuer sa mémoire pour la lignée, sa légende à elle, bien sûr, car ma mère était immodérément fière de son militaire de mari. Il n'y a pas si longtemps, alors qu'il m'était arrivé de souligner en interview que mon père avait été garagiste et ma mère coiffeuse, le lendemain, au téléphone, elle m'avait reprise, soulignant d'une façon douce, mais ne souffrant aucune réplique, qu'il était soldat gradé et elle, directrice et propriétaire d'un salon de coiffure! Tout devait toujours être plus beau que la réalité. Merveilleuse maman pour qui le ciel n'était certes pas une limite!

Dois-je admirer le caractère de ma mère ou m'en affliger? J'ai compris combien son besoin de paraître, plutôt que d'être tout simplement, a pu isoler cette femme de la famille et de ses amis. Elle était vouée, j'en suis sûre, à une magnifique carrière que le mariage a balayée. Et, comme le dit la chanson: «À défaut de réussir sa vie, elle a voulu, bien légitimement, réussir dans la vie. » Elle a donc vécu à plein cette époque durant laquelle le bonheur passait par la réussite sociale. Assurément, même s'il procurait une belle stabilité monétaire, le métier de garagiste offrait moins de prestige que celui de commandant de bataillon. Et si son mari devait être garagiste, il fallait immanquablement qu'ils aient la plus belle voiture et quelques privilèges. Mon grand-père n'a d'ailleurs jamais rien fait pour l'en empêcher, mon père, l'aîné, étant « son préféré ». Le partage du commerce familial a donc donné lieu à bien des guerres intestines, les sœurs ayant été écartées de la transaction.

Hector – et c'était bien son droit – avait décidé que le tour des filles viendrait à son décès. Dès lors, chaque famille s'est mise à calculer soigneusement les acquisitions de chacun. Ce n'était pas un sujet ouvertement discuté dans nos rencontres, mais dès que mon père et mes oncles faisaient étalage du moindre luxe, on sentait les pointes de la jalousie s'installer dans chaque conversation. Tante Germaine, la belle-sœur la plus incisive, était également la plus courageuse pour monter au front. Elle attaquait papa directement. Et devant nous, en plus. Ce qui m'échappait de conversations révélatrices, je le devinais à ses lèvres pincées et à son regard de braise attaquant le sourire sarcastique de papa. Tante Stella était la plus silencieuse. Je l'aimais beaucoup. Elle nous aimait sincèrement. Elle aimait les enfants avec passion. Elle aimait aimer, tout simplement. Cette dame aux grands yeux tristes avait vécu un drame affreux. Son fils idolâtré, né sur le tard, s'était fait tuer sous ses yeux par une voiture alors qu'il n'avait que deux ou trois ans. Je me souviens encore de mon arrivée dans la maison du drame. Je me rappelle ma tante hystérique, la flaque de sang, les petits souliers blancs tordus, éclatés, ces petits souliers embrassés et noyés de larmes par ma tante comme pour y retrouver la vie. Elle ne s'en était jamais remise. Elle buvait pour oublier, sortait pour s'étourdir. Son mari en était venu à écrire des lettres à son beau-père pour dénoncer sa fille et la vie qu'elle lui faisait mener. Je les ai encore avec moi, ces lettres. C'est vous dire l'ambiance familiale !

Que je vous explique : mon père avait une fascination bizarre pour le morbide. Le sang des caribous ou d'autres produits de sa chasse, passe encore. Mais c'était les drames, les accidents de circulation qui le mettaient dans un étrange état de surexcitation. Peu importe la difficulté d'accès de l'endroit, ses dangers inhérents ou le caractère insoutenable du drame, il me prenait par la main et m'emmenait voir les blessés. Ma sœur se cachait au fond de la voiture. Ma mère lançait des cris douloureux d'oiseau blessé :

– Fais pas ça, Georges ! Laisse-la dans la voiture. Elle n'va pas pouvoir dormir. Voir si ça a du bon sens !

Depuis lors, j'affiche un détachement exemplaire lorsque je me présente sur les lieux d'un drame. Si je peux perdre connaissance à la vue d'une éraflure sur le genou de mon père – ce qui m'est arrivé un jour à Marseille –, souhaitez m'avoir auprès de vous en cas d'accident grave. Je ramasse les chairs pendantes, réduis les fractures ouvertes, sais faire une pression si une veine principale se vide de son sang. J'ai même vu, sur le pont Jacques-Cartier, un médecin me demander, en termes techniques, quels soins j'avais apportés à une dame qu'on avait déclarée morte et que j'avais ramenée à la vie – même si l'on m'avait longtemps empêchée d'approcher la dame qu'on disait morte. Une force impérative me pousse à y aller. Je sais que je peux être utile. Ce n'est pas un manque de sensibilité. Au contraire. C'est que, la peur ne m'atteignant pas, je peux porter secours aux autres sans paniquer.

Cette capacité me vient probablement des réactions de mon père face aux tragédies. Au retour de nos expéditions auprès des blessés, il ne manquait pas de dire à ma mère, toute blanche et tremblante dans l'auto :

– Y en ont mangé toute une maudite ! Le premier char est irrécupérable. Le second est bon pour la *scrap*.

Le coût des dégâts était vite évalué, car il s'y connaissait. Mais il ne parlait que très rarement des blessés, sauf s'ils étaient morts. L'estimation était faite. C'était réglé.

Au garage, à part le fait qu'il aimait me traîner devant une voiture, puis une autre, en m'annonçant que le premier conducteur avait perdu un bras et que le second était paralysé à vie, le summum de l'horreur avait été cette voiture dans laquelle un homme s'était fait sauter la cervelle d'un coup de revolver. Je devais avoir 11 ou 12 ans. Devant moi, examinant les trous au plafond, il avait longuement supputé l'endroit où l'homme avait dû poser l'arme avant de tirer. Il en était venu à la conclusion qu'il avait dû se tirer dans la bouche. Il s'était alors mis à chercher les débris du crâne, avait trouvé des fragments d'os et me les avait montrés.

– Mais pourquoi il a fait ça, papa, le monsieur ?

– Je n'sais pas. Il ne devait pas être heureux.

– Mais pourquoi il s'est tué pour ça ?

– Faudrait-le-lui demander, mais on ne le peut plus.

– Mais pourquoi ?

– Arrête Danielle ! On ne le saura jamais.

Cette réponse ne m'a jamais satisfaite. De ce jour, j'ai toujours voulu savoir le pourquoi du comment en toutes choses. Et c'est épuisant ! Encore aujourd'hui – mais fort heureusement de moins en moins –, pour arriver à comprendre les peines que l'on m'inflige, je m'accroche avec excès, et souvent sans bon sens, aux motifs qui ont pu déclencher ces gestes de méchanceté. Même après avoir pardonné, je reste tenaillée par un drame intérieur, souvent disproportionné par rapport à l'événement qui l'a causé, et je n'arrive pas à oublier tant et aussi longtemps que je ne suis pas arrivée à me l'expliquer. Curieusement, je lie ce sentiment d'incompréhension à la mort. Ne pas savoir, c'est peut-être mourir un peu. C'est vrai pour l'amour. Pour la vie.

Rita Lafontaine, dans son livre *Comment dire*, écrivait exactement ce que j'aurais aimé pouvoir résumer à ce propos: « Si on ne juge pas, on aime. Si on comprend, on aime et si on aime, on pardonne. » Je pourrais la paraphraser et dire: « Si on ne juge pas, on comprend mieux. Si on comprend, on aime mieux et si on aime, on pardonne. » C'est parfois dur à appliquer. Qui aime recevoir des coups et dire qu'il aime ça parce qu'il comprend? Mère Teresa peut-être!

Néanmoins, j'ai eu l'occasion de me faire ainsi toute une carapace. J'ai acquis, pour être plus précise, un certain sens de la fatalité. La dois-je à ces moments de grandes émotions vécues dans ma jeunesse? Allez savoir!

Mais revenons à la famille Ouimet. Il me reste à parler de la tante Jeanne. Comme son mari était chef de police, il faut croire que le couple avait des dispositions pour l'ouverture d'enquêtes. Dans la famille, c'était elle qui posait les questions et de qui provenaient les trouvailles de nature tendancieuse. Il faut dire qu'à la mort de ma grand-mère, elle s'était déclarée d'office garde-chiourme de mon grand-père, allant même s'installer chez Hector. Du moins, c'était ce que l'on chuchotait dans la famille, et c'était largement discuté entre tantes et oncles devant nous. J'ai longtemps cru que le geste tenait moins de la compassion que de l'espoir d'une compensation éventuelle. Mon grand-père était parcimonieux et pas nécessairement juste dans le partage de ses largesses. Il faisait des promesses qu'il n'avait aucune intention de tenir, si l'on ne se révélait pas à la hauteur de ses exigences – exigences qui n'étaient d'ailleurs jamais très claires. Et s'il avait fallu que le grand-père se remarie et qu'il donne à la « nouvelle » ce qu'elle considérait comme son dû! Je dois admettre que ses inquiétudes étaient fondées, car mon grand-père finit par écarter ses filles du partage des biens au moment de son décès. C'est Jeanne qui nous a sensibilisés au

« pactole » du grand-père, comme elle disait, elle qui a pu consulter les livres, les chiffres et nous mettre tous sur le pied d'alerte pour la chasse au trésor. On a même dit qu'elle aurait dévissé quelques lampes, sondé quelques murs et qu'elle aurait trouvé ! En dehors de ces considérations banalement terre à terre, tante Jeanne avait donné le jour à deux filles adorables, Diane et Liette, que j'aime énormément et que j'ai toujours un plaisir réel à rencontrer, fort peu souvent malheureusement. Et à un garçon, Claude, qui a été le seul curé de la famille. Il en fallait bien un jusqu'à ce que, quelques années plus tard, il quitte la communauté, se marie et devienne père de famille.

Reste ma tante Hélène et ses filles. La seule belle-sœur de ma mère qui a choisi de se tenir loin de ces troubles familiaux. C'était une femme pétillante, joyeuse et toujours souriante. Mon oncle Robert, son époux, ayant eu la mauvaise idée de mourir jeune d'une crise cardiaque, elle était à l'abri du besoin grâce à une certaine aisance financière, puis à une généreuse assurance-vie, et ces histoires ne l'atteignaient pas. En 2004, elle est toujours vivante. C'est la dernière des « matantes » qui me reste du côté des Ouimet. Quand on m'approche parfois, dans des centres commerciaux, pour se décrire comme l'une de mes petites-cousines ou la fille de..., je ne suis jamais indifférente, distraite peut-être, mais jamais indifférente. Je ne connais pas vraiment la famille. Trop de gestes commis par les aînés et l'usure des guerres familiales nous ont séparés. Dès qu'un froid se produisait, on embarquait les enfants dans le « char » ; une coupure diplomatique s'installait, un peu comme une punition, et nous devions vivre, nous aussi, le drame des adultes en sacrifiant nos jeux à leurs querelles. Était-il convenu que nous devions vivre tacitement les drames des adultes ? J'en doute. Mais rien ne nous autorisait à croire le contraire. On se haïssait tout d'un coup, sans raison. Pour choisir un camp, pour faire un territoire ? C'est ainsi que se tisse la toile de l'indifférence. On ne sait pas pourquoi on ne s'aime pas, mais on ne sait pas non plus pourquoi on devrait s'aimer. Aujourd'hui, heureusement, tout est différent. Les oncles et tantes n'étant plus là, nous reprenons plaisir à parler du passé, et les liens se sont refaits pour mon plus grand bonheur.

J'ai eu la grande chance de vivre entre deux familles complètement différentes que j'ai pris plaisir à appeler ma famille Yin et ma famille Yang. Je vais maintenant vous parler des Bruneau, la famille de ma mère. Imaginez une maison de planches blanches au toit suspendu sur la vie de trois familles, des portes toujours ouvertes, des enfants pleins les balcons, des oncles qui sentent le Old Spice et des tantes qui, à ton arrivée, te serrent fort, fort dans leurs bras en disant qu'elles se sont tellement ennuyées. Et dans le cou, au moment des baisers, une odeur de vêtements séchés au grand vent.

Tous les 15 jours, nous faisions trois heures de route, le cœur au bord des lèvres, car mon père fumait le cigare en voiture, pour nous retrouver chez Lauda Fréchette et Jean-Baptiste Bruneau, à Windsor Mills, un petit village des Cantons-de-l'Est niché entre des collines verdoyantes logeant une colonie de vacances et un moulin de pâte à papier. Même s'il puait abondamment, le moulin avait la délicate attention de nous prédire à coup sûr la température du lendemain. Ma grand-mère m'avait appris avec justesse que tout dépendait de l'inclinaison et de l'odeur des volutes de fumée blanche émanant de sa cheminée. Dans la voiture, chemin faisant, c'est à grand-peine que ma mère contenait notre impatience. Elle nous faisant chanter ses chansons du couvent. Du coup, je me rappelle un magnifique cantique, un air si doux:

L'ombre s'étend sur la terre,
Vois tes enfants de retour,
À tes pieds Auguste Mère,

Pour chanter la fin du jour.
Ô vierge tutélaire,
Ô notre unique espoir,
Entends notre prière,
La prière et le chant du soir.

Plus tard, adolescente, j'ai remplacé ces chants pieux par les airs du palmarès américain qu'on jouait à la radio. Je chantais à tue-tête et suivais les paroles dans les livres de *Song Hits* achetés à même mes économies. Soixante cents, une dépense folle! Et gare à celui qui aurait osé baisser le son pendant que je me prenais pour Peggy Lee ou Paul Anka! *Put Your Hand on My Shoulder...*

Lors de ces voyages, le duo des petites Ouimet finissait invariablement par faire éclater les ressorts de la banquette arrière. Nous sautions ensemble en hurlant en chœur: « Grand-papa, grand-maman! » jusque dans la cour. La voiture s'était à peine pointée dans la cour, qu'un essaim de cousins et cousines, enfarinés de la poussière du sentier menant à la maison, s'accrochaient à la portière en riant et en criant. Michèle, Georges, Charlotte, Suzanne « la banane », Louise, Andrée, Sylvie, Guy formaient la première garde, car ils habitaient soit dans la grande maison de 16 pièces de Lauda, soit devant chez mon oncle Maurice et ma tante Réjeane, soit bien plus haut dans la rue, près du boulanger ou du coupeur de bois dont les enivrantes odeurs embaument encore mes narines, revêtant ces souvenirs d'enfance d'une sensualité olfactive. Et puis venaient les enfants de Jovette et Gérard Pépin, de Robert et Hortense, d'Hercule et Rollande, de Marie-Paule et Gérard Rouillard.

C'est cependant avec les enfants d'Hermance et Albert Bell que j'ai connu les premiers émois du spectacle. Oncle Albert, tout en étant chef de police à Asbestos – celui-là même qui a arrêté Pierre Elliot Trudeau au moment des troubles de la mine –, était propriétaire d'un petit cirque que j'ai parfois accompagné en tournée. C'était la liberté à l'état pur. Jamais n'ai-je connu par la suite pareille griserie. À l'époque, le chef de police devait souvent vivre au poste de police même. Albert avait donc installé sa famille au deuxième étage de ce complexe qui comprenait la prison et la salle paroissiale, dont il avait fait sa salle de spectacle. Tous les soirs, avant les devoirs des enfants et le service des repas (assuré par ma tante) qu'elle devait donner aux prisonniers, il fallait s'exercer à la contorsion, à l'équilibrisme, aux sauts et à la haute voltige. Benny, Carmen et Kate étaient mes idoles. J'oubliais vite la rigidité et l'exigence des exercices pour ne rêver que costumes de scène et numéros de haute voltige. Kate et moi avions nos anniversaires à 10 jours d'écart. Sachant qu'elle détestait que je touche à ses costumes, j'avais réussi un jour, avec la complicité de son père, à me faufiler jusqu'à l'immense malle dans laquelle on rangeait les maillots pailletés et les bas résille. Me trouvant mignonne ainsi costumée, mon oncle m'avait fait faire quelques exercices, attachée par la cheville, pendue la tête en bas, afin de me prendre en photo. Mais Kate, furieuse, s'en était aperçue et s'était mise à me poursuivre avec un couteau à travers l'auditorium. C'est tout juste si j'avais eu le temps de refermer la porte d'une cuisinette pour me cacher. M'effleurant la tête, elle y avait planté le couteau, traversant la porte de part en part. J'en ris aujourd'hui, mais l'événement aurait pu tourner au tragique.

Benny était le plus indiscipliné des trois enfants. Toujours à la recherche d'un mauvais coup à faire. Je me souviens d'un jour où il était revenu hystérique à la maison, essayant de rallumer dans le poêle à bois une torche qu'il avait éteinte et qui servait à indiquer à deux trains qu'ils étaient sur la même voie. La catastrophe avait été évitée de justesse. Il avait également une détestable habitude, celle de s'emparer des cadeaux qui m'étaient destinés et, prétendant vouloir me les rendre, de les placer juste à portée de main avant de les retirer d'un coup et de s'amuser à me voir courir à sa poursuite. Puis, feignant enfin de me les rendre, il les brisait et me les remettait en morceaux. Quelque 20 ans plus tard, l'ayant oubliée, il m'a révélé la tactique que j'avais imaginée pour le décourager une fois pour toutes de ce manège. Entourée de mes cousines qui ne pouvaient deviner mes intentions, j'avais caché mes mains derrière mon dos, histoire de le provoquer à recommencer son petit jeu. L'œil coquin, sûr de son coup, il s'était approché de moi et, une fois à ma portée, je lui avais fendu l'arcade sourcilière avec la pierre que je cachais derrière moi. Il n'a plus jamais recommencé. Il avait dû mettre ma patience à rude épreuve pour que je réagisse si violemment. Un tel comportement, s'il avait été rapporté à mes parents, m'aurait valu une punition très sévère. Quoique je soupçonne que mon père m'eût secrètement approuvé. Pour lui, se défendre n'avait pas « de sexe ».

En l'absence de ma mère et sous prétexte de nous endurcir, papa nous soumettait, ma sœur et moi, à des pratiques bizarres quoique, à l'opposé de ma sœur, j'aie toujours recherché les situations extrêmes. Je devais avoir quatre ou cinq ans quand mon père nous installa, avec nos cousins et cousines, sur le toit de sa voiture, nous étendant sur les traverses de bois du porte-bagages à monture d'aluminium et nous recommandant de bien nous agripper à la monture d'environ 15 cm de hauteur. Il avait choisi pour l'exercice une route de gravier peu fréquentée. Nous avions dévalé les coteaux à une vitesse qui nous semblait vertigineuse et qui m'avait donné l'impression d'une merveilleuse invincibilité. Est-ce pour cela qu'aujourd'hui encore je me lance dans des aventures que bien des gens refusent d'essayer ? Comme de participer à un derby de démolition, faire du rafting aux premiers jours du printemps, ou de la montgolfière que je faisais déjà assidûment il y a de cela 30 ans ? Les risques me grisent et me rappellent sans doute les yeux brillants et la fierté qu'avait mon père à me voir transcender mes peurs.

Plus dangereuse encore était cette habitude hivernale de nous « corder » comme du bois sur des luges qu'il accrochait à son véhicule au moyen d'un long filin, pour nous tirer ensuite à vive allure sur des routes désertes. On aurait pu s'éclater la tête sur un des arbres en bordure de route. Pensez-vous que cela aurait pu l'arrêter ? Oh que non ! Lorsque, frigorifiée, mes bottes brunes en caoutchouc parées d'inutiles attaches de métal laissant passer la neige, je réclamais un peu de chaleur dans le véhicule, il me faisait boire une gorgée de gin pur et me retournait à mes cascades.

Je n'ai que très peu de souvenirs de mon enfance en ville. Deux événements cependant ont marqué ma mémoire au fer rouge. Sans doute parce qu'ils ont servi à former l'adulte que je suis devenue. Je n'ai pas encore réussi à analyser le pourquoi et le comment de leur empreinte. Leur existence suffit, et je n'ai pas cherché plus loin.

Ma sœur Judith et moi dormions dans la même chambre. Jusqu'à un âge relativement avancé, nous avions un « couvre-feu » à respecter : 19 h l'hiver, 20 h l'été, et à l'heure qu'il nous plaisait lorsque nous étions en visite à Windsor. Nous dormions la porte ouverte, car nous avions toutes deux une peur incontrôlable de la noirceur. Évidemment, plus nous vieillissions et plus nos conversations retardaient notre sommeil. Ce qui, immanquablement, faisait apparaître mon père dans le cadre de la porte, nous menaçant de la fermer si nous ne cessions pas nos bavardages. Comme tous les enfants, nous désobéissions et la porte se fermait. Nous nous retrouvions toutes les deux, muettes de terreur, convaincues qu'un ours se cachait dans les rideaux. Allez donc savoir comment cette idée avait pris forme dans ma petite tête de sept ou huit ans, toujours est-il que je m'aperçus que « cet ours » invisible avait pris la fâcheuse habitude de me contrôler et qu'il fallait vite remédier à la situation. Un soir que mon père était venu, de toute sa grandeur, nous menacer à nouveau de fermer la porte, je m'étais levée, m'étais saisie de la poignée et l'avais moi-même refermée avec force, ordonnant à ma sœur de se taire immédiatement. Surpris de l'impulsivité de mon geste et nous croyant endormies, mon père vint rouvrir la porte. J'attendis qu'il s'éloigne et la refermai à nouveau, doucement cette fois. Je fis comprendre à Judith qu'en très peu de temps nos yeux s'habitueraient à la noirceur et que cela serait suffisant. Je n'ai plus jamais voulu dormir avec la porte ouverte par la suite.

Remontant encore plus loin dans l'enfance, je retrouve un souvenir exerçant encore sur moi une force puissante. J'arrive, encore aujourd'hui, à en revivre chaque moment comme s'il s'était passé hier. À trois ans, je contractai la scarlatine, ce qui exigeait à l'époque une mise en quarantaine qui durait trois semaines ! On avait, à mon insu, décidé de m'hospitaliser à Sainte-Justine où l'on en profiterait pour m'enlever les amygdales. Ce matin-là, je trouvai bizarre que l'on m'habille d'une petite jupe de laine anglaise – ma préférée –, d'un chemisier blanc à col de dentelle, et que l'on ne fasse pas la même chose avec ma sœur. On m'expliqua que j'allais accompagner mon père pour une estimation qu'il devait faire sur une voiture accidentée, mais comme je ne l'avais jamais fait auparavant, je me suis mise à pleurer et refusai de le suivre. Pour me calmer, on me donna un nouveau jouet : une petite caisse enregistreuse de plastique jaune et rouge dont le tiroir s'ouvrait quand j'appuyais sur les touches. Ce cadeau réussit à me distraire un certain temps, mais quand la voiture de mon père s'engagea dans le stationnement de l'hôpital, je sentis qu'un danger me menaçait et me mis à pleurer rageusement. Personne n'arrivait à me calmer. Je me souviens encore de ces infirmiers qui, assistés du Dr Gauthier, notre médecin de famille, m'enlevèrent sauvagement à mon père. Je réclamais ma caisse enregistreuse qu'on lui avait rendue en lui expliquant que je ne pouvais la garder, car l'hôpital était un foyer de microbes hautement transmissibles. Il me la tendit tout de même, mais je ne la revis, effectivement, jamais plus. On m'emmena dans une salle commune où tous les lits, hauts sur pattes et entravés par des barreaux, étaient séparés par des rideaux blancs. J'occupais le dernier lit de ce long corridor, mais le fait qu'on m'ait placée près de la grande fenêtre donnant sur l'extérieur réussit à me calmer un peu. On me revêtit de la jaquette réglementaire, qui devint pour moi une entrave, m'obligeant à rester dans mon lit pour éviter que je ne contamine les autres patients. Ma jaquette était munie de deux longues lanières de tissu cousues sur les côtés, que l'on nouait au lit pour m'empêcher d'en sortir. Je fus opérée le lendemain. Je me rappelle avec précision le cône qu'on me mit sur le visage et l'odeur d'éther qui en envahit l'espace grâce à un petit ventilateur placé sur le dessus. J'ai dû me débattre ; de l'éther pénétra dans un œil. Je me souviens d'avoir eu atrocement mal à la gorge par la suite ; une religieuse m'apporta de la crème glacée à la vanille dont je ne retrouve encore aujourd'hui le goût particulier que dans une seule marque vendue dans le commerce. Au moment de la sieste, elle déposa quelques jouets sur mon lit pour me distraire. J'appris très vite à prendre soin de ne pas les faire tomber, car s'ils avaient le malheur de toucher le sol – comme cette petite cape de chaperon rouge en plastique –, je ne les revoyais plus jamais, tant on craignait la contamination. Je devais beaucoup pleurer, car on m'emmenait souvent me promener, attachée dans mon lit sur roulettes, voir de loin mes petits camarades plus malades que moi. Je compris vite que si ce lit roulait, je pourrais arriver à le faire avancer en me cramponnant aux barreaux et en imprimant à la monture de petits coups brefs afin de lui donner une direction. Je me retrouvais souvent au milieu de la pièce. Au début, on me remettait dans mon espace, mais on comprit que je m'ennuyais et que ce passe-temps contribuait à assécher mes pleurs. On me laissa faire, mais mal m'en prit. Quand mes parents eurent droit de me rendre visite, on ne leur permit pas de m'approcher, et ce n'est qu'à travers un grillage, percé dans le mur derrière mon lit, que je pus les apercevoir. À leur arrivée, comme j'étais au milieu de la salle, j'entendis d'abord leurs voix. Je compris qu'ils étaient à la tête de mon espace et entrai dans une crise folle, essayant de ramener mon lit vers eux, opération qui se révéla ardue. Incité par mes pleurs, mon père enfonça le grillage et me tendit des friandises en m'enjoignant de les cacher, car je n'avais droit à aucune nourriture venant de l'extérieur. Je me souviens encore de cette boîte de dragées roses et bleues en forme de poupons emmaillotés. Ce soir-là, malgré leur départ, je dormis bien. On ne m'avait pas abandonnée comme je l'avais cru depuis mon premier jour à l'hôpital. J'essayai, de ce jour, de m'endurcir face à l'abandon. Sans réponses à mes questions, j'en conclus qu'il me faudrait, pour survivre, faire taire cette terreur du vide en me fiant exclusivement à mes propres ressources. C'est d'ailleurs, en vieillissant, ce comportement qui a primé. Dans la douleur du départ de ceux que j'aime, je m'isole. Personne ne saurait m'aider mieux que moi-même, dans cette peur vertigineuse de la désertion…

Enfant, j'aimais si fort, si tendrement ma grand-mère Bruneau que, lors de mes séjours chez elle, je la quittais rarement d'un pas. Comme j'étais la première-née d'une fille qu'elle ne voyait pas assez souvent, puisque nous habitions Montréal, son évidente faiblesse pour moi se traduisait de diverses façons. Lorsqu'elle désirait me gâter de façon exclusive et à l'insu des autres, elle mettait le crochet à toutes les portes de la maison et me concoctait un « flotteur » : une boule de crème glacée à la vanille dans un grand verre de Seven-up, qu'elle m'enjoignait de déguster en cachette. Nous avions également pris l'habitude de nous lever tôt toutes les deux. Lauda m'enroulait dans une catalogne et m'asseyait face à elle dans l'immense cuisine, devant la table en formica jaune à large parement chromé, à la mode de l'époque, qui remplaçait la grande table d'acajou recouverte d'une nappe de dentelle qu'elle réservait pour la salle à manger. Et le rituel commençait. Dans un silence que je respectais religieusement, elle allumait d'abord le poêle à bois, relevait les stores et ouvrait la cage de Kiki, sa perruche favorite. Dès que le soleil venait un peu réchauffer la table de ses rayons, l'oiseau s'y installait, perché sur le rebord de son assiette dans laquelle elle avait déposé quelques tranches de pain grillé qui embaumaient la vanille et la noisette. Elle n'avait pas entamé le premier morceau que l'oiseau se posait sur son épaule et lui disputait sa part du déjeuner, recueillant parfois les miettes au bord de ses lèvres.

Quand j'avais peur, comme lors des orages, elle m'emmenait calmement sur la galerie. On s'asseyait côte à côte, elle me serrait contre elle et, quand la foudre se déchaînait, elle disait d'un ton rassurant :

– Écoute. C'est le bon Dieu qui joue au bowling dans le ciel.

Ma grand-mère ne me mentait jamais. À mes yeux, elle avait tous les pouvoirs. Même qu'un miracle a eu lieu chez elle. Un vrai !

Hermance, ma tante bien-aimée, avait été atteinte d'une maladie rare qui l'avait rendue aveugle. Au moment du chapelet en famille, un soir, alors que tous étaient à genoux et que le cardinal entonnait sa prière, diffusée à CKAC de la cathédrale Marie-Reine-du-Monde : « Vierge sainte, donnez-nous la grâce de célébrer dignement vos louanges et la force de résister aux ennemis de notre salut», ma tante avait miraculeusement recouvré la vue.

Windsor aura été l'endroit de mes premières amours durables. Beaucoup plus libre qu'à la ville, je parcourais la campagne, en visite chez une tante puis une autre, laissant mon adolescence s'adonner au plaisir d'intenses découvertes, libre des interdits, des peurs, des obligations de la ville. J'en garderai une dualité essentielle à mon existence : sans la ville et son effervescence je ne peux m'animer ; sans la campagne et sa moite beauté, je ne peux vivre pleinement.

Je fais digression pour vous rapporter une anecdote amusante. J'assistais à un tournoi de golf, il y a de cela quelques années, quand on a souligné la présence dans la salle de M. Duke Doucet, une grande personnalité du golf canadien, originaire de Windsor Mills.

Après de longues hésitations, et encouragée par Richard Neault (directeur du club Saint-Denis et fan inconditionnel de nombre de golfeurs partout dans le monde) sans qui je n'aurais pas fait cette démarche, je me suis approchée de lui :

– Bonjour monsieur Doucet. Je ne sais pas si on vous l'a dit, j'ai passé toute ma jeunesse dans votre village. Mon père et mes oncles allaient à la taverne de votre père, et…

– Ben voyons Danielle. Bien sûr que je me souviens de toi !

– Ah oui ?

– Même que je ne peux pas t'avoir oubliée… Regarde.

Il a pointé à son menton et sur sa lèvre, une cicatrice.

– C'est à cause de toi si j'ai ça. Receveur, je jouais au baseball un jour que tu passais dans la rue. Au lieu de m'occuper de la balle qui arrivait, je me suis étiré le cou et j'ai reçu le bâton en pleine figure.

Je ne m'en souvenais pas. Par contre, l'idée de ne pas m'être arrêtée pour l'aider m'étonne. Peut-être qu'effrayée, ai-je choisi de croire que ça ne pouvait pas être ma faute. Ou peut-être ne m'en suis-je pas rendu compte, après tout!

Déjà, préadolescente, j'avais tendance à tomber amoureuse de quiconque me témoignait de l'attention. Il y avait eu Jean-Pierre Bélisle avec qui, à 10 ou 11 ans, je jouais à la « tag » dans la cour du collège Marie-de-France qui était une institution mixte à l'époque. Un matin, j'avais demandé de l'argent à ma mère afin de lui acheter une glace. Jean-Pierre avait jeté son dévolu sur une nouvelle flamme et la « taguait » plus souvent que moi. Je pensais pouvoir le récupérer en lui offrant une friandise. Du moins, c'est ce que m'a raconté ma mère. Il y eut aussi les frères et les cousins de mes amies de collège, Danielle Gagnon et Nicole Charbonneau. Comme je devais du même coup affronter la famille de mes amies, c'était plus délicat.

Mais rien ne fut plus doux que l'émoi ressenti quand j'aperçus pour la première fois celui que je considérais comme le plus beau gars du village.

Il s'appelait Jean-Rock Brindle et habitait à proximité de chez ma grand-mère, dans la 2e Avenue. Pas trop grand, les cheveux presque noirs, les yeux ourlés de cils interminables, un sourire à la Rock Hudson, Jean-Rock avait 18 ans. Mes parents le trouvaient un peu trop âgé pour moi. Bizarrement, jusqu'à mes 30 ans, je fréquenterai des hommes plus âgés. Ensuite, ce sera souvent le contraire.

Mes cousines démontraient autant d'intérêt que moi pour Jean-Rock. Nous le considérions comme une « petite merveille ». Le rencontrer pour la première fois ne fut pas une mince affaire. Pour en arriver à précipiter les événements, j'élaborais, avec mes cousines, des plans complètement tarabiscotés. Durant mes vacances d'été, j'avais vite fait de remarquer qu'il dévalait, à heure fixe, la côte de la 2e Avenue pour aller chercher le courrier à la poste. Comme par hasard, nous étions toutes sur le bord de la route pour le voir passer, ce qui nous permettait de proférer, de temps en temps, un très hésitant et imperceptible bonjour qui ne trouvait pas toujours écho. Timide, je n'arrivais pas à briser les barrières et à amorcer une approche franche et directe. Comme pour ajouter au défi, Jean-Rock, lors de ses sorties, marchait la tête basse et ne regardait personne. Nous le traitions de « maudit frais ! » sans trop savoir pourquoi. Je rageais à l'idée que mes cousines puissent avoir une longueur d'avance, puisque j'habitais, moi, à 250 km de son village. Pour établir un premier contact, j'ai laissé mes cousines, beaucoup plus débrouillardes que moi, faire les premiers pas, puis je me suis intégrée au groupe, même si cela devait saborder leurs projets. N'avaient-elles pas d'ailleurs montré de l'attirance pour un autre bellâtre du nom de Darcy Cayer ? Dans ma candeur juvénile, je les avais chargées de la mission de lui faire croire que j'avais une sœur jumelle. Ainsi, je pouvais me risquer à l'approcher et même à dire des âneries sans que Danielle puisse en être tenue responsable. Le temps venu, je n'aurais qu'à « assassiner » mon double en traitant évidemment mes cousines de menteuses. Dieu que tout cela était compliqué !

Allez savoir pourquoi, lorsque Jean-Rock comprit que l'on s'intéressait à lui, c'est moi qui fus choisie.

Notre première véritable rencontre eut lieu dans la rue. Jean-Rock, à qui je parle encore tous les 15 avril, jour de son anniversaire, m'en a rappelé l'endroit. C'était près de la boulangerie de la 1re Avenue, tout près du bureau de poste. Faisais-je le guet, désireuse de ne pas le rater ? C'est possible. Rien ne m'arrêtait lorsque j'avais une idée en tête. Mais ni lui ni moi n'avons gardé souvenir de ce que l'on s'était dit. L'essentiel était que nous allions nous revoir, ce qui n'allait pas sans mal, mes parents étant extrêmement sévères. Dans une conversation récente, Jean-Rock me rappela que mes parents ne toléraient pas que l'on se tienne par la main. Ce qui m'amuse beaucoup, car me vient à l'esprit, au contraire, l'évocation de ces moments d'émoi voluptueux où, maladroitement, nous ne nous gênions pas pour contrevenir à leurs directives. Quoique nous n'ayons jamais été amants, je n'ai pas souvenir que nous nous en soyons privés.

Assez paradoxalement, si nous étions très discrets devant mes parents, ceux-ci me laissaient toutefois libre d'aller le visiter chez les siens. Et Rolande, la mère de Jean-Rock, toujours présente, nous laissait seuls au salon. Ce qui donnait lieu à de sérieuses séances d'embrassades silencieuses. Mais quelle puissance dans l'émotion !

Jean-Rock réfute encore l'histoire du premier *french kiss* échangé près de la porte de sortie, dans l'immense cuisine de ma grand-mère. Louise, ma cousine la plus âgée, devait me servir de chaperon en tout temps. Complice, elle disparaissait parfois, histoire de me laisser quelque intimité. C'était l'hiver. Il portait ce jour-là un chandail ocre et noir que j'aimais particulièrement. Qu'est-ce qu'il était beau, mon chevalier ! J'allais l'aider à enrouler son foulard autour de son cou quand il s'est approché, m'a plaquée au mur tout en gardant une main sur la poignée de porte, au cas où l'on nous surprendrait, et m'a écrasé sur la bouche un baiser humide et fougueux. Puis il est sorti si vite qu'il a glissé sur la première marche et, en déséquilibre, s'est enfui en touchant à peine les autres. Ça y est, j'avais eu mon premier *french kiss* ! Nous allions sûrement nous fiancer, j'en étais persuadée. Et encore plus si j'étais enceinte ! Car oui, je faisais partie de cette génération à laquelle les mères tendaient le livre *Je suis une grande fille maintenant...* en ajoutant : « Si tu as des questions, viens me les demander. » Sentant la mienne peu à l'aise avec le sujet, comment aurais-je osé avoir plus d'aisance ? Je n'avais évidemment pas ouvert le livre. Non initiée à la sexualité, la pensée d'une grossesse m'avait effleurée jusqu'à ce que ma cousine Louise, plus délurée, m'explique que si un baiser pouvait jouer le rôle d'agent déclencheur, il ne risquait nullement de me rendre enceinte.

Nos rencontres nous emmenaient à la colonie de vacances, une plage au cœur de la ville, où l'on pouvait se rafraîchir dans un bassin créé par un barrage sur un bras de la rivière Watapeka qui se déversait dans le lac Saint-François. Nous nous baignions au milieu des billots de pitoune flottant vers l'usine de pâtes et papiers, ressortant parfois les jambes couvertes de sangsues. La plage, au sable grossier et gorgé d'eau, recueillait nos bavardages. Nous y restions étendus, attendant pour la baignade que s'écoulent les deux heures requises après le repas, selon les croyances de l'époque. Y contrevenir nous aurait, croyait-on, menés tout droit à la noyade, aux prises avec des crampes paralysantes entraînées par la digestion !

Parfois, la sieste nous trahissait. Chastement, Jean-Rock posait un bras, une jambe sur moi. Endormis par la chaleur, nous sortions du sommeil le torse et les épaules zébrés d'un coup de soleil, sur lequel se découpait l'ombre blanche du membre indiscret. Ce qui faisait rire tout le monde, sauf mes parents.

Pour se rendre sur ce site, accessible par un chemin de terre, Jean-Rock et moi préférions emprunter un sentier à travers la forêt. Un jour, près d'une pierre, je remarquai un tout petit sapin qui devint la raison principale de tous nos détours. Nous lui avions donné la vertu de grandir à la source même de la magnificence de notre amour. Car, nous en étions convaincus, nous serions toujours là 20 ans plus tard. En pèlerinage à Windsor Mills, 20 ans plus tard justement, j'ai cherché la pierre et l'arbre, mais l'implacable essor de la ville les a fait disparaître. Comme a disparu notre amour en raison de la distance, ma mère m'ayant ramenée à Montréal pour me distraire de cette envahissante adoration si peu conforme à ses vues. Elle m'inscrivit à tant d'activités que rien désormais ne me parut plus inutile que d'aller m'enterrer à la campagne.

En attendant, Jean-Rock faisait des études de chimie à Shawinigan et revenait me voir tous les 15 jours, lorsque je visitais mes grands-parents. Pendant ses absences, nous nous écrivions de longues lettres, dont j'attendais avec anxiété la livraison, comme si ma vie en dépendait. Or, à l'époque, le facteur passait matin et soir. Et comme il était encore de service le samedi, en matinée, les occasions d'attente étaient nombreuses.

Les mois passaient dans l'anticipation constante de revoir mon amoureux tous les 15 jours. J'avais le secret désir qu'il puisse avoir le courage d'affronter mes parents et de me demander en mariage. J'entraînais ma grand-mère dans ces projets fous et, déjà petite, je lui disais :

– Quand je vais me marier, je vais avoir une longue traîne à mon voile. Et c'est toi qui vas le porter quand j'entrerai dans l'église.

– Mais voyons Danielle, quand tu vas te marier, je ne serai plus là. Ça sera le plus tard possible. Tu as tellement de choses à faire avant.

– Si tu n'es pas là, grand-maman, je ne me marierai jamais.

J'ai failli tenir promesse. N'eût été le seul mari que j'ai eu à 38 ans et qui est arrivé à un moment où, pleine de doute, je questionnais mon aptitude à m'engager à fond dans une relation, j'aurais sans doute suivi ma pensée première.

Elle m'expliquait alors que rien n'était plus beau et légitime que de vouloir fonder un foyer heureux, mais qu'il ne fallait jamais perdre de vue que l'individualité passait avant tout, et même par-dessus les sentiments de sécurité et de normalité d'un mariage heureux. Dans les faits, et ce, malgré mes 14 ans, c'est l'émancipation que je réclamais. Tenaillée par un désir constant de liberté, je voyais Jean-Rock comme ma planche de salut. Je réclamais l'engagement au même titre que la liberté.

Ce n'étaient pas les visées de ma mère; et de me voir ainsi, pendant deux ans, poursuivre cette passion sans faiblir, commençait, en dépit de son appréciation de Jean-Rock, à l'inquiéter. Puisqu'elle ne pouvait me prendre de front, connaissant mon opiniâtreté, elle décida de m'accorder plus de liberté pour un tas de petites choses sur lesquelles elle avait exercé jusqu'alors une sévérité sans faille. Comme la permission de sortir à l'occasion jusqu'à 22 h, permission qu'on m'avait accordée à la campagne, puisque j'étais accompagnée de mes cousines, mais qui avait été non négociable à Montréal.

Cette permission se limitait cependant au Saranac, une boîte à chansons de 30 places où l'on s'entassait à 60, située boulevard Henri-Bourassa, à quelques coins de rue de notre maison, angle Saint-Laurent et Gouin, dans Ahuntsic. Elle était dirigée par Pierre et Jean Savard et installée dans la cabane-vestiaire d'un parc de tennis. C'est là que j'ai pu entendre, à leurs tout premiers débuts, Ferland chanter *Feuilles de gui*, les mains en corolle autour d'un énorme micro, Renée Claude, filiforme, chanter *La marquise coton* dans son éternelle robe longue, aussi noire que la longue chevelure qui lui frôlait la taille. Charlebois et son batteur Yvon Deschamps (eh oui!), Pierre Létourneau, Félix Leclerc, Claude Gauthier, Georges Dor... Ils étaient tous et toutes mes idoles et m'apportaient le rêve, me faisant insidieusement oublier la simplicité de la vie que j'avais imaginée avec Jean-Rock.

Pour mériter cette sortie et gagner le prix de mon billet, soit deux dollars cinquante, je devais exécuter quelques travaux à la maison. Mes parents, croyant sans doute mieux me contenir dans des études qui tournaient à la catastrophe, m'avaient mise pensionnaire chez les religieuses, au collège Saint-Maurice de Saint-Hyacinthe. Moi qui n'avais connu que les institutions à formation laïque, loin de me sentir brimée, jamais ne me suis-je sentie aussi libre que loin des miens, dans ce couvent où les sœurs faisaient grand cas de chacun de mes gestes. Chaque vendredi, je prenais l'autobus, impatiente de me retrouver à quatre pattes sur le plancher de linoléum vieux rose et noir de la cuisine, que je lavais à la main. Une fois asséché, j'y étendais la cire en pâte, puis faisais reluire le tout avec un chiffon doux – c'était avant l'arrivée de la polisseuse électrique –, ce qui me prenait bien deux heures à chaque fois. Et là seulement avais-je le droit de quitter la maison.

Au Saranac, antre pseudo-intellectuel, on ne buvait que du café, du Brio ou du cidre. Pierre Savard m'a avoué récemment que la cabane, n'étant pas isolée pour l'hiver, était régulièrement privée d'eau car, selon la température, les canalisations avaient tendance à geler durant la semaine. Il lui arrivait donc de puiser l'eau nécessaire au café... dans les toilettes! Toilettes qui se situaient directement sur la scène. Il fallait donc attendre la chanson suivante pour y entrer ou en sortir, ce que certains n'avaient pas la patience de faire, soulevant régulièrement un tollé de protestations au beau milieu de certaines chansons. Une folle dépense consistait à se payer une bouteille de cidre, chaud en été, le réfrigérateur étant tout aussi défectueux, et glacé l'hiver, puisque les bouteilles garnissaient les rebords des fenêtres.

Je bavardais photographie avec Ronald Labelle et Georges Robitaille, qui m'en apprirent les rudiments et à qui je servis fréquemment de modèle. Georges, je crois, était tombé amoureux de moi. Après 30 ans de silence, je l'appelai pour lui demander de revoir quelques photographies de l'époque. Il les avait toutes détruites, négatifs compris. Ce n'est qu'à présent que je peux véritablement mesurer l'étendue de sa déception. À 16 ans, ce genre de détail ne nous atteint pas trop.

Le Saranac, les photos, tout ceci faisait partie de mon jardin secret, et jamais je n'en parlais à Jean-Rock. Et si je l'ai fait, ça n'a pas du être souvent, sentant que l'effrayer pourrait être synonyme de le perdre.

Mais deux événements allaient donner le coup de grâce à ce confort amoureux et m'orienter dans une direction qui chamboulerait toutes mes intentions. Coup sur coup, je connus une première déception amoureuse et, de façon plus conforme aux ambitions de ma mère, j'accédai à la vie publique, grâce à une première émission de télévision.

J'avais 16 ans, et je m'apprêtais à fêter Noël. Sans avoir jamais rien réclamé, j'espérais de tout mon cœur que « mon homme » prenne l'initiative de m'offrir une bague de fiançailles, tout en faisant à mes parents une demande en bonne et due forme. Jean-Rock m'a bien donné la bague. C'était une jolie pierre de naissance qu'il me glissa au doigt en me demandant de nous considérer comme fiancés. Il a ajouté que lorsqu'il aurait terminé ses études, il ferait la demande officielle avec un bijou plus somptueux. J'étais terriblement déçue. Mon beau rêve, qui avait sans doute pris source dans toutes les lectures romanesques ayant alimenté mon imaginaire, s'effondrait « comme un p'tit gâteau mal cuit ». Éprise de grand large, l'affranchissement devait venir maintenant ou jamais. Mon prince blanc refusait le combat. J'allais donc devoir m'affranchir seule, ce qui sonna le glas de nos amours et convint parfaitement à ma mère. Ce n'était pas pour me marier à 16 ans qu'elle m'avait, dès la plus tendre enfance, soumise à des cours de diction, d'anglais, de chant, de pause de voix, de ballet, de ballet-jazz et de dessin.

L'émission *Jeunesse d'aujourd'hui* amena de nouveaux rêves, un plus grand défi. La liberté quoi ! Elle avait gagné.

La télévision

L'école me rebutait toujours autant. Mais ma mère comprit enfin que je risquais, si l'on ne me donnait pas tout de suite l'occasion de faire quelque chose que j'aime, de me transformer en une inquiétante rebelle, tant j'étais allergique à toute forme d'autorité.

Comme j'étais pleine d'idées et d'énergie, mais dépourvue des moyens pour les canaliser, ma mère décida de m'imposer des études supplémentaires. C'est ainsi que je fus inscrite à l'École des métiers commerciaux du Québec. Je fréquentais donc deux institutions : la régulière et celle où se donnaient mes cours du soir.

Par-dessus tout, j'adorais le dessin de mode. Pour l'une des rares fois de ma vie, j'avais rencontré un professeur prêt à m'aider dans ce qui avait le plus besoin de s'exprimer en moi : ma créativité. Ce professeur, M. Cardinal, avait une façon bien à lui de m'apprécier, par exemple, en montrant mes dessins à sa classe de jour. J'ai su, bien des années plus tard, de la bouche même de Jean-Claude Poitras, qui fréquentait la même école, que de nombreux élèves m'avaient prise en grippe sans me connaître, à force de me voir citée en exemple. Au grand soulagement de mes parents, ma voie semblait enfin tracée. Moi qui jusqu'alors avais été si tiède vis-à-vis de tout et même de la vie en général – mais n'est-ce pas la nature de l'adolescence ? – me trouvais soudain une passion et prenais un plaisir fou à anticiper mon entrée future dans la vie adulte. Je me voyais fort bien en train d'illustrer, pour les journaux, la mode de chez Eaton ou Morgan. À l'époque, et jusque vers 1975 environ, la publicité faisait encore appel au dessin. Jamais n'aurais-je cru que les muses de la création de mode étaient sur le point d'être sommairement assassinées. Un appel de ma cousine Suzanne, un certain soir du mois d'août 1962, allait chambarder tout mon avenir. Suzanne m'annonça qu'un concours avait été lancé par Janette Bertrand et Jean Lajeunesse dans le cadre de l'émission *Jeunesse d'aujourd'hui* et que j'avais tout ce qu'il fallait pour me qualifier, les exigences du concours portant d'abord sur les aptitudes. Ballet, chant, pause de voix, sport et dessin de mode, tous ces cours qu'on m'avait imposés depuis l'enfance afin de me tenir occupée, voilà qui me donnait, en dépit de mon jeune âge, une longueur d'avance.

C'est donc avec beaucoup d'espoir que j'ai posé ma candidature. Au risque de paraître prétentieuse, j'avais l'intuition que j'allais être choisie. Disons que j'étais naïve, optimiste et animée de la fougue et de la foi vierge des adolescents. J'avais enfin l'énergie de vouloir quelque chose et la confiance de pouvoir aplanir tous les obstacles. De n'être pas choisie m'aurait profondément mortifiée. C'est donc pratiquement sans surprise, mais avec une joie débordante, que je reçus l'appel de Janette qui m'annonçait son choix. Ce n'était pas la compétition qui m'allumait, ni même le fait de passer à la télévision. Et encore moins l'idée de rencontrer Pierre Lalonde, puisque je n'en avais que pour les Yves Montand, Léo Ferré, Charles Aznavour, Gilbert Bécaud, Philippe Clay chez les Français et Jean-Pierre Ferland, Pierre Létourneau, Claude Gauthier et Renée Claude chez nous. Cette rencontre ne m'apparaissait que comme un mal nécessaire, pratiquement une obligation.

Soyons francs, ce qui m'excitait vraiment, c'étaient les cadeaux qu'on donnait à la gagnante. Je me souviens d'un manteau de fourrure et d'une semaine de vacances dans les Laurentides à l'Auberge du P'tit bonheur, dirigée par le père de La Sablonnière. Puisque le concours donnait un prix similaire à un jeune homme, je me suis surprise à espérer qu'il soit très beau – ça ne pouvait pas nuire. Il pourrait tout au moins être mon « prix de consolation », car, si je ne gagnais pas, il fallait au moins que je sois finaliste. Mon côté frondeur avait tout de même ses limites ! Si ma mémoire est juste, le gagnant s'appelait Pierre Lebel. Beau il l'était, mais il ne démontra jamais le moindre intérêt pour moi. Assez bizarrement, je vois encore ce nom dans le bottin de l'Union des artistes. Je me demande si c'est le même.

En septembre 1962, j'entre donc pour la première fois dans le studio A du Canal 10, comme on l'appelait à l'époque, rue Alexandre-de-Sève. La salle principale est dans l'ombre. Personne à l'horizon. Au bout de mon bras, une toute petite valise ronde en cuir beige dans laquelle je transporte quelques éléments de maquillage. Hésitante, je ne me sens pas tout à fait à l'aise dans ma robe noire, toute droite et étroite, trop longue à mon goût, surmontée d'un chemisier de satin blanc à petit pois noirs. En attendant, curieuse, j'essaie de me frayer un chemin à travers le réseau de câbles des caméras, qui serpentent sur le plancher en pente de cet ancien théâtre, autrefois appelé l'Arcade. Je me concentre afin de ne pas trébucher. Myope comme une taupe, j'ajuste et réajuste mes lunettes à monture grise. Comme vous pouvez le constater, rien de bien époustouflant comme entrée. Pour arriver finalement à ce qu'on appelle le plateau, je dois d'abord longer une rangée de sièges de métal rivés au plancher, comme dans une salle de cinéma, et recouverts de velours côtelé rouge. Toujours personne en vue, ce qui me donne le loisir d'apprivoiser les lieux et l'atmosphère de cet antre béni des dieux. Sans bouger ni parler, j'écoute mon souffle et ne comprends plus ce cœur, soudain parti en cavale. Encore aurait-il fallu que je devine qu'il m'annonçait que ma vie était sur le point de prendre un virage définitif. Un peu comme l'archange Gabriel annonçant à Marie un bienheureux événement ! Un coup de cœur à me scier les mollets m'envahit soudain. Tout bascule. Dorénavant, je vais faire de la télévision, mais je ne connais pas l'ombre du b. a.-ba de ce qu'il faut faire pour y parvenir, d'autant plus que ce n'est pas ce studio vide qui va me révéler quoi que ce soit.

Je suis arrivée à l'heure de la pause, avant la répétition générale, d'où le silence des lieux. J'ai donc le temps de longuement me promener, seule, dans cette salle au repos avant que l'on daigne s'occuper de moi. Aujourd'hui encore, je peux me tenir à l'endroit précis où la « grâce » m'a frappée. Cette salle est la même que celle où l'on a enregistré, beaucoup plus tard, *Le grand blond avec un show sournois*. C'est là également qu'ont travaillé Julie Snyder, Jean-Pierre Coallier, Pierre Marcotte, Shirley Théroux, Pierre Nadeau, Jean-Pierre Ferland, Jean Duceppe et Réal Giguère, pour ne nommer que ceux-là. C'est également là qu'ont eu lieu presque tous les galas, avant que les studios ne s'installent pour les grands événements au sous-sol, boulevard de Maisonneuve. C'est le studio mythique de la station. Tous ceux qui y travaillent, même encore aujourd'hui, sont les « grandes vedettes » de la station.

Je ne me souviens pas vraiment de ce qui s'est passé lors cette première émission, mais elle m'a empêchée de dormir bien longtemps après. Puis, il y avait eu des semi-finales. Mon partenaire et moi-même avions été choisis. Plus la sélection avançait, plus je menais la vie dure à mes parents. Il me fallait la plus belle robe pour le gala, ce qui obligea ma mère à faire des achats beaucoup trop coûteux pour notre revenu familial. Je lui livrai une guerre sans merci pour qu'elle m'accompagne sur la Plaza Saint-Hubert afin de me choisir la robe de mes rêves. J'ai bien dû tout essayer, rien ne me plaisait. C'est finalement ma mère qui opta, sans discussion possible, pour une « chose » qui me faisait honte au point de songer à renoncer à me présenter à l'émission. Imaginez une robe bleu poudre à bretelles « spaghetti » et jupe ballon, gonflée de crinolines, entièrement repiquée de dentelles soulevées, de même teinte. Des escarpins de peau de soie hyper pointus, teints du même bleu chérubin, avec sac assorti accompagnaient ce délicieux ensemble. J'avais l'air de la « mariée de plastique sur le gâteau de noce » ! Mon entrée dans le monde de la télévision n'allait pas se faire sans mal. Au retour des achats, le taxi dans lequel nous avions pris place, ma mère et moi, avait grillé un feu rouge ; une autre voiture avait foncé directement dans la portière. Je m'étais retrouvée à l'hôpital pour n'en ressortir que le lendemain, fort heureusement, en étant quitte pour une simple commotion cérébrale !

Mon partenaire et moi nous sommes de nouveau retrouvés en finale, mais… je n'ai pas gagné. Lui non plus d'ailleurs. Je vais peut-être vous étonner en vous dévoilant le nom de la gagnante. Ce fut Me Micheline Parizeau, anciennement Popovici, cette avocate controversée qui se fit par la suite une réputation en droit matrimonial. Ce fut elle qui remporta tous les beaux cadeaux et tous mes espoirs enveloppés dedans. Car à la cagnotte s'était ajouté un élément nouveau pour lequel j'aurais vendu mon âme : le droit de faire quelques émissions supplémentaires à *Jeunesse d'aujourd'hui*. Aussi bien m'assassiner ! Le dieu des ondes et des adolescentes malheureuses a dû m'entendre gémir, car il se produisit un événement qui fit tourner le vent en ma faveur. La direction, pour des raisons obscures, décida d'écarter la gagnante, qui eut toutefois le droit de garder les cadeaux. Et comme elle n'allait plus faire les émissions projetées, le réalisateur Jean-Claude Leblanc, influencé par Pierre Lalonde, m'en confia quelques-unes de la série.

Je dois avouer que ce Pierre Lalonde, que j'avais trouvé fort peu attrayant au début, avec ses ballades insignifiantes (à côté de mon idole, Léo Ferré, il ne faisait vraiment pas le poids!), commençait à me plaire au plus haut point. J'admirais l'aisance et la désinvolture avec lesquelles il faisait ses émissions. Je voyais ses fans se pâmer, tomber dans les pommes parfois, et je lui enviais ce pouvoir, ce métier où tout paraissait facile et qu'il semblait, de surcroît, s'amuser à faire. Le travail ne m'a jamais fait peur, mais y prendre plaisir, c'est vraiment le summum du luxe.

« Qu'importe le flacon pourvu qu'on ait l'ivresse », a dit Musset. Pierre semblait beaucoup m'apprécier. Il m'avoua avoir été déçu au moment de la divulgation du nom de la gagnante et avoir eu encore plus de peine à constater ma déception. Quelle délicate attention! Moi, mon cadeau en fin de compte, je l'avais: « IL » s'occupait de moi, se préoccupait de mes états d'âme. Comment n'en être pas touchée? Comment ne pas en tomber amoureuse? J'avais 16 ans, et c'est exactement ce que j'ai fait! Des 13 émissions auxquelles devait participer la gagnante, je n'en fis que deux ou trois. Que vouliez-vous qu'on m'y fasse faire? Je me souviens, entre autres, d'un spécial « costume d'époque » où, vêtue d'une robe à la Marie-Antoinette, j'avais dansé avec Joël Denis, flirté avec Pierre Lalonde et regardé chanter Tony Massarelli et Mimi Hétu pour rêver ensuite, pendant des mois, à la féerie du moment... Et surtout, surtout, Pierre Lalonde en personne m'avait ensuite reconduite chez mes parents dans sa Corvette bleue, dernier cri. Ce qui n'était pas une mince affaire, puisque j'habitais Ahuntsic, à une demi-heure du centre-ville. Il nous avait d'abord fallu passer l'épreuve de la sortie de l'immeuble. De son véhicule, j'avais assisté à une scène que je ne revis plus jamais d'aussi près par la suite : l'hystérie collective des fans. Un portier avait malencontreusement révélé l'endroit où la voiture devait sortir, à l'arrière de l'immeuble, et certaines demoiselles s'étaient tout simplement étendues sur la chaussée pour lui bloquer le passage. Quand Pierre eut le malheur d'ouvrir la fenêtre de la portière pour signer quelques autographes, on lui arracha les boutons de sa veste et on lui coupa des mèches de cheveux. On se lança à plein corps à travers l'ouverture pour l'embrasser, on écrivit au rouge à lèvres des prénoms et des déclarations sur le pare-brise, mais lorsqu'on s'aperçut que j'étais à ses côtés, on m'abreuva de mots orduriers en tentant d'égratigner sa voiture. J'ai vite compris que mon avenir dépendrait de ma discrétion concernant nos rencontres. Une idole n'a pas de blonde, c'est primordial. Comment aurais-je pu l'en blâmer ?

J'ai eu bien des frustrations à cet égard, et pas seulement avec lui. Les vedettes, à cette époque, ne devaient pas avoir de vie personnelle publicisée. Leur crédibilité, leur accessibilité étaient en jeu. Il fallait faire rêver. Faire espérer. Faire en sorte que tous les fans de la vedette puissent penser : et si je pouvais être celui-là, celle-là dans sa vie ?

Et moi, sans vraiment le demander, j'étais, pour un court laps de temps, devenue « l'élue ». Qu'espérer de plus à 16 ans ? Je me cachais donc et me faisais bien discrète devant le moindre public. Ce qui ne m'empêchait pas de rêver intensément à la déclaration d'amour publique de Pierre, qui confirmerait un jour, de façon tangible, mon existence dans sa vie. Cette déclaration n'est jamais venue, et il ne s'afficha pas en public avec moi avant que, devenue moi-même populaire et affublée d'une image de grande « sensualité », il ait pu lui sembler flatteur ou plus naturel d'étaler notre flirt. L'image sulfureuse, que l'on me créa éventuellement, me fit entrer au panthéon des initiés du métier.

Donc je rêvais télévision. Le plus grand avantage était toutefois d'être désormais acceptée par l'équipe technique qui avait pris l'habitude de me voir. Je me présentais en studio les samedis après-midi et m'asseyais dans la salle pour assister aux répétitions. C'est là que j'ai tout appris. La noirceur du studio cachait souvent ma présence. Je me faisais toute petite pour ne pas déranger. Je savais déjà qu'il pouvait être difficile de faire la différence entre une racoleuse, une « fan pot de colle » et une jeune fille fascinée par un métier qu'elle voulait, plus que tout, exercer elle-même. J'étais tout ça à la fois, mais de façon discrète. Quand l'émission commençait, je disparaissais. Il arrivait qu'on ne remarque même pas que j'y étais. Est-ce la raison pour laquelle le portier me laissait entrer sans problème ? Je lui dois, à lui aussi, une fière chandelle. Où aurais-je pu absorber tout ce bagage, indispensable aux débutantes ? À cette époque, les places étaient rares dans le métier. Pas une femme n'entrait à la télévision sans être « la petite amie de... » ou la connaissance d'untel. Dans le lot pourtant, quelques femmes exceptionnelles se démarquaient : Françoise Gaudet-Smet, Lucille Dumont, Michèle Tisseyre, Huguette Proulx, Andrée Champagne, Thérèse Cadorette, Claire Gagnier, Nicole Germain, Suzanne Lapointe, Lise Watier, Anita Barrière... De vraies pionnières. Mais je n'avais ni l'âge ni le métier, et c'était pure utopie que d'imaginer pouvoir accéder à leur niveau.

C'est également au studio A du Canal 10 que j'ai pu rencontrer toutes les vedettes du disque de l'heure. Tout un chacun pouvait alors enregistrer une plage en l'espace de quelques jours – voire en une nuit –, la mode étant aux 45 tours qui ne comportaient que deux chansons. Pierre Nolès, Denis Pantis et Yvan Dufresne étaient les grands manitous en ce domaine.

Et pour un chanteur, rien ne surpassait un lancement de son disque à *Jeunesse d'aujourd'hui.* C'était une rampe, un tremplin exceptionnel, car il créait l'événement. C'était d'ailleurs d'une telle importance qu'il existait alors une espèce de mafia du disque qui payait régulièrement ceux qui pouvaient, à la radio comme à la télévision, faire tourner le disque régulièrement. La « petite enveloppe » était quasiment une institution. Le souvenir est confus, mais il me semble que la direction dut éventuellement sévir auprès de certains réalisateurs et sacrifier quelques têtes.

Parallèlement à cette émission, tous sans exception craignaient comme le loup blanc Jacques Duval, qui s'était improvisé critique musical et qui n'hésitait pas à jeter « dans un puits », pour bien marquer son mépris, certaines chansons (ou chanteurs, c'est selon) qui lui avaient déplu. Son émission s'appelait *Le club du disque*, et d'y être plébiscité créait presque automatiquement la notoriété.

Les textes, toujours traduits de l'anglais au français, étaient d'une banalité désolante. « Pourvu que ça rime en crime » semblait en être la devise. Je me souviens de Moïra dont la chanson, bien audacieuse pour l'époque, *C'est le fruit de notre amour*, racontait l'histoire d'une fille-mère. En 1962, il s'agissait-là d'un sujet profondément tabou. J'y ai vu Dany Aubé, Claude Vincent (le frère de Pière Sénécal), Ginette Sage, Margot Lefebvre, Ginette Ravel, Dominic, Jenny Rock, Johnny Farago, Mimi Hétu (toute petite et pomponette dans des robes d'organdi rose, la tiare dans les cheveux), Patrick Zabé, Michel Louvain, Michèle Richard, Renée Martel, Geneviève Dugas, Norman Knight, Danielle Jourdan (qui sortait secrètement avec Tony Massarelli, marié à l'époque), Marthe Fleurant (dont le gérant allait éventuellement devenir son mari), Marc Gélinas, sans parler des groupes populaires comme Les Lutins avec Simon qui y faisait un malheur, les Gants Blancs, César et les Romains, les Habits Roses, les Baronets, les Hou-Lops, les Sinners et Bruce Huard... Que de choses j'avais à raconter à l'école!

Je sortais donc sporadiquement avec Pierre et j'aurais trouvé tout à fait disgracieux de lui demander de l'aide, en dépit de mon désir d'exercer le métier. Du moins, je ne l'ai jamais fait directement. Mais j'acceptais volontiers ses conseils. En insinuant combien le métier m'attirait, j'osais espérer qu'il m'offre spontanément son aide. Il ne l'a pas fait. Pas par manque de gentillesse. Il croyait sincèrement que ce n'était pas ma place et me le disait sans ambages. Il voulait véritablement me protéger.

– Tu devras faire des quantités de choses déplaisantes pour y arriver, se contentait-il de me dire, énigmatique.

Il n'avait pas compris que son opposition me lançait le plus grand des défis.

– J'y arriverai toute seule et sans obligations déplaisantes, lui ai-je prédit avec aplomb.

Cela n'a pas été toujours facile. Pour certains réalisateurs, fort heureusement « hors service » maintenant, la morale était une vertu aléatoire. Mais j'y suis arrivée.

En attendant, il me fallait trouver la manière. Je m'étais aperçue, en regardant la télé, que certaines émissions utilisaient des « hôtesses ». D'où venaient-elles ? Comment les choisissait-on ? On m'expliqua qu'il s'agissait de mannequins des agences d'Élaine Bédard ou de Constance Brown. Puisque c'était ainsi qu'il fallait procéder, je serais mannequin ! Non pas pour être vraiment mannequin, mais pour profiter de l'agence de placement que gérait également Élaine pour donner du travail à ses élèves. Je choisis donc Élaine et me présentai à l'Institut où je fus admise par Jacques Michel, l'éminence grise d'Élaine. Je croyais avoir tout de suite accès aux auditions, mais on m'expliqua qu'il fallait d'abord prendre 10 cours, à raison de 16 $

chacun, pour en arriver là. On verrait ensuite SI je passais en finale. N'était pas choisie qui le voulait, mais tout se passa très bien. Au troisième cours, Élaine demanda à me rencontrer après la classe. Je suis donc restée chez elle. Il faut savoir que les cours se donnaient dans son magnifique domicile, aux parquets tout en marqueterie, de la rue Lincoln (malheureusement démoli aujourd'hui pour faire place à une horreur), dans lequel elle avait aménagé une salle de classe. Elle me demanda alors si je pouvais la remplacer certains soirs. L'école étant de plus en plus populaire, elle travaillait cinq jours par semaine, de 9 h à 22 h, et désirait un peu de repos. En retour, elle m'offrait une formation gratuite, un salaire, l'accès à l'agence de placement et au travail immédiat. Tout ça à 17 ans!

Je prendrai donc ici quelques lignes pour exprimer à quel point j'ai aimé et apprécié cette femme magnifique. Pour elle, rien n'était impossible. On a raconté tant de choses à son sujet, certaines fausses et d'autres un peu plus justes.

Je me souviens qu'elle m'a invitée, avec quelques amis, à une réception donnée dans un magnifique restaurant. Nous devions ensuite aller à La Rose rouge, une discothèque très populaire à l'époque. Je me suis donc présentée à l'heure convenue. Nous étions six. Quatre hommes, Élaine et moi! Deux des quatre messieurs s'étaient mis en tête de conquérir Élaine. Le premier, celui «en poste officiel», était le père de Michel Girouard. J'ai donc connu le père bien avant le fils. Puis David, le second, allait plus tard devenir son époux pour le plus grand malheur d'Élaine. David et la délicatesse, ça faisait deux! Il s'expliquait «avec force» et, à une occasion, j'ai vu Élaine avec un bras en écharpe. En attendant, il me fallait sortir de cette impasse de séduction. Je ne désirais pas du tout devenir le trophée des «deux restants». Aussi, lorsque vint le moment d'aller en boîte, je prétextai un léger malaise. Mal m'en prit, car l'un des prétendants offrit de me reconduire à «son» hôtel –

littéralement SON hôtel. Il était d'ailleurs à Montréal pour acheter la bâtisse. Une fois sur place, cet homme, les deux mains sur les agrafes de mon soutien-gorge « pour que je respire mieux », me demanda de m'étendre un moment. Je feignis donc un malaise plus grand et téléphonai en cachette, des toilettes, à un ami de l'époque (Pierre Labelle, des Baronets) pour qu'il vienne me chercher. Ce qu'il fit.

Je me félicitais de cette évasion intelligente et diplomatique à souhait quand, quelques semaines plus tard, dans la limousine qui nous menait, quelques mannequins et moi, à un défilé à Ottawa, Élaine me dit :

– C'était charmant notre petite rencontre l'autre soir, Danielle. Je vais vous inviter à nouveau. Mais, cette fois-ci, vous n'aurez pas à être malade !

Merveilleuse Élaine ! Énigmatique, brillante, joueuse et gagnante. J'ai appris tout récemment de la bouche de Roger Sylvain, journaliste et détenteur du secret de bien des vies, qu'Élaine avait été approchée pour écrire ses mémoires. Ce qu'elle a fait. Mais l'éditeur, après lecture, s'est désisté. Les déclarations y étaient si fracassantes qu'on aurait eu peur des poursuites. Élaine n'était pas du genre à fuir. Elle a dû être totalement honnête, elle ne pouvait être autrement, elle si attachée à ses convictions. Cela en effraie souvent plusieurs.

Bref, elle avait confiance en moi et elle me fit travailler. Jamais l'idée de la décevoir n'aurait pu m'effleurer et aucune des expériences vécues grâce à elle ne m'a jamais déçue non plus. J'en ai passé des auditions, sans nécessairement être retenue !

L'un de mes tout premiers engagements faisait appel à des mannequins autour d'une piscine, à Lanoraie, pour enregistrer une émission de Claude Blanchard. Nous étions dans le jardin privé d'un des pontes du Canal 10. Le réalisateur, Pierre Sainte-Marie, m'avait engagée, et nous devions « poser » pendant que Michel Louvain chantait l'un de ses succès en *lip-sync* (pour ceux qui l'ignoreraient, il s'agit de faire tourner le disque tandis que l'artiste prétend chanter pour la caméra). On s'affairait donc, toutes plus fardées les unes que les autres, car la mode des années 60-70 déployait plein d'artifices. C'était l'époque des postiches, essentiels pour soulever un chignon sans avoir à le crêper. De plus, il était impensable de se présenter où que ce soit sans l'inévitable paire de faux cils. J'en avais plusieurs, dont certains en frange qu'il me fallait couper en dégradé pour me faire des yeux de biche. D'autres étaient posés un à un et recouverts d'un surligneur caoutchouteux pour en masquer la base. Mais les plus ridicules étaient en poil de vison, si épais qu'une fois collés sur les paupières, ils m'empêchaient d'ouvrir entièrement les yeux. Et dire que nous passions des soirées avec cette vision rétrécie qui nous donnait l'air de femmes fatales et blasées.

Dans le groupe, ce jour-là, l'une d'entre nous était – disons-le ! – carrément moins avantagée que les autres. Plutôt que d'investir son énergie à bien faire les choses, elle eut la surprenante idée de se démarquer en nous jetant à l'eau. Les faux cils sur le menton et le postiche coincé dans le drain de la piscine, j'apprenais de façon saisissante les ficelles et les jalousies du métier.

Ma toute première série allait, malgré tout, être amusante. Je suis devenue hôtesse de l'émission d'Yves Christian, monsieur Richelieu en personne. Nous présentions des chanteurs et des numéros musicaux entre les annonces des spéciaux de la semaine ou les louanges de la miraculeuse petite brosse Jean-Pierre, qu'on pouvait évidemment se procurer au marché Richelieu. Le tout se terminait par un concours dont la gagnante remportait une commande d'épicerie gratuite dans l'un des magasins appartenant au beau-père de l'animateur. Comme j'étais très légèrement plus grande que lui, Yves avait exigé que je mette des souliers plats ou que je fasse ma présentation loin de lui. Au moment du tirage, les lettres étant par terre, je devais retirer mes souliers, car il n'avait pas d'autre choix que de lire le nom de la gagnante à côté de moi. Cette première expérience ne fut pas très significative pour ma carrière, mais j'y appris le jeu des caméras et m'entraînai surtout à apprivoiser ma peur. Déjà, je cherchais la perfection. Aussi, étais-je terrorisée à la simple idée de buter sur un nom ou de mal le prononcer au moment des présentations.

Toujours grâce aux bons offices d'Élaine et aux auditions auxquelles son agence m'envoyait, le contrat suivant me fit connaître un peu plus, tout en me procurant beaucoup de plaisir. J'allais tenir à nouveau le rôle d'hôtesse mais, cette fois-ci, pour l'émission *La poule aux œufs d'or*. Je passais donc du Canal 10 au canal 2. Nous étions en fait deux hôtesses pour cette émission. La seconde s'appelait Jacqueline Vauclair. Jacqueline est retournée vivre en France peu de temps après et elle est devenue avec le temps, m'a-t-on dit, directrice générale d'une station de radio très connue là-bas.

Il faut préciser que Doris Lussier était l'animateur de l'émission durant ses deux dernières saisons (soit de 1965 jusqu'au 11 juin 1966). Nous arrivions passablement tôt à l'auditorium du collège Saint-Laurent, le samedi après-midi, afin de répéter. C'était toujours les mêmes mouvements et les mêmes présentations, mais le système électrique, à défaut d'être électronique, avait souvent des ratés et il était hors de question d'en avoir en ondes, puisque l'émission était diffusée en direct à 20 h. Il nous fallait donc manger sur place. Un peu plus tôt dans l'après-midi, le petit snack-bar ouvrait ses portes et nous préparait le seul repas possible : un hot dog, une frite et un Coke. Le tout pour 60 ¢. On trouvait ça cher. Quant à Doris, dont la réputation de grippe-sou était proverbiale, il apportait son lunch et nous le mangeait sous le nez. Et hop ! au travail jusqu'à l'arrivée des spectateurs.

Doris, nous le savions tous, avait un immense don pour l'écriture. Tout en ayant un sacré coup de plume, il avait aussi une bien mauvaise habitude. Il s'était mis à m'écrire des lettres enflammées qu'il signait tout simplement « Moi », au début, et « Ton Alfred » pour Alfred de Musset, son maître à penser, par la suite. Il l'aimait tellement qu'il avait appris certains de ses vers par cœur et, m'isolant dans un coin, me tenant la main bien chastement, il me les récitait avec conviction... comme si ces vers provenaient de lui ! Non pas qu'il ait prétendu en être l'auteur, mais la mise en scène était telle qu'on eût cru le poète ressuscité. Comme il était « très » marié, je ne disais rien à personne et rosissais à chacune de ces rencontres, même si nous n'étions jamais seuls. Jusqu'au jour où Jacqueline, moins naïve, moins impressionnable que moi ou tout simplement en veine de confidences, me montra une des lettres que Doris lui avait adressée à elle aussi. Il nous avait écrit exactement les mêmes strophes à toutes les deux ! Et plus tard, ce fut la comédienne Judith Paré qui me montra aussi les mêmes. Sacré Doris ! Ce n'était pas méchant. En fait, plutôt touchant. Voilà bien un homme qui refusait de vieillir. Ce qui m'étonne cependant, c'est qu'il ait pu croire que sa petite supercherie ne serait jamais découverte.

De cette émission, je garde le souvenir de deux événements majeurs. D'abord celui d'une dame qui m'avait promis une récompense si je lui divulguais le numéro où était caché ce gros lot. Or, les hôtesses ne savaient pas où était caché le gros lot. Le simple risque de pouvoir le deviner soulevait chez moi une peur atroce de perdre mon travail. Je me demandais d'ailleurs si, dans ce cas précis, je devais rapporter ce fait à Alex Page, un de nos réalisateurs (nous avons également eu Pierre Petel et Jean-Guy Fournier). Je choisis de me taire. À cette émission, un artiste, différent chaque semaine, était invité à cacher la cagnotte qui, parfois, s'élevait jusqu'à 5 000 $. Ça lui permettait de se faire une petite publicité pour un spectacle ou un événement à venir, tandis que ça me permettait à moi de rencontrer de nouvelles vedettes. Quand mon idole Jean-Pierre Ferland s'était présenté, je m'étais mise à le suivre partout, discrètement, ce qui m'avait amenée, par erreur, derrière les rideaux au moment où il cachait le fameux gros lot. J'étais dans tous mes états. Un jeune étudiant participait à l'émission et il racontait à tout le monde à quel point il avait désespérément besoin de cet argent pour ses études. Or, il avait choisi, sans le savoir, l'œuf où était caché le gros lot. Mais il tira une enveloppe avec un montant important l'empêchant ainsi de faire un choix plus audacieux. Et il choisit donc le montant de l'enveloppe. J'ai pensé m'évanouir. Ça m'a fait très mal pour lui. Contre toute attente, la soirée s'était tout de même bien terminée. Jean-Pierre Ferland, parti à ma recherche pour me saluer avant de quitter le studio, m'avait retrouvée en coulisse. Sans hésiter, il nous avait enroulés dans les tentures de la scène et m'avait plaqué l'un des plus beaux *french kiss* de ma vie. Bon, c'est sûr, j'en ai eu d'autres après, mais n'ai jamais retrouvé cet émoi. Pensez donc! J'avais 18 ans et il était MON IDOLE. J'ai entretenu très longtemps le plaisir de ce souvenir. En fait, jusqu'à ce que je le rencontre un peu plus « officiellement » quelques années plus tard, ce que je vous raconte quelque part dans ce livre, lorsqu'il sera question d'amour.

L'émission n'étant pas renouvelée, je suis retournée aux auditions. J'ai tout de suite décroché autre chose. J'allais cette fois à nouveau être hôtesse, au Canal 10, d'une émission animée par René Caron : *Devinez juste*. J'avais enfin un commanditaire pour mes vêtements : Essa et Saad, et je gagnais environ 75 $ par émission. Je n'ai pas retenu grand-chose de ce passage à la télé, si ce n'est qu'« on » essayait de m'embrasser par surprise derrière le décor au moment d'entrer en ondes. Mais la plus grosse surprise, c'est mon réalisateur Michel Vincent qui l'eut. À 19 ans, j'étais enceinte et mes parents, chez qui j'habitais encore, venaient à peine de l'apprendre. Comme il avait été convenu que j'irais accoucher en France, il m'avait fallu alors affronter une nouvelle tempête : demander à mon réalisateur de me remplacer sans ébruiter la nouvelle. Michel Vincent a été très chouette et jamais il ne trahit mon secret. Je devais donc quitter ce métier, qui m'amusait tellement, pour donner naissance à mon fils, sachant que le fait de quitter l'émission allait rendre mon retour plus difficile. Dans le domaine de la télévision, une place vacante ne le reste pas longtemps.

Mais comme le travail hors antenne ne m'apportait aucune gratification, j'étais déterminée à continuer de faire de la télévision. Un point c'est tout ! Je ne savais pas comment j'allais m'y prendre, mais des émissions telles que *Studio 45*, *Le club des jnobs* (avec Mariette Lévesque et Guy Boucher), *Femme d'aujourd'hui* (avec Lise Payette et Aline Desjardins) et *Jeunesse oblige* renforçaient mon désir de réussir. Je voyais chaque prestation comme une confirmation de mon avenir. C'est pourtant la radio qui allait m'accaparer dès mon retour, et ce, grâce à l'une des nombreuses auditions où m'envoyait Élaine. Il faut reconnaître qu'elle avait un sens remarquable du marketing : dans le but de donner une plus grande visibilité à son agence et, grâce au succès lié à mes représentations, elle me présentait à tous les concours de « Miss » de la province. C'est ainsi que je me suis présentée, en 1966, au Gala Miss Province de Québec 1967, réalisé à partir de la Palestre Nationale par un monsieur Girardin. Le gala avait eu une très grande popularité, puisqu'en même temps il offrait le premier spectacle de Mireille Mathieu au Québec. La salle était pleine.

J'ai gagné le concours, qui me permettait d'accéder à celui de Miss Canada, que j'ai tout fait pour ne pas gagner, étant déjà enceinte de quatre mois. Il m'avait fallu descendre la passerelle en rentrant le ventre et je me voyais mal refuser le titre en étalant au grand jour ce que personne ne savait ! Et si le concours Miss Canada m'a gâtée au-delà de toute attente, celui de Miss Québec ne m'a presque rien donné. On m'avait en effet promis 2 500 $ en argent dont je n'ai perçu que 800 $, malgré une belle photo pour les journaux qui me montrait tenant un chèque au plein montant. Quant aux cadeaux promis, ils ne se sont jamais matérialisés. Mais comme la promotion du concours avait été faite par la station CJMS, et que celle-ci s'était engagée à offrir un contrat de radio à la gagnante, je me suis empressée de leur rappeler les termes de l'entente dès mon retour d'Europe, tout de suite après mon accouchement.

Un peu plus tard, en 1969, la télévision m'offrit un peu de travail comme comédienne. C'est cette année-là que j'ai joué la comédie dans les *Deux D* (pour Dominique et Denise). Puis il y eut des spectacles de variétés où l'on m'invita à chanter ; entre autres, une émission spéciale avec Donald Lautrec. Même chose à *Zoom*, l'émission du dimanche soir de Radio-Canada. L'émission *À la seconde* m'invita également. Il est vrai qu'à l'époque, le film *Valérie* était sorti et que *L'initiation* était sur le point d'être projeté. J'étais « la petite nouvelle » des groupes d'invités. Je me souviens d'ailleurs d'une émission où l'on avait invité Louise Deschâtelets, qui m'était apparue beaucoup plus *hip* que ce que son image lisse et tout en contrôle laissait paraître. Cette émission (*Le travail à la chaîne* avec Serge Laprade) nous demandait de faire une première phrase avec un mot imposé. Le jeu consistant à continuer l'idée avec une seconde phrase, cohérente avec la première, et qui devait débuter avec le dernier mot de la phrase précédente. Pour recommencer la phrase, seul un article était permis. J'entendis donc Louise terminer sa première phrase par les mots « jusqu'au bout », puis reprendre : « Le bout… » Panique ! Aucune idée ne vient, le temps file et elle risque d'être sanctionnée si elle met trop de temps à poursuivre. Maître Jacques, l'arbitre de l'émission, s'apprête à sonner avec son petit fer à cheval et à annoncer la sanction. Donc, par instinct et oubliant où elle était, on l'entendit s'exclamer : « Le BOUT... de la marde ! » À une époque où aucun gros mot n'était toléré à la télévision, elle avait eu un effet bœuf !

Les années 70 étaient envahies par des émissions telles que *Elle et lui*, *Une journée avec...* et *Les couche-tard*, qui prit fin en 1971. *Les couche-tard* se distinguait, entre autres, par l'élection de sa propre Miss, dont l'une d'elles a été France Castel, au temps de l'Expo 67, si je ne m'abuse. Autre concours que je n'ai pas gagné, mais qui me permit de rencontrer Jacques Normand, lequel me recommanda par la suite pour des sketches comiques qu'il confiait à de jeunes comédiennes dans l'émission *Pierre, Jean, Jacques*. J'étais devenue une régulière de l'équipe. Comme vous pouvez le constater, j'étais plutôt un pur produit radio-canadien. Mais le Canal 10 allait à nouveau m'appeler.

Côté humour, c'est également dans ces années-là que Claude Blanchard me prit sous son aile pour me faire jouer des sketches à l'émission qui portait son nom. Ce n'est un secret pour personne – il l'a raconté bien souvent –, Claude buvait du rhum pendant l'enregistrement de ses émissions. Il en buvait toute la journée, mélangé fort heureusement à du Coke. L'ambiance était sans cesse à la fête. C'est dans cette émission que je dus apprendre ce qu'était l'esprit d'équipe. On me faisait des coups pendables. Mais quel plaisir j'ai eu avec ce comédien ! Quel apprentissage ! Je me souviens d'un sketch dans lequel Claude m'avait dit :

– Tu te rends au téléphone, tu réponds « Allô » et le reste n'a pas d'importance, puisque je vais enregistrer le gag plus tard.

J'ai donc décroché le téléphone et, au moment de la phrase cruciale, on m'a jeté un seau d'eau sur la tête du haut des passerelles servant aux éclairages. On avait tout de même eu la délicatesse de mettre de l'eau chaude. Tous les invités y étaient passés. Même Léo Rivest, son ami inconditionnel, y avait eu droit. C'était très enfantin, mais quelle ambiance! Il faut dire aussi que cette passerelle d'éclairages était le lieu de bien des rassemblements. En effet, et ça m'a pris quelque temps avant de m'en rendre compte, les loges se dressaient dans un coin du studio. Elles étaient faites de toile beige tendue sur des cadres de bois et n'avaient pas de toit! Vous devinez le reste.

Pour en revenir à certains scénarios, je passerai outre à toutes les fois où l'on défit les gonds de la porte qui me tombait dessus quand j'essayais de l'ouvrir, ou celles où l'on me la clouait, sans compter celles où l'on défaisait la poignée qui me restait entre les mains au moment de l'enregistrement.

C'est dans cette émission que j'ai rencontré Michel Forget pour la première fois. Avant de devenir comédien, il était régisseur (celui qui, sur le plateau, est relié au réalisateur par des écouteurs et nous transmet ses directives, notamment au sujet du temps qu'il reste ou de ce qui suit, par exemple). Michel avait une bien drôle d'habitude à cette époque: il s'endormait partout sur le plateau. Dans le décor, derrière le rideau... On le cherchait toujours.

C'est en 1972 que je ferai les émissions qui auront le plus d'impact sur ma carrière: *La pause-café*, *Boubou dans le métro*, *Moi et l'autre*. J'ai même fait un spécial humour avec Jean-Guy Moreau, que j'avais complètement oublié et qu'il m'a rappelé récemment. J'ai également eu l'immense plaisir de jouer dans *La branche d'Olivier*, auprès d'Olivier Guimond qui m'a donné, sans le savoir, une leçon que je n'ai jamais oubliée. Au cours de l'enregistrement, l'un des mouvements erratiques de son personnage lui avait sérieusement égratigné l'œil qui en était resté rouge et enflé. Jamais on ne l'entendit se plaindre, jamais il n'accepta, malgré l'insistance du réalisateur, qu'on arrête l'émission, même s'il ne voyait plus avec sa cornée injectée de sang. Je l'avais surpris, en coulisse, se tamponnant l'œil avec de l'eau froide. Mais il attendit jusqu'à la fin de la journée pour demander qu'on accélère un peu l'enregistrement de ses scènes. Rien de plus.

Je décrochai aussi, grâce à Lisette Leroyer, réalisatrice à Radio-Canada, une série diffusée directement de la place Desjardins et que je coanimais avec Benoît Girard. Ça s'appelait *Oh là là, quel tralala*. Claudette Auchu, l'organiste du Forum de Montréal pendant les matchs de hockey, ponctuait notre travail de sa musique. Déguisés en maîtres de piste de cirque, nous faisions participer les gens à des jeux bizarres. Nous reprenions une émission préalablement animée par Jean-Pierre Coallier, et la réalisatrice, pour nous expliquer notre travail, nous avait fait voir un épisode déjà enregistré par lui. À mon grand étonnement (pour ne pas dire émoi), Jean-Pierre y encourageait une dame, passablement corpulente, à monter sur un minuscule cheval de bois que l'on faisait sauter grâce à un système de poulies. Alors que la dame, de toutes les fibres de ses pauvres muscles endoloris, essayait désespérément de se retenir pour ne pas choir sur le parquet, il lui avait dit d'un ton on ne peut plus sérieux: « Mais mon Dieu, madame, vous brassez ben des grosses affaires, vous là! »

C'est également cette année-là que je fus invitée, avec Michèle Richard, qui n'était pas encore une amie, à une analyse du match en cours à *La soirée du hockey*. Nous devions répondre aux questions entre les périodes. Bon, disons que même si ce n'est pas resté un morceau d'anthologie, je m'y étais préparée avec le désespoir du noyé. Je n'ai jamais eu la mémoire des noms et encore moins celle des composantes d'une discipline que je ne connais pas. Mais mon père, fidèle adepte de ce sport, m'avait fait apprendre par cœur certaines expressions et événements liés à des moments forts de l'histoire du hockey, ce qui me permit de paraître moins bête grâce à l'évocation de noms tels que ceux de Maurice Richard, Jean Béliveau, Serge Savard, Yvan Cournoyer et surtout de l'ange blond, Guy Lafleur. Remarquez que j'avais passé ma jeunesse à écouter le hockey avec mon père le samedi soir dans le salon. Seule l'odeur de ses énormes cigares me détournait du plaisir de rester auprès de lui. Malgré tout, certains sportifs, grands amateurs de hockey, me parlent encore de cette prestation. Je me demande encore si cette invitation n'était pas venue en raison de ma mini-intronisation parmi les gens du Canadien, à la suite de ma rencontre avec Rogatien Vachon, leur super gardien de but que j'ai fréquenté un certain temps quelques années plus tôt. Imaginez ! Une jeune fille de 18 ans qui sort avec une des idoles de toute une génération de sportifs, qui incidemment était aussi une des idoles de mon père. Ce dernier eut d'ailleurs le privilège d'être invité en ma compagnie au Forum de Montréal, un samedi soir, dans la section rouge, au cinquième rang, juste derrière le banc du Canadien ! Rien, absolument rien n'aurait pu le rendre plus fier. Il m'accordait d'ailleurs, pour chacune de ces sorties, le choix d'une robe et d'un manteau neufs.

À l'époque, au second étage de notre maison de la rue Saint-Laurent, vivait une magnifique femme du nom de Jacqueline Clément, que l'on aimait beaucoup chez nous. C'était la maîtresse d'un homme marié qui l'avait installée là. Elle s'occupait beaucoup de ma sœur et de moi, et le relent de scandale qui planait autour d'elle me la rendait tout à fait sympathique. Mannequin, elle me prêtait aussi des vêtements à l'occasion, car ce n'était pas une mince affaire que d'accompagner Rogie !

J'ai mieux compris, par la suite, l'impact que pouvait avoir la rencontre de gens célèbres. J'étais subjuguée par l'aura de Rogie.

En février 2002, invitée à l'extraordinaire hôtel El Senador de Serge Savard, à Cuba, j'eus l'occasion de mesurer l'étendue du succès, auprès de l'équipe, de mes apparitions au bras de ce très populaire gardien de but. M. Savard me raconta ce souvenir d'une réception donnée pour les joueurs du club à l'occasion de la remise du trophée Connie Smythe. Il se souvenait surtout de mes minirobes. C'est beau la jeunesse! Et aussi de ma totale innocence – et Dieu sait que je pouvais l'être, innocente – lorsque j'avais causé, sans le vouloir, toute une commotion au sein de l'équipe. Rogatien m'avait confié que l'équipe, lorsqu'elle était enfermée dans les Laurentides pour un entraînement intensif, se voyait imposer un couvre-feu. Or, les joueurs avaient découvert une porte dérobée qu'ils empruntaient allégrement pour aller fêter au village. Trouvant l'anecdote très drôle, je l'avais racontée à la radio. Devinez le reste!

Et n'oublions pas le plaisir que j'ai eu à coanimer l'émission *Madame est servie* avec Jean Duceppe, au moment où Pierre Lalonde s'en était absenté. C'est à ce moment que me vint sérieusement l'envie de devenir animatrice. Jamais cependant je ne le répéterai assez : outre l'immense travail qu'il faut déployer pour parvenir à faire ce métier, j'ai eu l'unique et rare chance, en comparaison avec bien des gens qui le méritaient plus, de pouvoir travailler, très tôt, avec les meilleurs. Mais j'y ai mis une énergie tout aussi rare, et sacrifié bien des moments de repos, de vie privée et de normalité pour y parvenir. Rien ne me faisait résister à l'appel d'un réalisateur. Il m'est déjà arrivé de revenir de la Jamaïque, où je passais des vacances avec mon amoureux, parce qu'un réseau anglais, qui émettait pour la première fois à Montréal, avait voulu faire sa première mise en ondes en ma compagnie. J'étais retournée en Jamaïque dès le lendemain!

C'est en 1972-1973 que je suis entrée pour la première fois dans le monde des téléromans. J'interprétais le rôle d'Olivia Fergusson dans *Les Berger*. Amoureuse d'Yves Corbeil et espionne industrielle dans le laboratoire de Roland Chenail, je finissais en prison. Mais le métier peut être terriblement cruel parfois, car ce fut dans l'avion, au retour des vacances, que j'appris par *Le Journal de Montréal* que me tendait l'agent de bord au moment du décollage que... « Danielle Ouimet ne reviendra pas dans *Les Berger*... » Pas d'explication, pas d'appel, pas d'excuse surtout. Ça n'allait pas être ma dernière surprise sur la façon cavalière dont on procède parfois dans le milieu. Ça m'avait fait beaucoup de peine. J'ai cru que la direction n'avait pas voulu m'avouer que j'étais mauvaise... si tant est que j'étais mauvaise !

Je sais aujourd'hui que bien des raisons peuvent motiver le renvoi de quelqu'un d'une émission, la première étant souvent d'ordre monétaire. Un changement dans l'intrigue, qui amène de nouveaux personnages et de nouveaux rebondissements, peut être très profitable pour un téléroman qui stagne et pour relever les cotes d'écoute. Nouveaux personnages, nouveau budget. On va chercher les gros canons, qui coûtent plus cher, mais cela force à sacrifier d'autres éléments. Par contre, si le salaire est plus élevé, l'artiste a besoin d'être très bon et performant – lire : avoir de bonnes cotes d'écoute. En règle générale, c'est donc une question de budget : « Tu ne coûtes pas cher, t'as une job ! » m'avait expliqué un réalisateur plus franc que les autres. Peuvent être invoquées également des raisons de caractère. Certaines personnes sont tout à fait incapables de travailler avec leurs camarades et rendent l'atmosphère invivable autour d'elles, en faisant des crises tout à fait inappropriées. Rien n'indispose plus un réalisateur que ces sautes d'humeur. Et c'est compréhensible. Le temps est si précieux, les résultats sont tellement tributaires de l'ambiance et le succès est si lié à l'effort de toute l'équipe, qu'un grain de sable dans l'engrenage peut vite devenir un gros irritant. Il peut arriver qu'un artiste plus performant puisse se permettre quelques crises de vedette ; on l'écoutera un peu. En un mot, certains comédiens, à tous points de vue, coûtent plus cher que d'autres. J'ai fait moi-même quelques-unes de ces explosions de colère dont je reparlerai plus tard. Quand on fait un métier d'émotion, on ne peut pas vous demander de n'en avoir que pour l'écran et de ne plus en avoir sur le plateau. Mais à mes débuts, jamais il me serait venu à l'idée de mettre mon travail en péril.

1973 : *Boubou*, *Tempo*, *Altitude 755*, *Sans blagues*, *On est comme on naît*, *Discomanie*. Et, l'année suivante, mon premier *Bye Bye* à Radio-Canada. J'entrais enfin dans les « ligues majeures » grâce à Dominique Michel. Je n'insisterai jamais assez pour souligner l'influence, la tendresse, l'attention, le soutien et le savoir que m'a apportés Dominique Michel, en cette occasion et dans ma vie en général. Encore aujourd'hui, tout comme elle qui s'entourait de jeunes ayant le métier à cœur, je m'entoure moi-même de jeunes talentueux, désireux de fracasser les murs de l'inabordable. C'est elle qui m'a formée à l'humour, à la scène, à un travail dur mais ô combien gratifiant. Je me laisserais encore couper en rondelles pour elle s'il le fallait. Elle est, avec Jean-Pierre Coallier et Denis Héroux, la personne qui m'a davantage permis d'avancer dans la vie. Lorsque Dominique vous donne sa confiance, elle vous donne également l'affection qui vient avec. Elle a bien son « petit caractère », mais lorsque le mauvais temps est passé, et il faut le laisser passer, elle est toujours adorable. Donc, c'est elle qui m'a permis, en cette période bénie, de participer aux *Bye Bye* qui lui étaient consacrés. Non seulement m'aidait-elle dans le métier, mais elle a toujours été là dans certains moments douloureux et moins faciles de ma vie. Ce premier *Bye Bye*, en 1973 (enregistré en 1973 mais diffusé en début d'année 1974), était très important pour moi ; en me choisissant, elle me donnait toute une marque de confiance. On n'aurait pu me faire de plus beau cadeau. Il est vrai que je savais mon texte avant tous les autres – et ceux des autres en plus –, que j'étais toujours à l'heure, jamais râleuse sur les changements, archi-disponible pour les maquillages spéciaux, les essayages de costumes faits sur mesure par le fabuleux Yvon Duhaime, et pour les répétitions qui commençaient un mois avant l'événement. L'équipe comptait une belle brochette de joyeux lurons : Benoît Marleau, Paul Berval, Denis Drouin, Dominique et moi. Les textes étaient de Gilles Richer et la direction de Louis-Georges Carrier. Tout un personnage que ce Louis-Georges ! Il nous imposait une discipline de fer. Au point même de nous battre ! C'était évidemment pour s'amuser, mais il le faisait vraiment. Il s'était muni d'un fouet. Une ligne oubliée dans notre texte, un mouvement incomplet dans sa mise en scène, et vlan ! Dès qu'il en avait l'occasion, il faisait claquer le fouet à deux doigts de nos mollets. Benoît Marleau était arrivé un matin entièrement habillé en gardien de but. Comprenant qu'il nous terrorisait, Louis-Georges avait troqué le fouet contre une badine, qu'il me descendit un jour sur un poignet. J'en eus une veine éclatée.

J'ai mentionné la présence de Denis Drouin au *Bye Bye*. Quel merveilleux homme ! Et qu'est-ce qu'il aimait rire ! Attentif à tout, tout l'amusait et il ne se gênait pas pour nous amuser tous profusément ! C'est lors de ce *Bye Bye* que Dominique avait créé son mémorable sketch sur Michel Chartrand.

Je me souviens particulièrement de l'enregistrement de l'ouverture de l'émission. J'avais passé la fin de semaine chez Pierre Lalonde avec sa fille et je devais prendre la route tôt ce matin-là. Pierre voulait que sa fille mange, ce qu'elle refusait obstinément de faire. Évidemment, la « mère » en moi s'était chargée de la distraire en jouant « à la petite voiture qui rentre dans le garage » et c'est moi qui avais fini par manger presque tout son petit-déjeuner. Mal m'en prit. J'eus à affronter une tempête de neige sans pneus d'hiver. J'allais être en retard. C'était impensable pour ce premier jour d'enregistrement. Mon déjeuner me resta coincé dans l'estomac et une envie de « rendre » le tout me prit dès les premiers instants. Or, j'étais habillée de satin blanc. Im-pos-si-ble de m'asseoir, de me pencher, ni même de me soulager. Malade, j'étais verte. Il nous fallait faire une chorégraphie avec de petits sauts, et chaque mouvement m'amenait le cœur au bord des lèvres. Dominique se moquait de moi à chaque mouvement. Ce jour-là, j'ai mangé les dernières saucisses « La Belle Fermière » de ma vie.

Forte de ces expériences à grand déploiement, Télé-Métropole (qui ne s'appelait plus le Canal 10) me demanda de participer à un mini *Bye Bye* pour célébrer les 14 ans de la station. Jean Lapointe, Jean-Guy Moreau et Françoise Lemieux étaient de la distribution. De cette émission, écrite par Gilles Richer, je me rappelle que nous devions commencer attachés par des camisoles de force – des vraies – mais il était 2 h du matin et nous étions épuisés. La contrainte de rester immobilisés pendant des heures en attendant que la technique soit prête nous avait littéralement rendus fous. Des impatiences, des cris de rage, des fous rires inextinguibles sont venus ponctuer cette ouverture d'émission qui, encore une fois et comme c'est souvent la norme, était faite en toute fin d'enregistrement, les scènes se faisant rarement dans l'ordre.

Jean-Guy et moi étions devenus inséparables. Il faut dire que nous avions terminé le film *Y a toujours moyen de moyenner* ensemble et que je m'apprêtais à faire *Tout feu, tout flamme* avec Jean Lapointe et Paul Berval. Je me retrouvais toujours, à l'époque, avec les mêmes comédiens.

Dans cette émission anniversaire qui ressemblait à un mini *Bye Bye*, Gilles Richer, que Dominique imposait partout, s'était greffé au groupe pour notre très grand bonheur. Gilles et Dodo éprouvaient une grande amitié réciproque et leur confiance mutuelle débordait sur nous. Gilles arrivait à nous faire faire n'importe quoi, mais surtout à pouvoir rire de nous-mêmes. Je ne sais pas si vous vous rappelez ce slogan de CKAC qui disait: « Tout le monde le fait, fais-le donc. » Dans un des sketches du *Bye Bye*, Gilles faisait dire à Benoît Marleau:

– J'ai pris ma nouvelle résolution cette année.

Denis Drouin répliquait:

– Ah oui, laquelle?

– Je vais sortir avec Danielle Ouimet (comprendre évidemment: coucher avec...).

– Ben voyons, c'est impossible!

Et Benoît, pointant le doigt vers le plafond, nous faisait entendre la ritournelle: « Tout le monde le fait... »

Tous étaient très mal à l'aise, se demandant s'ils pouvaient se permettre tant de familiarité. Ça les honore, car un grand nombre de personnes dites sérieuses ne se gênaient pas pour me juger sévèrement et ne me trouvaient aucune vertu, aucun talent en raison des films que j'avais faits. Quand Gilles est venu me demander si j'approuvais cette blague, je lui ai dit que c'était très drôle, mais que la seule façon de faire passer le gag était de m'inclure dans le sketch. À mon avis, dit en l'absence de l'« intéressée », ça faisait *cheap*. Mais de me voir, dans le plan suivant, les traitant d'innocents, en levant les yeux au ciel, aiderait quelque peu à désamorcer la portée du dialogue. C'est du moins ce que j'espérais, mais on coupa la scène. Il faut comprendre que j'ai toujours été partante pour « jouer avec » l'image créée autour de moi, sans toutefois l'utiliser à outrance. M'en dissocier aurait été bien malhonnête et on ne m'aurait pas pardonné cette traîtrise. Sans rejeter mes gestes et mes choix, je voulais arriver à en imposer d'autres. Si on m'avait aimée pour mon jeu plus que léger dans *Valérie*, je n'allais pas être bégueule et prétendre à un talent plus gros. Je ne suis pas du genre à cracher dans la soupe. J'ai toujours assumé mes actes, même – et surtout – quand on ne les comprend pas ou on s'en étonne. L'idée a toujours été avant tout d'être honnête et à l'aise dans mes réalisations. Les idées préconçues qu'ont les gens de ceux qui ont commis un geste comme le mien me surprendront toujours. Parfois, il m'arrive de me faire demander comment il se fait que je ne sois jamais habillée avec des décolletés profonds ou des robes hyper-sexy. On voudrait sans doute que je perpétue cette image de femme légère qui l'assume pleinement et qui ose pour les autres. Est-ce un compliment ? Est-ce me dire que je transcende le genre ? Toujours est-il que bien peu savent combien je ne suis pas à l'aise dans cette image. Quoique je sois ouverte aux choses du sexe, je suis la fille la plus « poignée en dedans » quand il est question de pudeur et d'exhibitionnisme. Ç'a donné une couleur à ma vie, qu'il m'a toujours été très désagréable d'assumer, même si pour rien au monde je ne l'aurais changée. Le faire aurait été admettre, vis-à-vis de moi-même, que je n'étais qu'une fille d'ambition sans talent évolutif. Je ne me serais pas pardonné de m'être contentée de ça.

Je vivais, à l'époque de ce *Bye Bye*, une très grosse peine d'amour (voir, dans le chapitre *Mes amours*, « Un amour secret »). J'étais la petite amie d'un comédien avec qui je vivais des moments pénibles ; c'est à ce moment que s'est manifestée l'affection indéfectible de Dominique à mon égard, de même que la difficulté, parfois, d'allier métier et vie privée.

J'étais donc profondément amoureuse de ce comédien qui, peu de temps avant l'enregistrement du *Bye Bye*, m'avait invitée à l'accompagner en vacances au soleil dans une île des Caraïbes. Nous étions en pleine répétition, à une semaine des enregistrements, et il me fut impossible d'accepter. Et puisque nos horaires ne concordaient pas davantage par la suite, il ne pouvait de son côté attendre la fin de mes enregistrements. Il devait partir la semaine suivante. Comme j'étais très occupée, le fait qu'il ne m'ait pas appelée de la semaine ne m'avait pas alarmée outre mesure. Mais n'ayant pas eu de nouvelles à la veille de son départ, je me mis quelque peu à paniquer. J'étais, je le répète, très amoureuse. Profitant d'une pause dans les répétitions, je m'étais précipitée sur le téléphone pour l'appeler. Pas de réponse. Comme c'était à lui que je désirais parler, il n'était pas question que je laisse un message sur le répondeur. Un peu plus tard dans l'après-midi, quelqu'un répondit enfin. Une voix de femme. J'ai vite raccroché. Dominique, me voyant distraite et songeuse, me demanda ce qui se passait. Non seulement connaissait-elle mon amoureux, mais elle était parfaitement au courant de notre aventure. Elle entreprit de me rassurer :

– C'est peut-être la femme de ménage... quelqu'un de passage... une secrétaire...

– Voyons Dominique, je l'aurais su quand même !

– Ben rappelle et demande lui qui elle est.

– C'est bien trop indiscret. Et puis, si elle allait me dire quelque chose que je ne veux pas entendre !

– Pauvre « 'tite ». Qu'est-ce que je peux faire ? Veux-tu que j'appelle, moi ?

– Pour dire quoi ? Non non, laisse faire Do.

Mais elle insistait. Je devais faire pitié à voir. Je la vois encore entrant dans le jeu, en train d'imaginer prétexte et excuse au cas où ce serait lui qui répondrait. Il n'en fut rien et le pire se confirma. Sous l'interrogatoire désinvolte, mais insistant de Dominique, l'inconnue donna son nom et répondit qu'elle attendait « son » arrivée pour 19 h.

– Tu rappelleras à 7 h, Danielle. D'ici là, essaie de pas trop y penser. Je parie que ce n'est rien de bien grave.

Mais comme le nom de la demoiselle ne nous disait rien, Dominique, curieuse, fit un nouvel appel pour se renseigner.

– C'est une recherchiste-journaliste, Danielle. Une « 'tite » noire sans envergure. Ça r'garde ben mal, ma vieille.

Ce qui n'était pas tout à fait juste, car la « 'tite » avait de l'envergure. Merveilleuse Dominique, qui essayait de me protéger en diminuant l'importance de l'autre, pour m'en donner à moi. Le cœur dans l'eau, j'essayais de me concentrer. Peine perdue. Après avoir terminé ma journée, je pris mon courage à deux mains et lui téléphonai. Il décrocha et je lui parlai comme si de rien n'était. Mon offre d'aller le rejoindre et de le conduire le lendemain à l'aéroport fut cyniquement reçue, comme je le raconte d'ailleurs au chapitre *Mes amours*. Je mis beaucoup de temps à m'en remettre. Je l'avais profondément aimé. Quant à Dominique, elle avait eu ce commentaire bien philosophique :

– Quand t'es amoureuse, c'est terrible comme t'es fragile. T'as plus d'orgueil. Le gars te crache à la figure, tu t'essuies avec ta manche et tu lui demandes : « Je te revois quand ? »

Mais le spectacle devait continuer et je fis consciencieusement la comique dans les sketches du *Bye Bye*. J'ai fait rire tout le monde tandis que j'étais, moi, un petit peu morte en dedans.

Le second *Bye Bye* (1974-1975) mettait en vedette André Dubois, anciennement des Cyniques, pour les textes, puis Benoît Marleau, Dominique et moi. La Loi sur la langue officielle venait d'être signée et Thérèse Morange avait participé à un sketch sur le débat ayant entouré ce projet de loi 22. Roger Fournier assurait la réalisation. La direction de la musique composée par Marcel Lefèvre avait été confiée à Yves Lapierre, alors que Michel Boudot nous astreignait à une chorégraphie exigeante, mais enlevante. C'est en revoyant ces émissions, dernièrement, que je me suis amusée à constater combien on prenait le temps de faire des masques en latex, à l'effigie de ceux dont on désirait se payer la tête. Aujourd'hui, cette méthode très onéreuse est surtout utilisée au cinéma. Jean-Guy Moreau, en tant qu'artiste invité, imitait René Lévesque à la perfection et André Dubois ressemblait à s'y méprendre à Pierre Elliot Trudeau. Pour ma part, j'incarnais la femme de Robert Stanfield. Constatation surprenante : on parlait déjà à profusion de la réforme scolaire et de la paix. Oui, de la paix ! Comme si l'on n'avait pas encore compris après toutes ces années.

En 1974, on me demanda de coanimer l'émission *Toute la ville en parle* avec Edward Rémy au début, à qui succéda André Robert puis, finalement, Pierre Couture. Une émission que je devais conserver pendant près de 10 ans et dont s'inspira *Flash* de TQS. Après vérification, Edward me confirma que l'émission avait duré près de 22 ans à la télévision. Elle était née d'un besoin de valider les nouvelles sur les artistes publiées dans le journal *Échos Vedettes*. Mais cette émission a toute une histoire ! *Échos Vedettes* était dirigé, de façon indépendante, par Edward Rémy et André Robert. Les autres « potins artistiques » sortaient dans des journaux un peu moins sérieux qui couvraient en plus les affaires criminelles. On les appelait les « p'tits journaux jaunes ». Par « façon indépendante », j'entends qu'à l'époque Rémy et Robert avaient tous deux financé ce journal, le seul à ne pas appartenir à la chaîne de M. Péladeau. Or, les deux associés avaient convenu de ne jamais vendre au consortium Péladeau. M. Péladeau avait souvent essayé de les acheter, mais ils refusaient de fléchir, peu importe le prix. C'était mal connaître la ténacité de Monsieur P., qui utilisa tout simplement un homme de paille en la personne du président des Timbres Gold Star pour parvenir à ses fins. Puis, M. Péladeau réussit à convaincre le directeur du Canal 10, Robert L'Herbier, de faire une émission en lien direct avec son journal nouvellement acquis. Pour ajouter l'insulte à l'injure, il désirait que cette émission soit animée par Edward lui-même. Au grand dam d'Edward qui s'était fait menacer de perdre ses contrats à la télévision s'il n'obtempérait pas. L'émission s'intitulerait *Échos Vedettes*. Plus le temps passe, plus certains procédés restent les mêmes. Rappelez-vous la polémique entourant l'émission de Charles Lafortune, *Jet 7*, qu'on disait être une publicité ouverte pour le magazine *7 Jours*. La convergence, comme vous pouvez le constater, existait déjà à ce moment-là !

Un concurrent allait cependant faire basculer la machine. *Photo-Vedettes* se mit en tête d'utiliser, à la une du magazine, un logo en tous points semblable à celui d'*Échos Vedettes*. Dans les circonstances, et avec l'approbation de M. L'Herbier, Edward put rebaptiser l'émission *Toute la ville en parle*. Il l'anima d'abord avec Mariette Lévesque et Paul Dupuis, auxquels je succédai. J'animai ensuite l'émission avec André Robert. Désireux de faire fructifier l'argent de la vente de son journal, Edward avait quitté les ondes et passé le flambeau à son partenaire et associé. Ma participation consistait alors à lire des communiqués en abrégé sur des images qui nous arrivaient toutes faites, à couvrir une ouverture ou une fermeture d'émission enregistrée en studio, ou à faire acte de présence à quelques cocktails, question d'être dans l'image. Un nouveau réalisateur, Robert Bisson, allait changer les choses. Il me demanda de sortir et de prendre part davantage aux interviews hors studio.

Pour ma toute première intervention en solo, il m'avait envoyée couvrir le Festival des films du monde et m'avait organisé une interview avec l'un des invités d'honneur, nul autre que Lino Ventura. M. Ventura était à Montréal pour le tournage d'un film, et je devais le prendre devant les micros tout de suite à son arrivée à l'hôtel, au moment du cocktail d'ouverture du festival. Inutile de vous dire que je m'étais préparée comme si ma vie en dépendait. Et, ma foi, j'aurais bien pu l'y laisser ! Tout ça à cause de Nathalie Petrowski ! Je devais faire vite et bien, en raison de l'heure de tombée de l'émission. J'avais tout juste le temps d'enregistrer la rencontre, dont le montage devait être aussitôt fait, afin de présenter l'entrevue le soir même, pour en avoir l'exclusivité. Plus maligne que nous tous, Nathalie s'était rendue à Dorval. Allez savoir ce qui lui prit, mais la rumeur courut qu'elle aurait demandé à M. Ventura comment il vivait le fait d'avoir une enfant handicapée. Peut-être pas exactement en ces mots, mais l'attaché de presse qui m'expliqua par la suite la mauvaise humeur de M. Ventura n'avait pas mâché les siens en me racontant l'incident. En fait, je faillis ne pas avoir d'entrevue. J'approchai donc M. Ventura, le micro à la main, sans savoir ce qui s'était passé.

– Bonjour, monsieur Ventura. Bienvenue à Montréal. Vous êtes ici dans le cadre du Festival des films du monde ?

– Oui.

– ... Où vous serez membre du jury ?

– Oui.

– Pour la première fois ?

– C'est ça ?

– C'est un travail que vous avez accompli souvent ?

– Hum hum...

– C'est une détente ou c'est beaucoup de travail ?

– Ohhhh... ooooufffff...

Il avait les yeux au ciel et les bras croisés « bien dur ». Mais je ne me suis pas démontée, poursuivant...

– Mais ce n'est pas tout, vous êtes ici pour un tournage ?

– Puisque vous le dites...

Il me tournait carrément le dos et regardait dans la direction opposée au micro. La sueur me coulait entre les seins. Le souffle court, j'hyperventilais, mais j'avais décidé qu'il ne m'aurait pas, le butor !

– Vous jouez le rôle d'un père à la recherche de son fils qu'on a enlevé ?

– Si vous voulez...

– C'est un film policier...

– Ouais...

– Vous êtes au Québec pour quelques semaines ?

– Je ne sais pas exactement.

– Vous comptez rester un peu après pour vous reposer ?

– ...

Il ne répondait plus, se contentant de hocher la tête, de hausser les épaules. De mon côté, je lui aurais volontiers arraché la tête ! Quelque 30 ans plus tard, Robert Bisson, le réalisateur, m'avoua m'avoir regardée, ce jour-là, avec des yeux nouveaux.

– J'ai tout de suite compris que tu étais solide et que tu étais faite pour ce métier-là. Tu l'as tenu jusqu'au bout. Tu n'as pas flanché. Chapeau !

Quel plaisir j'ai eu à faire cette émission ! J'étais partout, je voyais tout. Une immersion totale à tous les niveaux. Et que d'aventures ! Je me souviens que je partais souvent (tout dépendait du réalisateur et j'en ai eu plusieurs) toute seule avec le caméraman. Nous nous rendions à l'entrée d'un théâtre ou dans un restaurant, et j'enchaînais parfois 10, 12 entrevues de trois à cinq minutes, chrono d'une main, notes et nom de l'invité de l'autre, et vogue la galère !

Je me souviens d'un incident tout à fait loufoque qui s'était produit à l'entrée du théâtre Félix-Leclerc. Je devais rencontrer le directeur du service des bibliothèques de la Ville de Montréal. Ce monsieur avait un nom composé. Je devais retenir son nom, donner son titre et, comme il avait été nommé président-directeur général d'un événement, souligner ce titre également.

Le tout sans carton à lire à la caméra pour simplifier la tâche, sans compter les notes à consulter, le chrono à surveiller. Je devais être parfaite. Je ne voulais à aucun prix recommencer la prise. En braquant le micro devant mon invité, le plus près possible de ses lèvres, ne voilà-t-il pas que je le sens reculer légèrement. Je savais que s'il allait trop loin, il serait hors foyer dans la lentille de la caméra et qu'il me faudrait recommencer. Je suivis donc son mouvement de recul, espérant que le caméraman allait pouvoir nous suivre. J'avais beau essayer de le garder à portée de micro, ça ne s'améliorait pas. Soudain, pouf! J'ai perdu l'homme au complet. Il venait de perdre connaissance.

Je n'ai pas eu que des moments de triomphe dans cette émission. Je me souviens, entre autres, d'un moment passablement embarrassant. Je devais interviewer un organiste. On ne m'avait fourni aucune note de recherche, aucune information sur son compte.

– Danielle, c'est quelqu'un qui s'est ajouté au dernier moment. Voici la pochette de son disque, donne-lui trois minutes tout de suite, comme aux autres. Ça sera fait.

Mais voilà qu'au bout de deux minutes à peine, le travail était déjà terminé. Je n'avais pu écouter le disque et je n'avais pas assez de temps pour commenter les titres des pièces. Je me rabattis donc sur la pochette et, dans la noirceur du théâtre, je remarquai :

– Quelle belle pochette ! Vous avez choisi le Christ du Corcovado, à Rio.

On a de la culture ou on n'en a pas !

– Ben non, madame Ouimet ! C'est la Sainte Vierge. Regardez le titre de l'album. Ça s'appelle *Sur les rives du Saguenay.*

Et c'est passé tel quel à la télévision. Encore aujourd'hui j'en frémis. Plus jamais je n'ai accepté de recevoir quelqu'un sans être documentée sur son compte.

J'ai œuvré plusieurs années aux côtés d'André Robert mais, lors d'un début de saison, le nouveau réalisateur, René

Gilbert, vint me voir pour m'annoncer qu'André était réquisitionné par la direction pour une nouvelle émission, le dimanche soir, et qu'on lui enlevait *Toute la ville en parle*. André en a été très malheureux. Ça ne faisait vraiment pas son affaire, mais il n'avait pas le choix.

– C'est ça ou c'est rien, lui avait-on dit.

En attendant, après six ans passés auprès d'André et d'Edward, je devenais, de par mon expérience de l'émission, première présentatrice. On me donna Pierre Couture, que je ne connaissais absolument pas, comme partenaire. Il travaillait à la radio de CJMS. Son arrivée devait me donner une belle démonstration de la place faite aux femmes dans ce métier. En voici un exemple.

Comme j'héritais de la direction de l'émission, j'en profitai pour demander une augmentation. Je ne pouvais exiger le salaire de mon ex-partenaire, qui avait un droit acquis dû à son ancienneté dans la station, mais mon nouveau rôle me faisait espérer une hausse qui me situerait à mi-chemin entre les deux salaires. Le réalisateur vint finalement m'annoncer qu'on m'augmenterait de 75 $, pour ajouter aussitôt :

– MAIS, j'ai décidé que je vais donner 50 $ de plus à Pierre.

– Pourquoi ?

– Parce que c'est comme ça. Et si ça ne fait pas ton affaire, dis-le-moi tout de suite, parce que j'en connais beaucoup qui ont l'œil sur ta place, pour moins cher.

Pierre était adorable. Drôle comme lui, c'est impossible à décrire. Il était très difficile de voir qu'il traînait un mal à l'âme épouvantable. Pour lui, tout était sujet à dérision et je pensais que cette forme d'humour cynique ne pouvait être que bénéfique à son besoin de s'exprimer. Mais en dépit de ce cynisme, Pierre, lui, n'était que douceur.

Je me souviens d'un Noël où nous avions dû mettre les bouchées doubles afin de pouvoir prendre des vacances. À la fin d'une réception éprouvante, nous nous étions retrouvés, avec le bruit, le va-et-vient, les longues attentes, d'assez mauvaise d'humeur. Dans cette atmosphère, le réalisateur nous avait demandé de faire l'ouverture de l'émission, pour laquelle nous devions être détendus, calmes, souriants... La caméra tournait. Pierre m'a regardée et, sans m'avertir, m'a plaqué un baiser sonore sur les lèvres. Bon... Rien de bien grave et rien pour arrêter l'émission non plus. Sauf qu'il entra en ondes avec la moustache et les lèvres re-cou-ver-tes de rouge à lèvres. Assez pour faire de la compétition à Patof! J'ai été prise d'un fou rire inextinguible. Dix, douze, quinze prises et ça continuait. Incapable de finir l'émission. Quand ce n'était pas moi, c'était lui qui partait le bal. On s'est rendu jusqu'à 25 prises sans y arriver vraiment.

Puis, un jour, l'impensable s'est produit. Un vendredi, après notre journée régulière à Télé-Métropole, je devais faire seule des interviews en extérieur. Malade et affligée d'une forte fièvre, on m'avait assigné une rencontre vers 16 h. Il était 11 h. Pierre m'avait dit qu'il me remplacerait à la condition que je l'accompagne pour le lunch. Comme nous étions dans le Vieux-Montréal, on avait opté pour le restaurant de Pierre Marcotte (à l'époque) et Shirley Théroux, La Boucherie. Comme je vivais alors à Habitat 67, je m'étais dit que je serais près de chez moi et que le repas serait de courte durée... Pensai-je! À notre arrivée, Jean-Pierre Ferland était dans la salle. Il nous invita à sa table et la fête commença. Nous en étions à la fin du repas qui, ma foi, avait été bien arrosé, sauf pour Pierre, qui faisait partie des AA depuis quelque temps. Jean-Pierre Ferland, qui ne le savait pas, nous offrit un armagnac pour terminer le repas. Une fois les verres devant nous, j'ai vu Pierre fixer le liquide doré d'un air songeur. Je lui ai fait signe, discrètement, de verser son verre dans le mien pour ne pas avoir à s'expliquer aux autres. Mais Jean-Pierre se méprit sur mon geste et pensa que j'empêchais Pierre de s'amuser. Je n'avais pas le choix, je devais lui dire la vérité. Jean-Pierre, réalisant les conséquences possibles, essaya donc d'arracher le verre des mains de Pierre qui, par provocation, le tenait plus serré. Réussissant finalement à le lui prendre des mains, Jean-Pierre fit ce qu'il fait parfois en public et qui lui vaut, chaque fois, des regards ébahis : il prit le verre, le porta à ses lèvres et le mangea. Oui, vous avez bien lu. IL CROQUA LE VERRE ET LE MANGEA.

– Tu ne toucheras pas à ce verre-là, mon ami, c'est moi qui te le dis.

Distraits par les pitreries de Jean-Pierre, nous n'avons pas remarqué que Pierre s'était subrepticement emparé du verre de Jean-Pierre et l'avait bu d'un trait. Il mettait fin, ce jour-là, à des mois d'abstinence. Je rentrai évidemment tard à la maison et Pierre, comme convenu, me remplaça. Comme je l'avais senti vulnérable, je lui avais promis de l'appeler le lendemain. Je suggérai que nous allions marcher dans les Laurentides. Mais comme ma fièvre ne s'améliorait pas, je décidai plutôt de rester couchée et d'attendre au dimanche. Tôt le matin, j'essayai de le joindre. Pas de réponse. Même chose en début d'après-midi. Réalisant qu'il serait trop tard pour sortir, car il devait être debout vers les 5 h du matin pour son émission de radio en ondes à 6 h, j'ai abandonné. Le lendemain matin, à 6 h, je reçus un appel.

– Bonjour Danielle. Excusez-moi de vous déranger, mais Pierre serait-il avec vous en ce moment ?

Je les trouvais bien effrontés et présomptueux. Ce n'était pas parce qu'un homme avait disparu qu'il était nécessairement dans mon lit !

– Non. Y a-t-il un problème ? A-t-il dit qu'il devait être avec moi ?

– C'est qu'il n'est pas rentré au travail. Il n'a jamais fait ça sans avertir. Un ami est passé devant chez lui. Sa voiture est dans son entrée de garage, mais il ne répond pas.

J'ai tout de suite repensé au vendredi et j'ai demandé qu'on envoie la police inspecter sa maison le plus rapidement possible. Ils l'ont retrouvé. Assis en « petit bonhomme », la tête appuyée dans la paume de ses deux mains, il s'était « endormi pour toujours », face au tourne-disque sur lequel était installé un vinyle qu'il a écouté jusqu'à son départ. Près de lui, un flacon de tranquillisants et un verre d'alcool. Pas assez vides cependant, a-t-on dit plus tard, pour que ces deux éléments aient pu lui enlever la vie. La culpabilité que j'ai ressentie de ne pas avoir persisté dans mes appels est indescriptible. Et si j'avais pu faire quelque chose ? Si j'avais vu... deviné... prévu... Il vivait une immense peine d'amour, une peine de vie, et rien ne lui apportait la paix. J'ai longtemps pensé que si j'avais été là, cela ne serait pas arrivé. Mais on ne peut changer le cours d'une vie et surtout d'une âme. Il avait fait son choix. Et si l'au-delà existe, j'espère qu'il a pu se reposer un peu et qu'il n'a pas eu trop de comptes à rendre. Il faut un courage immense pour passer dans « le vide absolu » et beaucoup de peine pour ne plus avoir envie ne serait-ce que de voir pousser les fleurs. Je garde son beau sourire, sa merveilleuse absurdité comme de grands cadeaux que m'a faits la vie.

Après, on aurait dit que le cœur n'y était plus. *Toute la ville en parle* allait continuer, mais dans un autre format. On l'a insérée tout simplement dans l'émission *Bon dimanche*. L'émission ne durait plus qu'un quart d'heure. Et on en profita pour réduire mon salaire. Edward Rémy était revenu dans l'émission, comme recherchiste et chroniqueur de *Bon dimanche* cette fois. J'allais rester quelques années encore à la barre de ce petit quart d'heure, qui n'en était jamais un, puisque je faisais régulièrement 30 minutes pour le salaire de 15. Deux événements allaient finalement me donner le coup de grâce. On m'avisa un mardi que je devais remplacer Suzanne Lévesque (qui avait préalablement animé l'émission) le jeudi suivant. Suzanne, insatisfaite des négociations de son nouveau contrat et ne voulant pour rien au monde s'astreindre à un salaire en dessous de son barème, avait décidé de ne pas rentrer en studio. On avait fait appel à Reine Malo pour la remplacer, mais Reine refusait d'entrer de plain-pied dans l'émission sans l'avoir prévisionnée pour savoir ce que cela impliquait. Elle se réservait aussi le droit de négocier, ce qui ne se fait pas toujours facilement. J'acceptai donc le défi énorme de prendre la place vacante, en attendant. Une journée avant l'enregistrement, je devais me « taper » la recherche de deux heures d'émission, et m'adapter à une formule qui n'était pas la mienne. Je me souviendrai toujours de ce livre de 400 pages qu'on m'avait tendu : *Le nabab* d'Irène Frain, que je devais assimiler avant de donner 12 minutes d'entrevue à l'auteure qui en était à son premier voyage (et à sa première interview) au Québec. Ne m'étant pas trompée une seule fois de tout l'enregistrement, j'étais très fière de ma performance. Pendant une semaine, je rêvai que Reine hésiterait tellement qu'on ne pourrait faire autrement que de lui retirer l'offre et de me donner l'émission. On me remercia de les avoir ainsi sortis du pétrin, mais on ne considéra pas ma candidature pour l'avenir, ce qui me heurta profondément.

Je retournai donc à ma petite tranche de « sujets insignifiants », que l'on avait à nouveau amputée, ce qui voulait dire : baisse de salaire. Or, le temps variait toujours selon les besoins de l'émission et le réalisateur accumulait les invités sans me donner pour autant de compensation monétaire. Aussi, lorsqu'une obligation correspondant à du travail payant se présenta, je demandai, en donnant un avis de deux semaines, que l'on ne prévoie pas plus de trois invités et que l'équipe arrive à l'heure juste, afin de me permettre de m'absenter. J'ai cru que l'on comprendrait mes obligations. Je réitérai la demande une semaine avant l'événement, mais nul n'en tint compte et l'équipe arriva une demi-heure en retard. Puis ce fut un invité qui me fit attendre. Mais c'est lorsque Edward Rémy arriva avec deux invités imprévus, sans recherche ni documentation pour soutenir mon interview, que je partis, les abandonnant dans le couloir et soulignant avec énervement que le réalisateur avait été prévenu. Il n'était pas question que j'arrive en retard au défilé de mode que je commentais à la Place Bonaventure ! Ce travail était important, puisque mon agence de mannequins, celle que j'avais ouverte avec Suzanne Murray, était responsable de tous les événements de mode présentés à la Place Bonaventure et je ne pouvais reculer. Ce jour-là, trois heures plus tard, j'étais renvoyée. René Gilbert m'avait mise à la porte. Façon bien triste de terminer une émission que j'avais tout de même aimé faire. Mais avant de clore l'aventure de cette émission, je vous laisse sur une dernière petite anecdote.

Je me déplaçais régulièrement afin de rencontrer certains artistes. Aussi étais-je au comble de l'excitation lorsqu'on me demanda de me rendre à l'hôtel Méridien interviewer Julio Iglesias, pour promouvoir l'un de ses spectacles. Déjà les caméras étaient installées devant un canapé magnifique, destiné à accueillir nos confidences. Or, ce canapé, sans doute très confortable, était hélas ! mal adapté à l'angle de la caméra. En effet, les coussins de plumes nous avalaient littéralement le postérieur et nous propulsait les genoux plus haut que la taille. Cette rencontre devait à peine durer trois minutes, je réussis toutefois à converser près d'une demi-heure avec Julio, car la caméra s'était détraquée. Le temps de la remplacer, Julio me tenait par la main et me faisait des déclarations tout à fait correctes mais, tout de même, très intimes. Le problème réglé, la caméra en fonction et ma première question posée, je sentis soudain un curieux mouvement contre ma cuisse. Est-ce que je rêvais ? On aurait dit que quelque chose me frôlait sous ma jupe. Eh bien non ! Je ne rêvais pas. C'était bien Julio qui, profitant de ma jupe évasée, jouait à la petite « bibitte » qui monte qui monte. Même qu'il trouvait ça très drôle. J'ai fait comme si je ne sentais rien, ne voyais rien et tout s'est arrêté quand on coupa l'éclairage. Francine Chaloult, attachée de presse pour l'occasion, avait tout deviné. Elle était venue me retrouver pour m'annoncer que la vedette m'invitait, le soir même, à dîner. Je n'y suis pas allée. Je détestais ce genre d'approche. Fin de ma belle histoire d'audace.

Les années passaient. Je fis *L'heure de pointe*, *Le travail à la chaîne*, *Le jardin des étoiles*, *Reflet d'un pays*, *Drôle de monde*, *L'ami Boulanger*, *Tic tac toc*, *Du tac au tac* et tant d'autres. Ma participation à ces émissions était restreinte, mais mon travail était sur le point de prendre un virage inespéré. En 1978, Dominique Michel fit appel à mes services pour la télésérie *Dominique*. Pendant deux ans, j'incarnai le personnage de la barmaid-un-peu-fofolle-mais-bonne-fille, voisine de Dominique. J'ai adoré faire cette série. Dominique, généreuse, m'enseigna « l'art du punch » :

– C'est mathématique et rythmique, Danielle. On attaque toujours la prochaine phrase à la fin des rires de la phrase précédente. Ne laisse jamais de vide, tu perds alors le tempo. C'est l'effet cumulé de ces rires qui donne forme au « momentum ».

Les salaires étaient modestes à l'époque. Les séries faisant appel à de nombreux artistes subissaient toujours des restrictions budgétaires. L'équation était simple : à partir du salaire bien mérité de Dominique, les artistes de la distribution, en tant que débutants, ne pouvaient se permettre d'être trop gloutons sur les cachets. C'était mon cas. Mais pour tout vous dire, j'aurais payé tant je voulais participer à cette série. Ce qui devait être, à l'origine, des apparitions sporadiques se mua donc en une présence régulière, et Julie, mon personnage, devint un sujet de sketches assez fréquents. J'adorais être en studio, mais plus que tout, j'étais heureuse en répétition. Nous formions, avec Françoise Lemieux et Gaétan Labrèche, un joyeux trio d'indisciplinés. Le réalisateur devait souvent sanctionner notre tapage. À l'écart, dans l'attente des répétitions de nos scènes, on se racontait des anecdotes et mon rire clair perturbait régulièrement le travail de nos camarades. Il y eut évidemment plusieurs bonnes émissions, mais je ris encore de celle où le réalisateur lui-même perdit tout contrôle.

Pour les besoins d'un sketch, la fille de Dominique (Mireille Daoust) était tombée amoureuse d'un garçon qui était membre d'une secte. Benoît Marleau interprétait le gourou de la secte. Ce jour-là, Dominique (le personnage) avait décidé de recevoir tout ce beau monde dans son salon. C'est une émission qui a dû coûter cher. On riait tellement qu'on a dû reprendre les scènes sans arrêt. Vincent Bilodeau, Émile Genest, Olivette Thibault complétaient la distribution. Tous les clichés y sont passés. La tuque de laine, la robe longue pour l'officiant, les clochettes, l'encens, les « oohm » chantés les bras au ciel ! Nous fournissions nos propres vêtements pour la série, et c'était l'époque du *flower power*. Tout ce que nous portions il y a 30 ans, et qui nous fait rire aujourd'hui, redevient à la mode. Assurez-vous donc de ne rien jeter !

J'ai encore une copie de cette émission, l'une des rares qui n'ait pas été effacée par souci d'économie et de rangement chez TVA. En effet, les rubans utilisés pour les enregistrements de toutes ces émissions étant nombreux et volumineux ; la direction, soucieuse de réutiliser les bobines pour ne pas grever son budget et préserver l'espace exigu des locaux, avait une politique de destruction systématique. Il n'existe presque plus rien des émissions comme *Jeunesse d'aujourd'hui*, *Le capitaine Bonhomme*, *Symphorien*, etc. Fort heureusement depuis, de nouvelles technologies sont arrivées. Les textes de la télésérie *Dominique* étaient signés Antoine Lefèvre, un pseudonyme de Réal Giguère.

Réal m'a souvent fait travailler. Je crois qu'il appréciait ma façon de relever des défis que d'autres auraient refusés par crainte de perdre la face. Constante dans ma droiture, j'étais toujours partante pour la polémique. Ce n'était ni pour briller ni pour provoquer. Si je croyais être accusée à tort, j'entrais dans la ronde des explications. J'ai déjà mentionné ma détermination à ne jamais reculer quand il est temps d'assumer mes gestes. Je n'allais pas faillir malgré l'opprobre si j'étais convaincue de la légitimité de mes actes. C'est ainsi que je me suis retrouvée un jour dans une émission de variétés dirigée par Réal et en présence du père Marcel-Marie Desmarais, qui s'était vivement opposé à mes films, et qui eut à tempérer ses déclarations en me voyant arriver en invitée-surprise de l'émission. Un autre événement allait également beaucoup amuser Réal : le couturier Gilles Gagné m'avait un jour mise sur sa liste des femmes les plus mal habillées. Toujours en tant qu'invitée-surprise, Réal m'avait fait venir à nouveau à son émission. Je me suis assise auprès de Gilles et la seule question que je lui ai posée a suffi à régler le problème. En substance, je lui avais demandé à quel endroit il avait fait ses études de haute couture et quelles étaient ses qualifications. Il avait biaisé en disant qu'il était plutôt décorateur. Je lui avais à nouveau demandé de quelle école il était diplômé. Il n'avait pu répondre. J'avais gagné la partie. Réal adorait ce genre de polémique. C'était bon pour « les *ratings* », et les détracteurs avaient l'occasion de s'expliquer entre « quatre-z-yeux ». C'est trop facile de jouer au critique en solo. En duo, c'est plus aérobique !

En 1980, je vaquais à la fois à mes occupations de comédienne et d'intervieweuse. Mais je compris qu'André Robert et moi-même étions des incontournables dans le genre « interview artistique » lorsqu'on nous confia l'animation du gala de la rentrée à Télé-Métropole. J'ai encore la cassette de ce moment incroyable enregistré dans le champ plein de broussailles devenu aujourd'hui le stationnement extérieur de la station. J'étais coiffée à la Farah Fawcett et nous attendions l'arrivée des limousines pour décrire les toilettes de ces messieurs dames !

Par la suite, j'enfilai des émissions telles que *Première heure*, *Midi plus*, *L'artishow*, *Les Coqueluches* et j'eus, en outre, le plaisir d'animer une spéciale d'une heure, diffusée directement du centre Epcot à Disneyworld, pour son ouverture. Nous avions eu la chance de voyager dans le jet privé qui avait appartenu à M. Disney. Le matin, très tôt, on nous avait accordé une visite libre des pavillons. Imaginez quatre filles (le groupe Toulouse et moi) dans ce palais des jeux qu'était le pavillon Kodak. Cet endroit nous avait terriblement impressionnées : des faisceaux de lumière étaient projetés sur le sol et reproduisaient des notes de musique sous chacun de nos pas. Prises d'une folie rare, nous nous étions littéralement mises à nous rouler par terre au pavillon Kodak. Il y avait également un couloir décoré de néons multicolores qui changeaient de couleurs selon nos mouvements. Et ce coin où, face à un orchestre virtuel, nous pouvions devenir chefs d'orchestre tout simplement en levant les bras. Il suffisait de mimer un tempo et la musique nous suivait. Et je vous parle de l'Epcot d'il y a plus de 20 ans !

C'est aussi à cette époque qu'on me demanda d'animer le *Téléthon des étoiles* avec Pierre Lalonde, Marguerite Corriveau, une anglophone au nom bien québécois, et Don McGowan. J'ai participé à cette émission 12 années d'affilée. Même si nous étions tous là pour la conclusion, on me donnait surtout l'animation de nuit avec Don, ce qui était un réel plaisir. Ces rencontres avec Don sont restées marquantes. C'était un être drôle, attentionné et généreux.

À de nombreuses reprises, j'ai pu visiter l'hôpital Sainte-Justine et l'hôpital de Montréal pour enfants. Depuis, je suis toujours là lorsqu'il est question d'enfants à soutenir. On me sollicite pour de nombreuses causes : le cancer et les maladies du cœur, qui me concernent personnellement, car ma famille et des amis en ont été atteints ; mais la maladie chez les petits qui ne comprennent pas la raison de leurs souffrances me touche particulièrement. J'ai ainsi rencontré des enfants tout à fait exceptionnels et m'en suis fait des amis. Je pense particulièrement à Maxi.

À l'émission, un dimanche, très tôt, je rencontrai cette petite puce de cinq ans qui me dit qu'elle aimerait donner de l'argent. Elle me raconta qu'elle avait été malade et qu'elle avait été soignée par les médecins de Sainte-Justine. Je voulais bien la prendre en ondes, mais c'était l'heure à laquelle les grosses compagnies apportaient leurs chèques aux montants faramineux. Je cherchais le moment de la coincer entre deux présentations. Le temps passait et je l'ai oubliée. Les présentations et les chèques étaient nombreux et les performances de chanteurs nous avaient retardés quand, huit heures plus tard, je l'ai aperçue, vaillamment debout au même endroit, m'attendant encore, son petit seau de monnaie à la main. Entre un changement de costume et une retouche de maquillage, sa mère me raconta en deux minutes l'incroyable exploit de la petite qui, le matin même, s'était levée, habillée toute seule et, de son propre chef, avait parcouru les étages de l'édifice d'appartements où elle habitait pour quémander de l'argent pour SON hôpital pendant que sa mère dormait. À mes yeux, ça valait autant que tous les millions ramassés par les grosses compagnies. Je l'ai alors prise par la main, on s'est assises par terre et, en prenant tout mon temps, j'ai tassé ceux qui s'attendaient à plus de temps d'antenne en raison de l'importance de leur chèque, pour laisser passer le message de la petite.

J'ai aussi le souvenir, douloureux celui-là, d'une petite Élisabeth, rencontrée avec ses parents à Sainte-Justine. Transpercée de toutes parts de tuyaux et d'aiguilles, elle avait passé la majeure partie de sa courte vie à l'hôpital. Je l'avais bercée un certain temps, tandis qu'elle me souriait sans arrêt. Elle est morte avant même la diffusion du reportage que l'on faisait sur elle pour le téléthon. Je pense souvent, très souvent à elle. Sa vie n'a pas été inutile. Elle m'aide souvent.

En 1982, Jacques Normand s'était vu confier *Quartier Normand*, une émission de variétés à Télé-Métropole. On m'engagea pour une prestation spéciale: empêcher Jacques Normand de trop parler. Vous avez bien lu! Je devenais son garde-chiourme. Le réalisateur de l'époque m'avait fait venir à la station pour m'expliquer qu'on avait demandé à M. Normand de respecter le temps alloué à la publicité. Lorsqu'une émission est diffusée sur tout le réseau, il est impératif de faire les « tombées publicitaires » à des moments bien précis, à cause des autres stations qui passent leurs publicités locales en synchronisation. Jacques ne les respectait jamais. Le régisseur avait beau entrer en convulsions, le réalisateur couper l'image au milieu de ses phrases et Roger Joubert, notre pianiste, jouer de la musique pour couvrir ses paroles, rien n'y faisait. Je devais donc l'écouter attentivement et à une minute de la pause publicitaire, prendre le contrôle et faire une chute vers la sortie de l'émission. Ça ne s'est pas fait facilement, bien qu'il ait été pertinemment au courant de la raison de ma présence dans son émission. Pour tout vous dire, ça l'amusait énormément. On a beaucoup parlé de ses moments d'ébriété. Le fait est qu'il ne buvait pas tant que ça. Un plongeon du haut d'un rocher à Kamouraska, alors qu'il était adolescent, lui avait abîmé les vertèbres, le laissant avec un grave handicap à la colonne vertébrale. Il prenait des médicaments très puissants contre la douleur. Les mélangeait-il avec un « petit boire » ? Je ne saurais le dire. Mais avec ou sans, je le revois encore essayer de se déplacer rapidement pour aller prendre position. En raison de son problème, il s'était forgé une démarche par laquelle ses genoux prenaient appui l'un sur l'autre, ce qui le faisait souvent s'empêtrer dans les câbles des caméras, de sorte qu'on devait le ramasser plus souvent qu'à son tour. Il devait en éprouver une certaine gêne, mais pour rien au monde il ne nous l'aurait fait voir. Il préférait se moquer de lui-même et des autres. Il m'avait d'ailleurs raconté cette anecdote, assez abominable, d'une époque où, en meilleure forme, il avait dû s'occuper, lors d'une délégation à Paris, d'un journaliste du nom de Laurier Lapierre qui se déplaçait en fauteuil roulant. Avant le départ, Jacques avait téléphoné à l'aéroport d'Orly pour leur annoncer l'arrivée (inventée de toutes pièces) d'un grand nombre de handicapés et leur demander de prévoir un nombre suffisant de fauteuils roulants. Ainsi donc, à l'arrivée, prenant Laurier dans ses bras, Jacques s'était présenté en haut de la passerelle, annonçant triomphalement à ce dernier :

– Tiens Laurier, ton fan-club est venu t'accueillir !

On raconte qu'il a fait pire. Si vous désirez tout savoir, régalez-vous en lisant sa biographie, écrite par mon ami Robert Gauthier aux Éditions de l'Homme, intitulée *Jacques Normand, l'enfant terrible*.

Si Michel Jasmin a été le premier à interviewer Céline Dion, nous avons dû être les seconds. J'ai chez moi une copie de l'enregistrement d'une des émissions du *Quartier Normand* réalisée avec Céline qui chante et nous raconte que son plus grand rêve est de devenir vedette internationale. Ça fait tout drôle.

J'ai aussi eu mes moments d'antenne dans la langue de Shakespeare : *McGowan Show*, *Ralf Lockwood*, *Pierre Lalonde Show* et *Peter King Show*. Autant d'émissions pour me permettre de pratiquer mon anglais. J'adore d'ailleurs travailler dans cette langue. Surtout au cinéma. Concentrée à trouver la bonne prononciation, j'en perds tous les tics que peut donner la recherche de précision du français. D'autre part, le détachement émotionnel facilite l'expression dans une autre langue. Par exemple, dire « je t'aime » à l'écran est particulier, car les mots sont en référence directe avec la façon dont je les ai prononcés dans ma vie. Mais ne les ayant pas souvent prononcés en anglais, l'absence de référence émotionnelle me donne une liberté vis-à-vis des mots. Il devient donc plus simple pour moi de « jouer » en anglais.

En y réfléchissant, je me rends compte que, de toutes ces émissions que j'ai nommées, il est peu probable que vous vous souveniez des noms de tous ceux qui les ont animés. Ça amène un petit coup d'humilité : tout en chérissant le souvenir de toutes ces diffusions, je peux convenir que l'on ait pu aussi oublier que j'en ai animé quelques-unes. Et tant pis pour l'ego !

En 1987, travaillant à la radio dans les Laurentides, je n'ai fait que peu de télévision. Cependant, un événement malheureux allait m'amener travailler à Québec. Michel Jasmin était tombé dans les escaliers de sa résidence et il était hospitalisé avec de sérieux problèmes aux jambes. On m'appela pour le remplacer. Ce qui ne devait durer que quelques semaines se prolongea en une fin de saison. En dépit des raisons qui m'amenaient dans cette merveilleuse ville, j'étais heureuse, car c'était la première fois que l'on me confiait une émission en solo. Elle s'appelait *Via Québec*. Ce n'était pas la mienne à proprement parler, mais on aurait dit qu'elle avait été conçue pour moi. Pierre Poitras me secondait pour faire les ouvertures, les enchaînements, présenter les concours et un personnage – Mademoiselle Henriette – une marionnette en forme de chien qui apparaissait à tout propos dans l'émission. Mettons tout de suite quelque chose au clair. J'ai une sainte horreur des mascottes. Il est à mon avis infantilisant de demander aux gens d'entrer dans le jeu de ces toutous ridicules. Je n'ai rien contre un enfant qui s'émerveille à danser avec Mickey Mouse ou, en forçant, avec le

Bonhomme Carnaval. Ça m'attendrit même. Mais de là à voir un adulte lever la jambe dans le quadrille du « fun de circonstance », c'est autre chose. Vous aurez donc deviné que cette Mademoiselle Henriette, la malheureuse, m'excédait au plus haut point et me donnait l'impression de perdre un précieux temps qui aurait pu être utilisé à faire des entrevues plus poussées.

Je vous parlais tout à l'heure de Céline Dion. Je l'ai interviewée souvent dans ma carrière. J'ai d'ailleurs chez moi, grâce à la magie de la vidéo, un magnifique morceau d'anthologie. À l'époque, les chanteurs venaient lancer leurs nouveaux disques en ondes. Rencontre qui s'étalait sur toute la semaine, mais que nous enregistrions à raison de trois émissions le premier jour et deux le lendemain. C'est ainsi que l'on m'avait demandé d'interviewer Céline pour le lancement de son disque *Unison*. Avec le recul, on peut visionner aujourd'hui tous les enregistrements à la chaîne et voir ce beau papillon sortir de son cocon. Certains y trouveront motif à moquerie. Moi, bien au contraire, je ne peux que m'émouvoir de la détermination, du courage et de la grandeur de ce couple qui a tout misé sur la réussite. Et c'est bien ce qui nous rend envieux. On a tendance à croire que tout ça s'est fait tout seul.

Pour la première émission, Céline était habillée de blanc. Pour la seconde, elle était en noir. Pour la troisième, elle portait le haut du vêtement de la première émission et le bas de la seconde. Pour la quatrième, elle est arrivée en robe blanche à volants, de style flamenco, bas noir et veste de cuir brillant. Ce n'était pas du meilleur goût, mais en me regardant sur la pellicule, je me rends compte que je n'étais guère mieux fagotée puisque, tout comme elle à l'époque, je devais fournir mes propres vêtements. Nous avions terminé la semaine à nouveau en noir, mais cette fois avec un ensemble qui lui ressemblait davantage et annonçait un peu ce qu'elle allait devenir : une fille résolument plus vibrante et enfin sortie de l'adolescence.

Je dois confesser m'être qualifiée ce soir-là pour la catégorie « mise en nomination au gala de la connerie » et en avoir gagné le trophée que personne, malheureusement, n'est allé chercher à ma place ! En effet, Céline et René étaient assis à mes côtés pour la fin de l'émission, et j'annonçai avec aplomb à René qu'il était dommage qu'il ait de grandes visions pour sa protégée, car j'avais l'intention de la présenter à mon fils et que, je n'en doutais pas un seul instant, elle deviendrait éventuellement ma bru ! Rien de moins. Gageons qu'ils ont dû en rire longtemps.

Entre-temps, je décrochais une émission à la radio de Sainte-Adèle qui se chargea d'occuper mes fins de semaine. C'est aussi à cette époque que je rencontrai mon futur mari. Les contrats se faisaient de plus en plus rares, mais j'avais trouvé malgré tout un nouveau travail à la télévision, à Québec, avec les producteurs qui allaient devenir quelques années plus tard ceux de l'émission *Bla Bla Bla.* Cette émission s'appelait *Look 88* et allait se prolonger jusqu'en 1989. J'étais coanimatrice en compagnie de Marcel Pelchat.

Le mauvais sort allait cependant s'acharner sur moi. Après deux années de succès avec cette émission, je demandai une augmentation de salaire à mon producteur de l'époque. Je réitérais la demande de semaine en semaine. Il ne disait ni oui ni non, mais m'avait précisé qu'il n'était que le producteur délégué et que l'augmentation devait être approuvée par le vrai directeur. Les semaines passaient et je ne voyais toujours rien venir. Bien décidée à régler le litige lors de mon prochain séjour à Québec, je me fis répondre cette fois que le producteur délégué était en vacances pour deux semaines et que je devais attendre. Aiguillonnée par tant de laisser-aller, je me suis dit que ça ne devait pas être si terrible que ça d'appeler le vrai patron, d'autant plus que j'attendais déjà depuis deux mois. Ce que je fis. Un beau revirement de situation m'attendait. Non seulement le patron accepta mon augmentation, mais il appliqua, de sa propre initiative, l'augmentation à toutes les émissions que j'avais déjà faites sans que je le lui demande. Je commençais à penser que j'avais un maudit bon patron quand le producteur délégué revint enfin de vacances. Le premier appel qu'il fit à son retour fut pour m'annoncer que je n'avais plus de job! Il fallait qu'il soit vraiment très « enragé » pour me retirer une émission en pleine saison. Quoique locale, elle fonctionnait relativement bien. Or, ma plus grosse surprise était à venir. Il m'avait remplacée par Dominique Michel. La peine causée par la perte de mon emploi était largement compensée par la surprise qui, selon mon estimation, leur pendait au bout du nez. Je savais que Dominique ne ferait pas long feu à la barre de ces émissions; les contraintes y étaient trop nombreuses. Et ça n'a pas raté.

Chaque semaine, Marcel donnait la chance à une téléspectatrice de se refaire un *look*: coiffure, teinture, manucure, pédicure et vêtements, plus l'hôtel et la limousine. Un peu comme dans toutes ces émissions qui, depuis 2000, font fureur. Amusant, mais pas très valorisant pour la communicatrice que je suis. C'était une petite émission honnête qui demandait un bon sens de l'observation, la mise en valeur de certains éléments, comme de souligner les couleurs, les tissus, bref, un vocabulaire branché sur la mode, et surtout de l'expérience à la caméra pour le minutage. Rien qui puisse faire de l'animatrice une vedette incontestée. Dominique a « duré » environ cinq semaines, je crois. Puis elle est « tombée très malade », ont dit les journaux.

J'ai souvent eu à vivre ce genre de situation dans ce métier qui n'est pas fait pour les « petites natures ». Il y faut une détermination à toute épreuve, en plus de savoir marcher sur son ego. Il n'y a pas de stars à proprement parler, ici, au Québec. Du moins pas dans le sens américain du terme. Les risques monétaires étant moindres, le pouvoir commercial des artistes en est diminué d'autant. S'il arrive qu'on nous accorde raison pour une exigence jugée trop onéreuse (ou peu rentable, c'est selon), il arrive aussi qu'on ne nous engage plus par la suite.

À talent égal, le bassin de gens prêts à prendre ta place pour moins cher est ahurissant. Nous avons trop de personnes qualifiées et trop peu de travail. Saviez-vous que *per capita* nous sommes l'un des pays à utiliser le plus d'artistes au monde? C'était du moins le cas il y a 15 ans environ. Le pouvoir des artistes en est un d'estime. Le talent mis à part, la déférence qu'on nous accorde vient davantage du cœur que du portefeuille. Si un artiste est apprécié du public, les producteurs le lui rendent bien. Il n'y a que le public finalement qui ait le pouvoir de changer les choses. Bien des carrières sont à la merci des sacro-saintes cotes d'écoute qui sont obtenues, à mon avis, de façon bien aléatoire. Mais n'entrons pas dans ces détails. C'est de la cuisine de marmiton. Chaque chef a sa recette!

Les émissions de Québec étant terminées, j'étais assise dans mon salon à attendre mon mari quand m'est venue une invitation de Montréal pour travailler dans l'émission de Pierre Marcotte. Oh, juste une apparition! Mais vous ne pouvez pas imaginer l'importance qu'a eue cette émission pour moi. À la sortie des studios, j'ai appelé Hubert, toute heureuse de ma performance, et lui ai demandé s'il avait aimé ma prestation. Il n'avait pas regardé. J'ai senti un total détachement dans sa déclaration. Il y a eu un silence passablement long au bout du fil, et je lui ai simplement demandé si nous devions divorcer. Je ne vous raconte cet épisode ici (voir *Mes amours*) que pour vous situer dans le temps.

Dès lors, tout se mit à aller mal. Mais j'avais la ferme intention de relever les manches et de faire tourner la roue de la fortune en ma faveur. Je n'avais pas un sou, mais il n'était pas question que j'en demande à mon ex-mari, que je chérissais encore. Il m'a fallu beaucoup de courage pour tout abandonner : la maison de mes rêves, une vie calme dans la nature, un peu trop calme peut-être, puisque je n'y voyais que rarement mon mari. Mais sans travail ni argent et sentant que mon homme devenait de plus en plus malheureux, je n'aimais pas ce que nous étions en train de faire de nous-mêmes et ce que j'étais en train de devenir. Je suis revenue en ville avec 800 $ en poche.

Puis, le besoin aidant, j'ai littéralement défoncé les portes avec l'énergie du désespoir. Il le fallait, puisque j'avais signé un bail à 1 200 $ par mois, ce qui valait plus que ce que j'avais en poche. Ça tombait bien. Télévision Quatre-Saisons m'a tout de suite demandé d'auditionner pour une émission que voulait abandonner France Castel. Cette émission, à caractère érotique, s'appelait *Sur l'oreiller*. Quand, après avoir été choisie, on me demanda mon opinion, ma première suggestion fut d'en changer le titre. Ça s'est appelé : *Parlez-moi d'amour*. L'émission avait eu quelques ratés. France ne se sentait absolument pas à l'aise dans ce genre d'entrevues. Pas que je me sois sentie plus à l'aise, comprenez-moi ! Mais j'ai toujours dit que tout est dans l'approche.

Rien ne doit être cru en matière de sexualité, à moins de chercher à provoquer. Et si c'est le cas, bonjour la vulgarité ! Malgré l'image de mon passé, je voulais surtout durer à la télévision. Pas me suicider ! Or, dans ce genre d'émission, afin de maintenir l'intérêt lorsqu'on traite d'un sujet aussi délicat, il faut toujours une surenchère dans les déclarations. Où s'arrête-t-on alors ? Quand on parle de « cul », c'est pratiquement impossible. En matière de sensualité, c'est autre chose. J'ai toujours dit que le « non-vu », le « suggéré » étaient infiniment plus sexy que l'« objet » en gros plan !

France répugnait à poser des questions de plus en plus intimes. Personnellement, je n'ai jamais eu à le faire. Quand on respecte les limites de l'autre, il vous le rend bien. Grâce à cette attitude, j'ai obtenu des déclarations beaucoup plus sensationnelles.

Je me souviens de Luce Guilbeault parlant du plaisir qu'elle avait à « consommer de très jeunes hommes ». Et que dire de Jacques Boulanger, qui m'avait avoué que son fantasme le plus fort était de baiser une sœur, une vraie, avec sa cornette et ses bas de laine retenus par des porte-jarretelles...

– Pas sœur Angèle, avait-il ajouté.

J'étais bien contente du résultat. Mais j'ai eu mes moments de doute. Lors de mon audition, on m'avait fait visionner l'une des émissions de France dont Michèle Richard était l'invitée. Minutage oblige, France avait coupé la parole à Michèle en disant :

– ... Et maintenant, nous passons à notre scène de film sexy de la semaine.

On lui avait montré les images de Marlon Brando en train de tartiner de beurre le derrière charnu de Maria Schneider dans *Le dernier tango à Paris*. Sorties de leur contexte, je vous jure qu'il y avait de quoi en avaler sa gomme !

Mais, financièrement parlant, cette émission n'aurait pu tomber plus à point. J'étais complètement sans ressources. À 41 ans, je recommençais à zéro.

Et si je n'avais pas le chic de réussir mes histoires d'amour, mon métier, lui, me procurait de grandes joies. En fait, c'est sûrement pour cette raison que je lui ai consacré toute mon énergie et mon attention. Contrairement aux amours de ma vie, mon métier, lui, m'a dédommagée de tous mes sacrifices.

Puis, le temps a passé, je me suis refait une santé financière. Fiou ! Que de travail !

J'ai très peu d'amis dans le domaine artistique. Il y a bien sûr ceux avec qui je vais manger au restaurant, ceux avec qui je prends plaisir à assister à des spectacles, ceux que j'appelle pour avoir une opinion, mais peu avec qui je voyage ou à qui je raconte mes peines et mes joies. Michèle Richard fait partie de ceux-là.

Si je l'ai vue la première fois à la télévision de Sherbrooke alors qu'elle n'avait que huit ou neuf ans, c'est en 1967 que je l'ai rencontrée dans les studios de CJMS.

Michèle… c'est Michèle! Combien de fois aurais-je eu envie de bercer l'enfant qu'elle n'a jamais été. Parler à la femme tellement isolée, incomprise, au point d'en oublier les autres et de ne se parler qu'à elle-même, malgré un énorme entourage.

On fréquente Michèle en sachant qu'on entre dans son univers. Ce n'est que rarement le contraire. Elle est secrète, et avec raison. On ne peut pas passer sa vie à se justifier, elle pas plus que les autres.

Les plus simples de ses gestes, comme les plus démesurés, sont épiés, déformés, amplifiés. Elle crée l'anecdote, la nourrit, et elle est toujours la première surprise de constater qu'elle en perd parfois le contrôle. S'ensuivent des moments de déprime que vous ne verrez jamais. C'est là, dans ses moments de grande fragilité, qu'elle peut se révéler sublime. Elle possède une richesse masquée, malheureusement, par bien des artifices, des silences et une énorme insécurité. Sa qualité d'écoute est exceptionnelle, sa fidélité envers ses amis, surprenante pour une femme qui donne toujours l'impression de se suffire à elle-même. Elle inspire des sentiments extrêmes. Un nombre impressionnant de personnes l'idolâtrent, que ce soient ses fans ou ses connaissances. Ça lui fait plaisir, mais elle n'est pas du genre à penser que ce n'est pas mérité.

Elle met plutôt cette adoration au compte du travail acharné qu'elle s'est imposé au cours des années. C'est vrai qu'elle a travaillé bien plus que d'autres. Mais en vieillissant, il est souhaitable de rechercher un peu plus de simplicité. Et même si cela ne semble pas évident au moment où je l'écris, c'est le lourd procédé auquel elle s'astreint présentement.

J'ai connu toutes les étapes heureuses et malheureuses de la vie de Michèle. À quoi sert une vie qui ne va jamais au-delà de l'image? L'authenticité des sentiments est d'accès difficile quand c'est l'image qu'on approche et jamais la personne. Et je ne parle pas ici uniquement de Michèle. À un certain âge, nous en sommes tous là. Moi comme elle. Il est triste de rester en attente, sans jamais baisser sa garde quand on n'a connu le bonheur qu'à travers le métier et rien d'autre.

Pas un amour, pas une passion n'a supplanté son bonheur d'être sur les planches. Pour ce métier, elle est prête à tout: maigrir, prendre des cours, chanter, danser, faire les choses à l'excès, se fouetter finalement. Rien autour d'elle n'a plus d'importance. Et c'est aussi ce qu'on aime chez elle. Michèle fait tout en «trop». Elle sort tard, se lève très tard ou très tôt; elle a quatre, cinq, six animaux autour d'elle; elle achète autant qu'elle lésine; ses colères sont énormes et spectaculaires; ses peines immenses et démesurées; ses voitures et ses maisons nombreuses; et quand elle boit, c'est du champagne!

Je l'ai accompagnée pour un repas, un soir de semaine, un repas sans raison précise qui a coûté 5 000 $! Mais rien n'est plus important pour nous deux qu'une soirée à jouer au rummy sur le balcon de sa maison de campagne, un verre de rosé à la main, quand le soleil baisse et que les confidences tournent autour de notre bonheur. Il n'y a qu'avec elle que l'on peut vivre ça.

En fait, elle m'inquiète grandement. Nous, ses amis et amies, nous nous sentons responsables d'elle. On la voudrait heureuse, mais assez n'est jamais assez avec elle. Quoi que l'on fasse, le puits n'a jamais de fond. Elle le sait. Elle m'avouait dernièrement, dans un grand éclat de rire:

– J'épuise tous mes amis. Quand on me voit arriver, on s'enfuit.

Il faut dire que, lorsqu'on sort avec elle, on sait à quelle heure ça commence, jamais à quelle heure ça finit. Combien de fois me suis-je retrouvée à 7 h du matin à la recherche de mon lit ? Quant à elle, elle attend le vendredi, s'enferme à la maison et dort toute la fin de semaine. Et quand je dis toute la fin de semaine, j'entends TOUTE la fin de semaine.

C'est une fille magique. Bien que je râle souvent contre elle et ses extrêmes, je l'aime même pour ses défauts. Je lui dois des fêtes fabuleuses, des voyages ahurissants. Je me souviens d'un voyage en Turquie, pays musulman donc peu ouvert à la provocation féminine. Elle m'avait demandé de la suivre dans un quartier où il n'y avait que des hommes. J'aurais compris si elle s'était contentée de faire du shopping, mais elle s'était entêtée à entrer dans une mosquée hyper-traditionaliste en dehors du circuit touristique. Elle a ceci de surnaturel, même si je ne le fais pas tout le temps, qu'il est facile de la laisser nous convaincre de la suivre. Autant je doute, autant elle fonce. Et pourtant, elle dira la même chose de moi… C'est pour vous dire combien nos différences se fusionnent.

À Istanbul, dans un langage qu'on ne comprend évidemment pas, le gardien de la mosquée nous intime de nous déchausser et de nous couvrir. Pas de problème. Mais nous ne savions pas que le tapis extérieur était tout aussi sacré que l'intérieur de la mosquée et on le piétine allègrement, malgré les gestes saccadés du gardien insistant pour qu'on se déchausse. Ce sont des femmes musulmanes qui ont fini par s'en prendre à nous. Un joyeux ramdam. Croyez-vous que cela allait démonter Michèle ? Pas du tout. On y est entrées dans cette mosquée et on a pris le temps de s'y recueillir à notre goût. Car partout où elle va, Michèle entre dans les chapelles et fait une petite prière pour ses parents et pour demander bonheur et paix pour son avenir.

Étonnante Michèle que j'ai vue pleurer à chaudes larmes devant la beauté des Météores en Grèce, dont je lui avais vanté la magnificence et la paix. Je n'arrivais pas à arrêter ses larmes.

C'est pour tout ça que je l'aime. Pour tout ce qu'elle ne sait pas que je sais d'elle. Pour toutes ces ombres de son cœur qu'elle cache, croyant qu'elles ne valent pas la peine d'être aimées. Je l'aime à contre-courant d'elle-même ou des raisons pour lesquelles elle pense être aimée. Et c'est tant mieux ! Fallait bien que je trouve quelque chose qu'elle ne pourrait pas contrôler ! Mais c'est un risque aussi et je ne voudrais pas qu'elle prenne cela pour de la traîtrise. Aussi lui ai-je gardé, bien au chaud, un petit coin d'amour indéfectible. Et, si elle le permet, je serai toujours là pour elle. Contre vents et marées, contre scandales et jugements, et même contre elle-même ! Elle en vaut largement le détour. Mais pas au prix de souffrances imméritées. Je ne peux pas aller plus loin.

Pas un homme de ma vie – et Dieu sait que j'ai aimé – ne peut se vanter d'avoir eu autant d'attention. C'est ça l'amitié. Je ne la vois pas autrement et je n'en ai aucun mérite. Michèle est unique. Comme je le lui dis tout le temps : « N'oublie jamais qu'il y a un prix à payer pour tout. »

Et quand on parle de « prix », elle sait de quoi on parle. Nous le savons toutes deux. L'idéal serait évidemment de n'être pas à la maison quand le malheur fait du porte-à-porte ! Et surtout quand ce qu'il a à offrir est la solitude, la mortelle solitude.

Il serait présomptueux de répondre pour toi Michèle, mais comme le dit la chanson de Ferland, j'ai envie de te chanter : « Une chance que je t'ai, je t'ai tu m'as, une chance qu'on s'a… »

Pour des raisons que je ne veux pas élaborer, et à cause de deux événements distincts, il existait dans les années 80 une grande animosité entre Michèle et moi, animosité qui durait depuis des mois. Pourtant, bien que je lui en aie voulu amèrement, de cette histoire, j'en ris aujourd'hui. Elle a un sacré caractère, la Michèle. Mais pendant cet éloignement allait jaillir un événement qui changerait ma vie pour un certain temps.

J'étais dans ma voiture, une toute nouvelle Miata rouge (j'ai été la deuxième personne à Montréal à en posséder une), quand j'eus le réflexe de prendre mes messages chez moi. Sur le répondeur, la voix de M. Legault, réalisateur à CFTM, me demandait de le rappeler le plus vite possible, ce que je fis sur-le-champ. Il voulait un rendez-vous de toute urgence. Comme j'étais à deux pas de la station, il accepta de me recevoir immédiatement. Il venait de prendre une décision importante pour la suite de son téléroman *L'or du temps*.

De notre conversation, je déduis qu'il se sentait de plus en plus menacé par les indisponibilités de Michèle Richard, qui devait s'absenter souvent en plein milieu de ses enregistrements, car elle était de service à TQS chaque jour pour l'émission *Garden Party*.

Comme l'émission était en direct à 18 h, Michèle ne pouvait se permettre aucun retard. Or, ce problème en soulevait bien d'autres. Comment satisfaire deux productions, sans parler de la rivalité entre les deux réseaux ?

Dans le métier il n'est pas rare, quand on tient à une vedette, qu'on fasse des concessions pour lui permettre de vivre deux événements à la fois. Contrairement à ce que bien des gens pensent, les salaires ne sont pas assez substantiels pour que les stations puissent exiger des exclusivités. Et dans un téléroman, rien n'est plus incertain que le temps que peut prendre un enregistrement. On est toujours à la merci d'une scène plus compliquée qu'une autre, de la lenteur de la mise en place, des impondérables – un micro qui paraît, un décor incomplet, une vidéo qui fait défaut –, quand ce n'est pas du comédien qui ne se souvient plus de son texte ou qui ne s'aime pas lors du post-visionnement. Tout cela prend un temps ahurissant. En bref, on ne peut jamais déterminer avec exactitude le temps d'enregistrement de chaque scène.

Or, avec les exigences de disponibilité à respecter pour Michèle, qui avaient été acceptées au préalable il faut le dire, la production était « sur le gros nerf » semaine après semaine. Il était arrivé qu'on doive accepter des scènes techniquement imparfaites, m'avait dit M. Legault, parce que Michèle n'avait pas le temps de les reprendre.

Quand viendrait le temps de renouveler son contrat qui arrivait à échéance, allez savoir quelles allaient être les exigences de Michèle. M. Legault y voyait une impasse. Il était aussi question d'argent. Toujours est-il que le directeur m'expliqua qu'il avait pris la décision irrévocable de se priver de ses services, trop chargés de restrictions, et de m'offrir le rôle.

J'ai tout de suite dit oui. Si ça n'avait pas été moi, on en aurait choisi une autre. La sachant occupée avec une autre émission, je n'avais pas l'impression de lui retirer quoi que ce soit. Et je la savais aussi capable de refuser le rôle si elle n'avait pas gain de cause. « À moi plutôt qu'au balayeur ! » comme le dit la Charlotte dans *La Charlotte prie Notre-Dame*.

À l'époque, Michèle et moi étions en froid. On m'a tout de suite présenté le contrat. C'est alors qu'est arrivée la chose la plus surprenante qui soit. Au moment même où je signais, la secrétaire de M. Legault s'est pointée dans la salle en lui demandant de prendre un coup de fil urgent qui était en attente. C'était Michèle. Elle venait tout juste de terminer une conférence de presse fracassante dans laquelle elle annonçait son départ de TQS et son désistement de *Garden Party*. Elle appelait M. Legault pour l'assurer de sa disponibilité et de son accord quant au contrat initial.

Pendant ce temps, j'avais ma copie en main, signée. Je l'ai regardée, maudissant le sort pour un si mauvais *timing* et rassurai M. Legault, la gorge nouée. Je comprendrais s'il désirait changer d'avis.

Il ne l'a pas fait! C'est rare. Il aurait pu le faire. Cet épisode m'a donné toute une leçon: discerner jusqu'où ne jamais aller quand vient le temps des négociations. On ne sait jamais quand la vie décide d'envoyer ses revers de fortune. On apprend beaucoup de l'erreur, la sienne comme de celle des autres.

Je pourrais continuer d'énumérer un nombre incalculable d'émissions auxquelles j'ai participé aux cours des années, ne serait-ce que pour mettre votre mémoire à l'épreuve: *Ad lib*, *Puzzle*, *La guerre des sexes*, *Star d'un soir*, *Les démons du midi*, *Télé-fun*, *Droit de parole*, *Ordinacœur*, *L'avocat du diable*, *Zizanie*, *Les anges du matin*, *Les mots pour le dire*, *L'heure G*, *Super détective*, *Salut*, etc. Ce ne sont que certaines des quelque 10 000 émissions de télévision auxquelles j'ai participé. Qu'il vous suffise de savoir que, de ce nombre, quelques-unes seulement m'ont rendue vraiment heureuse.

Jamais je n'avais eu, en 30 ans de métier, une émission faite spécialement pour moi. J'avais remplacé des gens, j'en avais accompagné d'autres, j'avais coanimé, participé ou complété des émissions, mais jamais je n'avais eu la mienne avant *Bla Bla Bla*. Encore une fois, et malgré mes 30 ans de métier à l'époque, on me fit passer une audition. Une de plus!

Je confesse toutefois une certaine nervosité, quand vint le temps de me présenter à Québec pour ma toute première. Je n'étais pas très à l'aise quant à la direction à prendre, sachant que tout repose sur l'image et la facture de l'émission. On a beau dire et redire qu'une bonne équipe est essentielle, on a souvent tendance à l'oublier cette équipe quand l'émission est un succès, tout comme on a tendance à blâmer l'animation quand l'émission est un fiasco. Mais puisque cette émission était enfin la mienne et que j'avais fait énormément de concessions pour que tout fonctionne bien, je n'avais pour rien au monde l'intention de permettre à qui que ce soit qui n'y ait pas contribué pleinement, de s'en approprier la gloire. En cela, je dois absolument tout à ceux et à celles qui m'ont donné leur temps, leur attention, leur énergie et le respect d'un travail aussi démesurément exigeant que celui de *Bla Bla Bla*.

Au départ, je devais coanimer cette production avec Daniel Daignault. Daniel, qui était marié, n'était pas très heureux de devoir s'exiler à Québec, car l'une des exigences du CRTC pour l'achat des stations en province se rattachait à la promesse d'entretenir un certain nombre d'activités régionales dans chacune de ces stations, afin d'y maintenir le personnel déjà engagé. Les stations de Québec, Trois-Rivières et Sherbrooke sont d'ailleurs encore utilisées aujourd'hui pour ces mêmes raisons. Dans le cas de *Bla Bla Bla*, ce n'était pas une mince affaire – avec la majorité des artistes évoluant à Montréal – que de fonctionner à partir de Québec. Tout devait se faire par appels interurbains et service de messagerie Montréal-Québec.

Nous avions donc le mandat de faire une émission sans avoir la moindre idée de ce qu'elle devait contenir. La direction nous avait demandé de faire nos devoirs et d'apporter de l'eau au moulin. Les premières idées étaient résolument plus pratiques qu'axées sur l'interview. Grâce à cette émission, j'appris très vite les rouages de la comptabilité d'une production. Il ne fallait jamais perdre de vue que les budgets étaient inversement proportionnels au nombre de personnes en ondes, et il ne fallait pas que la production coûte cher. Du moins, la première année, car les coûts liés à une première série d'émissions sont importants. Il est plus facile d'amortir les dépenses lors d'une deuxième saison, certaines demandes n'étant plus à satisfaire. Le budget du décor et du générique, pour ne nommer que celui-là, était outrancier, mais ces frais n'étaient imputables que la première année. Fort heureusement, Bernard Fabi, mon producteur invisible (il officiait de Sherbrooke), avait très bien compris le principe et n'avait pas hésité à dépenser au-delà de 40 000 $

pour les images infographiques du début : on me voyait apparaître un peu partout dans les sites connus de la ville de Québec. Bernard n'a jamais lésiné lorsque le besoin était là. Mais il avait ses limites. C'est ce qui, d'ailleurs, en fait un homme d'affaires, contrairement à moi qui me retrouverais dans le ruisseau si je cédais à tous les coups de cœur qui me mènent à la dépense. L'un de mes ex-amoureux, Michel Deloir, avait créé le très beau thème musical du début.

Pour en revenir à Daniel Daignault, je n'oublierai jamais notre première rencontre à Télé-Métropole, où nous avions été conviés pour une séance de remue-méninges. C'est moi qui ai commencé le bal puis, lorsque j'eus terminé, il se contenta d'ajouter :

– C'est exactement ce que je voulais suggérer !

Sans le savoir, je pense qu'il venait de régler son sort. Pour le peu d'idées qu'il semblait apporter, pourquoi ne pas prendre son salaire et l'attribuer à quelqu'un susceptible d'aider ? Le métier peut être très cruel ! On engagea un troisième recherchiste et le tour fut joué. De toute façon, ça prend un sacré caractère pour démarrer une nouvelle émission, dans une nouvelle ville, loin de sa famille et de ses amis avec pour tout décor, pendant 9 mois sur 12, les quatre murs d'une chambre d'hôtel. C'est impossible quand on est marié ou qu'on a des enfants. Dès la première année donc, mon univers allait se partager entre Jean-Marc Beaudoin, mon bel amour (je ne l'ai pas toujours appelé comme ça), mon producteur délégué, qui vivait à Québec, mes recherchistes Thierry de Brouwer et Sylvain-Claude Filion, et Denise Deveau au service à l'auditoire.

Mon réalisateur, Jean Gagné, était absolument charmant et d'une patience à toute épreuve. Sa plus grosse tâche a été de désarmer mes impatiences. Isolée, en pleine insécurité, toujours à travailler sous pression, ce qui n'était pas le rythme ordinaire de la station, j'en avais beaucoup à apprendre. Je n'ai jamais connu quelqu'un d'aussi habile que lui pour me mener.

Il avait compris que les « baguettes en l'air », les petits cris de rage, ma hâte à tout vouloir, tout de suite, pouvaient facilement être renversés en se foutant de ma gueule. Et il ne s'est pas gêné. Jean avait beaucoup d'humour et un grand sens de la répartie. Nos rencontres de production étaient loin d'être tristes. L'humour est un art, et le sien particulièrement allait me sauver. Il me manque d'ailleurs terriblement depuis.

Je ne vivais que pour mes émissions. Pendant sept ans, j'y ai passé de 10 à 12 heures par jour, jamais moins, à en peaufiner chaque moment. Dès la première année, nous étions à la merci de toutes les épreuves possibles. En pleine période d'austérité et de coupures de personnel, il fallait avoir un sacré moral, de notre côté comme du leur, pour accepter qu'une émission de Montréal puisse se réaliser dans une station abondamment syndiquée à laquelle on imposait des gens de l'extérieur. On nous attendait avec nos gros sabots !

Je me souviens d'une animatrice locale qui voulait désespérément être en ondes et refusait d'accepter le travail de recherchiste dans lequel on avait voulu la confiner. Elle écrivait mémo sur mémo à la direction et se disait prête à prendre ma place à n'importe quel moment, puisqu'elle était syndiquée et que je ne l'étais pas. Comme de fait, si la direction ne m'avait pas appuyée, elle aurait certes pu y parvenir. De mon côté, je ne désirais rien d'autre qu'un travail bien fait et une émission construite avec la même rigueur – la seule qu'on m'ait enseignée – que nous auraient permise les moyens accordés à Montréal. Or, nous devions œuvrer au sein d'une équipe profondément brimée et affolée par l'épée de Damoclès suspendue au-dessus des têtes de ceux qui, ayant peu d'ancienneté, se trouvaient constamment menacés par de sérieuses et régulières vagues de mises à pied. On nous demandait de produire un chef-d'œuvre avec une équipe complètement démotivée. Pour rien au monde je ne voudrais que vous doutiez de la compétence de ces gens, même si j'en ai moi-même douté au début, tant le contact avait été difficile. Pourquoi auraient-ils donné ce dont ils se sentaient lésés? Fort heureusement, nous avons réussi, uniquement grâce à eux, à leur talent et à leur immense générosité, à réaliser de petits bijoux d'émissions. Mais ça ne s'est pas fait en un jour. Et pour cause!

Je vous donne quelques exemples: avant d'accepter ce poste, Thierry, mon recherchiste, avait été régisseur, et l'assistante à la réalisation, ma belle France, m'avait maquillée pendant des années à chacun de mes passages à Télé 4. « Mon oncle Gaston », mon machiniste, était en réalité en charge du service de la poste. Quand il ne pouvait pas faire le travail, on allait chercher un monteur à la vidéoscopie. Michel était parfois caméraman ou régisseur… parfois les deux en même temps! À la fin des enregistrements, il changeait de chapeau avec Denis, l'autre caméraman, pour faire le ménage ou la peinture des studios et des loges. Je les ai même vus tondre le gazon! Ajoutez à ça un troisième caméraman, Pierre, qui avait l'habitude de couvrir les événements en extérieur (il adorait ça), et à qui l'on demandait de travailler en studio. Je le trouvais souvent, PENDANT l'émission, assis derrière sa caméra en train de lire un livre ou le journal! On en était à lui dire: « Quand tu auras le temps, pourrais-tu nous faire un foyer sur cet objet, s'il te plaît? » S'il fut, parmi les techniciens, le plus difficile à apprivoiser, il devint par la suite l'homme le plus adorable à côtoyer. À la fin de nos quatre ans d'enregistrements à Québec, c'est avec beaucoup de peine que je l'ai quitté. D'autant plus qu'il est décédé l'année suivante, ayant contracté un pernicieux cancer du poumon. J'adorais cet homme, rebelle dans l'âme, profondément introverti, érudit et qui m'a toujours vouvoyée. Il était tombé amoureux de la belle Claire, ma régisseure durant la dernière année de *Bla Bla Bla* à Québec. Je l'adorais d'autant plus qu'on avait passé la première année à se « picosser ». Son départ a fait bien des malheureux.

C'est à Jean-Marc qu'incombait la tâche délicate de remettre l'harmonie dans cette ménagerie. Or, même s'il résidait à Québec, il était également l'*outsider*, donc l'ennemi qui voulait imposer son équipe. Il lui fallut des montagnes de patience et de doigté pour recevoir les plaintes de tout un chacun et pour répartir l'harmonie à parts égales. Mais j'ai appris, comme ils ont dû l'apprendre eux-mêmes, à faire abstraction de toute animosité pour me concentrer sur le bonheur de réaliser cette émission. Si je me suis sentie complètement isolée la toute première année, je dois quand même à chacun de ces coéquipiers le bonheur et la réussite de chaque émission. Aucune présence, aucun soutien ne m'a été donné avec autant de générosité et d'attention que le leur. Sans eux, l'émission n'aurait jamais eu cette âme, cette magie.

Une première année donc où tout était à faire, y compris des erreurs. La toute première fut mémorable. Mitsou était notre invitée. Nous avions eu l'idée de faire venir Mme Janette Lemarquand de l'Auberge du Parc, un magnifique centre de thalassothérapie à Paspébiac, comme invitée-surprise. Des proches de Mitsou nous avaient confié combien elle appréciait cette femme. Nous avions donc contacté Mme Lemarquand, qui avait accepté de se déplacer de Paspébiac, près de Percé, et de faire la longue route vers Québec afin de surprendre Mitsou. On annonçait toutefois une grosse tempête de neige pour le lendemain. Renseignements pris et malgré les 10 heures de trajet, Mme Lemarquand promettait tout de même d'être là. Une fois en studio, on lui avait demandé de rester derrière le décor et de regarder l'émission sur un moniteur jusqu'au moment de sa rentrée. Elle devait être la dernière à passer. L'émission avançait,

avançait et se poursuivait. Le générique arriva. Je quittai le studio et arrivai nez à nez avec Janette. On avait oublié Mme Lemarquand dans le décor ! La bordée d'injures qu'a reçues le régisseur ! Comme il était impossible de reprendre la finale, Mitsou avait vu Mme Lemarquand. Fort heureusement, cette femme remarquable ne nous en a jamais voulu. Et j'ai essayé, dès que j'ai pu, de le lui rendre au centuple. Mais il me reste encore du chemin à faire ! Mme Lemarquand est une femme merveilleuse, et je suis devenue « une régulière » de son centre de thalassothérapie. Aussi fidèlement que les musulmans se rendent à La Mecque une fois dans leur vie, on devrait s'obliger à une visite à l'Auberge du Parc de Paspébiac. C'est la grâce que je vous souhaite.

Comme rien d'autre n'occupait mon esprit, j'en vins à concevoir les idées les plus fantasques. Thierry de Brouwer avait fait la recherche, avec Désiré Aert, pour notre émission avec Gilles Latulippe. M. Aert lui avait raconté que Gilles était allé jusqu'à mettre une vache sur scène dans un de ses sketches. Il n'en fallait pas plus pour qu'on ait l'idée de faire de même. Encore fallait-il trouver une vache. Qu'à cela ne tienne, Thierry nous en avait déniché une en deux heures. C'était tout un exploit, car nous n'avions pas d'argent pour son transport. On trouva quand même le moyen de faire venir la vache et de la cacher dans le garage situé à deux pas des bureaux. Elle nous fit évidemment des petits cadeaux partout, l'odeur était pestilentielle et le service d'entretien ne voulait pas s'en occuper. Thierry, qui s'était promené une bonne partie de la matinée avec une pelle, commençait à trouver l'idée moins bonne. Et nous n'étions pas au bout de nos peines. L'émission était en marche et il fallait faire entrer la vache. Désiré l'avait bien en main, mais la pauvre bête devait passer de la noirceur de l'arrière-scène à la lumière des projecteurs, devant 60 personnes qui se sont mises à rire et à gesticuler en tous sens. Pris de panique dans cet espace restreint, le bovidé décida de changer de direction et vint rentrer en collision avec mon pupitre, le soulevant dangereusement. J'ai entendu craquer le bois de la table tandis que la chaise, en équilibre précaire, volait dans le décor... Pour vous rassurer, la vache a fini par se calmer. Une belle réussite!

J'ai toujours aimé rencontrer et travailler avec Gilles. D'autant plus que j'ai failli mourir (pour vrai) avec lui. Je fais un petit aparté pour vous raconter l'un de nos voyages. Nous étions sans le savoir dans le même avion, pour un vol Fort-Lauderdale–Montréal. En pleine ascension, on eut l'impression que l'avion venait de frapper un mur. L'appareil se mit à s'agiter en tous sens. J'étais assise à l'arrière et je voyais l'hôtesse, elle-même livide, essayer de revenir vers son banc et de s'y attacher. Elle pleurait. L'avion s'était mis à pointer du nez vers le sol plutôt que de continuer son ascension. Dès qu'il arrivait à se redresser, dans un bruit d'enfer, la carcasse de l'habitacle était secouée comme lors d'un tremblement de terre. Puis, l'appareil se remettait à glisser de côté de façon si vertigineuse qu'on se retrouvait en état d'apesanteur. La terre apparaissait à travers le hublot, si proche et si loin à la fois. Narquois, le soleil nous aveuglait en s'infiltrant par l'autre hublot, et pâlissait encore davantage nos visages. Le bruit était encore plus terrifiant que tout. C'était un indice de la force que devait déployer l'avion pour se remettre en course. À tout moment, on avait l'impression que sa résistance allait lâcher. Le moteur tout entier entraînait la carlingue dans un va-et-vient à vous soulever le cœur. Les compartiments à bagages s'ouvraient, les objets tombaient, les gens criaient: *« We are going to die! »* Quelques masques à oxygène sont tombés de leur logement. Un homme a fait une syncope. Quelques autres ont perdu connaissance. L'hôtesse tremblait de la tête aux pieds.

En 20 ans de métier, elle n'avait jamais connu ça, nous a-t-elle dit. Puis ça s'est arrêté, aussi subitement que ça s'était déclenché. Le capitaine n'a rien dit, trop occupé sans doute à contrôler les manœuvres. Plus tard, on nous a annoncé qu'un ouragan nous avait happé, rien de moins. Pourtant le ciel était sans un seul nuage. J'ai mis une heure à contrôler mes tremblements. Mon voisin m'a offert son aide :

– Vous êtes si blanche !

– Ah oui ?

J'étais tellement certaine de mourir que j'avais écrit un mot à ma famille sur le sac destiné au mal de l'air et l'avais glissé dans la pochette du siège avant, demandant à Dieu de ne pas la faire brûler avec moi. Le voyage s'est poursuivi dans un silence de mort, si vous me permettez l'expression ! À la descente de l'avion, j'ai aperçu Gilles. On s'est regardés et sans un mot, on s'est mis à rire et à rire. Bêtement. Nerveusement. Puis il a ajouté :

– Ç'a passé proche !

À quoi j'ai répondu :

– C'est bien ma chance ça, mourir avec Gilles Latulippe ! Demain, aux nouvelles, on aurait montré tous les moments importants de ta carrière, tes réalisations, tes amis qui témoignent et on aurait terminé le bulletin en ajoutant : « ... était aussi du voyage, Danielle Ouimet. » Et on n'aurait probablement pas su choisir entre comédienne et animatrice pour me définir !

Daniel Lamarre, aujourd'hui au Cirque du Soleil et président de TVA à l'époque, était aussi du voyage. La presse aurait eu bien du travail !

Pour en revenir à *Bla Bla Bla*, j'y entretenais une réelle histoire d'amour avec les animaux. Dès qu'il était possible d'en faire venir en studio, on le faisait. Et les anecdotes sont aussi nombreuses que les bestioles déplacées. Chantal Lacroix, qui a commencé sa carrière à la télévision avec nous, se révélait sans conteste la plus spectaculaire et la plus efficace présentatrice de ces petites bêtes. Déjà, rien n'arrêtait Chantal. C'est du reste un trait de sa personnalité que j'ai toujours apprécié. J'en étais souvent arrivée à lui faire part de mes projets en premier, car mes recherchistes avaient plutôt tendance à me mettre en garde contre les difficultés qui en découleraient. Chantal les écoutait, riait, faisait sa recherche, puis me revenait pour me dire s'il était possible de réaliser l'exploit. Et ça l'était presque toujours.

Pour la comédienne Christiane Pasquier, nous lui avions demandé de trouver des canards. Pensez-vous que Chantal allait nous dire non? Elle aurait pu, considérant qu'elle faisait le trajet Montréal-Québec en voiture. Mais la veille, elle était allée chercher les volatiles à Deux-Montagnes, les avaient installés dans sa voiture, s'était rendue à l'hôtel, les avait fait entrer en cachette par la porte arrière et les avait installés pour la nuit dans sa baignoire remplie d'eau. Les petits cris aigus des bestioles l'avaient empêchée de dormir. Ajoutez à cela qu'elle avait dû ramasser les crottes, remonter dans l'auto et cacher les canards dans le décor sur le plateau de l'émission. Le moment venu de les libérer, ils s'étaient enfuis derrière les rideaux, pris de panique. Impossible de les rattraper. C'est à peine si on a pu les entrevoir.

Et que dire de ce cheval de course qu'on avait fait venir pour Judith Bérard et qui s'est mis à semer des « pommes de route » (crottins) en plein studio au moment même où nous entrions en ondes. L'invitée et moi, les narines frémissantes, envahies par une odeur qui aurait fait fuir une mouffette, ne savions trop comment nous tenir ou nous faire entendre pardessus le raclement de l'indispensable pelle et d'autres bruits, plus impertinents, qui auraient pu laisser croire que nous étions fort mal élevées. Il y a aussi eu ce cochonnet qui sentait tellement mauvais que j'avais demandé qu'on le lave avant l'émission. Personne ne voulait y toucher. Finalement, notre chroniqueuse,

Lise Giguère, avait relevé ses manches et s'était exécutée. Je sais maintenant ce qu'on entend par « crier comme un cochon qu'on égorge ». Une bataille épique s'en était ensuivie, et c'est Lise qui avait pris la douche !

Parmi les bons coups, il y eut ce cheval et son sulky qu'on avait fait venir pour Bernard Lavilliers, des chevaux miniatures pour Pier Béland, un phoque, des visons et des furets, et beaucoup de serpents. Parlant de serpents, encore une fois c'est à Chantal Lacroix qu'avait échu la tâche d'en tenir quelques-uns, elle qui en avait une peur bleue. Sa main tremblait tellement qu'elle en faisait pitié. Merveilleuse Chantal qui n'a jamais refusé de nous faire plaisir, même au prix de grands sacrifices.

Quant à moi, ce sont les tarentules qui m'effraient, et on en a eu plusieurs. Un été, alors que j'avais loué la maison de Benoît Johnson, France Beaudoin, sa très sympathique compagne de l'époque, n'arrêtait pas de me souhaiter de bonnes vacances avec Rose. Rose ? Je n'avais pas demandé de compagne au chalet ! C'est qu'elle m'avait laissé une tarentule dans la cuisine, répondant au doux prénom de Rose. Je ne m'en suis jamais remise. J'ai tout simplement banni la cuisine de mon rayon d'action. « Faudrait me rembourser un peu, Benoît. Il y a de bons restaurants dans ton coin, mais ce n'était pas prévu au budget. »

Mais de toutes ces belles rencontres animalières, deux restent mémorables : un tigre et un singe. Nous avions en effet fait venir un tigre adulte pour Michel Daigle. Nous avions toutefois oublié un détail : ce jour-là, à Télé 4, avait lieu la collecte de sang de la Croix Rouge. Le sang coulait à flot, et de crainte que la bête ne s'en prenne à un donneur en guise de pitance quotidienne, nous avions dû isoler l'animal en bout de corridor. Les pauvres secrétaires, confinées dans ce coin, n'avaient pas apprécié.

Mais rien ne nous a davantage amusés que l'arrivée d'un singe en studio. Tout comme moi, Jean-Marie Lapointe aimait les singes. Mon beau Thierry, le recherchiste, avait tout essayé pour me trouver un chimpanzé. À défaut, il m'avait annoncé qu'il avait trouvé quelqu'un qui possédait depuis longtemps un petit capucin à la maison. Tous les autres singes étaient protégés, et il était extrêmement rare de pouvoir en garder un. Va pour le capucin. Je n'avais pas vu l'animal avant son arrivée en ondes. La boîte fermée ne me laissait voir, à travers de fort petites ouvertures rondes, qu'une main pas plus grande que l'ongle de mon pouce et un œil complètement interrogateur. Lorsque est venu le moment d'ouvrir la boîte, l'animal m'a sauté sur l'épaule, puis sur la tête où il a déposé un petit pipi nerveux. Ensuite, prenant son envol, il a bondi dans l'assistance. Pris de panique, les gens essayaient de quitter les estrades en s'éparpillant dans tous les sens. Pendant ce temps, notre capucin s'était réfugié dans l'armature du décor au plafond, d'où il ne voulait plus redescendre. C'est finalement une friandise offerte par son propriétaire qui le décida à descendre de son perchoir, « attaquant » en cours de route mon machiniste qui, debout dans les décors, un pichet à la main et un verre dans l'autre, attendait un changement de caméra pour pouvoir déposer le verre d'eau sur ma table. Sentant quelque chose grimper le long de son pantalon, ne sachant de quoi il s'agissait, il avait été pris d'une sorte de crise d'épilepsie. Avant de se répandre partout sur le plancher, l'eau n'avait pas épargné son pantalon pendant qu'il essayait nerveusement de se débarrasser de l'animal et de ses petites griffes pointues en se secouant nerveusement la jambe.

Parmi nos beaux moments avec les animaux, il me faut souligner aussi la présence du lama que nous avions invité en tant qu'animal préféré de Claude Léveillée, qui avait fondu en larmes en voyant la bête et qui n'arrivait pas à étancher ses pleurs. Et que dire de cet animal que nous devions donner à Petru Guelfucci, un chien d'à peine deux mois que notre recherchiste, Andrée Aubé, avait dû héberger chez elle. Comme la pauvre bête devait voyager, nous lui avions fait donner ses vaccins et un vermifuge. Non seulement la bête avait pleuré toute la nuit, mais elle y était aussi allée d'une diarrhée qui avait éclaboussé toute la salle des recherchistes à l'heure du lunch. Décidément, les animaux, c'est fait pour la nature.

Si je me fie à une note de service de Bernard Fabi, notre producteur sherbrookois, il nous fallait étonner sur tous les plans. Pour rendre l'émission moins statique, Bernard nous recommandait de petites mises en scène, en complicité avec l'artiste. Fort heureusement, les sujets étaient assez variés pour que je n'aie pas à faire appel à ce genre de subterfuge. Les seules fois où j'ai eu à le faire furent lorsque nous avons demandé à des comédiens de demander leur blonde en mariage, en ondes. Nous l'avons fait avec Roger Léger. Secrète, discrète, prise en otage devant la caméra, sa blonde voulait nous assassiner ! Elle n'a pas dit oui en public.

Le deuxième événement un peu plus « particulier » a été la demande de Carl William à Chantal Pary. Je crois que c'est la famille de Carl qui n'approuvait pas. Bref, ç'a fait tout un effet dans les chaumières ! Mais le couple en parle encore maintenant comme d'un moment touchant de son union.

Quant à Manuel Tadros, nous avions procédé à l'envers. Nous avions contacté sa blonde et l'avions convaincue du procédé : c'est elle qui devait faire la demande en direct. Nous avions les alliances en cadeau et tout s'est très bien passé. Il y avait eu des émotions, des larmes, des acquiescements, bref de l'amour dans l'air, jusqu'au moment de la reprise des émissions en fin de saison. Pour compléter notre série de 160 passages en ondes, pour 110 enregistrements en réalité, nous rediffusions les émissions les plus importantes de la saison et avions convenu de l'impact immense de celle avec Manuel Tadros. Nous avions donc laissé un message à Manuel pour lui faire part de la reprise, quand ce dernier nous rappela de toute urgence pour nous demander de ne pas diffuser l'émission : il avait déjà rompu avec la belle !

Nous avons connu toutes les émotions lors de ces 850 enregistrements de *Bla Bla Bla*. La magie venait beaucoup du fait que rien n'était impossible à l'équipe. Tout importants qu'ils puissent être, ce n'étaient certes pas les cadeaux qui constituaient l'attrait majeur de la production, mais bien la recherche de l'anecdote, de la surprise, de la photo inédite. D'ailleurs, des cadeaux n'y étaient pas systématiquement remis au début. L'idée en est venue grâce à une entreprise de séduction qui avait tourné en véritable histoire d'amour ! En effet, Denise Deveau, qui était devenue recherchiste, était tombée amoureuse, sans jamais l'avoir rencontré, d'un futur invité. Elle lui parlait presque tous les soirs au téléphone, dans le but de me préparer son dossier. Ils se parlaient jusque tard dans la nuit. Le matin, elle nous revenait épuisée, mais avec un maudit beau sourire aux lèvres. Mais aussi avec mille idées pour récompenser notre invité de sa participation. C'est à ce moment qu'elle nous avait annoncé qu'elle avait prévu qu'on lui donne un ou deux cadeaux pour chaque quart d'heure d'apparition. C'est le bonheur du récipiendaire, Stéphane Laporte, qui nous fit réaliser que la chose était non seulement possible, mais surtout très efficace. Mais le bonheur des uns fait le malheur des autres parfois. Denise emménagea avec Stéphane à Montréal, quelques mois plus tard, tandis que je perdais non seulement ma recherchiste, mais une collaboratrice dévouée et une amie. En effet, rares étaient les invitations durant mon séjour à Québec. En quatre ans, j'ai dû en recevoir quatre, au plus. Or, Denise s'était beaucoup occupée de moi. J'ai connu tous les beaux endroits de la ville grâce à elle, sans compter les repas maison dont elle me gâtait de temps en temps. Précieux pour quelqu'un qui habite à l'hôtel où l'on ne faisait aucun service aux chambres.

Évidemment, certains « critiqueux » de la presse, les acrimonieux, nous reprochaient de couvrir de cadeaux des gens déjà gâtés par la vie. Ne vous en déplaise, je peux affirmer, preuves à l'appui, que seulement une centaine de personnes sur les 850 reçues à l'émission, pouvaient se payer ce genre de luxe. Et encore. On a tendance à croire qu'on est tous millionnaires dans ce métier. D'ailleurs, petite anecdote à l'appui : une comédienne invitée à l'émission s'était vu offrir de très beaux maillots de bain. Elle était venue nous voir à la fin de l'enregistrement pour nous dire qu'elle n'avait pas vraiment besoin de tous ces maillots et qu'elle prendrait bien l'argent à la place ! Capricieuse ou dans le besoin ?

« Donneuse de cadeaux » comme je le suis dans la vie, j'aurais bien voulu en donner à ceux qui en ont le plus besoin. Mais ce n'était pas le but de l'émission. Nos commanditaires étaient généreux, mais comme nous leur servions aussi de tremplin pour faire connaître leurs produits, ils nous donnaient beaucoup de choses. Jamais la production n'a eu à payer pour gâter un invité. Ce sont nos recherchistes qui se démenaient pour aller chercher les cadeaux. Certes, on en payait le prix parfois, mais d'une autre façon. Denise Filiatrault, qui n'avait pas la langue dans sa poche, nous avait fustigés lors d'une émission. Nous avions demandé à Pierrette Robitaille si elle n'avait pas un objet à donner à Denise, rien de coûteux, mais qui puisse lui rappeler un souvenir : une photo, un accessoire de théâtre pouvant remémorer une anecdote ou un moment passé ensemble, que sais-je ! Elle aurait pu refuser, mais elle opta plutôt pour l'achat d'une robe. Quand elle la lui offrit en ondes, Denise s'écria :

– Y sont donc ben *cheap* à cette émission. Non seulement ils te paient un salaire de misère, mais en plus ils font payer leurs cadeaux par les invités !

Rien n'était épargné pour faire des surprises. Je vous parle évidemment de sept années de production, dont quatre à Québec. Bien que les moyens aient été plus grands à Montréal, mon âme est toujours restée attachée à la production de Québec et à ceux qui ont travaillé très fort, avec trois fois rien, pour donner vie à l'impossible. Cela relevait presque du miracle, mais surtout d'une équipe fabuleuse qui entrait dans ma folie, ma démesure à moi, qui est devenue notre folie à tous. Le succès de *Bla Bla Bla* était rattaché à un plaisir contagieux de concevoir les idées les plus spectaculaires. Une énergie s'est instaurée qui ne nous a jamais fait défaut. Ça se sentait en ondes. Et c'était un devoir que de souligner énergiquement l'effort surhumain de chacun. Ce fut un cadeau du ciel que de pouvoir faire cette émission et d'en tirer, grâce à eux, un tel succès.

Jugez-en vous-même! À Québec, je demandai un jour pour Pierre Létourneau, qui était fervent d'aviation, s'il était possible de faire une chronique sur l'aviation. Thierry m'était arrivé en disant: « J'ai mieux, on aura un avion en studio. » On démonta donc les ailes d'un biplace pendant la nuit pour les remonter en matinée. À Montréal, n'ayant pas de salle attenante au studio pour faire entrer la surprise, j'ai demandé un hélicoptère pour Ghislain Taschereau et on l'a eu. On nous l'a livré sur un camion, devant la station, rue Alexandre-de-Sève. Parmi les autres grandes surprises, il me faut aussi souligner deux formule 1 pour Michel Barrette. Ces voitures avaient fait le trajet depuis l'école Jim Russel de Mont-Tremblant en camion remorque. Fallait le faire! Pour Patrick Huard, on avait installé un mur d'escalade de 25 pi de haut en studio. Ce que l'on ne savait pas, c'est que Patrick souffre d'acrophobie, même sur un trottoir! Or, il a escaladé le mur sans broncher.

Ce qui m'amène à vous parler d'une mesure qui s'était imposée toute seule avec le temps. Au début, nous avions instauré une rotation de personnel. Une journée était attribuée à chaque recherchiste. Comme nous avions trois recherchistes, il ou elle avait, à tour de rôle, une ou deux émissions à diriger par semaine. Nous avions également deux rencontres de trois heures par semaine, au cours desquelles nous apportions tous (recherchistes, réalisateurs, assistantes à la réalisation, producteur délégué et animatrice) nos idées et nos connaissances sur l'invité à venir. Dans un premier temps, on y décidait quelles seraient les personnes contactées puis, une fois les appels effectués, on procédait aux comptes-rendus des conversations des recherchistes avec les invités qui leur étaient attitrés. Le but de ce procédé coutumier était d'éviter les erreurs. Mais, il n'était pas toujours facile d'obtenir des détails personnels, surtout quand la personne interrogée était aux prises avec des problèmes familiaux. Et il nous est arrivé de nous tromper royalement.

Vous me comprendrez de taire les noms des principaux concernés. Si je raconte cette anecdote, c'est pour bien illustrer la nécessité d'une recherche minutieuse et non pour jeter l'opprobre sur les personnes concernées. Lors d'une émission qui se tournait à Longueuil (55 émissions de *Bla Bla Bla*, réalisées durant l'été, ont été enregistrées à la marina de Longueuil), j'avais eu l'idée d'inviter sur le plateau la famille entière de notre invité. On m'avait fait part d'un différend entre deux des membres de la famille mais, renseignements pris, on m'avait assuré que rien de désagréable ne se passerait devant les caméras. Notre intention était de montrer que les membres, frères et sœur, étaient tous beaux et talentueux, même s'ils n'étaient pas tous aussi connus les uns que les autres. J'annonce donc à mon invité :

– … Et voici pour la première fois à l'écran, toute ta famille !

Trois personnes se joignent à moi. Le premier arrivé déclare, en se dirigeant vers la table :

– Je vais enlever mes lunettes, sans ça on va dire que je me prends pour une vedette !

– D'autant plus que tu ne l'es plus ! de riposter notre invité.

– Ça dépend pour qui ! a répliqué l'interpellé.

– Pour tout le monde ! d'ajouter notre invité.

Et ça n'était pas dit avec le sourire. L'eau me dégoulinait dans le dos. J'ai fait celle qui n'avait rien entendu en enchaînant tout de suite avec la troisième personne qui était, fort heureusement, assise à ma droite. C'est à peine si j'arrivais à écouter ses réponses, trop préoccupée à me sortir de ce désastre qui menaçait de s'envenimer si je ne trouvais pas une solution immédiate. J'ai bien pensé arrêter l'émission, mais pour remplacer le segment par quoi ? J'ai donc opté pour la vérité. Comme j'avais moi-même eu un entretien téléphonique avec l'invité « attaqué » et qu'il m'avait parlé de notre invité principal en termes très élogieux, j'ai donc décidé d'en remettre, et m'adressant à celui-ci :

– Tu ne peux pas t'imaginer les beaux compliments que j'ai entendus hier au téléphone au sujet de ta carrière. En fait, bien peu de gens savent que c'est toi qui as écrit les dialogues de « telle production » et que tu aurais dû être reconnu pour ce travail...

Et cætera. Et vlan ! Notre invité aurait eu bien mauvaise grâce d'en rajouter. J'eus cependant droit à une sérieuse mise au point, dans la salle de maquillage à la fin de l'émission, sur les agissements passés que se reprochaient mutuellement les membres de la famille. Y repenser me met, encore maintenant, très mal à l'aise.

Autre très mauvaise expérience. Nous nous étions rendu compte, à la recherche, que notre invitée, une chanteuse, n'avait pas vu sa mère depuis quatre ou cinq ans. Les comptes-rendus de recherche mentionnaient une tante qu'elle adorait, et l'on en avait déduit que comme la mère de la vedette habitait loin de Montréal, celle-ci avait sans doute plus d'occasions de voir sa tante. On avait donc pensé demander à la mère et à la tante de venir faire une petite surprise à notre invitée. La mère avait hésité au début. On avait imputé sa réticence aux frais de déplacement que cela lui occasionnerait et à la nuit qu'elle devrait passer à Québec, mais elle finit par accepter quand on lui assura que tous les frais seraient couverts. Pendant l'émission, lorsque les deux femmes entrèrent sur le plateau, je m'écriai toute fière :

– ... Et voici ta mère, que tu n'as pas vue depuis cinq ans !

Notre invitée ne s'est même pas levée. Elle a embrassé sa tante, ignorant complètement sa mère. Puis, elle s'est mise à nous décrire, calmement, comment sa tante, contrairement à sa mère, l'avait élevée.

Une fois de plus, j'ai trouvé le temps bien long. On ne pouvait pas blâmer les recherchistes d'avoir mal fait leur travail, mais j'en voulais à la famille qui, par son silence, nous avait mis dans cette situation. Vous me direz que personne n'était obligé de nous faire des confidences. Ce à quoi je répondrai qu'il est toujours facile de ne dire qu'un mot : « Non. » Tout simplement non ! Nous avons eu des refus et jamais nous n'avons insisté.

Mais d'autres moments difficiles se sont présentés, et ce, malgré la bonne volonté de tout le monde. Isabelle Boulay adorait son père. Il était décédé un an plus tôt et elle avait les yeux pleins d'eau dès qu'on abordait le sujet. Pour ma revue de l'enfance, qui faisait très souvent partie du premier segment de l'émission, on nous avait envoyé des photos inédites de ce dernier. Pour ne pas causer d'impair, nous avions consulté son gérant une première fois au téléphone sur la possibilité d'aborder le sujet. Celui-ci nous avait confirmé que le sujet était en effet sensible. J'avais donc insisté une seconde fois, une heure avant l'émission, afin de bien mesurer les conséquences possibles :

– Josélito, tu penses que je peux aborder le sujet ?

– Oui, oui. C'est sûr, elle va être un peu plus émotive. Mais ça fait maintenant un an qu'il est parti. La douleur s'estompe. Elle peut en parler sans problème.

Et moi, pendant l'émission, de demander à Isabelle :

– Votre père était votre premier fan et il vous a beaucoup encouragée, contrairement à bien des parents qui ont peur de ce métier pour leur enfant.

Elle s'est tranquillement mise à pleurer, puis à pleurer plus fort, puis de gros sanglots ont entrecoupé la conversation...

C'est la seule fois où l'on a dû arrêter un enregistrement pour débordement de tristesse. On se sentait tellement mal.

Un autre événement me laisse, encore aujourd'hui, un goût amer. Dan Bigras, notre invité, avait fait quelques semaines auparavant une sortie sur la consommation de drogue et rappelé son engagement auprès des jeunes aux prises avec ce problème. Dan parlait désormais de sa nouvelle vie. On s'enquit donc auprès de son gérant à savoir si on pouvait aborder le sujet. On nous répondit dans l'affirmative. Notre producteur sherbrookois, qui nous offrait tous les jours ses recommandations « par téléphone », réclamait une interview avec plus « d'intérêt humain ». D'autant plus que Dan Bigras, avait-il insisté, a déjà abondamment abordé le sujet dans les journaux et à la télévision. Cette approche, croyait-il, nous permettrait d'aller au-delà de la simple conversation anecdotique. Je n'étais pas vraiment à l'aise avec le sujet ; je ne l'ai d'ailleurs jamais été avec tout sujet « éprouvant » pour le cœur. Dans des situations semblables, je demande généralement à l'invité s'il a des réticences à parler de telle ou telle chose. Mais comme *Bla Bla Bla* était une émission-surprise, avec des invités que je ne connaissais généralement pas, je faisais toujours appel à l'entourage immédiat pour valider chacune de nos intentions. On redemanda donc à l'agent quels étaient nos paramètres de jeu face à ce sujet et il nous assura à nouveau qu'il n'y avait aucune censure. Or, je n'avais pas sitôt entamé le sujet dans la conversation, que Dan changea d'attitude et se referma complètement pour le reste de l'entrevue. Encore aujourd'hui, il me regarde comme si j'avais essayé de le piéger malicieusement, ce qui n'était absolument pas le but de l'exercice. Je conçois – l'ayant appris à mes dépens – qu'il est facile d'être piégé par des questions pernicieuses. On les voit rarement venir. Raison pour laquelle il est important de préciser à l'avance ce qui doit rester hors d'atteinte. Ce qui devient public reste public et appartient d'emblée à tout le monde. En ce qui me concerne, la question est claire: je préfère bifurquer, éviter, escamoter, plutôt que de trahir, comme on nous demande parfois de le faire pour le bénéfice des cotes d'écoute. On ne sait d'ailleurs jamais quand la pareille peut nous être rendue. Demandez à Normand Brathwaite s'il apprécie les entrevues, lui qui, pourtant, sous le couvert de textes écrits par d'autres, se permettait parfois bien des audaces, même s'il les administrait avec charme. Ce n'est pourtant que de l'humour.

Peu nombreux sont ceux qui ont refusé de se présenter à l'émission. Certains l'ont fait par pudeur, non seulement pour la mienne mais aussi pour d'autres émissions. C'est le cas de Macha Grenon, de Marina Orsini (qui accompagna son amoureux, mais ne voulut jamais être la vedette de la nôtre), de Dino Tavarone, de Benoît Brière... et de Jean-Pierre Coallier. Jean-Pierre a participé à des segments, surtout ceux dont le but était de me rendre hommage, mais lui n'a jamais voulu être fêté. Je me souviens aussi d'une longue lettre d'un comédien qui m'expliquait que son refus de paraître à l'émission n'avait rien à voir avec moi, mais bien avec son inconfort vis-à-vis de l'esprit des confidences qui s'y faisaient. Je lui ai envié cette force de refuser de se soumettre à la gratification qu'apportent des louanges et à une attention qu'il aurait bien méritée. Louise Turcot, Julien Poulin font partie de cette catégorie. J'ajoute qu'il faut une bonne dose de confiance et d'abnégation pour se laisser mener par une animatrice à travers une émission sur laquelle on n'a aucun contrôle. Pour mieux susciter la surprise et les vrais sentiments, je demandais à tous nos invités de totalement se laisser aller face aux surprises et insertions privées que je pouvais provoquer en plein écran. C'est très stressant, j'en conviens, mais c'est la seule façon de donner forme à la magie. Je n'ai été déçue qu'une seule fois, avec un animateur qui avait exigé qu'on lui dévoile toutes les surprises de l'émission.

– Si on ne me les donne pas, je n'y vais pas! avait-il déclaré à mon recherchiste.

On les lui a données. Mais on ne m'a pas avertie. Dès que je voulais le surprendre, il faisait semblant de deviner mes surprises et déployait un parfait contrôle de ses effets. Je n'ai rien contre le procédé, mais j'aurais préféré qu'on s'entende à l'avance, ce qui m'aurait permis de mener l'émission autrement et de ne pas, pendant une heure, me sentir totalement démotivée dans mon désir de le surprendre.

Mais ces secrets, encore fallait-il les découvrir et convaincre nos invités que nous avions suffisamment d'intelligence pour faire la différence entre ce qui peut ou ne peut pas se dire. J'admets qu'il y a eu quelques ratés. Je vous les ai racontés. Pour éviter justement de renouveler ces désagréments, j'eus l'idée d'un questionnaire à soumettre à l'avance à nos invités, accompagné d'un second questionnaire pour les membres de leur famille. Par recoupements et à l'aide de questions très directes, du genre: «Qui ne devrait-on jamais inviter à l'émission avec vous?», nous avons réussi à éviter presque toutes les embûches. Je dois admettre que la lecture de ces questionnaires, dont nous ne pouvions évidemment dévoiler tous les détails à l'écran, était souvent des plus divertissantes. Je me souviens de la réponse d'Yves P. Pelletier à la question «Par quoi avez-vous été particulièrement touché dernièrement?» La réponse étant: «Par ma dernière danse à 10 piastres!»

Pour d'autres, l'émission représentait un tremplin magnifique pour promouvoir un nouveau spectacle. Ainsi, les réponses de François Massicotte, soulignant les différents thèmes de sa prochaine tournée et faisant fréquemment référence au nudisme, nous donnèrent une idée. Partant du principe que le pire qu'il puisse nous arriver était que l'on nous dise non, nous avions tout simplement demandé à des nudistes de se présenter à l'émission dans le plus simple appareil. Jamais, dans nos rêves les plus fous, avions-nous pensé qu'ils puissent accepter. Au jour dit, il fallait voir l'émoi sur le plateau. Nous avions averti notre public que, ce jour-là, les enfants ne seraient pas acceptés en studio. Quant aux nudistes, on leur demanda simplement de se mettre une serviette sur l'épaule pour entrer à l'écran et de la placer sur le tabouret sur lequel ils allaient s'asseoir. Ils étaient filmés de dos et cachés par la table, mais ils étaient véritablement nus.

On a connu également l'inverse. Nous avions, dans le questionnaire, demandé à notre invitée quel était son passe-temps préféré. Elle avait répondu : « Magasiner dans les grandes boutiques de marques prestigieuses de New York. » Puis à la question : « Quel est votre couturier préféré ? », elle avait précisé qu'elle s'habillait en Donna Karan et qu'elle adorait Chanel et Dior. Ses amis avaient renchéri, disant qu'elle raffolait des objets de luxe. Nous ne pouvions donc faire fausse route en faisant une chronique sur un grand couturier ou un grand bijoutier. De sorte que nous avions demandé à la très prestigieuse maison Cartier de nous montrer sa collection. C'était la première fois que l'on sortait de la boutique, sans escorte, pour plus d'un million de dollars de bijoux. À notre stupéfaction, tout au long de l'entrevue, notre invitée se comporta comme si on étalait sous ses yeux un luxe inacceptable, bien loin de sa réalité et mentionnant que, par les temps difficiles que nous vivions, il était offensant de faire étalage de tant de frivolité. Je veux bien! Ça pouvait lui donner bonne conscience et une note de noblesse vis-à-vis des défavorisés. Mais ça mettait la maison Cartier et son représentant dans l'embarras. Pauvre homme qui, à notre demande, avait pensé faire plaisir. Quant à l'invitée, si résolue fut-elle à jouer la carte prolétaire, elle n'en réussissait pas moins à nous donner l'air de sacrés mauvais «cibleurs», bien que l'essence même de l'émission ait été puisée à la source même de ses réponses au questionnaire. Cet épisode m'a laissé un assez mauvais souvenir.

Mais certains impairs pouvaient aussi avoir leur côté humoristique. L'émission, par exemple, où nous avions fait la démonstration de sacs en cuir faits main à Marie-Jo Thério. À chaque objet que nous lui présentions, elle se répandait en remerciements, pensant que TOUT lui était donné. Mon embarras croissait au même rythme que ses remerciements et il me fallut bien, désolée de la décevoir, lui faire comprendre son erreur.

Un autre impair fut le voyage, dans des îles du Sud, offert à Robert Marien. Marcel Béliveau venait d'ouvrir ses agences de voyages, qui n'étaient pas encore très connues. Le voyage nous avait été offert en échange d'une publicité bien soulignée. Lorsqu'on expliqua à Robert que l'offre venait de Marcel, il refusa de nous croire, convaincu qu'il se faisait prendre à *Surprise sur prise*. Le temps de réaliser que ce n'était pas un canular, l'entreprise fermait déjà ses portes et Robert ne fit malheureusement jamais le voyage.

Remarquez que les mauvais tours de ce genre n'étaient jamais intentionnels. Sauf une seule fois, et ce fut une fois de trop. Jamais n'ai-je autant regretté de m'être embarquée dans une situation pareille. La victime était Chloé Sainte-Marie. Tous les journaux avaient parlé de son désir d'épouser Gilles Carle, dans une cérémonie qui se déroulerait à Rome. Nous avions donc imaginé une conversation «en direct de Rome», avec un parfait imitateur du pape, Gilles Gauthier, un humoriste de la radio de Québec, qui ferait croire à Chloé que le Saint-Père se proposait de bénir leur union et qu'il allait lui-même le lui confirmer pendant l'émission. Ce fut fait avec un tel réalisme que même un maître de l'arnaque y aurait cru. Chloé n'a pas fait exception. Pris à notre propre piège, nous n'avons jamais voulu récidiver dans ce genre de plaisanterie cruelle. D'autant plus que j'adore Chloé, son humour et sa manière à la fois tendre et fragile de passer, sans concession, à travers une vie parfois troublante, mais consacrée à l'amour de son métier et de son homme. Peu de gens ont sa grâce. Chloé, c'est mon coup de foudre artistique. Quelle femme !

Mais pour en revenir aux cadeaux, Isabelle Maréchal reçut un diamant d'un très généreux donateur. Nous avons également eu le privilège de distribuer plusieurs voyages Montréal-Paris, notamment à Francine Ruel, Louise Laparé et Michèle Latraverse (la sœur de Louise) qui habite Paris, afin de permettre aux deux sœurs de se rendre visite.

De tous les cadeaux distribués, le plus farfelu et, curieusement, l'un des plus appréciés alla à Claude Fournier. On lui offrit trois bidets, dont un portatif pour le voyage ! Par ailleurs, on me trouva morbide lorsque j'offris un cercueil sculpté en bois imputrescible pour le chien de Michèle Richard. Michèle adore pourtant les bêtes, et spécialement son chien.

Mais l'un des cadeaux que j'ai eu le plus de plaisir à donner fut sans doute ce laissez-passer de 10 ans à La Ronde, aux enfants de René Simard. Je dois préciser qu'il était rare que nous ayons des échos du bonheur engendré par nos cadeaux. Je ne veux pas dire que les artistes ne sont pas reconnaissants, mais bon… Or un jour, en visite à La Ronde, j'y croisai les enfants de René et de les voir s'amuser follement me fit un énorme plaisir.

Au sujet de René, j'ai d'ailleurs une anecdote savoureuse à raconter, qui prouve jusqu'à quel point l'équipe de *Bla Bla Bla* pouvait être efficace. Nous étions tous deux en position pour l'ouverture de l'émission. René, jovial, s'entretenait avec le public et il lança cette boutade :

– J'aime tellement ça, venir à l'émission. On est gâté. Danielle va me donner une belle voiture neuve tout à l'heure.

Tandis que les gens riaient, une idée a germé dans ma tête. D'urgence, je fis demander ma recherchiste, Diane Duquette, pour lui demander d'appeler tout de suite le concessionnaire BMW de la Rive-Sud et de voir s'il était possible d'avoir, pour un certain temps, une voiture pour René. Comme l'émission commençait et qu'on ne pouvait m'interrompre, je lui demandai d'écrire la réponse sur un bout de papier. Diane, comme tous mes autres recherchistes d'ailleurs, était très efficace sous pression. Je veux dire par là qu'en proie à l'inévitable adrénaline des missions impossibles, tous se démenaient comme des diables dans l'eau bénite. Je n'avais pas terminé mon premier segment qu'elle me montrait une réponse affirmative sur un petit bout de carton blanc. Vous n'avez qu'à imaginer la tête de René lorsque je lui ai dit qu'à l'émission tout était possible et que j'allais le lui prouver sur l'heure ! On lui donnait l'usage, pour quelques semaines, d'une BMW du même modèle que celle de James Bond dans l'un de ses films. Je vous le répète : magique cette émission.

À Québec, où j'ai vécu quatre ans, j'ai tout d'abord habité l'hôtel Clarendon. Puis, on me donna un magnifique appartement aux Jardins Mérici, pas très loin des plaines d'Abraham. L'appartement, qui surplombait le fleuve, me permit de vivre un peu mieux mon isolement. Les gens sont tout à fait charmants à Québec. Ils m'arrêtaient pour me confier leur plaisir de me voir travailler dans leur ville. Un jour, une voisine me parla d'une amie lointaine qu'elle fréquentait lorsqu'elle était au Québec et que j'avais connue à mes débuts dans le métier :

Carole Como. C'est ainsi que j'appris que Carole avait épousé un Français et vivait en périphérie de Paris. Curieusement, quelques jours plus tard, en voulant compléter la recherche pour l'émission de Claude Boulard, qui avait lieu l'après-midi même, je trouvai dans les dossiers une très vieille photo où Carole, justement, apparaissait à ses côtés. Carole avait été hôtesse à l'une des émissions de Claude et je pensai qu'il pourrait être intéressant pour celui-ci que nous arrivions à la joindre par téléphone à Paris. J'appelai donc ma voisine pour lui demander le numéro. Elle n'avait que celui de son frère qui vivait à Montréal. J'appellai celui-ci qui me dit qu'elle était en visite au pays et qu'elle était en fait à l'hôpital, à Québec, où elle visitait sa mère qui était malade. J'appellai immédiatement à l'hôpital pour me faire dire que je l'avais manquée de quelques minutes et qu'elle était partie au centre commercial faire des courses pour sa mère. « Ah non ! Si près du but ! Quel centre commercial ? » Ils ne le savaient pas. J'appelai celui du centre Sainte-Foy au hasard et la fit demander par haut-parleur par son nom de jeune fille. En trois minutes elle répondait, et était en ondes à la télé une heure plus tard. Ça aussi, c'était la magie de *Bla Bla Bla*.

Je m'en voudrais de ne pas souligner la reconnaissance de certains artistes. J'ai reçu des lettres absolument touchantes de tant de gens : Michèle Tisseyre, Linda Sorgini, Alain Stanké, Colette Provencher, Angèle Coutu, Christine Lamer et, surtout, un mot magnifique – que dis-je – des mots magnifiques de Jean Besré, qui nous avait visités à plusieurs reprises. Et que dire de cette splendide couronne d'automne faite par la mère d'un de nos invités, et des pots de confiture et des chocolats, et du ketchup de la mère d'Hugo St-Cyr. J'ai reçu des fleurs d'Élyse Marquis, de Stéphane Laporte, de Jen Roger, de Simon Durivage. JiCi Lauzon m'a donné des candélabres en étain mais, à part le joaillier Gabriel Lucas qui, spontanément, m'a offert le même bijou qu'il devait offrir à Lara Fabian, c'est Pierre Bourgault qui remporte la palme des surprises de taille. À la toute fin de l'émission, il me dit :

– Tu fais des cadeaux à tout le monde et personne ne t'en donne. Voici le mien.

Il m'avait acheté une chaîne de cou Chanel. Ce qui m'a particulièrement touchée, car ses amis m'ont tous dit, sans exception, que Pierre n'était pas riche et que cet achat avait sûrement dû empiéter sur ses besoins personnels. Tous me confirmaient cependant que c'était sa manière à lui de souligner d'une façon spéciale le bonheur de l'émission et que jamais il ne se serait empêché de faire cette folie. Il était comme ça pour tous ses coups de cœur. Permettez-moi de profiter de l'occasion pour vous confier que mon plus beau cadeau – à vie – restera l'article qu'il écrivit sur moi il y a quelques années et dans lequel il me faisait une véritable déclaration d'amour. On ne m'a jamais épargnée dans les journaux. Rarement ai-je eu droit à une analyse libre de tout préjugé. Sans complaisance, il avait décrit avec tendresse le chemin ardu qu'il m'avait fallu suivre pour en arriver là où j'en suis. Le simple fait qu'il le reconnaisse était déjà une belle démonstration de fidélité. Et de lire : « Moi, j'aime Danielle Ouimet » m'a fait rougir bien plus que toutes les déclarations d'amour que l'on a pu me faire. Évidemment, ces écrits sont tributaires de l'importance que l'on accorde à Pierre Bourgault. Mais là-dessus tout un peuple a parlé avant moi. Il n'est pas aimé de tous, mais respecté de la majorité et ça me suffit amplement.

Parlant de politiciens, je n'ai mené la vie dure à mes recherchistes qu'en deux occasions. Je devenais invariablement très tatillonne lorsqu'il était question de politique ou de sport, deux sujets que j'éprouve de la difficulté à cerner. Si vous avez, par exemple, un Jacques Parizeau en interview, vous avez intérêt à connaître les grandes lignes de ses opinions et de ses combats.

En bon invité et homme du monde qu'il est, il n'aurait jamais été grossier si j'avais erré. Mais je préférais le surprendre. Et j'adore cet homme.

Mais quand même, lorsqu'un politicien se pointait à l'émission, je me faisais un devoir d'être super renseignée. Tant et aussi longtemps qu'une question restait en suspens, je harcelais mes recherchistes sans relâche. Et c'est ainsi que j'ai reçu Jean Charest, à qui j'ai prédit qu'il serait notre prochain premier ministre (je vous ai dit que j'étais renseignée, mais pas infaillible ni devin!). Rétrospectivement, avouez qu'il y a de quoi s'étonner.

J'ai également reçu Lucien Bouchard dans l'émission, dans des circonstances très particulières. Nous avions décidé de faire une spéciale d'une heure pour le 10e anniversaire du décès de René Lévesque, avec sa famille en studio, et nous avions demandé à M. Bouchard d'y participer. Or, l'enregistrement se faisait le lendemain même de son élection au poste de premier ministre et je ne m'attendais évidemment pas à recevoir une confirmation de sa participation en une journée aussi importante pour lui, et tôt le matin de surcroît. Eh bien, il y était! Non seulement il s'est rendu aux studios de TVA, à Montréal, pour répondre à nos questions en direct, mais il m'a accordé sa toute première entrevue depuis son élection de la veille. Même le service des nouvelles n'avait pas réussi à se l'accaparer.

Parmi les politiciennes, je citerai Liza Frulla pour sa grande générosité et sa vivacité d'esprit. Notre ministre de la Culture de l'époque, Louise Beaudoin, m'a toutefois terriblement surprise. Que la ministre de la Culture m'avoue, sans ambages, à mon émission, n'avoir aucune toile sur les murs de sa maison, encore aujourd'hui je n'en suis pas revenue.

Parmi mes beaux souvenirs politiques, je retiens celui de Jean Garon qui a pleuré, ému par de magnifiques chiens labradors; la présence de Mario Dumont aussi m'a ravie; puis l'honorable Lise Thibault, lieutenant-gouverneur du Québec, une femme déterminée et fort agréable, qui depuis m'invite chaque année à la fête champêtre qu'elle donne chez elle ; et madame la mairesse Andrée Boucher dont j'adore le mordant et la détermination.

Mais j'ai eu, par-dessus tout, un plaisir inouï à accueillir cette légende sur deux pattes qu'est Michel Chartrand. Que j'aurais aimé avoir une culture plus relevée ou plus fine pour donner la réplique à cet homme ! Mais il sut être magnanime, se rendant bien compte, malgré l'envie qu'il en avait, que l'émission n'était pas une tribune où étaler ses ressentiments.

Par ailleurs, tout au long de ces 850 émissions, il y eut de drôles et de très heureux « mélanges », si vous me permettez l'expression. C'était, vous vous en doutez bien, ceux-là qui me plaisaient le plus. Lorsque Nancy Dumais nous a confessé sa passion pour Patrick Norman, on s'est fait un plaisir de les inviter ensemble. Nous avons été les premiers au Québec à accueillir Alexandre Jardin pour nous entretenir de Lynda Lemay. Charles Aznavour aussi l'a fait. Parlant de « couple bizarre », Laurence Jalbert est venue faire une surprise à Herbert Léonard. Ils s'étaient connus à l'époque où Laurence suivait sa tournée, car son copain, musicien, jouait de la guitare pour Herbert. Il y eut également Geneviève Bujold qui, de Californie, nous a parlé de son ami Guy Boucher.

En ce qui concerne la recherche, il était beaucoup plus facile de travailler avec des gens de chez nous. Ce n'était pas une mince affaire que de faire une recherche sur les artistes venant de France. C'était aussi plus onéreux en raison des nombreuses conversations téléphoniques nécessaires. Mon passé d'animatrice-radio me conférait toutefois un gros atout : celui de les avoir tous déjà rencontrés. Je suis totalement nulle pour mémoriser un texte, reconnaître quelqu'un ou me souvenir d'un nom, mais j'ai, par contre, une sacrée mémoire des événements. Ce qui est un atout, compte tenu que les connaissances de nos jeunes recherchistes étaient parfois limitées sur les célébrités d'une époque autre que la leur. Il m'est donc arrivé de devoir combler certaines lacunes. Par exemple, quel est l'auteur-compositeur de chez nous qui fut également compositeur et pianiste pour Édith Piaf? Claude Léveillée, bien sûr... Quand ce n'était pas Édith Piaf elle-même qu'il fallait expliquer.

Sans diminuer pour autant la communauté artistique québécoise, il faut reconnaître qu'on a vite fait le tour du jardin, ce qui m'a toujours fait apprécier la nouveauté qu'apportent les chanteurs français en visite au pays. De plus, mon éducation dans des collèges français me fait sentir, culturellement, plus française qu'américaine. Mais c'est aussi un sacré défi que de faire une émission avec des gens qui n'ont aucune idée de qui vous êtes. Et l'invité français qui débarquait à Québec et se retrouvait parachuté dans une émission où l'on déballait sa vie personnelle sans avertissement avait parfois de drôles de réactions dont, souvent, celle de se mettre sur la défensive, ce qui me forçait à travailler davantage. J'ai tout de même eu de belles surprises. Je pense à Adamo, beau joueur et toujours souriant. Comme il parlait six langues, Mario Grenier, un humoriste animateur à la radio de Québec, eut l'idée de lui présenter un tableau, une craie et de lui faire faire une dictée... à la québécoise! Fallait voir sa tête quand on lui avait demandé d'écrire quelque chose comme « les enfants sontaient dans la cour » ou « la balle a rvolé dans la vit' du char »...

Je songe aussi à Dick Rivers qui s'était souvenu de notre rencontre 35 ans plus tôt. Je l'avais interviewé à CJMS, au début de ma carrière, et il s'était remémoré avec précision tous les détails de notre rencontre.

Mireille Mathieu par ailleurs, contrairement à Adamo, ne m'a jamais reconnue, même si je l'avais interviewée plus de 10 fois à l'époque de mon incursion radio chez M. Coallier.

À cette époque, elle m'avait même envoyé des fleurs pour mon anniversaire. Mais bon, je peux comprendre que le temps et les souvenirs puissent être volatils.

Une petite anecdote en passant : voyageant toujours avec son éclairagiste et son preneur de son, elle avait retardé l'émission d'une demi-heure, car elle exigeait des faisceaux lumineux au ras du plancher, pour l'éclairer davantage. Ce procédé ayant pour but de faire paraître l'image plus blanche à l'écran, et donc d'éliminer les rides ! Il nous avait fallu faire venir un technicien supplémentaire pour plaire à madame. Elle n'a pas desserré les dents de toute l'émission, sauf pour sa rencontre avec un « chef indien ». Nous avions fait venir Max Gros-Louis, car c'était là, selon le questionnaire qu'elle avait rempli, son plus grand désir.

Allez savoir pourquoi, dès qu'un Français se pointait dans notre émission, il réclamait un autochtone ! Même chose pour Isabelle Aubret (et même chef aussi !). Mais quelle femme remarquable que cette Isabelle ! Douce, attentive, elle a fondu en larmes, sans retenue, quand nous l'avons mise en contact téléphonique avec une amie à qui elle n'avait pas parlé depuis longtemps, et qui était liée au souvenir de ses parents.

Nicole Croisille est une autre merveilleuse chanteuse qui a toujours été très généreuse dans ses déclarations. Enjouée, amicale, voulant plaire à tous et à tout prix, on sent qu'elle s'amuse dans la vie. Et Nicole vit une histoire d'amour inconditionnel avec le Québec. Elle y a gardé pleins d'amis qui nous ont parlé d'elle avec chaleur. Elle a cette qualité rare qui fait que l'on aimerait tout de suite devenir son amie.

Michèle Torr m'a aussi grandement impressionnée. C'était la première fois que je la rencontrais et je suis même allée la voir en spectacle deux fois par la suite, tellement elle m'avait touchée par sa délicatesse et sa disponibilité. Et, comment dire cela sans la froisser ? elle est infiniment plus intéressante que ne le sont ses chansons. Il est vrai que ses anciennes chansons sont toujours celles qu'on lui réclame sur scène. Mais elle est beaucoup plus racée que les paroles de sa chanson *Emmène-moi danser ce soir* pourraient le laisser deviner. Elle m'a donné une grande leçon de professionnalisme. Avant d'entrer sur le plateau, je la voyais s'activer à l'arrière du décor. M'approchant d'elle, j'ai constaté qu'elle se maquillait les mains. Voyant ma surprise, elle m'a tout simplement expliqué qu'ayant tendance à gesticuler beaucoup en parlant, elle trouvait disgracieux de montrer des mains blanches à côté d'un visage maquillé plus foncé. J'avais également été très émue par un récit témoignant de l'impact qu'elle pouvait avoir sur son public. Elle était en effet en plein processus d'entente avec une famille française qui contestait un legs que lui avait fait un admirateur à sa mort. Si je me souviens bien, le défunt, qui était sans enfant, avait décidé de léguer une partie de sa fortune à divers artistes français. À chacun, il avait laissé un petit mot qui disait en substance: « Vous m'avez donné plus de joie et de chaleur avec vos chansons qu'aucune personne sur terre n'a pu m'en donner. » Inutile de vous dire que la famille, cousins et cousines, avait intérêt à faire passer le pauvre vieux pour sénile afin de récupérer l'argent. Je trouvais éminemment sympathique que cette personne traduise ainsi la joie et l'apaisement ressentis tout au long de sa vie, grâce aux arts de la scène, rendant hommage à de parfaits inconnus qui, par leur travail et leur talent, lui avaient rendu la vie plus belle et plus légère. Si les sacrifices imposés par le métier ne servaient qu'à ça, ce serait déjà suffisant.

Avec Serge Lama, c'était toujours du gâteau! Il nous a visités trois fois à l'émission. Il faut dire que je connais Serge depuis des lustres et que nous avions même quelque peu flirté il y a de cela quelques années. Sans conséquences, rassurez-vous! C'est un être à la fois heureux et tourmenté qui est arrivé à la scène de façon inusitée. Il avait eu un terrible accident de voiture en tout début de carrière. Il aurait pu en mourir, mais c'est au cours d'une longue physiothérapie qu'il a véritablement découvert qu'il allait devenir, mais surtout rester, chanteur. Pour son plus grand malheur, son père, qui l'avait été avant lui, avait abandonné la carrière pour faire plaisir à sa femme, qui réclamait plus de sécurité pour la famille. Prendre la relève pour plaire à son père, voire pour le venger, telle a été la quête de Serge depuis lors.

Histoire identique à celle de Julio Iglesias dont la brillante carrière de footballeur avait été interrompue. Confiné de longs mois à l'hôpital, il avait reçu une guitare et s'était mis à chanter pour passer le temps. Le reste appartient à l'histoire et personne n'ignore qu'il a accumulé, comme chanteur, une fortune colossale.

Nous avons, nous aussi au Québec, une histoire semblable. Vous avez sans doute entendu parler de l'horrible accident du beau-fils de M. Jacques Parizeau, Hugo, le fils de Lisette Lapointe. Happé par une moissonneuse-batteuse conduite en plein centre-ville par le maire – ivre – d'une petite localité, Hugo s'est retrouvé un an aux soins intensifs, cloué sur un lit d'hôpital, installé à la maison chez sa mère. Pas un os, pas un organe de son corps n'avait été épargné. La remontée fut excessivement pénible pour Hugo, qui devait devenir membre d'élite d'une équipe de ski alpin. Son beau rêve s'arrêtait là. Dans ces moments de désespoir, Hugo se mit à la pratique de la guitare et du chant. Résultat : il décrocha un rôle et fut choisi comme doublure de Roméo dans la comédie musicale *Roméo et Juliette* à Paris. Il devint ensuite « notre » Roméo dans la présentation montréalaise à l'été 2002, pour jouer ensuite le rôle du Renard dans la comédie musicale *Le Petit Prince*, présentée à Montréal. Rôle pour lequel il a mérité les éloges de presque toute la critique journalistique. Hugo est beau comme un cœur et doué d'un talent fou. Nous l'avons eu à *Bla Bla Bla* au tout début de sa carrière, au moment où j'y recevais sa mère. Il avait dû chanter *a capella* parce que nous n'avions pas de musiciens en studio. Ça prend du talent.

Parmi les Français en visite à l'émission, je ne peux pas ignorer Sacha Distel. Quel homme! Aussi beau en dedans qu'en dehors. J'avais peine à garder mes yeux dans les siens tant il m'intimidait. Neveu de Ray Ventura, il avait commencé dans le métier comme guitariste de blues et de jazz, métier qui lui attira une reconnaissance mondiale. Mais c'est pour son passage dans de petits orchestres, avec de la musique résolument plus populaire, qu'il fut remarqué. J'insistai un peu, au cours de notre entrevue, pour évoquer ses aventures amoureuses, apparemment opportunistes – ce qu'on lui avait beaucoup reproché au début de sa carrière. Il m'avait répondu qu'il y avait toujours une petite histoire derrière une grande histoire. Dans les faits, si on a su qu'il avait été l'amoureux de Brigitte Bardot, on n'a rien su de ses amours avec Jeanne Moreau. Il m'a également raconté avoir accompagné Juliette Gréco en tournée, à titre de musicien. Bien que ce soit un grand séducteur, c'est avec une affection évidente qu'il nous avait parlé de sa femme avec qui il était, à l'époque, marié depuis 33 ans. Du même souffle, l'homme à femmes qu'il était avait enchaîné en demandant à notre chroniqueuse, Isabelle Guilbeault, si elle était libre le soir même afin de lui expliquer, éventuellement, ce qu'il ne comprendrait pas dans sa chronique. Isabelle, sachant combien il aimait rire, lui avait débité une série de jurons québécois, récupérés dans le dictionnaire du même nom, dont on lui demanda de deviner le sens. Il nous fit bien rire entre « l'ostie d'épais » et « le maudit tarla ». Il nous apprit aussi qu'on lui devait l'invention du mot scoubidou, et que le mot se retrouvait au dictionnaire.

– Au début de ma carrière, nous a-t-il raconté, je voulais chanter de belles chansons toutes romantiques comme *La belle vie*. Mais c'est la chanson *Scoubidou* qui a été mon premier grand hit. Ce mot n'existait absolument pas, je l'ai mis dans la chanson pour m'amuser! Et c'est accompagné de copains que nous avons aussi inventé le mot « boudin » pour désigner les femmes qui s'habillent de vêtements trop serrés.

Autre révélation : il avait été l'artiste invité lors d'un spectacle qui avait eu lieu au Forum de Montréal pour recueillir des fonds en vue de l'édification de la Place des Arts. Annie Cordy et Guy Béart faisaient également partie du spectacle.

– Comme j'étais une grosse vedette en France à ce moment-là, précisa-t-il, mon agent avait exigé que je passe en vedette – c'est-à-dire en fermeture de spectacle. Or, le spectacle s'est terminé à 3 h du matin. Pas le temps de répéter avec les musiciens. La fatigue du décalage horaire aidant, je me suis tapé un bide monumental.

En connaissez-vous beaucoup d'artistes qui rient d'une défaite ? Comme il connaissait bien Denise Filiatrault, qui avait fait la première partie de ce spectacle 30 ans plus tôt, nous l'avions jointe au téléphone pour qu'elle nous raconte l'anecdote. Je l'entends encore prendre l'accent (ce que je fais souvent moi-même sans m'en rendre compte) et s'écrier :

– J'étais avide de savoir que tu étais là !

C'est en revenant d'Italie en juillet 2004 que j'ai entendu, à la radio niçoise, que Sacha venait de mourir, à un jour d'écart de mon autre idole Serge Reggiani. Ça m'a donné un coup aussi fort que si je venais de perdre un ami. Cet être m'a beaucoup marquée par sa jeunesse, son sourire, sa simplicité, et avouons-le, sa saisissante beauté.

Je pourrais vous raconter un nombre impressionnant d'anecdotes liées à ces visiteurs d'outre-mer, mais je tiens surtout à vous parler de mon pire cauchemar : Demis Roussos. Son agent de presse m'avait confirmé qu'il avait peur de ce que j'aurais pu apprendre sur sa vie privée. Toujours est-il qu'en m'entendant déclarer qu'il avait admirablement réussi ses trois mariages et croyant, sans nul doute, voir arriver une arnaque telle qu'en concoctent souvent les animateurs en France, il s'était mis à prendre de façon négative absolument tout ce que je lui disais et à nous reprendre sur la moindre erreur. Je montre une photo de lui avec un enfant aux cheveux très longs : « Non, c'est pas ma fille, c'est mon fils ! » Sachant qu'il possédait un nombre impressionnant de djellabas confectionnées avec des soieries luxueuses, notre chroniqueuse, Lucie Lavigne, lui avait apporté des tissus à 200 $ le mètre dont il s'était recouvert la tête en affirmant :

– … Il n'y a rien à faire avec ça, ou peut être, si. Des coussins !

Puis, nous fiant à un bout de film sur lequel on le voyait véritablement pris en otage par un commando musulman dans un avion, pendant trois jours, on lui avait demandé :

– Vous étiez à Chypre ?

– Non, à Athènes !

– Et vous avez vécu un moment très traumatisant ?

– Non, pas du tout, je ne me souviens de rien de traumatisant…

Ça tombait mal. Nous avions invité Mme Annie Robitaille, une experte des syndromes post-traumatiques. Elle prétendait qu'on revivait toujours l'événement *a posteriori*, tandis qu'il s'entêtait à affirmer qu'il n'était resté que trois jours avec les otages et que… – et je cite – « mon personnage, mon aura et mon énergie ont fait que je m'en suis sorti ». Selon lui, il avait réussi par sa connaissance de la culture du Moyen-Orient à les convaincre de le laisser aller et que, par conséquent, il ne ressentait rien du tout. À chacun de ses commentaires, je sentais mon experte prête à se cacher sous la table. À la fin de la chronique, qui lui sembla sans doute interminable, c'est à peine si des sons sortaient encore de sa bouche. Nous venions tout juste de passer le troisième segment, ça n'allait pas très bien, mais il me réservait le clou du spectacle pour la fin. Puisqu'il était venu chanter dans une église, nous avions eu l'idée de faire une chronique qui nous ferait faire, en photos, le tour de quelques-unes des plus belles églises du Québec. Avant de commencer la chronique, et sachant qu'il accordait une valeur symbolique à chacun de ses gestes (gardez en mémoire qu'une superstition veut qu'on ne porte pas de vert sur scène), je lui avais demandé :

– Vous mettez des petites lumières de toutes les couleurs pendant votre spectacle, sauf le vert. Est-ce par superstition ?

– Pas du tout. C'est parce que je déteste le vert.

J'ai bien cru que ma chroniqueuse, Lise Giguère, allait perdre connaissance. Elle était habillée en vert de la tête aux pieds. Un autre élément allait venir se greffer à cette catastrophe. Nous devions lui offrir un cadeau spécial : une lampe en forme d'église, faite en vitrail, par un grand artisan de chez nous. Eh oui, vous avez deviné, l'objet était entièrement composé de verre de couleur verte !

Je revois encore la tête de ma réalisatrice de l'époque, ma belle Clara Welsh, appuyée au cadre de la porte de ma loge. On ne s'est pas dit un mot, on s'est mises à rire. Ça faisait du bien !

Rire ! Si j'avais besoin d'un mot pour résumer mes sept années de bonheur auprès de mon équipe, j'utiliserais justement celui-là. Avant de vous parler de mes colères et de mes déceptions, c'est du « rire » qu'il sera question. Je riais tellement qu'on recevait souvent des appels au service à l'auditoire pour me faire dire que je riais trop. Oui, j'ai un rire prenant, résonnant, envahissant. Mais je suis heureuse dans la vie et je ne peux m'empêcher de sourire, lorsque j'aime ce que je fais. Mes invités m'ont souvent réduite aux pires fous rires. À preuve, cet échange entre Donald Pilon et Claude Meunier.

Claude parlant de Donald : « Il se nourrit au Prozac en ce moment. »

Donald : « Non, de Viagra plutôt ! »

Claude: « J'me disais aussi que tes pantalons tombaient mieux ! »

Et toujours dans la même émission, alors que nous jouions au jeu du dictionnaire, qui consiste à choisir au hasard un mot peu commun et à demander aux participants d'en deviner la définition, j'avais choisi le mot pocheterie (qui signifie le département du livre de poche et qui peut se dire également pochothèque). Claude Meunier avait répondu du tac au tac :

– Une discothèque de tapettes !

Éric Salvail était l'un des plus amusants et talentueux de mes chroniqueurs. C'est d'ailleurs pour mon plus grand bonheur qu'il avait commencé sa carrière à *Bla Bla Bla*. Je ne voulais jamais tout connaître de sa chronique avant l'émission, le grand jeu pour lui n'étant pas seulement de se surpasser dans la bizarrerie, mais aussi de surprendre et de faire rire Danielle ! Et il ratait rarement son coup. Pour un segment avec Lise Dion – notre invitée –, qui aimait les guêpières, je l'ai vu finir sa chronique, dans laquelle il vantait le confort de ce vêtement, en retirant sa chemise pour apparaître tout de satin rouge et dentelle noire vêtu. Éric est devenu un ami auquel je porte une affection inconditionnelle.

Pour Pénélope McQuade, qui était aussi chroniqueuse à l'émission, mais qui était invitée cette fois-là, il avait préparé une chronique basée sur la phobie des araignées de Pénélope. Il avait trouvé un endroit où il suffisait d'appeler pour contrôler sa peur.

Et Pénélope de demander : « Comme ça, si une araignée bloque mon passage entre deux pièces et que j'ai peur, j'appelle là ? »

Moi : « Oui... Et ils vont te dire quoi faire. »

Éric : « Oui, c'est en plein ça ! Ils vont te dire... écrase-la, simonac ! »

Je l'ai aussi entendu dire qu'un des mets traditionnels des frères trappistes était... les pets-de-nonne!

Parfois, c'étaient de tout petits enfants qui me faisaient craquer. Je me souviens d'un petit garçon malade, parrainé par François Léveillée. Grâce à François, il venait de recevoir un chien. Me penchant vers le petit, je lui avais demandé:

– Le petit chien, c'est une fille. Pourquoi tu as choisi une fille (parlant du sexe de l'animal évidemment).

Il avait hésité un peu, puis planté ses beaux grands yeux dans les miens pour me déclarer le plus sérieusement du monde:

– Parce que les filles sont moins folles.

Et que dire de cet autre enfant, pétrifié par les caméras, qui ne disait pas un mot et qui, soudain fasciné par mes boucles d'oreilles en forme de louis d'or, m'avait demandé:

– Est-ce qu'il y a du chocolat dedans?

Il y eut aussi des moments pleins de frissons. Comme cet hommage à Rose Ouellette, que nous étions en train de monter avec des artistes ayant travaillé avec elle. J'étais en train d'interviewer Guilda quand Michèle, la préposée à l'auditoire, est venue nous interrompre pour m'annoncer que Mme Ouellette venait de mourir. Et des morts, il y en a eu. Johnny Farago, Jean-Louis Millette (nous avions réussi à faire, le jour même, une très belle émission spéciale sur sa vie), Jacques Normand, Jean Rafa, Marie-Soleil Tougas...

Quelque chose de tout à fait hors du commun s'est également passé lors de l'émission enregistrée à Montréal et à laquelle nous devions accueillir Paul Larocque, le successeur de Gaétan Girouard à l'émission *J.E.* de TVA. On a commencé l'émission et, en ce 15 janvier, jour anniversaire du décès de Gaétan Girouard, lorsque vint le moment de présenter son successeur, la console d'éclairage sauta et il fut impossible de la réparer, chose qui n'arrive jamais. Il fallut interrompre l'émission. Était-ce là une intervention de l'au-delà ?

Toujours parmi les faits inusités, un comédien, étudiant en art dramatique avec André Montmorency, s'était présenté à l'émission. Le jour même, nous avions reçu un coup de téléphone de sa famille nous avisant qu'elle le recherchait depuis trois ans. C'est nous qui avons effectué la réunion de cette famille. Autre histoire : Chantal Lacroix avait invité un joueur de cornemuse pour Peter Pringle. L'instrument du cornemuseur a été volé un an plus tard. C'est un membre de notre auditoire qui retrouva l'instrument abandonné par le voleur et qui le rendit à son propriétaire.

Nous avons aussi vécu des moments des plus embarrassants. Lise Dion – eh oui ! Lise a été l'une de mes chroniqueuses – avait préparé un sketch pour faire rire Claude Blanchard. Claude était l'une de ses idoles, et Lise n'était pas encore connue comme elle l'est aujourd'hui. Ce jour-là, Claude n'était pas d'humeur à encourager la relève. Les bras croisés haut, presque sous le menton, il regardait fixement la pauvre Lise, qui tremblait de tous ses membres, sans qu'un sourire ne vienne fendre ses lèvres. Entre chaque ligne, elle levait des yeux désespérés à la recherche de la moindre approbation. Rien. Ses yeux allaient donc de lui à moi jusqu'à ce que nous soyons prises toutes les deux d'un fou rire inextinguible. Moins il réagissait, plus nous riions. Lise s'en souvient comme d'un moment pénible de sa carrière, mais en rit à chaque fois.

Le jour où j'ai eu l'air le plus fou, cependant, est certainement ce jour d'halloween où nous avions invité Pauline Martin, pensant qu'elle s'amuserait comme une folle à choisir un déguisement, comme nous le faisions à chaque saison pour cette fête. C'était d'autant plus important que nous étions parvenus à avoir, pour l'émission, l'homme qu'elle désirait le plus rencontrer : Monseigneur Turcotte. J'avais choisi un costume de lapin blanc à très grandes oreilles roses. Mon maquillage était parfait et j'étais très contente de mon accoutrement. Sauf que Pauline, prise de je ne sais quelle idée fixe, avait décidé qu'elle ne voulait plus se déguiser. J'ai eu beau tempêter, menacer, supplier, rien à faire. C'est la mort dans l'âme que j'ai accueilli Mgr Turcotte, lui en vêtements liturgiques et moi en Bugs Bunny... sur l'acide! Inutile de vous dire que je lui en ai longuement voulu. Une comique qui ne l'est plus au moment de s'amuser, non mais... J'ai bien mal pris la chose.

Autre moment gênant. Nous avions invité Michel Dumont. Son frère était l'invité-surprise. Celui-ci nous avait confié, lors de nos recherches, que Michel avait déjà remporté un trophée dans je ne me souviens plus quelle discipline. On lui avait demandé si le trophée existait encore. Il nous promit de le retrouver et de l'apporter à l'émission. Ce qui fut fait. Puis, Michel de nous raconter le plaisir qu'il éprouvait à revoir cet objet qui lui rappelait d'heureux souvenirs. Son frère lui offrit donc de le garder, mais Michel l'oublia derrière le décor. On se fit donc un devoir de le retourner à son frère qui était encore à Québec le lendemain, sans nous attendre à ce qui devait arriver. Le frère était donc rentré à Montréal avec le trophée. Il l'avait déposé dans un coin et l'avait oublié. Ayant retrouvé l'objet, sa femme avait cru que son mari était encore allé dans une « vente de garage » et avait acheté cette chose complètement inutile qu'elle... jeta.

Parmi les moments touchants, il y eut cette rencontre avec Steve Fiset qui avait fait un ACV quelques années plus tôt. Il ne se déplaçait plus qu'appuyé sur des cannes et suivait depuis longtemps des traitements de physiothérapie. Isolé par la maladie, il nous avoua que d'être invité dans l'émission lui avait donné des ailes. Et c'est sur ses deux jambes qu'il entra sur le plateau.

Il y eut aussi l'histoire extrêmement triste de cet enfant que la maladie avait emporté. Réjean Léveillée l'avait rencontré. À sa mort, il était resté en contact avec les parents. Nous avions pour tâche de montrer le grand cœur de notre invité et de souligner ses engagements caritatifs un peu partout au Québec. C'est pourquoi il nous avait semblé naturel d'obtenir le témoignage de ce père de Rimouski. Je n'avais pas vu le reportage avant la mise en ondes. Quand le père de l'enfant se mit à raconter que sa femme était à nouveau enceinte, que c'était un garçon et qu'il s'appellerait Réjean en l'honneur de notre invité, c'est moi qui ai eu besoin de la fameuse boîte de kleenex que je tenais toujours cachée dans le décor.

Ah! la boîte de kleenex de *Bla Bla Bla*! Je pourrais vous énumérer une liste sans fin des gens qui ont eu le courage de se « laisser aller » devant les caméras. Car, je n'en ai jamais douté, il faut être très généreux, très ouvert, pour permettre au public d'être témoin de vos épanchements. Marie Tifo, Christine Lamer, Lise Payette, Claude Léveillée, Rita Lafontaine, Lise Dion, Claude Blanchard, Rémy Girard, Mireille Thibault, Françoise Faucher, Jean-Pierre Bergeron et j'en passe, tous ont versé une larme. Gagnée par l'émotion, ça me mettait moi-même dans tous mes états. Durant les dernières années de l'émission, pour désamorcer et alléger le poids de ces émotions, je disais qu'il me fallait « deux victimes » par semaine, sinon j'avais raté mon coup. Mais la seule fois où j'ai pleuré toute seule et sans pouvoir m'arrêter, même pendant la pause publicitaire, c'est quand Richard Verreault vint chanter avec un de ses camarades d'opéra du bon vieux temps. De voir le bonheur de cet homme transporté par son art malgré le temps passé, malgré une carrière stoppée en pleine gloire à cause de problèmes de polypes sur les cordes vocales, m'a bouleversée au-delà de tout entendement.

Et il m'était tout aussi facile de pleurer que de rire. De ça, je n'ai jamais été privée. Je pense particulièrement à ce segment où Mario Grenier (toujours lui) avait imaginé une audition pour trouver du travail à Rodger Brulotte, qui avait perdu son emploi. On lui avait proposé de faire un numéro de danse à claquettes, de jouer du gazou et de chanter, ce qu'il avait fait de bonne grâce. Quel beau joueur !

Nous formions une belle famille. Et pourtant, à Québec, je me sentais cruellement séparée de ceux que j'aimais : ma mère, mes amis et un amoureux nouvellement rencontré dans le cadre des enregistrements de *Bla Bla Bla* à la marina de Longueuil, la toute première année. Ajoutez à cela mes difficultés à m'intégrer dans cette ville généreuse, mais très hermétique. Sans mes camarades de travail, sans le soutien patient, indéfectible et mené de main de maître par mon réalisateur des deux premières années d'abord, Jean Gagné, puis par ma réalisatrice des deux dernières années, Clara Welsh, et son assistante, France, j'aurais pu tout abandonner et tomber dans une sérieuse mélancolie. La pression était à la mesure des attentes qui, elles, étaient énormes. En quatre ans, à Québec, je n'ai été invitée que quelques fois par les artistes en visite. Louis-Paul Allard, Jacques Duval et Claude Barzotti ont eu la gentillesse de me distraire.

Ma famille, mon ancrage, ma force, c'était mes recherchistes. Parmi celles-ci, Andrée Aubé, ma belle âme, m'a beaucoup aidée par son calme et son savoir. L'humour nous unissait. Montréalaise, ancienne chanteuse (et sœur de Dany Aubé, chanteuse des années 70), elle est venue vivre à Québec pour l'émission, puis m'a suivie à nouveau, lorsqu'on se relocalisa à Montréal. Depuis, elle est retournée vivre à Québec et a pris sa retraite. Je la « harcèle » sporadiquement pour qu'elle travaille à nouveau avec moi. Je deviendrai productrice, du moins j'aspire à le devenir, et j'espère qu'Andrée viendra me seconder.

Quant à Isabelle Guilbeault, anciennement de CKOI où je l'ai repêchée, c'était mon intellectuelle. Elle était celle qui détestait chercher des cadeaux, mais pouvait trouver 50 livres ou disques à donner, tant elle les aimait. À l'inverse, partie de Montréal pour travailler avec moi, elle a rencontré l'amour à Québec, s'y est mariée et a fait deux petits Kleinschmith-Guilbeault. Un conseil, ma copine : n'en fais pas des vedettes. Ça serait trop long pour signer les autographes. Elle m'impressionne beaucoup : mère, journaliste, recherchiste, chroniqueuse. Son mari est un ami intime de Daniel Lavoie et, pour moi, il n'y a personne de plus merveilleux sur terre que Daniel Lavoie ! On est tous les fans de quelqu'un quelque part.

Une autre qui a tout mon respect, c'est ma belle Diane. Traverser un divorce, prendre soin de deux ados et me suivre comme recherchiste, sans avoir jamais fait de recherche pour la télévision, tient du tour de force. J'avais rencontré Diane à CKVL alors qu'elle était recherchiste pour l'émission que nous coanimions, M. Bélair et moi. La télévision, c'est beaucoup plus exigeant. Je vois encore ses yeux inquiets qui, après la première semaine, me disaient :

– Je n'y arriverai jamais, c'est trop dur. Y a trop de chose à apprendre, à assimiler…

– Oui, Diane. C'est dur. Les premiers temps sont durs. Et après, ça va aller tout seul. Fais-le encore une semaine.

Elle a serré les dents et a finalement passé au travers. J'ai beaucoup de respect pour ce qu'elle a fait de sa vie.

Jean-Marc, mon producteur, me permettait d'avoir mon mot à dire sur le choix de mes recherchistes, qualité que j'appréciais terriblement et qui n'est pas la norme.

– Quitte à passer six mois, quotidiennement, avec ces gens-là, aussi bien t'entendre avec eux, Danielle, m'avait-il dit.

Comme il avait raison.

Pour mon plus grand bonheur, Benoit Léger, journaliste et chroniqueur, s'est retrouvé au nombre de mes recherchistes.

Drôle, efficace, inventif, toujours à trouver des solutions de rechange, il avait l'avantage de bien connaître les artistes invités. Invariablement, en tant que journaliste, il les avait tous interviewés. Si j'ai un conseil à donner aux jeunes qui veulent entamer ce métier, c'est d'être extrêmement bien informé dans tous les domaines, un peu à la façon d'un journaliste. On ne m'a donné que des gens de qualité : Sylvain-Claude Filion, Nancy Savard, Mireille Soucy, Josée Bélisle, Louise Quintin, la liste est sans fin. Je leur dois tout.

Nous étions tous très liés. J'étais certes exigeante, mais à chaque rencontre, Jean-Marc me donnait du temps pour parler à ceux qui entraient dans le groupe et auxquels je tenais toujours le même discours.

– Si un jour, à 18 h, je te dis que j'ai besoin de deux tortues pour 9 h le lendemain matin et que tu me dis que c'est impossible, je ne veux pas que tu poses ta candidature.

J'étais exigeante, mais je l'étais pour une multitude de raisons. La plus égoïste, c'est qu'il n'y avait que moi à l'animation, devant les caméras. Une mauvaise indication pouvait tuer le rythme, briser ce que j'appelle : le moment béni des dieux, où l'invité te regarde, ébloui d'être là. Et si, de surcroît, une erreur en ondes demandait une explication supplémentaire, l'atmosphère était ruinée et le punch final retardé. De plus, je ne leur demandais pas davantage que ce qu'elles pouvaient elles-mêmes me demander. Combien de fois me suis-je rendue avec la recherchiste, le samedi, le dimanche ou tard le soir, terminer une recherche qui avait avorté ! L'émission était ainsi faite que la réalisation était à la merci de la récolte des recherches. C'était essentiellement du travail de montage et de mise en place. Mais quel travail : une galère ! J'ai eu les meilleurs réalisateurs de la terre. Et c'est vraiment un cri du cœur.

Mes journées duraient facilement 12 heures. Je sautais du lit à 6 h du matin, et j'arrivais dès 7 h dans ma loge. Maquillage, coiffure, costume (que je repassais moi-même) jusqu'à 9 h. Puis, je rencontrais le régisseur, le réalisateur et les caméramans. Nous discutions des surprises et de l'ordre des entrées, avant de procéder à la cachette des cadeaux. Dix heures sonnait l'arrivée du public dans la salle, puis l'enregistrement de l'émission se déroulait jusqu'à 11 h 30. Ensuite, retour dans ma loge pour le démaquillage et la rencontre avec la recherchiste et le réalisateur pour le *post-mortem* et la réalisation de l'émission du lendemain. Choix des photos, des films à visionner, des cadeaux à répertorier dans un coin de ma loge jusqu'au lendemain, ordre de montage de ce matériel et réception du cahier complet de recherche. Trente minutes de dîner, puis pendant que le réalisateur ou la réalisatrice et son assistant terminaient le montage technique, nous nous retrouvions dans la salle de conférence pour la recherche des jours à venir. Choix des invités, leur distribution selon les recherchistes, lecture des questionnaires qui avaient été remplis par les invités, discussion du choix des topos, décision sur le choix du chroniqueur, des surprises et des gens invités en studio, mise à jour de ce qui avait été fait depuis la dernière réunion, changement de cap et reprise de certaines décisions selon les appels effectués, et j'en passe. Quand nous nous quittions pour que je puisse faire ma recherche, il était 15 h. Jean-Pierre Coallier m'avait appris que la meilleure improvisation était toujours écrite. J'ai toujours appliqué la leçon. Arrivée dans ma loge, j'ouvrais les innombrables dossiers qui allaient me révéler tous les secrets de mon invité du lendemain et, invariablement, je faisais des appels pour ajouter les éléments manquants. Mon dernier geste était de rédiger à la main un mot de remerciement pour toute personne ayant donné un cadeau ou ayant participé à l'émission. Je sortais des studios vers 19 h, fatiguée, vidée, mais heureuse. Et il m'arrivait parfois de continuer de pianoter sur l'ordinateur jusqu'à 22 h.

Je n'ai eu qu'une seule « mauvaise expérience ». J'avais entendu cette recherchiste marmonner à une camarade, à la suite de l'une mes demandes qu'elle jugeait excessive sans doute :

– Écoutez-la pas, elle divague, elle fabule, elle capote...

Qu'elle ait été fatiguée, soit ! Mais qu'elle entraîne les autres dans la facilité alors que j'allais, moi, me retrouver avec le problème devant l'écran, je ne le prenais pas. À l'occasion de ma dernière émission, la station avait voulu m'offrir un cadeau très spécial. France Beaudoin m'avait trouvé un voyage toutes dépenses payées, plus une dizaine de spectacles à voir à Las Vegas, et avait consulté cette même recherchiste, qui lui avait fait dire qu'on avait déjà assez de cadeaux à m'offrir et qu'elle devait le retourner. Je m'en souviendrai longtemps. Pas pour le cadeau, mais bien pour le geste.

Finalement mon plus beau cadeau, a été de voir « MES ENFANTS » continuer avec rigueur dans un métier qui ne les a jamais déçus depuis leurs débuts à *Bla Bla Bla*. France Beaudoin a repris, depuis plusieurs années, cette heure qui était la mienne. Pénélope McQuade dirige admirablement bien sa barque à travers la télé et la radio. Ma belle Chantal Lacroix (qui a réussi à me faire faire du rafting sur la rivière Rouge lors d'une de nos émissions, une première extraordinaire pour moi, même si on a tous failli mourir... pour vrai !) a beaucoup de succès comme productrice et animatrice. Clodine Desrochers a reçu un Métrostrar. Alexandra Diaz est aux émissions culturelles de Radio-Canada. Nathalie Slight est au service de différentes stations. Sylvie Lauzon, après avoir eu le *morning show* de TVA-Québec, a été au service des nouvelles de CFGL et dirige une émission sur le bien-être. On voit Claudia Ebacher pointer son nez dans certaines émissions de loterie. Lucie Lavigne, sans jamais quitter la mode, a fait de la radio et travaille à *La Presse*. Nathalie Pelletier est aussi dans le domaine culturel, Jean-Pierre Bélanger est et sera toujours un écrivain à succès. Georges

Pothier, qui avait débuté comme chroniqueur, est maintenant lecteur de nouvelles à LCN. Roger Bourassa est la voix que l'on entend le plus en publicité à Montréal et plus particulièrement à CJPX, la station radio de M. Coallier, et mon talentueux Éric Salvail. Il me faut aussi souligner la grande ouverture d'esprit de Lise Dion qui inventait pour nous de petits textes remarquables, de Colette Provencher qui est venue s'amuser avec nous un certain temps et de la comédienne Brigitte Morel, magnifique dans chacune de ses interventions.

Ça n'a pas été facile, mais j'ai adoré chaque instant, chaque seconde de cette production. On me demande souvent pourquoi elle n'existe plus. Je n'en sais rien. L'usure peut-être. Un certain désintéressement de mon producteur. Nous avions pourtant de très bonnes cotes d'écoute.

Après sept ans d'existence, il a bien fallu que Bernard nous annonce la fin de mon plaisir. C'était d'autant plus dramatique qu'on nous avait déjà annoncé que nous revenions l'année suivante. Comme tous les artistes, je carbure aux caresses, à la douceur et à la reconnaissance. Je n'avais pas sacrifié 12 heures par jour pendant 850 émissions, quatre ans à vivre isolée dans un hôtel, puis dans un deuxième appartement, séparée de ma mère, de ma famille et de mon amoureux, à voyager toutes les semaines entre Québec et Montréal, mes costumes et mon linge sale sous le bras, pour ne pas ressentir un profond deuil au moment de partir.

Pas un seul jour ne me suis-je demandé ce que je pouvais faire de plus. Pas un jour où je n'ai donné toute mon attention, tout mon amour et toute mon affection à mon équipe. Sans oublier de remercier le bon Dieu, à genoux, pour la chance que l'on m'avait accordée de vivre de ce que j'aime le plus au monde, la communication. On me l'a rendu au centuple. J'ai eu des réalisateurs fabuleux: Jean Gagné, Clara Welsh et Claire Bouchard (décédée depuis, malheureusement) de même que, sporadiquement,

Réal Nantel et, la dernière année, Christian Hamel. On m'a fait des fêtes dont le seul souvenir m'émeut encore.

Ma dernière a été très douloureuse et ce serait trop déchirant d'essayer de vous décrire le grand trou qui s'est installé en moi lorsqu'il m'a fallu abandonner et vider ma loge. Pire qu'une vraie grosse peine d'amour, une séparation cruelle. Dans la débandade des au revoir, un petit camarade s'était démarqué. André Robitaille qui, se glissant entre deux invités et ma déferlante de larmes, était venu m'embrasser et me serrer fort, fort à la fin de l'émission. C'était mon petit voisin de studio et j'aimais bien aller le saluer de temps en temps. Merci pour ta tendresse, ta générosité André. Ironiquement, il perdait également, quelque temps plus tard et d'une façon bien plus dramatique que moi, une émission à TVA. Par la suite, c'est moi qui fus mandatée, à la Soirée des Gémeaux, pour lui remettre un prix pour son travail. J'étais heureuse de le récompenser sachant l'étendue du chagrin que lui avait causé sa triste aventure.

Pour clore le récit de ces merveilleuses années à la télévision, je tiens à dire aujourd'hui que j'apprécie à sa juste valeur ce que je n'ai plus jamais retrouvé depuis : la gratitude de nos directeurs envers toute l'équipe. Jamais je n'en avais eu de si évidente avant. Jamais depuis je n'ai retrouvé ces attentions. À Noël et à chaque fin de saison, Jean-Marc et Bernard ont su nous offrir des fêtes FA-BU-LEU-SES. Nous nous retrouvions tous dans des restaurants et des hôtels de rêve à nous faire gâter, dorloter et divertir. Jean-Marc, du reste, me manque énormément. Désolée, je ne peux pas faire plus grande déclaration d'amour. Par sa force à toujours me soutenir, il m'a rendue forte. C'est ce dont j'avais besoin pour réussir. C'est beaucoup grâce à lui si je suis ce que je suis aujourd'hui : indémontable, quels que soient les événements !

Je sais qu'il vaut toujours mieux laisser passer au moins trois ans avant de retourner devant les caméras à la suite d'un grand succès. Il faut laisser au public le temps de faire son deuil d'une habitude pour mieux apprécier ce qui en prend la place. Mais c'est plus facile à dire qu'à faire.

Aussi, quand j'ai demandé une rencontre avec Michel Chamberland, ancien directeur des programmes de TVA, celui-là même qui nous avait commandé *Bla Bla Bla* quelques années plus tôt, pour produire une émission au Canal Évasion sur la visite des résidences de luxe de la région montréalaise, il m'a offert d'animer une série d'émissions sur les voyages. Il voulait, comme ça se fait souvent, rafraîchir une émission existante et, comme les heures d'enregistrement tenaient de l'enfer, il voulait quelqu'un de rompu à une série de longue haleine. J'étais ravie et j'ai adoré cette émission soutenue, encore une fois, par l'immense dévouement de son équipe. Il en fallait beaucoup pour travailler si fort. On cumulait l'enregistrement de 13 émissions d'une demi-heure en deux jours. Qu'il vous suffise de savoir que de maintenir le rythme de trois émissions par jour tient de l'exploit et cinq du miracle. Or, nous en mettions sept en boîte le mercredi et six le jeudi pour couvrir 15 jours de programmation à la fois. La production était chaque fois un tour de force incroyable, mais nous réussissions. Lorsque je le racontais à mes camarades du métier, personne ne me croyait. Et pourtant!

Mais, par-dessus tout, j'eus la chance de travailler avec mon producteur sur la base de rencontres personnelles. Car, croyez-le ou non, M. Chamberland était présent à chaque enregistrement et les supervisait tous avec sa femme, Christiane. Il y en a eu 250 en neuf mois. Un autre bel exploit. Un détail technique basé sur des contingences du CRTC en interrompit regrettablement la poursuite.

À la fin de cette série, je me suis posé la question: «Quel est mon avenir à la télé?», je n'en savais rien. Souvent je me disais que c'était assez, que j'avais beaucoup donné et qu'il était peut-être temps de laisser ma place à la relève. Mais quand je voyais une émission faite par un jeune qui, malgré tout son talent et sa rage de réussir, n'arrivait pas à faire «lever» le propos, j'enrageais de me savoir inactive devant tout ce qui pourrait être fait. Aussi, je songeais beaucoup à passer derrière la caméra.

Soutenue, dirigée et – oserais-je dire – aimée de façon exceptionnelle par Jean-Marc Beaudoin, j'avais pu soutenir ma petite équipe de *Bla Bla Bla* en lui donnant la fierté du travail bien accompli; pourquoi n'essaierais-je pas, forte de mes 40 ans de métier, de redonner ce qu'on m'a si généreusement alloué. J'en étais là dans mes réflexions, en ce vendredi soir de la fin du mois d'août 2002, quand le téléphone a sonné. C'était Jean-Luc Mongrain:

– Madame Ouimet, je suis en route vers les Cantons-de-l'Est et je sais que vous habitez sur mon chemin. Puis-je m'arrêter chez vous?

– Quand?

– Tout de suite.

– Faites…

Il m'offrait une émission du matin en coanimation avec Jean-Pierre Coallier et Marie-Élaine Proulx, à TQS.

– Si vous dites oui, vous commencez dans une semaine.

– Mais je n'ai pas pris de vacances de l'année. Après Évasion et la radio de CKAC, j'en suis à ma troisième journée de congé!

– C'est votre choix.

Que pensez-vous que fut mon choix?

Aujourd'hui, en 2004, j'entre dans la troisième année de cette émission formidable que je coanime avec Jean-Pierre Coallier. *Le mec à dames* est le genre d'émission qui m'enthousiasme un peu plus chaque jour, et où j'ai retrouvé un ancien réalisateur de TVA, Gilles Vincent, qui tout comme moi n'a pas su comment profiter de la retraite. Et pourquoi pas après tout ?

Au moment où je termine ce livre, une nouvelle épouvantable est venue surprendre toute notre équipe. En ce début de fin de semaine, nous quittions comme d'habitude notre réalisateur en lui souhaitant un peu de repos. Le samedi matin, face à un écran de montage installé dans son sous-sol, il s'effondrait en pleine action pour ne plus jamais se relever. Il est mort heureux de faire jusqu'au bout ce qu'il a toujours aimé. Rien ne peut nous préparer à un tel malheur. Rien. Et pourtant, il faut continuer. Sa présence est là. Je la sens toujours.

Tout comme lui pendant les deux premières années, je me suis levée tous les matins à 5 h, j'ai traversé le pont Champlain et j'ai râlé comme si l'on m'égorgeait à chaque fois. Mais je suis heureuse. Infiniment heureuse. Comme aux premiers jours.

La radio

CJMS

Le concours Miss Province de Québec, en 1966, m'avait permis de gagner ma place à la radio de CJMS. Mais qu'est-ce qu'une Miss – toute Miss Québec fût-elle – pouvait-elle bien faire devant un micro ? Comme je n'avais aucune expérience, on dut inventer le genre et on eut l'idée de me confier les bulletins de circulation. De 7 h à 9 h et de 15 h à 18 h, je me retrouvai donc dans la petite salle des nouvelles, largement envahie par l'équipe, toute masculine d'ailleurs, de l'information. On m'offrit la mirifique somme de 75 $ par semaine (52 $, impôts prélevés). J'adorais arriver tôt et discuter avec « les boys ». Peut-être est-ce de cette époque que j'ai pris l'habitude de préférer me sentir entourée d'hommes au travail. J'étais pratiquement la seule fille de la station – une des premières femmes au Québec à faire les bulletins de circulation – et l'on s'occupait bien de moi.

Chaque matin, je retrouvais Paul Cooke, notre très grincheux éditorialiste et nouvelliste en chef, la cigarette éternellement collée à la lèvre. Il était assisté de M. Jean Riendeau, toujours de bonne humeur et qui faisait bouger les idées avec ses remarques toujours à-propos. À la lecture des nouvelles, on retrouvait Pierre Leroux, homme d'une taille plutôt ramassée que compensait une voix de stentor. C'était aussi le plus taquin et il m'enseigna, par pure provocation, les mots les plus vulgaires qui puissent se dire entre hommes quand vient le temps de casser du sucre sur le dos des femmes.

Et comment oublier le plus beau d'entre eux, Normand Harvey, dont toutes les femmes étaient amoureuses. Chaleureux, le sourire irrésistible, jamais je n'avais rencontré un homme vêtu de façon aussi raffinée, surtout pour travailler dans cette espèce de cage à poules qu'était notre service des nouvelles. Un autre nouvelliste que j'aimais bien était Jacques André Gervais, tellement doux et gentil, et qu'on disait l'amant d'une personnalité américaine. Sa discrétion était exemplaire au point que nous sentions à peine sa présence.

Mais la vedette de ce mini-studio était, sans conteste, M. Rhéaume Brisebois, Rocky pour les intimes. Ce monstre de la nature, si généreux qu'on aurait dit un petit cœur sur deux pattes, était au service des sports. C'était sa passion. Assez corpulent de gabarit, il s'asseyait, une fesse en équilibre sur le bout de sa chaise, et c'est toujours lui que je voyais le premier en entrant au travail. Une tasse de café en carton à la main, il feuilletait ainsi tous les journaux du matin, découpant sur le fil de presse les textes qu'il réservait pour son temps d'antenne. Il les rassemblait en paquet et jamais je n'aurais pu l'imaginer sans les froissements d'ailes qui l'accompagnaient lorsqu'il longeait les couloirs avec ces fragments de journaux qu'il avait d'abord soigneusement et largement découpés en lisières sur le bord de la table. Il m'aimait bien, car il me réservait chaque jour les éphémérides ou les petites histoires drôles que la Presse canadienne publiait entre deux nouvelles plus sérieuses. Mais il me faisait des scènes incroyables si j'avais le malheur d'envahir son territoire.

Il faut savoir que la salle des nouvelles, engoncée entre deux corridors et d'où l'on ne voyait jamais le jour, n'était qu'une allée. Nous devions tous nous contorsionner à l'heure du bulletin de nouvelles, pour laisser se faufiler celui qui devait passer à l'antenne dans le cagibi qui nous servait de studio, au bout de la salle. Ce studio, attenant au studio principal de mise en ondes dont il était séparé par une vitre, ne comportait pour tout mobilier qu'une table et deux chaises. Il n'y avait de place pour rien d'autre. Or – et je vais vous révéler un grand secret – je devais y rester assise en permanence, avec pour mission d'écouter la station anglaise CJAD sur une radio portable afin de lui « voler » ses bulletins de circulation. Cette station avait les moyens de se payer le luxe d'un hélicoptère, nous pas! Je n'avais donc qu'à traduire ses bulletins et à en informer nos auditeurs sur les ondes le plus rapidement possible. Voilà pourquoi on m'avait affublée du titre d'« agent secret 1280 ». Prisonnière du temps d'antenne de l'autre station et cloîtrée dans l'attente des bulletins à pirater, j'en profitais pour faire toutes sortes de choses: écrire, lire et parfois même me faire les ongles. Or, à l'heure des sports, je devais céder ma place à Rocky qui n'appréciait guère le vernis à ongles ou les cotons pleins de dissolvant qu'il m'arrivait d'y laisser traîner. Il entrait dans une rage folle et rasait le dessus de la table du bras en proférant des paroles fort blessantes sur l'utilité des maud... pl... de femmes dans l'univers, ce qui faisait évidemment éclater de rire toute la galerie. La première fois, ça m'avait bouleversée. Mais après... son cri d'exaspération: « Ça sent la marde dans ce studio-là! » finit par me faire rire avec les autres.

Denis Hudon, Gilles Brown – ancien chanteur-vedette et maintenant propriétaire de galeries d'art –, Robert Boulanger, Jacques Payac, André Lauzon, même Georges Whelan et Louis Thompson, ont tous fait les beaux jours de la station. Ajoutez-y Claude Poirier qui, dès l'époque, y avait reçu le titre d'« as reporter » et qui était toujours sur la route à couvrir les nouvelles judiciaires.

Mais la grande vedette de la station restait la musique, à une époque bénie d'un vedettariat beaucoup plus en vogue qu'aujourd'hui.

Michel Desrochers (que je remercie ici pour tous les souvenirs qu'il a ramenés à ma mémoire défaillante) était la vedette qu'on attendait le soir devant la porte de l'immeuble pour lui faire signer des autographes. C'était LA vedette de la station. Il était détesté autant qu'il était adulé. Il avait pris l'habitude de s'enfermer en studio, empêchant quiconque, même la direction, de l'interrompre en entrant dans la pièce, surtout lorsqu'il recevait des vedettes.

Yvan Ducharme a fait vivre à CJMS les premières heures des *Insolences d'un téléphone*. Nous avions, grâce à lui, de très sérieuses cotes d'écoute. André Rancourt le charmeur, le beau ténébreux de la station, du moins c'est ce qu'il aimait croire, avait une émission au nom des plus évocateurs : *Le club des ménagères*. Il animait également *La dame de cœur*, en direct du Café provincial. Tous les concours passaient par lui, de même que par Lucien Jarraud qui a été – on l'oublie facilement – le premier animateur à créer les tribunes téléphoniques. Frenchy animait également *Le cocktail dansant* en direct d'un autre cabaret : le Café Saint-Jacques, rue Sainte-Catherine. Sacré Frenchy ! Ce qui m'amène à une mauvaise blague qui m'avait causé bien des tracas.

Dans la boîte, je m'étais liée d'amitié (et j'étais son amie de cœur, un peu aussi) avec Robert Gillet, cet annonceur remarqué tant pour son talent que pour son implication dans le scandale de la prostitution juvénile de Québec et qui fait, depuis de nombreuses années, une carrière remarquable. Nous habitions tous les deux le nord de la ville et nous prenions le métro ensemble. Robert est un joueur de tours. Il lui arrivait parfois de me distancer légèrement, de se jeter violemment sur un poteau quelconque et, jouant à l'aveugle, de m'invectiver sévèrement sous prétexte que je ne lui aurais pas tenu la main :

– T'as honte, hein, Danielle, dis-le ! Tu n'aimes pas ça te retrouver avec un aveugle !

Les gens me regardaient, ahuris, ce qui enchantait Robert. Autre sujet d'embarras : dans le wagon du métro, il se levait une station avant la sienne, allait se placer devant la porte opposée à l'ouverture en me faisant des « bye-bye » de malade en crise de paranoïa et en criant mon nom à haute voix. Le métro s'arrêtait, puis repartait. Et c'est à ce moment qu'il se mettait à frapper contre la porte, à se rouler par terre en m'enjoignant de faire arrêter la rame, car il voulait descendre. Bref, tout était bon pour attirer l'attention ou pour me faire rire. Mais une de ses blagues avait été particulièrement cruelle. Robert était venu me dire qu'il voulait jouer un tour à Frenchy, mais qu'il lui fallait ma collaboration :

– T'as qu'à lui demander comment va son frère, m'avait-il dit.

– C'est tout ? Et pourquoi ?

– En fait, tu lui demanderas également si son frère danse encore de la claquette. Frenchy a très honte de ça. Il dit que ça fait tapette. Ça fait trois jours qu'on ne l'a pas agacé avec ça. Or, tout le monde le lui a demandé, sauf toi.

Bon, je ne trouve pas ça vraiment drôle, mais je me dis que, faisant partie de l'équipe, ce serait mal vu de m'en dissocier. On cherche Frenchy, on le trouve dans son bureau et je m'exécute, pistonnée à l'arrière par Robert qui en remet. Je vois soudain Frenchy blanchir, devenir grave et me jeter une enveloppe qui de toute évidence est un courrier aérien (à l'enveloppe rayée de rouge et de bleu).

– Mon frère ! Tu veux savoir ce que fait mon frère. Eh bien je vais te le dire : mon frère est mort. Je viens de l'apprendre par cette lettre.

De toute évidence, je me sens plutôt mal. Je m'excuse, essaie platement d'expliquer, m'excuse à nouveau. Frenchy fait comme s'il était profondément blessé. Ça me met toute à l'envers et je sors du bureau, bouleversée. Comme de raison, Robert se fait passer un savon, mais il insiste :

– Tu t'es excusée du bout des lèvres. Ce n'est pas assez ! Pauvre homme qui vient de perdre son frère !

On y retourne. En nous apercevant, Frenchy se jette sur le bureau et se met à sangloter bruyamment. N'en pouvant plus, Robert m'accusant cette fois-ci de trop en faire, je fonds en larmes à mon tour et vais me réfugier dans les toilettes que je ferme à double tour. Je n'ai pas assez de tout le rouleau de papier essuie-main pour éponger mon malheur. Mais je sens que derrière la porte tout le monde s'active. Même mon directeur de l'époque, Paul-Émile Beaulne, est là à me demander de sortir. Mais je persiste à rester enfermée. Ce n'est que Frenchy lui-même qui mettra fin au drame. J'entends soudain à travers la porte :

– Danielle, ouvre. C'est une plaisanterie. Ce n'est pas vrai. Ça ne peut pas être vrai, j'ai même pas de frère !

Je répète : sacré Frenchy ! Je tiens toutefois à lui rendre hommage pour sa grande discrétion relativement à une situation très délicate pour moi à l'époque. J'avais caché à tous, évidemment, que j'avais un fils. Les filles-mères, comme on nous appelait alors, étaient péremptoirement jugées. Or, je vous ai dit que lors de mes attentes en studio, je prenais plaisir à écrire des lettres. J'en avais écrit une à la grand-mère de Jean-François, celle qui allait l'élever plus tard, afin de lui donner des nouvelles de ce petit-fils qu'elle ne voyait pas, puisqu'elle habitait Strasbourg. Par distraction, j'avais laissé la lettre sur le dessus d'un classeur et Frenchy l'avait trouvée. Après l'avoir lue et en possession de mon secret, il était venu me porter la lettre en me promettant de garder le secret. Promesse qu'il a toujours tenue, ce pour quoi je le remercie.

Robert et moi, toujours complices, continuions à jouer des tours pendables. Nous avions une courriériste, Mme Évelyne Letècheur, qui prenait très à cœur chaque lettre de son immense courrier. Pour « l'aider un peu », Robert et moi avions écrit une lettre fictive dans laquelle une sœur, entrée en religion pour cacher le fait qu'elle était « le fruit du péché », s'était fait violer par un prêtre de sa paroisse et ne savait à qui se confier. Nous avions pris soin d'ajouter dans la lettre que la religieuse commençait à y prendre goût et qu'elle se demandait si elle ne devait pas quitter son couvent pour vivre à son tour dans le péché. Et Évelyne avait répondu !

Je suis restée deux ans à CJMS. À ma demande, pour élargir le champ de mes compétences, on m'avait confié un petit magnétophone, car j'avais émis le désir d'enregistrer, toujours sous le nom d'emprunt de l'« agent secret 1280 », de courtes interviews qui devaient passer la nuit. C'était une période bénie, durant laquelle le simple désir de tenter d'inventer un style pouvait vous ouvrir toutes les portes. Je parcourais la ville et me jetais sur quiconque voulait bien me parler. Je me souviens particulièrement d'une très belle entrevue que m'avait donnée un itinérant, m'expliquant tout le processus de son errance. CJMS n'avait pas voulu la diffuser, n'y voyant aucun intérêt. Et pourtant, cet ex-avocat, volontairement isolé, avait eu une vie étonnante.

C'est grâce à CJMS que je pus également participer à tous les *Musicorama* qui donnaient l'occasion au public de rencontrer les artistes du disque. On écrivait les paroles des chansons sur des gélatines (feuille en matière transparente, utilisée en guise de filtre pour les projecteurs d'éclairage et posée à plat dans une machine qui servait de projecteur) qu'on projetait sur le mur et qui permettaient au public de chanter la chanson en même temps que le chanteur. On m'avait confié la tâche de retranscrire les paroles des chansons. C'est ainsi que je rencontrai pour la première fois Adamo. Enfin une vedette française que je rencontrais en chair et en os ! C'est là aussi que j'ai rencontré Michèle Richard pour la première fois. Nous étions, par la suite, allées magasiner ensemble... à Drummondville !

J'avais entendu dire qu'il y avait là des ventes incroyables. Elle n'avait pas trouvé drôle de devoir conduire si loin pour si peu. Mais, bref! C'est aussi là que j'ai fait la connaissance d'Éric Charden, le chanteur du duo Stone et Charden. Inutile de vous dire qu'on avait un peu flirté. On s'est perdus de vue – c'est loin la France – mais il avait tout de même, après la sortie de mon film, écrit une chanson sur Montréal où il est dit : « Valérie, rue Sainte-Catherine, un coup de soleil dans un film » (*Perdu dans Montréal*). Je l'ai cru amoureux puisqu'il m'avait invitée chez lui à Paris, dans les jardins de la Malmaison, mais il a épousé Stone et je n'ai plus eu de nouvelles.

Il y a eu aussi Michel Paje, et de notre union sont nés la musique du film *Valérie*, quelques disques 45 tours sur lesquels j'ai chanté pour la première fois, et nos spectacles sur scène en duo.

Pour moi, CJMS aura été le lieu de mon apprentissage de ce merveilleux média qu'est la radio. J'étais jeune, insouciante. Il m'arrivait de passer des nuits blanches à m'amuser avec ma copine Muriel Vanier que j'avais rencontrée à l'école et avec qui j'ai fait les quatre cents coups. Mais nuit blanche ou pas, j'ai toujours été au poste à l'heure.

La suite n'allait pas être si facile. Particulièrement gâtée par le métier, je quittai CJMS pour tourner *Valérie*. Mais l'histoire avec Mastantuono allait tout faire basculer. Fort heureusement, j'ai eu des anges pour me protéger. Des anges du ciel. Et certains autres sur deux pattes.

CFGL

Valérie allait sortir et, en attendant, je n'avais plus de travail. Claude-Michel Morin, un ami de ma sœur, technicien pour cette nouvelle station dont on ne disait que du bien, m'a fait tenter ma chance. Il avait usé d'un subterfuge qui me fut d'un grand secours. Les aspirantes aux postes d'animatrices qui passaient une audition recevaient un texte qu'elles devaient enregistrer sur ruban magnétique. En cas de besoin, le patron pouvait ainsi écouter les bobines dans ses moments creux. Mais pour moi, Claude-Michel s'était glissé dans le bureau de Jean-Pierre Coallier où il avait activé le bouton du microphone que ce dernier avait fait installer pour pouvoir écouter tout ce qui se passait en studio. Jean-Pierre était TOUJOURS à l'écoute de tout ce qui était à l'antenne, que cela provienne du studio de mise en ondes ou du service commercial où l'on enregistrait les publicités. Lorsque Jean-Pierre est arrivé dans son bureau – nous le surveillions dans le corridor – Claude-Michel s'est arrangé pour que je passe l'audition « en direct ». À la fin de mon audition, Jean-Pierre est venu me voir pour m'annoncer qu'il n'avait pas besoin d'animatrice pour l'instant, mais qu'il avait aimé le son de ma voix. J'ai quitté les lieux un peu déçue, mais pas pour longtemps. Il me rappelait une semaine plus tard pour me confier un poste au service des nouvelles.

Si j'avais été l'une des premières femmes à faire les bulletins de circulation à la radio québécoise, j'allais devenir la première lectrice de nouvelles sur la bande FM. Nouvelliste à 22 ans! Ça me terrorisait. Et je n'étais pas au bout de mes peines. Bien sûr, je n'avais pas à choisir le contenu des textes. Nous avions le fil de presse affilié à la Presse canadienne et qui livrait ses nouvelles. Il m'aurait fallu être véritablement journaliste pour écrire les textes. Mais comme la toute nouvelle station n'avait pas d'argent pour se payer un service indépendant de scripteurs, et que je n'avais ni expérience ni pouvoir d'analyse, je ne donnais que des bulletins glanés sur les services de presse internationaux.

Le premier jour de mon intervention en ondes, j'ai bien dû arriver trois heures à l'avance. Je m'étais rendue malade à répéter et répéter encore mon texte. À l'heure convenue, installée en studio pour attendre la ritournelle qui annonçait le moment du bulletin de nouvelles, je commençai par : « Il est midi, vous êtes à l'antenne de CFGL-FM, 105 virgule 7. Au microphone, Danielle Ouimet. Et voici les nouvelles. » C'est à peine si je me rendis compte que Jean-Pierre s'était glissé derrière mon dos pendant la présentation. Catastrophe ! Au moment même de la lecture des premières lignes du texte, j'ai senti mon siège valser dans toutes les directions, le dossier me tapant les omoplates tandis que Jean-Pierre respirait lourdement à mon oreille. C'était lui qui secouait ainsi ma chaise. Drôle de procédé pour un patron, somme toute respectueux. M'agrippant à la table, je me suis composé un débit plus solide que le dossier de la chaise et j'ai foncé jusqu'à la dernière ligne. Dès que les notes libératrices de la fin du bulletin se sont fait entendre, je me suis retournée, les yeux en points d'interrogation et la mine défaite, vers le responsable de tant de tourments. C'est alors que, dans un immense éclat de rire, me tenant à deux mains par les oreilles, Jean-Pierre m'avait plaqué le plus gros bec sur les lèvres en s'exclamant :

– Bienvenue chez nous, bienvenue chez vous, madame Ouimet.

Je venais de passer mon initiation. J'ai compris à l'instant même quelles seraient les « couleurs de la maison ». Et, croyez-moi, je n'ai pas été déçue. J'y ai même largement contribué, comme vous pourrez le constater.

C'était l'époque formatrice où tout était à faire à la station. En considérant le manque d'argent et les restrictions qui nous étaient imposées, Jean-Pierre entretenait une ambiance familiale, fort généreuse à notre égard. Cette folle période allait être allégrement massacrée, altérée près de 10 ans après l'ouverture de la station, par l'arrivée en nos murs de M. Saucier, l'associé de Jean-Pierre. Il agissait plus en homme d'affaires, et il a réussi à saboter la grande confiance et la grande fidélité que j'avais en la station, en imposant des directives moins axées sur l'exploitation de notre talent, mais beaucoup plus sur la productivité. Pour moi, travailler à CFGL avait été un grand privilège et une immense source de fierté.

Jean-Pierre donnait l'exemple en tout. Je n'ai plus jamais connu de patron comme lui. C'était lui qui ouvrait la station à 6 h du matin et prenait les ondes jusqu'à 9 h. Il continuait sur la même lancée pour le retour à la maison de 4 h à 6 h. Par ailleurs, il assurait cinq heures de mise en ondes par jour, comme un simple technicien. Cela peut paraître assez normal, si ce n'est qu'il ne touchait aucun salaire pour ce faire. Il « écoutait son produit » du matin au soir. Son bureau était branché en permanence sur l'antenne, rien ne lui échappait. En même temps, lorsqu'il nous cédait les ondes, il avait la générosité de nous convoquer dans son bureau et de nous demander :

– Qu'est-ce que tu as envie de faire ? Comment vois-tu TON émission ?

Puis il nous donnait le pour et le contre. Confiant, il nous ouvrait sans restriction la porte du paradis radiophonique que nous avions créé avec lui. Impossible d'être malheureux. Et ça se sentait. Nous étions si parfaitement liés à ses besoins que, pendant quelques années, Jean-Pierre et moi avons sacrifié notre Noël et notre jour de l'An familial pour être en studio ensemble. Et je le faisais avec plaisir. Lors d'une de ces occasions, il avait entraîné toute l'équipe au Patriote, à Montréal, où nous avons présenté un spectacle de chants et de musiques traditionnelles avec des amateurs et des professionnels. Ma famille, pour sa part, trouvait mon dévouement moins drôle.

Je réussis à mettre fin à ce cercle d'obligations, qui aurait pu devenir infini, en suggérant une solution à mon patron. Je lui expliquai que si nous avions tous les artistes québécois qu'il nous était possible d'avoir en studio à longueur d'année, il était aussi de notre devoir de faire connaître les chanteurs français qui nous rendaient rarement visite. Il était temps de surprendre nos auditeurs. Pourquoi ne pas faire un Noël entourés de chanteurs français qui nous enverraient leurs bons vœux ? J'allais m'en charger. Cette aventure fut très importante pour moi. Elle fut aussi à la source de ma plus grosse déception dans le métier de la radio. Mais ce n'était pas la faute de Jean-Pierre. Toujours à la demande de ce dernier, avant de reprendre la saison d'automne avec une nouvelle programmation, je lui avais soumis une idée qui lui semblait formidable, mais difficile à réaliser.

Revenons donc à nos Noëls d'antan. Plus loin, je vous raconterai ma peine.

Confiant comme toujours, Jean-Pierre me demanda comment j'espérais procéder pour ce premier Noël sans l'équipe. Je lui demandai de me procurer un billet d'avion en commandite, un hôtel à Paris, une enregistreuse et beaucoup de rubans, et lui promis que j'allais me débrouiller. Air France me fit sauter l'océan et le Méridien m'accueillit pour une semaine. Sur place, j'avais demandé à Michèle Latraverse (sœur de Guy, de Louise et de Marc, aujourd'hui décédé), qui travaillait pour les disques Barclay, de me mettre en contact avec les attachés de presse. Grâce à elle, j'ai pu rencontrer tous ceux que je désirais.

Il faut dire que Michèle et moi avions vécu des moments très critiques au cours desquels, très malade, elle avait failli mourir. Michèle habitait alors Montréal, et nous devions nous rencontrer lorsqu'elle avait annulé notre rendez-vous, en pleurs et se tordant de douleur au téléphone. Elle me racontait avoir fait deux voyages à l'hôpital où l'on avait fini par lui dire, en la remettant dans un taxi, que ses maux étaient « nerveux ». Or, elle tremblait de fièvre. Folle de rage, j'avais décidé de l'emmener moi-même à l'urgence. Une heure plus tard, nous attendions toujours. J'avais fait ma crise de vedette et on s'en était finalement occupé. Il était temps. Elle faisait une péritonite aiguë. Son appendice avait éclaté, infectant tous les organes environnants. Elle risquait à tout moment la septicémie. On avait dû l'opérer sur-le-champ et lui retirer des segments d'utérus et d'intestin. Elle ne pourrait plus avoir d'enfants. Comme quoi les ratés des soins hospitaliers remontent à loin.

Elle me remit ces attentions au centuple. Pour mon anniversaire, quoique encore en fauteuil roulant, elle avait réuni mes amis dans le grand domaine de Saint-Bruno de Georges Brossard (le créateur de l'Insectarium de Montréal), juste à côté de ce qui allait devenir la propriété de Guy Laliberté du Cirque du Soleil. Daniel Pilon et sa blonde de l'époque, Louise Cournoyer, Bondfield Marcoux, Andrée Boucher, Stéphane Venne, Jean-Guy Moreau, Franck LeFlaguais (frère de Véronique, qui curieusement se retrouve souvent dans ma vie par le biais de connaissances communes), Dominique Michel et Jacques-Charles Gilliot étaient de la fête. À la fin de la soirée, Claude Dubois s'était joint à nous et, assis par terre, nous avait donné un magnifique concert. Ce soir-là, Georges m'avait offert la peau d'un loup qu'il avait tué lui-même. Georges était très particulier, il était du genre à vous laisser sa maison et à disparaître jusqu'au dîner. Il partait, disait-il, à la chasse aux papillons. On ne le croyait pas! On se promenait au bord de son lac, la poitrine à l'air et vive le *Peace and Love*! Puis il revenait nous chercher pour nous faire une nouvelle surprise, par exemple assister à une compétition de cerfs-volants entre voisins ou à une éclipse de lune, le soir venu, tous entassés dans une boîte de camion. Tout, absolument tout de la nature le fascinait à cette époque, quoique n'étant pas encore l'inconditionnel des insectes qu'il est devenu.

Je me souviens d'une autre anecdote assez amusante: m'étant râpé le talon sur une planche de bois de grange, une dizaine d'échardes me faisaient terriblement souffrir. Lui ayant demandé une aiguille et de l'alcool, il s'offrit à me les retirer, arrivant avec du gin… et un couteau à gratter les écailles de poisson. Une chance que j'ai une forte constitution !

Toute cette digression pour vous dire que Michèle s'était bien occupée de moi à Paris et que j'avais rencontré les plus grands de la chanson de cette époque : Mireille Mathieu, Charles Aznavour, Adamo, l'adorable Alice Dona, Michèle Torr, Sheila, Hugues Aufray, Michel Fugain. Quant à Serge Lama qui était en tournée, j'avais pris le train et étais allée l'interviewer à Caen. Mais les plus gentils avaient été Gilbert Bécaud et Maurice Chevalier. Comme M. Bécaud était absent au moment de ma visite à Paris, Monique, son attachée de presse, m'avait assurée qu'il me rappellerait. Première surprise : il l'avait fait. Mais la seconde surprise allait être de taille. Comme il n'avait pu me contacter que le jour de mon départ pour Montréal, il m'avait tout simplement fait le cadeau de me donner rendez-vous à l'aéroport.

Quant à M. Chevalier, j'étais allée chez lui et y avais passé les quatre heures les plus mémorables de toute ma carrière. Il m'avait tout raconté de sa vie. Un peu plus et il m'invitait à rester dans sa maison. Très fière de mon coup, à deux jours de Noël, je rentrais à Montréal, pour me rendre directement à la station. Incapable de saisir toutes les directives sur l'orientation que devait prendre l'émission, le technicien, débordé, m'avait enseigné à faire du montage avec la machine à « splicer » et c'est affublée d'une fièvre de cheval (j'avais contracté une bronchite aiguë) que je fis une dizaine d'heures d'émissions en enregistrant, toute seule, chacune de mes présentations, pour passer ensuite mon Noël couchée !

Il existait une telle complicité entre Jean-Pierre et moi, que bien des gens ont cru que j'avais une place de choix à la station en raison d'un hypothétique statut de maîtresse. Je ne suis plus à l'âge de jouer à l'intrigante ou à la menteuse et j'insiste sur le fait que je n'ai jamais eu à garder mon emploi pour ce genre de raison. Mais la totale insouciance dont nous faisions preuve à l'époque a facilement pu mener à croire le contraire. Rappelez-vous que c'était une période de grande permissivité, de grands débordements sexuels, de grande provocation. Et j'étais devenue, entre-temps, le *sex-symbol* du Québec, ce qui n'était pas pour déplaire à mon boss. Et l'on ne se gênait pas pour s'en amuser!

Pour vous montrer, quand j'appelais Jean-Pierre: «Mon beau boss!» invariablement, il me répondait: «Oui, mes belles bosses.»

L'escalade des provocations, qui avait commencé par une niaiserie, allait devenir la norme. J'étais arrivée un matin pour prendre la relève de Jean-Pierre. Par habitude, pour le rassurer et lui montrer que j'étais arrivée, j'allais le saluer dans la petite pièce qui nous servait de salle des nouvelles, d'interviews et d'enregistrement des messages publicitaires. Largement vitrée, sa façade donnait sur la régie et sur le technicien de service. Jean-Pierre faisait lui-même sa mise en ondes. Un matin, alors que j'essayais sans y parvenir d'attirer son attention par des mouvements amples mais silencieux, je décidai, poussée par je ne sais quel démon, d'ouvrir mon chemisier et d'écraser ma bouche contre la vitre. Jean-Pierre, en apercevant cette espèce de poupée aplatie contre sa fenêtre, à la manière des Garfield accrochés aux pare-brise de certaines voitures, était évidemment mort de rire.

Cela, forcément, ne pouvait en rester là. Fort heureusement, la mode des minijupes avait fait place aux longues robes indiennes et j'adorais me promener avec ces parements de coton léger qui avaient la très fâcheuse habitude de devenir transparent sous une trop forte lumière. Ce matin-là, contrairement à mon habitude, j'étais entrée dans le studio de mise en ondes avant la fin de l'émission de Jean-Pierre et je m'étais installée près de la fenêtre au fond. Jean-Pierre me tournait le dos. Terminant son temps d'antenne, il avait annoncé mon arrivée, se tournant machinalement vers moi. J'avais tout de suite ressenti un malaise qu'il n'allait pas tarder à exorciser… au micro :

– Mesdames et messieurs, je vous laisse avec mademoiselle Ouimet qui prendra l'antenne… dès qu'elle se sera rhabillée.

– Ben voyons Jean-Pierre…

– Vous devriez voir ce que je vois, elle est complètement nue, mesdames et messieurs !

Me sentant provoquée, je lui dis alors, retirant ma robe d'un coup sec :

– Ça c'est nue, monsieur Coallier.

Qu'à cela ne tienne, Jean-Pierre, tout aussi audacieux que moi, ajouta :

– Où y a de la gêne, y a pas de plaisir.

Et lui de se déshabiller. Pas pire pour 9 h du matin !

C'est généralement à ce moment qu'il quittait l'antenne, profitant de la pause commerciale pour me permettre de m'installer, de recevoir les disques choisis pour mon émission et d'effectuer le changement de technicien. Nous en sommes donc à nous rhabiller lorsque j'entends le « swoosh » caractéristique de la porte du studio qui s'ouvre sur le discothécaire, les bras chargés de disques pour les trois heures musicales que je dois entreprendre. Il avance, recule, avance de nouveau. Cramoisi, il tente d'éviter de regarder ces deux énergumènes hilares et à moitié nus dans le studio et… échappe tous les disques. Pas commode quand on a à peine trois minutes avant d'entrer en ondes !

Jean-Pierre n'agissait pas toujours de façon aussi extrême, mais il avait une manière bien à lui de régler les choses. Quand vint le temps de décorer les bureaux, il fit d'abord appel à tous ceux qui lui fournissaient des revenus publicitaires, histoire de renvoyer l'ascenseur. Il était particulièrement fier de son bureau.

Il l'avait voulu vaste, super moderne, et avait opté pour des fauteuils de velours côtelé orange brûlé, des meubles blancs, du papier peint à motifs métallisés et un tapis blanc dont il se plaignait sans cesse. N'en pouvant plus et désirant régler le problème du tapis, il avait pris rendez-vous avec les détaillants qui le lui avait fourni, les conviant sur les lieux mêmes du litige. Au même moment, une secrétaire me fit demander dans son bureau. Je n'étais absolument pas au courant du problème, ni même de ses intentions. Mais nous savions tous à la station qu'en public, le boss c'était le boss, et pas de plaisanteries! Jean-Pierre me présenta donc en m'expliquant qui étaient ces gens, puis me demanda comme ça, à brûle-pourpoint:

– Madame Ouimet, pourriez-vous vous approcher?

Je m'approche. Il me prend la main et m'invite à m'asseoir sur ses genoux!

Éberluée, je ne vois absolument pas où il veut en arriver.

– Qu'est-ce qu'elle est belle. Mais ça ne durera pas longtemps!

Le temps d'ouvrir des yeux effarés et de me sentir tomber par terre. Étendue sur le beau tapis blanc, je ne suis pas au bout de mes peines. Jean-Pierre m'empoigne fermement et me roule littéralement sur le plancher. Je ne vois toujours pas le but de l'exercice. Ce n'est que lorsqu'il m'a aidée à me relever, avec ce sourire qui lui est tout à fait particulier, que la réponse m'est apparue. Ma belle petite robe noire était couverte de mousse blanche, mousse qui provenait évidemment du tapis. À mes dépens, Jean-Pierre avait fait valoir son point!

Le sens du plaisir et du travail bien fait a toujours été à l'honneur à CFGL. Avec des moyens aussi restreints que les nôtres, Jean-Pierre considérait que le maintien du moral des troupes était tout aussi important que la programmation. J'ai rarement vu un employé arriver en retard. Ils se pointaient, au contraire, presque une heure à l'avance, histoire de se mettre dans l'action avec le sourire. Jean-Pierre insistait beaucoup pour qu'il y ait des fenêtres en studio. Il trouvait inconcevable de parler météo sans avoir une confirmation visuelle de ce que l'on racontait. Il avait fait installer un petit thermomètre bon marché à la fenêtre extérieure du studio et se délectait, le cas échéant, de rectifier le tir du bulletin du service officiel du bureau de météo.

Raymond Archambault, aujourd'hui à l'emploi de Radio-Canada, était alors présentateur de nouvelles à CFGL. Il prétendait que bien des gens avaient essayé, en vain, de le faire rire en ondes au moment de la lecture de son bulletin de nouvelles et que Jean-Pierre, pas plus que les autres, n'y n'arriverait. Il était évident que Jean-Pierre, ainsi provoqué, allait s'y essayer quotidiennement jusqu'au jour où je décidai de prendre la cause à mon compte, question de faire rire mon boss... et Raymond en même temps. La salle des bulletins de nouvelles se trouvait entre le studio de mise en ondes et le studio commercial (celui qui servait à monter les messages publicitaires). J'attendis que Raymond s'y enferme et que la lumière du corridor s'allume, annonçant qu'il était à l'antenne. Sans faire de bruit, et aidée de Jean-Pierre à qui j'avais demandé de m'accompagner, j'ai ouvert la lourde porte, je me suis approchée de la table où il lisait son texte et, aidée de Jean-Pierre, je m'assis carrément sur le texte. Incapable de lire sans devoir chipoter sous ma jupe pour libérer le texte, le rire eut enfin raison de M. Archambault !

Ce que Jean-Pierre voulait, Jean-Pierre l'avait.

Jean-Pierre m'a tout appris. L'importance du travail bien fait. L'attitude vis-à-vis de la nouvelle. Le sourire dans la voix. Le contrôle de la peur. Ne jamais s'asseoir sur ses acquis et toujours inventer ou réinventer de nouveaux trucs. L'une de ses devises était d'ailleurs : « À vaincre sans péril, on triomphe sans gloire. » La marge d'erreur était large et l'erreur, toujours pardonnée si l'initiative était faite avec le cœur. Et il m'a aussi inculqué l'amour de la musique française. Il avait un respect sans borne pour ceux qui désiraient travailler. Gare aux paresseux !

Mais la plus belle preuve de son attachement à mon égard allait venir lors de l'un des moments les plus dramatiques de ma vie et jamais, depuis, n'ai-je eu de soutien aussi respectueux et touchant que le sien.

Un matin de tempête de neige, je dormais dans mon appartement d'Habitat 67 lorsque le téléphone se mit à sonner. Il devait être environ 7 h.

– Madame Ouimet, c'est le service des nouvelles de CJMS.

À peine éveillée, j'ai demandé :

– Grand Dieu, que me vaut l'honneur de votre appel, si tôt ?

– C'est au sujet de la première page dans le journal *La Presse*. Nous aimerions avoir vos commentaires.

– Je regrette, mais je n'ai pas encore lu *La Presse*. Pourriez-vous me dire ce qui y est écrit ?

J'ai senti un malaise, mais le journaliste a poursuivi :

– Le titre dit : « Trafic de drogue, Danielle Ouimet avoue ! »

Le sang s'est retiré de toutes mes veines. Le souffle court, j'ai pris le temps de lui dire que je n'avais aucune déclaration à faire et que je devais d'abord lire l'article. Mais ma plus grande crainte était surtout pour mes parents. Ma mère était cardiaque et avait déjà eu de sérieux problèmes de santé à la suite d'un papier ordurier, publié à mon sujet quelques années auparavant. Je pensais aussi à mon père qui travaillait auprès du public, dirigeant de son sous-sol un bureau d'estimation de dommages de voitures accidentées pour les compagnies d'assurances. L'histoire Mastantuono risquait de le rejoindre, indirectement, dans l'essence même de son travail, puisque l'article faisait mention de voitures utilisées pour le trafic. J'étais terrorisée à l'idée des conséquences liées à la nouvelle. Je n'avais pas le choix, je devais d'abord avertir mes parents. La mort dans l'âme, sachant la peine et les soucis que je leur causerais, malgré les possibles conséquences, j'ai appelé ma mère, lui demandant de cacher le journal et de ne plus répondre au téléphone. J'avais, jusqu'alors, réussi à tenir mes parents le plus loin possible de mes problèmes, allant même jusqu'à leur faire croire, au moment de mon procès (voir le chapitre sur Mastantuono), que mes nombreux voyages aux États-Unis étaient en relation avec mon travail. Mais, du coup, ils apprenaient que j'avais subi un procès quelques mois plus tôt et que l'histoire était étalée dans les journaux avant même qu'ils n'aient été mis au courant.

Prise de panique, ma seconde pensée a été pour Jean-Pierre. Je l'ai appelé en studio, puisqu'il était à l'antenne tous les samedis matin, et lui ai offert ma démission. En larmes, je lui ai expliqué que la une de *La Presse* risquait de l'impliquer dans un scandale terrible et que je ne voulais pas l'incommoder davantage. Il a essayé de me raisonner et je me souviendrai toujours de ses paroles :

– Calme-toi Danielle. Il y a une solution pour tout. Je vais chercher le journal que je n'ai pas encore eu ce matin à cause de la tempête et je te rappelle d'ici 15 minutes. En attendant, ne réponds à aucun journaliste. Et au fait, je n'accepte pas ta démission. Laisse-moi regarder ça et je te reviens.

Dix minutes plus tard, il me rappelait :

– Bon, c'est plus sérieux que je le pensais. Mais pour l'instant tout ce qui compte c'est toi. Te sens-tu assez en forme pour venir à la station ? Je vais m'occuper de toi. J'ai fait appeler mes avocats et on va voir ce qu'il est possible de faire. Dis à tes parents de tout fermer à la maison : radio, télévision, téléphone, et qu'ils ne répondent à personne. Viens ici directement. Quand j'aurai fini ma journée de travail, on ira voir les avocats.

Je suis arrivée une heure après, terrorisée par les conséquences. Je pleurais comme une Madeleine et Jean-Pierre essayait de me

J'ai découvert, sur ces clichés racornis, la merveille qu'était ma mère et le grand amour que lui portait mon père.

Mes parents, sur la grève. Ma mère, Lucille, est enceinte de moi.

Toute petite, l'école me rebutait… même si j'avais l'air d'une enfant sage. Ici, au collège Marie-de-France.

Ma sœur et moi avons pris des cours de ballet dès l'âge de six ans. Judith, plus tenace, en a fait son métier.

Judith et moi avons 13 mois de différence.

Les quatre enfants Ouimet: Jacques, François, Judith et moi.

À gauche: ma grand-mère Ouimet, Marie-Blanche Gariépy, nous accompagnait régulièrement en expédition. Plus audacieuse que bien des gens de cette époque, elle avait appris à conduire. À droite: ma grand-mère maternelle, Lauda, une femme remarquable que j'aimais encore plus que ma mère.

Jean-Rock, mon premier amoureux.

L'«agent secret 1280»
au travail, à CJMS.

En compagnie de René Caron,
pour l'émission Devinez juste.
C'était en 1967.

Au Gala Miss Province de Québec
1967, réalisé à partir de la Palestre
Nationale.

À 17 ans, je suis devenue mannequin pour Élaine Bédard. Elle avait confiance en moi et me fit beaucoup travailler.

Pendant le tournage de Valérie, *Denis Héroux me donne quelques conseils.*

Avec Guy Godin, à gauche, pendant le tournage de Valérie. *En haut, lors de la campagne de presse, au Cercle.*

En 1969, j'animais avec Michel Paje l'émission À la Paje *à Télé 7 Québec. Nous voici en compagnie de Renée Martel .*

En février 1971, dans la pièce Nous avez-vous vus nus ? *de Robert Gauthier, avec entre autres Serge Laprade, Mirielle Lachance et Michel Morin.*

Je fus l'hôtesse de La Poule aux œufs d'or. *On me voit ici, quelques années plus tard, en compagnie de Doris Lussier, qui anima l'émission de 1965 jusqu'au 11 juin 1966.*

Dans l'émission Oh là là, quel tralala, *en 1974.*

En 1975, en compagnie de Benoît Marleau et de Paul Berval, avec qui j'ai fait la tournée de la comédie à sketches La grande patente, *de même que le* Bye Bye 75, *à Radio-Canada.*

En 1981, l'équipe de Bon dimanche *: Georges-Hébert Germain, Reine Malo, René Homier-Roy, Yves Taschereau, Gilles Daigneault, Edward Rémy, moi-même, Danielle Arnoldi et Alain Montpetit.*

C'est en Belgique
que j'ai tourné dans
Le rouge aux lèvres,
un drame de vampires
psychologique,
devenu film-culte
aux États-Unis.

Vous souvenez-vous
de la fameuse page 7
du Journal
de Montréal *?*

Sur la Croisette, à Cannes. Un moment
de détente… devant 200 photographes !

J'en ai porté des costumes dans ma vie… mais celui-ci est certainement le plus suggestif ! C'était mon costume de scène lorsque je chantais avec Michel Paje.

Je viens de gagner le prix Orange, le seul hommage que l'on m'ait jamais rendu. Je suis invitée à l'émission de Lise Payette.

À 16 ans… je servais de modèle aux photographes, j'allais à la boîte à chansons le Saranac pour écouter Ferland, Léveillée et Létourneau, et je servais du café et du cidre quand je n'avais pas assez d'argent pour payer ma place.

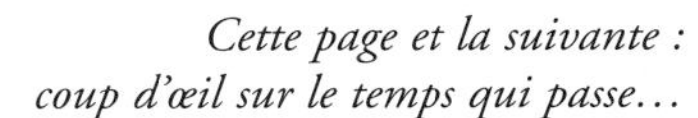

Cette page et la suivante : coup d'œil sur le temps qui passe…

Chez moi, à Habitat 67, en mai 1974.

Mon amie Michèle Richard est venue célébrer l'ouverture de mon restaurant L'Abordage, à Sainte-Adèle.

Mes amis le regretté Daniel Poulin et Alvaro, mon confident, l'homme le plus présent dans ma vie, hormis mon fils.

J'ai accompagné Pierre Péladeau, l'un des hommes les plus importants de ma vie, à de nombreuses soirées.

distraire en me faisant jouer *La belle intelligente* de Claude-Michel Schönberg. Il m'avait aussi apporté un double cognac.

Tranquillement, je calmais mon cœur et me laissais porter par sa douceur. Ce n'est qu'en fin d'après-midi que, grâce à ses avocats, j'ai su ce qu'il me fallait faire. Avant, nous avions rencontré le partenaire en affaires de Jean-Pierre, qui avait évidemment son mot à dire et qui m'avait fait savoir, de manière non équivoque, que si ce n'était de Jean-Pierre, il m'aurait déjà renvoyée.

– Faut-il vous baiser le cul avec ça, madame Ouimet? avait-il ajouté. Textuel!

C'est sans doute pour ces raisons que je n'ai jamais plus laissé quelqu'un m'affaiblir par sa suffisance et son mépris. J'ai souvent démissionné pour une parole «trop musclée». Je ne supporterai plus jamais d'être avilie par ceux qui détiennent le pouvoir et en abusent, ce que je ne pouvais me permettre à l'époque. Je me serais retrouvée sans travail, sans argent – les avocats dans l'affaire Mastantuono m'avaient tout pris – et Mastantuono lui-même n'avait plus un sou à me laisser. Encore aurait-il fallu qu'il eût l'intention de m'en laisser. Je dus donc prendre le blâme sans riposter. Mais j'ai véritablement eu l'impression d'être frappée par terre, tandis qu'on s'essuyait les pieds sur ma belle blouse blanche!

Sur l'insistance de Jean-Pierre, il fut décidé qu'on me garderait, à la condition expresse que je ne parle à aucun journaliste et ne fasse aucun commentaire en ondes. Il me fallait continuer comme si rien ne s'était passé. Jean-Pierre m'offrait même de prendre une semaine pour réfléchir, mais c'était tout décidé.

Dès lors, on enregistrait mes émissions en dehors des heures normales où l'on aurait pu me joindre. J'étais isolée, protégée et, mieux encore, je n'étais plus seule dans cette lutte insensée. Jean-Pierre m'avait rendue inaccessible et c'est à lui qu'incombait la tâche de répondre aux journalistes.

En fouillant dans mes affaires pour écrire ce livre, j'ai retrouvé une de ses déclarations qui me fait rire aujourd'hui, mais qui témoigne bien du sérieux de la situation. L'article titrait: « Je ne suis pas un pharisien pour juger Danielle Ouimet! » Il n'était pas pharisien, ça je vous l'assure! Il était plutôt le bon Dieu en personne.

Lorsque le scandale éclata, tous les bien-pensants, tous les releveurs de torts s'en donnèrent à cœur joie. Le très prestigieux Festival de la « bitcherie » prenait place dans les médias sept jours sur sept. Même les humoristes – surtout les humoristes, rien ne change! – s'en sont mêlés. C'était à croire qu'il n'y avait pas plus grand bonheur que de dénoncer l'infâme fautrice. Toute une faune brimée sans doute par les tracasseries journalières, narguée par le bonheur que semblent apporter la notoriété du vedettariat et ses avantages, frustrée par des envies de richesses – souvent imaginaires – étalées ailleurs que dans son jardin s'en est donnée à cœur joie, se vautrant dans des histoires inventées de toutes pièces.

Pour ne pas avoir à m'expliquer, et intelligemment enjointe par Jean-Pierre de ne pas le faire, je n'ai jamais alimenté le déferlement de sottises qui se dégageait de ce genre d'exercice. Ne pas s'expliquer prive l'ennemi d'éléments nouveaux à contester et à déformer. Par manque de combustion, le feu s'éteint de lui-même et, avec le temps, l'événement entre dans le domaine du mystère. Il vous est sûrement arrivé dans la vie d'entendre dire: « On n'a jamais su véritablement ce qui s'était passé. » Ce qui s'est passé est souvent banal. D'ensorceler l'imaginaire à force de suppositions crée la légende. Quoi qu'on fasse, chacun aura une version divergente des faits et affirmera, du même coup, que la sienne est la seule valide. Quant à ta version à toi, personne ne sera intéressé à l'entendre. Pourquoi donc se livrer pieds et poings liés? Au nom de qui et de quoi? Il y a des limites à s'autoflageller! De toute façon, la plus belle leçon à en tirer est de laisser aux hommes de loi le soin de faire la loi, et de rendre justice. « La loi est dure mais c'est la loi. » Et dans les moments de grande émotivité, ni l'attaquant ni l'attaqué ne possède la vérité. Le recul ne peut être juste.

CKLM

En tout, j'ai travaillé près de 20 ans avec Jean-Pierre, au fil des achats et ventes de ses différentes stations. Il y a eu CKLM où Claude Landré et moi animions *Entre tu et vous*, titre qui se voulait un jeu de mots pour annoncer la teneur de ce que devait être l'émission. Dit rapidement, le titre pouvait s'entendre comme « Entretuez-vous ». Mais on n'a que rarement glissé dans la polémique. Comme je le soutenais peu dans cette voie, Claude perdait ses instincts belliqueux. Je n'étais pas polémiste. Par nature, je n'ai jamais eu l'âme querelleuse. À moins qu'il ne s'agisse d'abus, de mensonges, mais jamais pour le plaisir de râler. Ce qui n'était pas l'état d'esprit de mon petit camarade. Pour Claude, la vie était jonchée d'inégalités, de bassesses, de scandales à dénoncer. Il concevait que son devoir civique et moral était de souligner ces injustices. Aujourd'hui, plus au fait des choses de la vie, je comprends mieux certaines de ses revendications mais, à l'époque, nous formions un couple très mal assorti. Nous cheminions pourtant dans le respect de nos différences. Je mettais autant d'énergie à le convaincre que la douceur peut changer les choses plus efficacement que la guerre, qu'il en mettait à tirer sur tout ce qui bouge. Mais, s'il me convainquait parfois du bien-fondé d'une bonne gueulante, je lui apprenais aussi la vertu de la reddition. Je l'aimais beaucoup. Il me tenait vivante, alerte, informée. Et moi, je le calmais.

C'est à CKLM que j'ai rencontré pour la première fois Suzanne Murray qui, par la suite, est devenue ma partenaire en affaires. Nous avons eu un commerce de distribution de vêtements griffés à nos deux noms, puis une agence de mannequins que nous avons dirigée pendant près de cinq ans. Suzanne, comme presque tous les débutants dans un poste de radio, avait commencé en faisant les bulletins de circulation. Elle était terrorisée par le média, dont elle ignorait tout. Un représentant du service des ventes lui avait tout simplement demandé de se présenter pour un essai. Le jour même, elle s'était retrouvée directement à l'antenne. Pour la détendre – encore une fois, ce sont les actes d'inspiration scandaleuse qui marchent le mieux –, Claude Landré lui avait montré SA « face cachée de la lune » au moment d'entrer en ondes. Ç'avait cassé la glace.

CIEL-FM

Puis, j'ai connu une période à CIEL-FM, sur la Rive-Sud. Si je n'ai que peu de souvenirs de cette époque, j'en garde cependant un assez surprenant, de nature humaine, sinon professionnelle. CIEL-FM nous permettait de prendre des contrats de représentation commerciale en devenant porte-parole de certains clients de la région. Ce petit supplément, très avantageux pour le portefeuille, nous permettait d'arrondir nos fins de mois. Je n'ai donc rien vu venir lorsqu'un vendeur de la station, magnifique jeune homme blond, par ailleurs marié à une employée de CFGL, m'avait invitée à dîner sous prétexte de discuter de mes intérêts et restrictions dans certains contrats de pub.

Petit aparté pour vous donner un exemple de la nature possible de ces restrictions : on m'avait déjà très sérieusement approchée pour faire la publicité d'un soutien-gorge en matière plastique rouge, rempli du même gel que contiennent les blocs réfrigérants servant à garder les aliments au froid dans une glacière. Porté après avoir passé un certain temps au réfrigérateur, ce soutien-gorge aurait eu le même effet raffermissant qu'une douche glacée. Authentique ! Je ne pourrais inventer une telle histoire. Mon magnifique vendeur m'avait ensuite réclamé une seconde rencontre au restaurant, afin de discuter d'offres potentielles. Au cours de ce deuxième repas, nous en étions, de fil en aiguille, arrivés à parler de choses personnelles. Et le pauvre de m'informer qu'il en était à la phase finale d'un divorce qu'il voulait très amical. Histoire qui me chagrinait un peu, car je connaissais son épouse et la trouvais très sympathique. Quant à nos affaires publicitaires, elles en étaient toujours à l'état de projets, mais « le dossier » avançait. On se voyait tous les jours au travail et une belle entente, tout en complicité, régnait entre nous. Puis, je reçus une autre invitation au cours de laquelle mon tourtereau m'annonça qu'il devait déménager et n'avait aucune idée de l'endroit où il pourrait bien aller s'installer. Il mentionna Habitat 67 où je résidais, seule, et me demanda s'il pouvait visiter mon appartement, histoire de savoir si ça valait la peine de dépenser tant d'argent, étant donné qu'il devait assumer la résidence de madame et qu'il lui fallait prendre une décision éclairée concernant son déménagement. Je lui montrai donc mon appartement, qu'il trouva magnifique.

Quelque temps plus tard, munie cette fois d'une demande d'un client potentiel, nouvelle rencontre avec mon vendeur. Dans le dédale des confidences sur son divorce, il m'expliqua que le partage des meubles avait eu lieu et qu'il devait déménager le plus rapidement possible. C'est alors qu'il avait mentionné, le plus sérieusement du monde, qu'après avoir visité mon appartement, il n'avait gardé que les meubles qui pourraient entrer chez moi, laissant tout le reste à sa femme. Et d'ajouter :

– Je suis prêt à emménager chez toi le plus vite possible !

Ce n'était pas une plaisanterie. Et ce fut bien la demande la plus rapide qu'il m'ait été donné de recevoir de ma toute vie, à part celle de mon mariage, bien des années plus tard (j'ai rencontré mon futur époux un 1er juin et le 17 août de la même année, nous étions mariés...). Je refusai. Dommage, il était beau, l'animal!

CKVL

De toutes les périodes de ma carrière radiophonique, celles passées auprès de Serge Bélair, à CKVL, furent particulièrement intéressantes et formatrices. Si Jean-Pierre m'avait donné tous les trucs pour apprendre à contrôler ce média, travailler et encore travailler, Serge, lui, m'enseigna le plaisir de polir la manière. Serge était et demeure un personnage grognon, mais jamais pour les mauvaises raisons. Du moins, il ne le fut jamais avec moi. Il adorait passer des commentaires incisifs, sévères et râleurs. Mais ça ne durait jamais longtemps, et j'ai vite compris que ces sorties servaient d'exutoires aux tracasseries journalières qu'il réussissait ainsi à évacuer. Je me moquais souvent de ses remarques, l'encourageais parfois dans ses idées noires, puis nous passions à autre chose.

Et pourtant, ce n'était pas évident nous deux! Avant mon arrivée, Serge avait eu Marguerite Blais pour partenaire, et il était, par principe, récalcitrant au changement, ce qui l'obligeait à se repositionner vis-à-vis du nouvel arrivant. Serge est un être profondément sensible. Par conséquent, fragile et inquiet. Traits de caractère qui, de prime abord, lui font rejeter tout changement. Il m'avait fallu quelques semaines avant de conquérir l'ogre. Mais dès qu'il comprit que je n'essaierais de jouer ni à la plus rapide, ni à la plus intelligente, ni à la plus informée que lui, nous nous sommes liés d'une amitié indéfectible.

Serge, ayant un côté très casanier, ne voulait absolument pas avoir l'obligation de sortir le soir pour voir des spectacles. Face à moi qui, au contraire, me déplaçais volontiers, il craignait, s'il ne lui restait plus de nouveautés à commenter, d'être relégué aux faits divers sans envergure. Il avait tort. Cette différence entre nous créa, au contraire, une connivence admirable. Il regardait les émissions de télévision que je ne pouvais voir, écoutait les nouveautés sur disques pendant que je couvrais les spectacles et les événements que je devais commenter le lendemain en ondes. On se réservait une surprise par émission. Je l'informais, en entrant en studio, du sujet de ma chronique, mais ne parlais jamais à l'avance de ce que j'avais vu, ce qui alimentait très avantageusement le dialogue entre nous et servait à préserver la fraîcheur de son étonnement. Il avait vite adopté le même principe pour ses chroniques et cette méthode a influencé, depuis lors, la manière dont je mène mes entrevues. À moins que mon invité ne l'exige, jamais je ne parle du sujet à aborder avant l'enregistrement ou la diffusion d'une émission. Cette méthode élimine l'impression de redite qui enlèverait toute spontanéité au propos et crée la différence entre une bonne et une moins bonne entrevue.

Serge était extrêmement protecteur à mon égard, prodiguant souvent des conseils qui me remettaient les pieds sur terre. Son obsession : avoir de l'argent pour sa retraite.

– Arrête de toujours donner des cadeaux à tout le monde, Danielle. Pense à toi. Qui va penser à toi quand tu vas être vieille, sans travail, et toute seule ? C'est maintenant qu'il faut que tu y penses. Ou alors trouve-toi un vieux riche qui va vouloir de toi tout de suite. Attends pas à plus tard, il va être trop tard.

Assurée de passer des matinées tout en surprises, c'était toujours un plaisir de retrouver Serge. Notre public, d'ailleurs, ne pouvait s'empêcher d'être témoin de notre complicité. Cependant, un événement devait passablement nous bouleverser.

Serge, toujours attentif aux nouveautés et, par ailleurs, très au fait de tout ce qui se produisait sur disques, tant dans le classique que dans tout autre genre musical, avait découvert que

Roch Voisine aurait « plagié » quelques mesures de la musique d'un album de Neil Diamond : *Play Me*. J'en étais également convaincue, mais je croyais que cela avait été fait volontairement et entériné par les détenteurs des droits de l'album. Ainsi, lorsque Serge découvrit, preuve à l'appui, qu'aucune entente n'existait entre Roch Voisine et les détenteurs des droits de l'album de Neil Diamond, notre directeur de l'époque, M. Denoncourt, vit là une bonne occasion pour faire parler de nous. Mais l'affaire devait prendre un virage inattendu. Denoncourt convoqua la presse, leur promettant une nouvelle d'envergure. Serge, mal à l'aise dans cette situation, dut faire face aux journalistes, alors qu'il ne le désirait pas. La réaction de la presse avait d'ailleurs été : ce n'était QUE ça ! Bref, un pétard mouillé qui eut pour conséquence de nous mettre l'entourage de Roch Voisine à dos et de nous voir retirer, pendant des mois, le droit de l'approcher en interview. Or, c'était la plus grosse vedette de l'heure et le fait qu'il boude notre station nous privait d'un public attentif. La bouderie dura jusqu'au jour où Roch ayant accepté de faire une émission en direct à CKOI, située à l'étage inférieur de l'édifice, j'eus l'idée de demander une rencontre de 10 minutes avec la vedette dans les studios de CKOI, puisqu'il refusait obstinément de mettre les pieds à CKVL. Lors du conflit, je ne m'étais pas mêlée de l'affaire et n'avais eu aucun commentaire désobligeant. La maison de disques de Roch prétendit, par la suite, que ces quelques mesures musicales s'étaient retrouvées dans la chanson par hasard ; mais, si ma mémoire n'est pas trop défaillante, Paul Vincent, le gérant de Roch Voisine à l'époque, dut tout de même conclure une entente avec les éditeurs de Neil Diamond. On n'a jamais su le montant de la transaction.

Il faut mentionner que nous avions un drôle de boss en la personne de M. Denoncourt ! Quand il nous convoquait pour nous communiquer sa désapprobation à propos d'une chose ou d'une autre, il lui arrivait de donner un coup de poing dans la porte et de passer au travers ! Ça surprend ! J'appris, quelque temps après avoir quitté la station, qu'il était décédé dans un accident de voiture au retour d'un voyage dans les Cantons-de-l'Est. Selon l'enquête, il se serait endormi au volant. C'est dommage. Il était soupe au lait, mais, dans le fond, c'était un gros nounours. C'était aussi le frère du très talentueux metteur en scène Serge Denoncourt.

Serge et moi nous sommes payé des fous rires remarquables durant cette émission. Le plus spectaculaire restera toujours celui de notre aventure avec M. Renzo Baranes, récipiendaire de la Légion d'honneur française et éminent directeur de troupes lyriques en France. Il dirigeait également la tournée de José Todaro, qui devait donner une série de spectacles au Québec. Dans l'attente de la venue du chanteur, nous avions rencontré M. Baranes pour qu'il nous explique un peu l'art lyrique, ce qui était beaucoup plus du ressort de M. Bélair que du mien. Nous avions sorti notre vocabulaire du dimanche, teinté d'un petit accent pointu. À court de questions, nous avions eu l'idée de demander à ce monsieur aux manières très affectées et au langage plus que châtié quelques titres d'opérettes de Francis Lopez, entre autres, auxquelles José Todaro avait participé. Après nous avoir renseigné sur le fait qu'il y en avait 160, M. Baranes avait chaussé ses lunettes et, de son air le plus inspiré, s'était lancé dans la très, très longue et fastidieuse liste des titres de chacun des succès de son poulain. Impossible de l'arrêter. Au vingtième titre, Serge et moi, nous nous toisions avec un petit sourire en coin, pour planter ensuite nos regards dans le décor, afin de ne pas rire en même temps. Au trentième titre, les larmes perlaient. Je me mordais les lèvres. Serge retirait ses lunettes et se frottait les yeux, tandis que je sautillais sur ma chaise. Nous avions – pour utiliser une expression plus que populaire – « pogné le fixe ».

Au quarantième titre, n'en pouvant plus, Serge s'est couvert la bouche de sa main et a lancé à mon intention un très vocal :

– 'Coute ben Renzo, on va pas passer la nuit icitte !

Dérangé par cette phrase qu'il n'arrivait pas à décoder, M. Baranes demanda :

– Plaît-il ?

Je n'ai pas pu rester en studio. Prétextant un malaise, je me suis enfuie à toutes jambes dans le corridor, le laissant avec son problème. S'il avait pu sortir, Serge l'aurait fait. Mais nous étions en ondes, en direct.

J'ai fait trois ans d'émissions avec Serge, sans interruption. Nous avions à peine des vacances à Noël, puis l'on repartait de plus belle vers une nouvelle saison.

Il a eu bien du mérite de me supporter. Car si le quotidien crée des liens d'amitié indéfectibles, parfois ça passe, parfois ça casse. Comme c'est un métier d'émotions, la moindre petite contrariété est partagée, à micro fermé, un peu comme un exutoire avant la longue messe qui nous unit en ondes. Partagée, expulsée, la confidence crée un rapprochement qui se sent à l'antenne. Or, lors de ma deuxième année auprès de lui, je tombai follement amoureuse. Amoureuse comme jamais je ne l'avais été de ma vie. Mon amoureux avait pris l'habitude, dès la toute première journée de notre rencontre, de m'envoyer un fax, écrit de sa main, tous les matins, dès son entrée au bureau. Je n'entrais pas en studio tant que je n'avais pas ma lettre entre les mains. Bien sûr, Serge se foutait royalement de ma gueule, jusqu'au jour où les fax ont cessé, et que je suis tombée dans une léthargie de laquelle rien, mais absolument rien ne pouvait m'extirper. Pour me remettre et me distraire de mon amour corrosif, je m'offris des vacances que je pris, seule, au Club Med de Paradise Island qui était rempli, cette semaine-là, de Chinois en voyages de noces. Ajoutez à cela qu'ayant pris l'habitude d'aller lire en écoutant de la musique classique dans un endroit très paisible, un corridor tout en verdure et en fleurs donnant sur la mer au coucher du soleil, j'avais trouvé le moyen d'assister à deux mariages. Je suis revenue plus déprimée qu'au départ. Et cette peine a duré deux bonnes années. Serge ne savait plus à quel saint se vouer pour m'encourager à changer d'état d'esprit. Un vrai bon papa !

Nous avions d'excellentes cotes d'écoute et chaque saison apportait des chiffres de plus en plus élevés, ce qui me rendait excessivement heureuse, compte tenu que j'avais exigé une prime de rendement, à la signature de mon contrat. Faute de salaire avantageux, cette clause permet d'être récompensé malgré tout. Ce boni nous était accordé selon le nombre d'auditeurs répertoriés au moment des sondages, et il arrondissait mes fins d'année de façon avantageuse. On me payait 50 ¢ par auditeur. C'était un risque à prendre. Pas d'auditeurs nouveaux, pas d'argent. Mais nos sondages montaient si bien qu'à la signature de mon contrat pour la troisième année, mes directeurs m'annoncèrent qu'ils allaient modifier les calculs pour l'octroi de mon boni. En effet, depuis le début de ma prestation à la station, on répertoriait les auditeurs par groupes d'âge. C'est un procédé normal. Jusqu'à ce jour, les calculs se basaient sur le groupe des 2 à 75 ans. Mais cette fois, on me demandait de signer un contrat de deux ans sans augmentation de salaire (j'étais payée 800 $ par semaine), alors que les calculs se feraient désormais sur le groupe des 35 ans et plus. On m'accordait toutefois deux semaines de vacances payées, ce qui n'avait pas été le cas auparavant. Or, cette modification au contrat entraînait une diminution importante de mes revenus. Je trouvai cette attitude bien ingrate et retardai le moment de la signature.

À la même période, je reçus un coup de fil de Jean-Marc Beaudoin, le producteur qui m'avait congédiée quelques années auparavant lors d'une aventure où j'avais outrepassé son autorité pour me faire voter une augmentation de salaire à l'émission *Le look 88*, à Québec. Je m'étais juré de ne plus jamais retravailler avec lui. Je me rappellerai cependant toute ma vie la réaction de Serge lorsque je lui annonçai que je n'avais pas l'intention de retourner l'appel. Il m'avait dit :

– Danielle, ça ne coûte rien d'écouter ce qu'ils vont te proposer. Tu es dans une situation avantageuse. Ils t'ont mise à la porte et ils te rappellent. Il doit y avoir une raison. Ravale ta rancœur, on ne sait jamais. Ne dis pas oui tout de suite. Écoute, et après tu décideras.

C'est ce que j'ai fait. Merveilleux Serge qui mettait en danger notre confortable succès, en considération des avantages qui pourraient être les miens s'il advenait que j'accepte. Je peux le dire haut et fort : ne pas l'avoir écouté ne m'aurait pas amenée là où je suis en ce moment. Forte de cette offre merveilleuse que me faisait Jean-Marc Beaudoin, je suis allée rencontrer mes patrons et leur ai dit avec assurance :

– Je veux signer pour deux ans ET vous ne touchez pas à mes primes de rendement.

– Qu'est-ce qui va arriver si on ne te les donne pas ?

– Je m'en vais à la télévision.

On ne m'a pas crue. J'ai quitté la radio pour me joindre à l'équipe de l'émission *Bla Bla Bla*.

Je m'ennuie amèrement de ce camarade. Je m'ennuie terriblement de l'énergie qui se dégage d'une émission de radio. Encore aujourd'hui, il arrive très souvent qu'on m'accoste pour me demander des nouvelles de Serge et me dire qu'il est dommage que nous ne soyons plus en ondes ensemble.

Je ne suis pas passéiste. Oh, un petit peu peut-être, quand vient le temps de penser au bonheur des choses du passé, sinon au temps investi pour les créer. Mais je regrette toutefois cette mentalité des décideurs, dans chaque station de radio ou de télévision, axée uniquement sur la performance et les résultats à tout prix. Au détriment de la nouvelle, de l'information ou de la simple distraction, on balaie du revers de la main des talents qui ne demandent qu'à exploser et d'autres, parmi les plus anciens, qui pourraient continuer de rayonner. Je suis renversée par les préjugés de ceux qui, pour se faire un capital de reconnaissance ou de mérite, pour justifier un salaire, rejettent au nom de l'innovation à tout prix, ce qui s'est fait dans le passé, pour succomber à des modes et courants de société qu'ils cultivent à outrance, au mépris du dévouement et de la fidélité de ceux qui se sont employés à créer le média avant eux. C'est la course à la rentabilité, course folle, insensée, immorale et indifférente à la qualité du message ou du talent qui en est la cause. Aujourd'hui, les chiffres doivent parler et ils ne pardonnent pas. On te jette… et au suivant. Car le suivant peut être plus malléable, mieux répondre aux directives, et surtout se montrer beaucoup moins cher à exploiter, ce qui n'arrange pas nécessairement quoi que ce soit.

Je conçois évidemment que mes propos soient émotifs et que, pour me payer mon salaire, il faut qu'il y ait des hommes qui manipulent et jouent avec l'argent. C'est le rapport fidélité-travail-talent de l'artiste versus la reconnaissance des « instances » qui m'afflige. De plus, je ne veux pas donner l'impression que c'est la norme, mais en 42 ans de métier, c'est en train de le devenir. Et c'est désolant.

Je connais tellement le procédé que les résultats d'une bonne émission ne m'émeuvent jamais. Ils ne signifient qu'une chose : que tous ont travaillé fort AVEC UNE ÉQUIPE et qu'ensemble ils ont bien contrôlé le média. Tous, sans exception, ont droit au succès.

Jean-Pierre Coallier pourrait vous confirmer qu'en 20 ans je n'ai jamais demandé d'augmentation de salaire, ni tenté d'utiliser mes cotes d'écoute pour extorquer des avantages lors de mes renouvellements de contrats. Mais lui a prêché par l'exemple en se passant de salaire d'annonceur pour permettre à ses employés d'en avoir un dans une station débutante. Je râlais quand on essayait de réviser mes contrats à la baisse. Je râle contre les diminutions de salaire, même si elles sont dues à des compressions budgétaires. C'est de bonne guerre pourtant : on ne peut donner ce que l'on n'a pas. C'est cependant le travail du producteur de jouer avec les budgets et de respecter ses employés. Sans généraliser – j'admettrai même que ce n'est pas la norme –, comment savoir, lors de ces ajustements, si le partage se fait équitablement ? Rien ne me fait plus crier à l'injustice que ces demandes où l'on te fait comprendre que si tu n'es pas raisonnable, on va se passer de tes services et que, par ailleurs, deux mois plus tard, une émission à gros budget vient se nourrir de ce que tu as sacrifié pour qu'elle existe. On m'a joué ce jeu à tous les réseaux. En toute justice, si l'on a fait chacun son effort, il faudrait savoir partager les recettes. D'autant plus, et je le clame haut et fort, que les femmes sont encore aujourd'hui moins payées que les hommes et que cet état de fait subsiste abondamment dans le show-business. Courageuse Fabienne Larouche qui en a fait une croisade pour sa vedette principale dans *Virginie*. Ne me reste plus qu'à devenir productrice pour mettre en pratique tout ce bon vouloir. Peut-être est-ce utopique ? Je vous en reparlerai dans quelques années.

J'ai toujours su que c'était un énorme privilège que de pouvoir parler en ondes. S'il est une chose que je tiens à accomplir de mon mieux et de manière impeccable, c'est bien celle-là.

Je souhaite à tous ceux qui entreprennent le métier, de rencontrer sur leur chemin un Jean-Pierre Coallier, un Serge Bélair, un vieux routier de la formule qui prenne le temps de les guider, de les écouter, de les corriger, de les encourager. De les remercier surtout, habitude qui se perd aujourd'hui, sauf au moment du départ, et encore.

Malheureusement, on ne s'en va pas vers le meilleur. Pauvres talents !

Le cinéma

Valérie pour toujours

Nous sommes en 1967. Jean-François, mon fils, est né en avril. À l'aube de mes 21 ans, j'habite toujours chez mes parents, attendant ma majorité comme une délivrance. Ce n'est pas tant que j'aie l'esprit rebelle, mais j'ai souvent réclamé mon émancipation, ce à quoi mes parents ont toujours répondu que leur tâche s'arrêterait à mes 21 ans, âge auquel j'aurais le droit d'agir comme je l'entendais. Mes 21 ans sonnaient donc la récréation, en principe davantage qu'en réalité, car mes parents sont toujours restés présents et fiers de l'éducation qu'ils m'avaient donnée. Pour eux, j'avais atteint le chiffre magique, celui de vivre ma vie. Et j'en ai abusé !

Alexander Graham Bell n'a jamais pu soupçonner à quel point son invention aurait le pouvoir de chambarder les vies de fond en comble. Sa machine – infernale, selon certains – se mit donc à sonner un beau matin de mai. Maman m'annonça qu'un certain Richard Saddler voudrait me parler. Saddler… Saddler… Saddler… Connais pas !

– Enfin je vous retrouve ! Je travaille pour Denis Héroux. Nous sommes à la recherche de comédiennes pour un film québécois qui se tourne cet été. Il faut passer des auditions, êtes-vous libre ?

Bon, faisons le bilan : j'ai été hôtesse à la télé et fait les bulletins de circulation à la radio de CJMS, j'ai été élue Miss Province de Québec, j'ai été mannequin et j'ai enseigné dans une agence de mannequins, j'ai aussi chanté avec Michel Paje... mais je ne suis pas comédienne ! Quant au cinéma québécois, peut-on vraiment dire qu'il existe ? Pas vraiment ou si peu ! J'acceptai tout de même de passer l'audition.

M. Saddler s'était frénétiquement lancé à ma recherche après m'avoir vue dans une émission à Radio-Canada, animée en direct par Guy Boucher, du site même de l'Exposition universelle, *Terre des hommes*. J'étais en pleine tournée de promotion de mon nouveau disque produit par Michel Paje mais, ce jour-là, une tempête à noyer les canards risquait d'empêcher les techniciens de s'approcher des caméras. Le plancher métallisé faisait beaucoup d'effet, mais nous faisait craindre l'électrocution, rien de moins ! L'émission étant diffusée en direct, il fallait y aller. Je m'étais dit que j'allais peut-être griller *live*, mais que j'aurais fait mon travail jusqu'au bout. Pour tout vous dire, la situation m'enchantait. Je m'amusais comme une petite folle. Cela se voyait sûrement à l'écran, puisque c'est à ce moment-là que Denis Héroux m'avait remarquée : cheveux blonds jusqu'aux fesses, fouettés par le vent et la pluie.

– Il me faut cette fille, trouvez-la-moi !

On avait consulté le réalisateur, Richard Martin. Il faut croire que je ne lui avais pas fait la même impression, car il ne se souvenait pas de mon nom et fut incapable de les renseigner. On avait finalement retrouvé ma photo dans les dossiers de l'agence d'Élaine Bédard. On me convoqua à une adresse de la place Royale dans le Vieux-Montréal, pour auditionner. Mais une fois-là, on m'indiqua une seconde adresse.

– Allez rue Saint-Paul, montez trois étages, l'équipe vous attend.

L'endroit était sordide. Le premier étage était vide et sentait l'urine. Au second, des débardeurs, un crochet sur l'épaule, me regardèrent monter... pas très longtemps d'ailleurs, car je rebroussai chemin. Une fois dans la rue, je scrutai l'immeuble plus attentivement. Le troisième étage donnait l'impression d'être sous les combles. Je retournai à la première adresse, insistant sur le fait qu'on s'était sûrement trompé.

– Non, non, il y a un appartement au troisième. Pas de problème.

J'examinai l'immeuble à nouveau. Il n'était pas très haut. En cas d'urgence, je pourrais toujours prendre une chaise et fracasser la lucarne. Au pire, je sauterais par la fenêtre.

Je n'eus pas à le faire. Dans l'entrée, un paravent obstruait la vue sur la pièce principale. Derrière, on entendait des voix. On me présenta un texte d'une centaine de pages, ajoutant qu'on me recevrait dans une heure environ et qu'on choisirait une scène à ma convenance.

Les voix derrière le paravent m'empêchaient de me concentrer sur le script. Dans peu de temps, on allait me demander la même chose qu'à ceux qui auditionnaient en ce moment et je voulais tout savoir. De plus, le texte qu'on m'avait remis exigeait une double lecture, puisqu'il était séparé en deux parties : à gauche, la description de l'action et, du côté droit, le dialogue. Mes yeux sautaient d'un côté à l'autre. Étourdie, au bout de 20 pages, j'avais abandonné la description de l'action pour me concentrer sur le dialogue, convaincue que l'histoire, ses tenants et ses aboutissants découleraient de cette partie. J'étais dans l'erreur !

Lisant que Valérie se déshabillait pour essayer et acheter sa première robe à la sortie du couvent, il ne me vint pas à l'idée qu'elle se déshabillât vraiment, croyant plutôt qu'on parlait de l'ébauche du geste. On se déshabillait dans la vraie vie, jamais à l'écran ! Ce détail n'aurait rien changé, car j'aurais tout de même fait le film, mais sans panique.

Pour le moment, il me fallait auditionner. Chantal Renaud avait été approchée pour jouer Valérie et avait refusé dès le départ. Et je ne me souviens plus qui, de Mariette Lévesque ou d'Andrée Boucher, avoir croisée lorsqu'on ouvrit le paravent. Je ne me souviens que de la présence des deux. Mariette, connaissant Denis, me semblait un choix évident. Elle avait tourné avec lui *Pas de vacances pour les idoles* en 1965. Quant à Denis, il n'en était pas à ses débuts en tant que réalisateur de film puisqu'il avait déjà fait *Seul ou avec d'autres* en 1961-1962, *Jusqu'au cou* en 1964, et quelques autres productions pour Radio-Canada. Entre deux tournages, Denis enseignait l'histoire au Collège Sainte-Marie.

Mon tour vint. On me présenta au caméraman. Tout de suite, je me suis sentie en confiance. Et aujourd'hui, je peux dire à Denis, sans que cela soustraie une once aux bons sentiments que j'éprouve à son égard, que sans René Verzier derrière la caméra, son film n'aurait pas eu la même magie, sa facture unique de grande tendresse et d'innocence.

Au nom d'un scénario déficient, parfois écrit le matin même du tournage et principalement axé sur la provocation, Denis avait la lourde tâche de me faire accomplir des gestes qui me plongeaient dans l'inconfort le plus total. René, sensible à mon désarroi, m'isolait en quelque sorte dans sa lentille, comme si je ne jouais que pour lui. Il voyait tout, percevait la moindre hésitation, le moindre mouvement de pudeur et, silencieusement, il s'accroupissait devant moi et venait me caresser la joue pour apaiser ma panique. Il dut le faire souvent.

Combien de fois, me voyant malheureuse de certains plans qui en dévoilaient trop, René s'est-il dirigé vers Denis pour lui suggérer un angle plus serré. Toujours au nom de la beauté de l'image ! Jamais pour le caprice de l'actrice. René a été mon âme, ma beauté, mon talent à l'écran. J'avais peu de tout cela. Il a su le faire éclater. Avec Denis, tout était plus technique, mais aussi délicat. Il avait la tâche de faire les choix et de les imposer. Il était déchiré entre les obligations du texte et celui de la femme et de l'actrice. Métier qui allait, il en était certain, prendre une toute nouvelle direction grâce à ce film plus qu'osé pour l'époque. Où s'arrêtait l'indécence, où commençait la compassion ?

Nous avions convenu de jouer le jeu tous les deux. Mais où devait se situer la limite ? Rude bataille entre les producteurs, côté cour, qui forçaient la dose et le Bureau de censure du Québec, côté jardin, qui réduisait tout élan !

Je n'avais évidemment rien vu de tout cela à l'audition. On m'avait fait jouer une scène. Denis m'avait donné la réplique. On m'avait demandé de danser, on m'avait demandé si j'acceptais des scènes de nu. J'ai dû dire oui sans grande conviction, en me disant : c'est une formalité, au cas où il y en aurait ! Mais il n'y en avait jamais eu au cinéma. J'entrais dans une espèce de naïveté de circonstances qui me laissait croire qu'il ne s'agissait que de me tester et rien de plus. C'était sans compter sur l'ambition qu'on me croyait avoir : jusqu'où irais-je dans mon désir de travailler ? Jusque-là, tout n'était qu'un amusement. Je n'y croyais pas vraiment. Il serait toujours temps de réagir si j'avais le rôle. Je n'étais qu'une illustre inconnue essayant de s'imposer dans un domaine qui n'était pas le sien, dans un monde où une vraie comédienne aurait cent fois plus de chance que moi d'y parvenir. Mais voilà, c'était moi qui y étais et je ne voulais pas rater ma chance. Au pire, je pouvais tout au moins espérer un petit rôle.

Je me souviens avoir beaucoup ri lors de cette audition. Après tout, je ne voulais pas prendre les choses trop au sérieux. Et c'est sans doute ce qui pesa dans la balance au moment du choix. Trente ans plus tard, au Festival des films du monde où l'on rendait hommage aux producteurs André Link et John Dunning, pour leur participation à l'avancement du cinéma québécois, j'ai demandé à Denis Héroux ce qui avait motivé son choix. Il m'a répondu :

– La fraîcheur de l'image. Ta spontanéité. Tu défonçais l'écran. Moi, je me souviens de tes yeux, et de rien d'autre.

Le 15 juin 1967, à la veille de mes 21 ans, on m'annonça que j'étais choisie pour le premier rôle. À l'audition, on avait également sélectionné les seconds rôles – féminins et masculins – dont je croyais faire partie. Mais on m'offrait le premier rôle et j'arrivais à peine à y croire. Étaient-ils vraiment sérieux ? Comment pouvaient-ils choisir une parfaite inconnue, sans aucune expérience, pour une production importante ? Et pourtant... Il me fallait signer un contrat. Et quel contrat ! On m'offrait 60 $ par jour. La production ayant duré deux mois et demi, je touchai la mirifique somme de 2 500 $ pour ma participation à *Valérie*. J'en vois sourciller certains, mais en 1967 cela représentait une coquette somme ! Le fait de gagner, en un peu plus de deux mois, l'équivalent d'une année de mon salaire à la radio dut certainement peser dans la balance. J'étais riche, puisqu'à CJMS, je gagnais 75 $ par semaine pour donner des bulletins de circulation... sous un nom d'emprunt ! Le petit pécule que l'on m'offrait pour *Valérie* allait, entre autres choses, me permettre de couper définitivement les liens avec ma famille et me permettre, quelque six mois plus tard, lorsque commença la promotion du film, de vivre en appartement. J'emménageai donc au penthouse d'un immeuble, coin Saint-Mathieu et de Maisonneuve, et devint « maîtresse de ma vie » à 21 ans. Exactement comme mes parents me l'avaient promis.

Denis m'assura plus tard qu'il avait fait exactement le même salaire que moi en tant que réalisateur. Me confia-t-il cela pour me rassurer ou pour me rendre la situation plus acceptable? J'ai lu, dernièrement, en feuilletant un article de *La Presse* datant du 31 janvier 1970, sous la plume de Luc Perreault, que Denis avouait s'être vu offrir un minable 15 000 $ par France-Film pour le tournage de *Pas de vacances pour les idoles*. Dans *Valérie*, il aurait investi lui-même jusqu'à 15 % du budget de production. Cinepix, la maison de production, avait de son côté investi un gros montant de 65 000 $ pour une pellicule en noir et blanc et le reste des frais de production. Six mois après le lancement, elle récoltait 1 million de dollars avec des entrées à 1,75 $ le siège.

Lorsque je me suis plainte, quelques années plus tard, qu'on présentait le film un peu partout sans que j'en touche un sou, on me répondit que j'oubliais, dans mon ingratitude, que j'avais obtenu instantanément un succès et la gloire. Ce qui, à les entendre, me permettait encore aujourd'hui de vivre de mon métier, et qu'en plus j'avais touché des cachets pour la tournée de promotion. C'est exact. J'ai fait le tour du Canada, j'ai assisté deux fois au Festival de Cannes… le tout pour 75 $ par jour. Du matin au soir, et sans jamais refuser aucun engagement, j'enfilais des entrevues à la radio, à la télé et dans les journaux, sans compter les voyages, les défilés dans les rues, les séances de photos et les lancements en robe de gala. Sur ce salaire, je devais financer mes vêtements et mes repas quand j'étais seule. Car je me présentais seule en tournée de promotion hors Québec.

Malgré l'argent qui se mit à rentrer à profusion pour eux dès la sortie du film, je n'eus droit qu'à trois lancements accompagnée de toute l'équipe: à Montréal, Québec et Toronto. Au Québec, c'était Maurice Attias qui m'accompagnait dans ces rencontres avec la presse.

Je me souviens d'un voyage à Sherbrooke. Le talon de mon soulier s'étant cassé, j'avais dû m'acheter une autre paire de chaussures. Maurice, tout fier, me l'avait offerte aux frais de

Cinepix. J'étais bouleversée et tellement reconnaissante. C'est le seul cadeau qu'on m'ait jamais fait ! Le métier rentrait, à défaut d'aisance financière. Je ne ressentais même pas d'amertume de me sentir utilisée tant ce nouveau monde me fascinait.

On a dernièrement ressorti le film à l'occasion de ses 30 ans, en en faisant un événement médiatique important au Festival des films du monde. Même si Radio-Canada en avait acquis les droits dès sa sortie, évitant toutefois d'en faire usage pendant de nombreuses années, de crainte sans doute d'être accusée d'exploiter un succès facile et scandaleux, le film fut récemment acheté par un nouveau producteur et programmé dernièrement à la télé (de même que tous mes films d'ailleurs, et j'en ai fait 13) sur cinq ou six chaînes spécialisées. J'aurais apprécié un petit effort et ne serait-ce qu'un semblant de compensation pour cette exposition dont tout le monde, sauf moi, semble profiter ; mais la galanterie et la reconnaissance n'ont pas nécessairement droit de cité dans ce monde.

Il était difficile de prévoir, à l'époque de la signature du contrat, qu'il n'y aurait pas de droits de suite. Il n'existait pas alors de législation stricte à cet effet, et ce n'est certes pas les producteurs qui allaient veiller à la protection de mes droits. Cela pourrait jouer en ma faveur, mais je n'ai évidemment plus de copie du contrat ! On ne fait pas plus opportuniste que moi ! Eh, n'est pas grand seigneur qui veut !

L'Union des artistes n'est d'aucun secours dans ce cas-ci, car il existe un « trou » dans la convention. Si l'on pouvait prévoir une libération des droits pour le grand écran, rien n'était prévu pour la diffusion à la télévision et sur les réseaux spécialisés de même que pour les cassettes et DVD, ces supports n'existant pas à l'époque.

Pour en revenir au tournage de *Valérie*, il se fit durant l'été, tel que prévu. Je devais me présenter le matin vers les 6 h sur différents plateaux de Montréal pour que Micheline, la maquilleuse, me prenne en tout premier. J'arrivais en métro, mes vêtements sous le bras dans une pochette de plastique, pauvres petits vêtements choisis à même ma garde-robe d'étudiante. La production était si pauvre qu'en quelques occasions, il me fallut des vêtements un peu plus recherchés. Ce qui valut une mention au générique, rien de moins. On pouvait y lire : « Maillot de bain et sous-vêtement, Maison Hélène. Robe de soirée : Yvon Duhaime. »

J'apprenais mes répliques la veille, même si maintes fois nous devions changer le scénario, ou mieux, le recomposer, l'ajuster le matin même, compte tenu d'impondérables tels que la disponibilité des lieux ou des changements de situation.

Ici me revient une petite histoire très à-propos en guise d'exemple. Denis avait fait appel à Pierre Paquette, un ami, annonceur-animateur à Radio-Canada, pour jouer le rôle d'un professeur de l'école où Valérie étudiait. Or, en raison de coupures de budget, on décida que Valérie n'aurait plus de parents. Du moins, elle n'aurait ni père ni mère montrés à l'écran. La suppression de deux rôles avait forcément entraîné la suppression de certaines scènes et, comme Valérie devait bien habiter quelque part, on l'avait flanquée pensionnaire chez les sœurs. Mais si l'histoire s'en trouvait simplifiée, au plus grand bénéfice du budget, cela ne réglait pas le sort de Pierre Paquette qui avait déjà été approché. Il avait un nom bien établi, et il était primordial d'avoir des vedettes au générique, le mien n'étant pas (encore) un gage de succès assuré. Denis avait donc décidé de le garder. Lorsqu'il se présenta aux appartements Rockhill, Denis lui expliqua :

– On a un p'tit problème Pierre. Valérie sort du couvent et les enseignantes sont des sœurs, donc... t'es pus professeur.

– Je me disais aussi ! Comment jouer à l'enseignant dans un édifice à appartements ?

– Ben, tu vas lui montrer autre chose ! T'es maintenant un client de Valérie devenue prostituée. Déshabille-toi.

Je revois encore le sourire ironique de Pierre et la manche de sa veste glissant de son épaule sur la chemise qu'il allait bientôt devoir quitter. Sans mot dire, il fit tout pour rendre agréable une situation potentiellement inconfortable, de sorte que, dans des circonstances qui auraient pu tourner au cauchemar, nous avons réussi malgré tout à beaucoup nous amuser.

Pour cette même scène, je devais tourner avec un autre comédien : Gaétan Labrèche. La seule idée de travailler avec un comédien tellement plus habile que moi me terrorisait. Or, il réussit, lui aussi, à faire du tournage une véritable partie de plaisir. Je retrouve d'ailleurs l'essence même de cet humour lorsque, aujourd'hui, je vois son fils à l'écran. Même recherche du rire, du ridicule, même sens de la trouvaille, de l'étonnement. On est devenu très copains par la suite, Gaétan et moi, lorsque nous nous sommes retrouvés tous les deux dans la télésérie *Dominique*. Nous allions courir les friperies de la rue Saint-Laurent. On s'achetait les mêmes vestes, c'est tout dire !

Rien ne me donne plus de plaisir en écrivant ces lignes que de me remémorer une courte scène tournée en 2002 avec son fils dans le film *L'odyssée d'Alice Tremblay*, produit par Denise Robert et Daniel Louis, réalisé par Denise Filiatrault. Il y incarnait le grand méchant loup – et moi la mère-grand – dans le pastiche du Petit Chaperon rouge (joué par Mitsou). Nous avions, dans cette histoire de notre enfance revue et corrigée, une délirante scène au lit. Ce qui m'a fait dire en promotion, devant un Marc aux grands yeux ahuris, « qu'il y a de l'espoir pour les vieilles au cinéma, car en l'espace de 30 ans, j'ai réussi l'exploit de coucher (à l'écran) avec le père et le fils ! »

Mais revenons à *Valérie*. Une scène, entre autres, me laisse un souvenir impérissable. Scène qui devait illustrer l'aisance nouvelle de Valérie en la représentant au lit, encore une fois avec un client, au moment où son courtier l'appelle pour lui proposer un achat d'actions. Il nous fallait un homme poilu. La situation était délicate, car la production ne pouvait se payer – maudit budget! – un nouveau comédien au tarif de l'Union des artistes. Il ne fallait donc pas que l'on voie son visage! Denis Héroux décida de faire appel à l'équipe, choisissant sur le plateau le détenteur du bras le plus poilu! Cet *Homo sapiens* à la pilosité débordante s'appelait Robert Binette, c'était le photographe de plateau; il était nouvellement marié et loin d'être d'accord...

– Pas de problème Robert, on va bien te cacher. Fais-nous confiance. On a juste besoin de ton bras...

Ce qui fut fait. Or, pendant le tournage, les techniciens de plateau, cachés près du lit, hors de l'angle de la caméra, se faufilèrent sous les draps, défaisant la boucle de ceinture de Robert et le déculottant en pleine action, en tirant sur les jambes de son pantalon. Ça ne changeait rien à l'image puisqu'il devait rester sous les draps. Sauf qu'après le tournage, les gars refusèrent de lui rendre son pantalon alors que sa femme devait venir le chercher à la fin de la journée. C'était terriblement puéril, mais ça nous a beaucoup amusés. Cela apportait une dimension autre à des scènes qui donnaient du reste un tout autre effet une fois montées. Ces incidents allégeaient l'atmosphère. Le but du film était de faire saliver le public, et même si les moyens pour y arriver étaient affreusement techniques, l'illusion finale était parfaite.

Un autre moment divertissant me revient, bien qu'il fallût des années avant qu'il puisse être apprécié à sa juste valeur. Pour le film, Denis avait demandé à Clémence DesRochers d'incarner une travailleuse sociale qui, pour ses études, nous soumettait (nous, les trois prostituées du scénario) à un questionnaire. Tel que prévu dans le texte, nous ne prenions nullement l'exercice au sérieux et nous mettions à plaisanter, finissant par lui raconter qu'en fin de compte, nous couchions toutes ensemble. Il fallait voir la tête de Clémence quand l'une de nous ajouta: «Car voyez-vous, je suis lesbienne!» Il y a 30 ans, la foule n'avait soufflé mot. Mais à l'hommage des 30 ans de *Valérie*, la réplique déclencha l'hilarité générale.

Même chose quand Henri Norbert essaie de me violer (dans le film!). Quel homme charmant! Un grand prince. Toujours impeccable, de bonne humeur, amusé par le rôle, il m'a beaucoup soutenue – terrorisée que j'étais de me retrouver en sa présence. C'était un homme tout en finesse qui adorait rire de lui-même.

On m'avait raconté qu'un jour, entouré de plusieurs comédiens qui s'amusaient à se trouver des liens de parenté entre eux, une demi-sœur, un cousin par alliance ou un neveu, Henri aurait rétorqué: «Eh bien! Moi, je suis votre tante à tous!»

Peu expérimentée, je me sentais plus à l'aise avec des gens de mon calibre. Une fille, cependant, opérait une diversion. C'était Andrée Flamant, la nièce de Me Alban Flamant, un avocat haut en couleur, doublé d'un historien hors pair, qui paraissait aussi souvent à la télévision qu'il comparaissait devant la cour. Andrée désirait ardemment pratiquer le métier de comédienne et projetait, comment dirais-je, une image pour le moins flamboyante. Étonnamment érudite et possédant bien ses classiques, elle avait gardé l'esprit et le style de l'époque où elle était *bunny* au Club Playboy. Son rituel de beauté me fascinait: souliers à talons hauts, jamais moins de 5 po pour suppléer à sa petite taille, demi-perruque qu'elle portait en permanence, faux cils, guêpière, bas résille en plein jour et faux ongles. Le crayon contour lui faisait déborder les lèvres et les sourcils, et jamais, jamais ne l'ai-je vue sans fond de teint, même en plein soleil.

Pour la présentation de *Valérie*, à Cannes, on lui avait demandé de revêtir une robe de gala discrète. Elle est arrivée en chemise noire transparente, agrémentée des deux pastilles en forme de fleurs Mary Quant à la hauteur des seins, assortie d'une jupe hawaïenne, style hula, faite de franges de cuir noir et qui s'entrouvrait jusqu'à la taille à chacun de ses pas. Or, comme elle avait tout de même une certaine pudeur, elle avait mis un soutien-gorge noir (rembourré évidemment) et un demi-jupon de satin, de la même couleur, qui lui cachait la raie des fesses. On se bousculait pour ne pas être vu en sa présence. Ça faisait terriblement kitsch, pour ne pas dire vulgaire. C'était d'autant plus bizarre qu'Andrée était tout en finesse et en délicatesse. Elle s'exprimait d'une voix si douce qu'il fallait souvent se pencher vers elle pour lui demander de parler plus fort.

Sa vulnérabilité, autant que le désir de la protéger, avaient provoqué l'une de mes plus grosses crises de nerfs sur le plateau.

Dans une scène, son personnage m'accueillait au moment où, danseuse à gogo, je n'avais plus d'endroit où résider. Elle devait se déshabiller complètement dans cette séquence, traverser l'appartement que nous partagions et venir me retrouver nue au lit pour me faire la passe de la « bibitte qui monte ». Je dois préciser qu'il s'agissait-là de la seule scène de nu intégral de tout le film, et que c'est Andrée qui la fit. On ne montrait d'ailleurs que mes seins dans ce film. Voire, dans tous mes films... sauf un. Pour dissiper toutes vos attentes, je précise que je ne me suis montrée entièrement nue que dans le film d'Anne-Claire Poirier *Les Filles du Roy*, tourné à l'ONF. Alors, à plus tard les fantasmes !

Denis donc, fort soucieux du confort de ses artistes, faisait toujours sortir ceux qui n'étaient pas indispensables au tournage. Restaient sur le plateau : Denis, la scripte, le caméraman et le gars du son. Or, ce soir-là, je vis deux hommes apparaître, comme par enchantement, et s'installer, immobiles, dans l'escalier du petit appartement où l'on tournait. Une fois le tournage et la reprise de la scène terminés, Andrée, semblant de plus en plus paniquée, s'en ouvrit à moi ; j'allai voir Denis pour lui demander – plutôt bruyamment – de faire sortir les deux « maudits cochons qui n'arrêtent pas de la dévisager ». Denis, stoïque, ne bougeait pas. Les deux types sont restés là (... même si Denis m'avait bien entendu ! Il refusait d'agir car, lui, savait de qui il s'agissait). On recommençait la scène lorsque Andrée éclata en sanglots. Ne faisant ni une ni deux, je me dirigeai vers les deux inconnus et, dans un langage très coloré, ordonnai aux « deux maudits gros voyeurs » de quitter la place. Je venais de mettre dehors les deux producteurs du film que je n'avais pas encore rencontrés.

Allez savoir pourquoi *Valérie* fit naître tant de réactions violentes. Et je ne parle pas nécessairement ici des réactions prévisibles, vu le propos du film. Dix ans après le tournage, je rencontrai dans la rue celui qui avait été en charge des éclairages du plateau. Il m'avoua avoir divorcé, en partie à cause du film.

– Ben voyons, comment ça ?

– Ma femme a pensé qu'on avait eu une aventure ensemble.

– C'est complètement idiot, elle-même a fait de la figuration et a tenu un petit rôle dans le film. Elle était là !

– Oui mais, en attendant, elle m'a poursuivi pour adultère et ton nom figurait sur la requête !

Comme je l'avais sous la main, je lui demandai, par simple curiosité, ce que ressentait un éclairagiste dont le travail consistait à isoler, sous ses réflecteurs, des segments de corps nus afin de les mettre en évidence. Je lui posai la question afin de tenter de m'expliquer tous ces battements de cœur qui se déclenchent de façon si impétueuse lorsqu'on se sent impudiquement fouillée par tant de regards, fussent-ils techniques.

– Le premier jour, c'est terrible, me dit-il. On ne sait plus où mettre les yeux. Le second, on te regarde pour voir si tu nous regardes et le troisième, on ne voit plus que la personne et l'objectif à éclairer.

J'en déduis qu'il y a autant de gêne à regarder qu'à être regardée. Finalement, c'est le spectateur, celui qui paie pour voir le film, qui se fait avoir, puisque tout est factice. Et ce n'est pas dans l'équipe de tournage que se retrouvent les voyeurs.

Mon partenaire masculin ne s'était pas imposé tout de suite. J'avais bien pensé faire donner le rôle à Michel Paje, mon amoureux de l'époque, mais il était « trop français ». On lui confia la musique de la production, de même qu'un rôle plus délicat : celui du premier amant de Valérie devenue prostituée. Je pensais, moi aussi, que ça simplifierait tout : accomplir des gestes naturels avec une personne que je connaissais vraiment me permettrait de surmonter ma pudeur. Or, les choses tournèrent au désastre. Le côté technique, bien sûr, allégeait les choses. Pourtant, une fois nus, installés l'un sur l'autre et devant limiter nos mouvements au plus strict minimum (tout geste étant scruté par le très sérieux Bureau de censure), avec en plus les draps soudés au corps à l'aide d'un collant double face, de façon à négligemment couvrir la partie sexuelle de notre anatomie, il se produisit une chose tout à fait inattendue : incapables de vivre ce moment à l'aise, une gêne immense s'installa entre nous, nous faisant réaliser à quel point nous donnions en pâture nos gestes les plus tendres et les plus privés, à une pellicule qui gobait tout sans en reconnaître l'intensité. Comme si ces gestes divulguaient, à une masse informe, les secrets de deux amants, soudain dépossédés de leur intimité. À la fin de la journée, Michel rentra chez lui et l'on ne se revit plus jamais comme amants. On se contenta de se parler au téléphone et il profita du moment où je travaillais le plus intensément pour regagner la France et préparer la musique du film qu'on lui avait confiée. Je le retrouvai à Paris où je vins enregistrer la chanson thème et doubler la bande sonore du film dans les studio S.I.F. Je ne le revis plus qu'une seule fois, au moment où je venais de gagner le prix Orange, avec Jean Duceppe, le seul hommage qu'on m'ait jamais rendu. Le prix comportait, entre autres choses, un voyage à Paris et sur la Côte d'Azur en compagnie d'une vingtaine de journalistes, dont Pierre Trudel (aujourd'hui recyclé au sport, mais qui travaillait alors comme « potineur » à *Échos Vedettes*), Carmen Montessuit, Marcel Brouillard (encyclopédie sur deux pattes et auteur d'ouvrages d'anthologie des chanteurs québécois), Jean-Paul Sylvain (chroniqueur mondain des pages du *Journal de Montréal*) et j'en passe. J'appris que Michel s'était marié, qu'il avait acheté plusieurs immeubles à Paris et qu'il vivait de la création de ritournelles publicitaires sous le nom de Michel Roy.

Pour en revenir au récit du choix de mon partenaire, Guy Godin était le choix de Denis. J'avais moi-même songé à Hervé Brousseau, un chansonnier de l'époque que je trouvais beau et sympathique, mais Denis m'était revenu avec sa sélection dont j'avais été ravie. Paradoxalement, à l'époque, Guy Godin animait une émission religieuse à Télé-Métropole. Il avait dû lui aussi être pris dans le même engrenage de témérité et de naïveté qui nous donnait la conviction d'avoir le contrôle des scènes plus osées. Si le choix de pouvoir dire non nous avait semblé une possibilité à la lecture du texte, il s'est vite révélé impensable au moment du tournage.

Je me souviens de scènes terribles qui menaient Guy à s'enfermer dans des mutismes inquiétants, réalisant sans doute sa vulnérabilité et la puissance de la machine cinématographique.

L'une de ces scènes nous marqua terriblement. C'est, avec la scène de mon arrivée en moto à Montréal, la séquence qu'on a montrée le plus souvent en promo. Guy jouait le rôle d'un peintre. À ce moment de l'histoire, le peintre est amoureux de la belle qu'il ignore être une prostituée! Je pose pour lui. S'ensuit, bien normalement pour le film, une séance d'amour torride sur le plancher du salon, peau d'ours et feu de foyer de rigueur, tout ça vu à travers l'aquarium et ses petits poissons. Dites-moi que ça se fait souvent ça! Bon, enfin... On était en 1968 et c'était l'érotisme à son paroxysme. Sauf qu'en réalité, c'était l'horreur. La scène devait se dérouler la nuit. On était en plein jour, au plus fort de la canicule de juillet. On a obturé les fenêtres avec un papier goudronné et allumé le foyer, malgré la chaleur. Ajoutez à cela que, pour mieux voir la scène qui se déroulait au ras du sol et parce que l'on ne pouvait me filmer sous un autre angle, on l'avait fait coucher sur une petite estrade, appelée dans le jargon du métier « boîte de pommes ». Le plateau ainsi surélevé permettait à Guy de m'embrasser sans donner un effet d'écrasement, puisqu'il était juché plus haut que moi. Cela lui permettait surtout de m'arroser en permanence de la sueur de son front, qui me dégoulinait dans la figure.

Animé d'une étrange fringale érotique, Denis exigeait des gestes toujours plus osés. Il n'était plus question de simples caresses sur les seins, mais bien de lèvres collées aux mamelons et de mains s'activant explicitement entre mes jambes. Pour créer un mouvement continu, nous n'avions qu'à suivre les instructions du réalisateur au fur et à mesure de l'action. Sans même nous concerter, Guy et moi avons fait corps dans la plus totale désobéissance. Nous nous faisions notre propre cinéma. Denis disait: « Descends plus bas! », Guy s'attardait sur des zones innocentes. Denis insistait. Guy allait plus vite dans le geste, coupant l'érotisme du moment. On avait l'impression d'êtres forcés. Qui plus est, nous sentions que, privés des limites de notre pudeur, nous perdions toute envie de faire voir et même de « prétendre faire ».

Oh bien sûr, il ne s'agissait ni plus ni moins que d'une journée de travail plus dure que prévue. Au point où nous en étions...

Et il a suffi que je vive, ce jour-là, un tout petit moment de détente entre deux prises, pour en comprendre la portée.

Au moment de la pause, Guy s'est levé, s'est isolé comme à l'habitude au fond de la pièce où je l'entendais marmonner des choses incompréhensibles. Je me suis approchée pour réaliser qu'il cachait son désarroi en chantant *L'important, c'est la rose*. Pour lui, l'enjeu était de taille. Avec une émission religieuse régulière à la télé, il avait vraiment tout à perdre.

Beaucoup plus tard, il m'a avoué qu'il était allé voir Robert L'Herbier, alors directeur du Canal 10, et que ce dernier lui avait assuré qu'il n'avait rien à craindre. Le succès du film lui valut-il d'être dispensé des convenances ? Les temps changeaient et le film y serait pour une grande part.

Quant à moi, j'ai vécu dans une angoisse terrible de la fin du tournage au visionnement du montage final et jusqu'à la sortie du film en salle. J'allais d'ailleurs accomplir un geste qui m'assènerait le coup de grâce. J'avais eu la peu brillante idée d'inviter Chantal Renaud et Donald Lautrec, son fiancé de l'époque, à la séance de prévisionnement. Une heure et demie plus tard, on sortait de la salle dans le plus grand des silences. Ça m'inquiétait. Dans la voiture, Chantal explosa :

– Voyons voir si ça a du bon sens ! Tu vas te faire tirer des roches ! On va te crier des noms ! Qu'est-ce qui t'a pris ? Et tes parents ? Tes pauvres parents. Moi, si j'étais toi, je renierais tout, je partirais à l'étranger, je me cacherais, je refuserais de me présenter à la première. Ta carrière est finie avant même de commencer…

Donald en a rajouté. J'étais stupéfiée.

Et je n'étais pas la seule. J'appris, 30 ans plus tard, de la bouche de Denis, que les producteurs avaient tenté de vendre le film avant même de le montrer à l'écran. S'il ne s'était pas opposé énergiquement à leur intention de se débarrasser du film avant la première, ils ne seraient pas aujourd'hui les heureux récipiendaires de tant d'honneurs pour leur vision inouïe de ce qu'allait être l'avenir! Un diffuseur avait offert d'acheter la production avant même sa sortie. André Link et John Dunning en avaient parlé à Denis, qui les avait convaincus de ne rien faire et d'affronter les réactions que *Valérie* allait sans nul doute provoquer. Denis avait sans doute évalué, tout comme nous tous d'ailleurs dans nos moments d'optimisme, que l'énergie dépensée pour cette production crèverait l'écran et lui donnerait une aura que bien peu de critiques pouvaient ternir. Il avait foi en ses soldats, et nous, en notre général.

Le film fit le tour du monde et fut acheté dans 40 pays. Le croirez-vous, j'ai même reçu avec plaisir des lettres du Japon dans lesquelles on m'écrivait que la superficie de l'affiche publicitaire du film couvrait deux toits d'édifices et qu'on m'y représentait de la tête aux pieds, couchée sur le côté, avec... des yeux bridés!

On m'envoya également une photo prise en Chine: des affiches, écrites en chinois, annonçant *Valérie* et *L'initiation*, présentés en séance double. Des touristes québécois avaient trouvé cette publicité sur un mur, à hauteur de la fenêtre du car à bord duquel ils visitaient la ville. J'ai reçu également, il n'y a pas longtemps, un courrier électronique d'un guide du Club Aventure, qui m'annonçait son heureux étonnement de trouver au Kenya la projection de *Valérie*.

En voici le texte: [...] *Je veux te faire savoir une nouvelle te concernant et venant directement du Kenya (Afrique). Je suis guide pour le Club Aventure et, à l'été 1997, j'ai constaté que ton film était présenté à Nairobi. Dans un pays où le cinéma est passablement censuré, ton film passait pour un film érotique et plusieurs Kenyans remplissaient la salle de cinéma. Les vieilles affiches qui avaient servi à la promotion, au moment du lancement du film, servaient encore de promotion à celui-ci en 1997. Même si le Kenya est une ancienne colonie anglaise, l'affiche était en français. J'étais drôlement étonné par l'événement et voulait de surcroît t'en informer.*

Salut à toi. Ali Baba « Larose ».

Mais ce qui m'a le plus étonnée fut un texte, à la une de *La Presse*, de la plume de son correspondant à Santiago, racontant qu'un couvre-feu imposé à la ville, à la suite de l'assassinat du dictateur Allende, n'avait pas empêché les foules de se presser aux représentations de *Valérie* données dans la salle située devant l'hôtel où il résidait. On avait « espagnolisé » mon nom. Le O était devenu la lettre Q et on pouvait lire Danielle Quimet sur l'affiche, orthographe qui est d'ailleurs restée dans tous les pays hispanophones, de même que – allez savoir pourquoi – dans certains coins des États-Unis.

En Angleterre, à Londres, le film devait tenir l'affiche six semaines sous le titre de *Wages of Sin*. Mais l'apothéose devait avoir lieu à Paris où le film sortit dans deux salles le 11 mars 1970 et où l'événement jouit d'une publicité encore jamais vue pour un film québécois. Classé « aventure érotique », le film fut vu par 24 853 spectateurs en moins de 15 jours.

En comparaison, *Les choses de la vie* de Claude Sautet, sorti la même semaine dans cinq salles, fit 39 977 entrées. La critique parla du film comme du véritable affranchissement du cinéma québécois qui, jusqu'alors, avait été considéré trop sérieux, trop souvent axé sur les grandes discussions et les préoccupations d'ordre idéologique !

Le film prit son envol au Québec en 1969, où le très sévère Bureau de censure devait sévir différemment d'une région à l'autre. L'Ontario, la prude, fut la dernière à retirer le bannissement imposé à *Valérie* tout au long de l'année de sa sortie. On avait voulu censurer deux scènes, ce à quoi Denis Héroux s'était farouchement opposé. Comme les décisions des bureaux de censure des autres provinces du Canada s'inspiraient de celles de l'Ontario, on s'inquiéta pour la carrière de cette production.

J'imagine que le succès remporté par le film partout au Canada les mit dans l'embarras, de sorte qu'en 1970 le premier geste de Keith Spicer, nommé directeur du nouveau Bureau de la censure du Canada, fut de permettre la diffusion de *Valérie* en Ontario. Étonnamment, M. Spicer me fit parvenir la première page d'un journal de Toronto affichant l'une des photos publicitaires du film (la photo changeait selon la ville). Celle-ci me représentait dans une baignoire en train de souffler, comme le font les enfants, des bulles de savon entre mes doigts. On avait superposé la tête de M. Spicer à la bulle. Un petit mot l'accompagnait : « Danielle, je vous en supplie, ne crevez pas la bulle. »

Il y a de quoi se payer la tête de soi-disant critiques cinématographiques ayant écrit que cette scène hissait Denis Héroux au rang d'un Roman Polanski, alors que la scène, en réalité, avait été accidentelle.

Assise dans la baignoire, j'étais en attente d'un nouveau plan. Trouvant le temps long, car il fallait refaire l'éclairage, je m'étais mise à faire des bulles. René Verzier, le caméraman, lui aussi en attente des changements, décida de vider le magasin (là où se loge la pellicule) en filmant au hasard les quelques mètres de pellicule qui lui restaient. Et comme la bulle était énooorrrrme, on a gardé la scène. Ah, les Grands Maîtres parfois !

Souvenirs de tournée

Pour en revenir à l'Ontario, Toronto m'invita au lancement, prévoyant une spéciale d'une heure et demie à la télévision sur ma visite là-bas. Je fis toutes les entrevues en anglais sans problème. Pour la première – histoire d'évoquer le peintre qui tombe amoureux de Valérie –, on me demanda de poser nue pour une classe de fusain, ce que j'acceptai de faire pendant de nombreuses heures. Jusqu'à ce jour, j'ai essayé de récupérer une esquisse faite en cette occasion et qui a longtemps traîné dans le bureau d'Orval Fruitman, le directeur de Cinepix, à Toronto. On l'a trouvée, puis égarée de nouveau, et puis... Bref, je ne l'ai jamais eue ! Une autre chose qui m'aurait fait plaisir et que je n'aurai pas encore.

Avant l'Ontario, durant toute la période de promotion du film, on m'avait envoyée en tournée à travers le Canada. Toute seule ! Route qui me réserva autant de surprises que de plaisirs nouveaux. J'en ai rapporté des souvenirs impérissables qui ont formé ma jeunesse, si peu conforme à la norme avec ses événements trop souvent démesurés.

J'ai tout connu, sauf une vie normale. J'aurais pu devenir horriblement détestable, si je n'avais pas considéré ce travail comme une partie de plaisir. Le vedettariat n'existait pas à l'époque, et ce n'était certainement pas moi qui allais inventer le genre. Un exemple. La ville de Halifax abrite un très important musée consacré au charbon. Pour m'en faciliter la visite, on ferma la galerie réservée aux mines. Comme on le fait pour les premiers ministres, on interdit à quiconque de s'y présenter tant que le gardien ne m'eut pas fait faire le tour des lieux. Devant ma fascination pour un morceau de pierre contenant des fossiles, mon gardien se saisit d'une seconde pierre et fracassa la première pour m'en offrir un important éclat. Une pièce de musée !

– Je dirai qu'un visiteur l'a cassée, a-t-il ajouté.

À Calgary, on m'arrêta à l'aéroport où d'imposants « Mounties » me menottèrent devant tout le monde. Pour tout vous dire, je fus envahie, pendant quelques minutes, d'une peur panique à l'idée que l'arrestation pouvait être réelle. On me donnait déjà tant de qualificatifs infamants que je crus que l'on m'arrêtait pour incitation à la débauche. Ce n'est qu'en écoutant la déclaration du policier que je compris qu'il s'agissait d'un rituel. En général, on réservait cette « cérémonie » aux dignitaires, Pierre Elliot Trudeau ayant eu droit à cet honneur une semaine avant moi. Le mois suivant, c'était le prince de Galles qui devait y passer. On me reçut White Hatter, me coiffant de l'emblème : un magnifique chapeau de cow-boy blanc. Ainsi coiffée, on me fit jurer au cours d'une cérémonie que je rirais à profusion de toutes les blagues salaces de la région en me tapant sur les cuisses pour marquer mon approbation ! Autres lieux, autres mœurs.

Le film provoquait régulièrement des scènes d'hystérie – parfois assez loufoques. À Vancouver, le soir de la première, on m'avait fait descendre devant le théâtre assiégé par un millier de personnes brandissant des pancartes portant des slogans comme : « Chassez cette putain hors de la ville ! Protégez vos enfants de la pornographie ! Ne vous laissez pas tenter par le diable ! » J'ai fendu la foule, toute petite dans mes bobettes, mais armée de mon plus beau sourire et braquant mon regard directement dans les yeux des porteurs de pancartes les plus hargneux. Le lendemain matin, à la radio, on louait mon courage et les salles se remplirent à craquer.

C'est aussi à Vancouver que j'eus à vivre une nuit mémorable. Sur place, on m'avait adjoint un fort gentil monsieur pour m'accompagner dans mes déplacements en solo. Je n'avais exigé qu'une seule chose : qu'il m'emmène voir l'hôtel près duquel Marilyn Monroe avait failli se noyer pendant un tournage. Il resta à mes côtés toute la journée, jusqu'à l'heure du souper à peu près, puis disparut dans la nature. Il disparut si bien que sa femme se mit à appeler ma chambre toutes les demi-heures, convaincue que je le cachais dans mon lit ! La première fois, c'était drôle. Mais la sixième ou septième fois, à 3 h du matin, tu te mets à avoir envie de mordre quelqu'un. Le moindre de mes gestes était entaché d'une image tellement sulfureuse, que même la réceptionniste, à qui j'avais demandé de retenir les appels, s'amusa à continuer le petit jeu.

Autre événement marquant. En arrivant par avion à Thunder Bay, toujours seule, l'hôtesse de l'air me demanda de me nommer avant de m'expliquer que je sortirais la première, car, le film n'étant pas encore projeté, on voulait s'assurer de mon identité. À l'ouverture de la porte, je m'avançai... Horreur! On avait déroulé un tapis rouge au bas de la passerelle tandis qu'une fanfare de 100 musiciens entonnait une musique quasi-militaire. Reculant, je déclarai à l'hôtesse:

– Il y a sûrement une personne importante dans l'avion. Y a plein de gens au bas de la passerelle.

– C'est pour vous!

– Ben voyons donc... Pourquoi?

Vraiment, je ne comprenais pas. Et je ne vous dis pas ça pour me vanter ou me diminuer.

Le maire de la municipalité était là. Dans ses mains, les clés de la ville. J'ai rarement été si gênée. Pour ceux qui me connaissent, cette gêne est évidente sur les clichés pris au pied de la passerelle et qui me furent remis par la suite. Mais encore faut-il que vous sachiez qu'en public je suis toujours profondément gênée. Un autre paradoxe!

Toujours au cours de ce voyage, si certains événements ont pu flatter mon ego, un incident mineur devait me faire reprendre mes sens. Avant mon départ, j'avais acheté une robe marine ultracourte, que je voulais porter pour le retour. Mon copain de l'époque était venu me chercher à l'aéroport. Nous devions nous rendre directement au restaurant Le Paris. Je venais à peine de m'asseoir quand je m'aperçus que toutes les serveuses portaient la même robe que moi. Ça vous ramène une vedette au bercail, ça, monsieur!

Mais l'événement le plus significatif aura sans doute été celui de la Saint-Jean-Baptiste et du défilé – l'année suivante allait avoir lieu l'émeute devant le podium où Pierre Elliott Trudeau avait pris place.

On m'avait demandé de défiler, en fin de cortège, dans une décapotable ouverte. Comme l'événement avait été publicisé, je reçus un appel pour le moins inquiétant. On menaçait de me lancer du vitriol si je me présentais à la fête. La direction prit la menace très au sérieux. Mais, voyez-vous, je n'ai pas l'habitude qu'on me dicte quoi faire de ma vie. En particulier devant une opposition secrète et punitive pour un comportement que je considérais normal. Assurément, si la direction acceptait de m'accorder une protection, je serais du défilé. On prit donc une assurance qui couvrait plus que la totalité de tout le cortège. Je portai des lunettes protectrices au cas où l'imbécile passerait à l'acte. Et je fis mon apparition encadrée par deux policiers à cheval qui fonçaient au moindre rapprochement de la foule, ce qu'ils furent contraints de faire à maintes reprises, car les gens tentaient de m'approcher pour obtenir des autographes.

C'est à cette occasion que s'illustra le plus bel exemple de l'écart de mentalité religieuse entre les hommes et les femmes. Passant devant le collège du Mont-Saint-Louis, je fus applaudie à tout rompre par les bons messieurs en soutane noire. Mais lorsque le cortège s'approcha du couvent des religieuses, elles se voilèrent les yeux comme si elles avaient aperçu le « yâbe » en personne ! Elles n'avaient sans doute pas digéré l'affront qu'on leur avait fait en tournant dans un couvent d'Ahuntsic. Cela s'était passé sous leur nez. On les avait éloignées du plateau pour le tournage durant lequel une petite couventine, flambant nue, fumait et fomentait un plan d'évasion avec « un homme ». Je défiais sans doute, à leurs yeux, à la fois Dieu et la morale.

Mais les curés, quoique plus ouverts d'esprit, n'étaient pas en reste... enfin, certains d'entre eux ! Nous allions tous les dimanches à la messe, ma mère y tenait tant ! Mais un jour où elle s'y présenta seule, elle dut se rendre à l'évidence que ça devenait de plus en plus gênant…

Par un beau dimanche, le curé était monté en chaire et, dans une envolée digne de Bossuet, avait annoncé qu'il avait un message important à transmettre à ses fidèles. *En vérité en vérité*, il était *terrribbblement* déçu de ses ouailles qui se délestaient de 1,75 $ pour contempler une fille qui, assurément, ne pouvait que les mener directement en Enfer, alors qu'ils ne donnaient même pas 1 $ à leur église qui, elle, promettait de les conduire au Ciel ! Ma mère prit dès lors l'habitude de faire ses dévotions d'autres jours que le dimanche et elle ne s'en porta pas plus mal.

Un incident d'un tout autre ordre maintenant. Le lancement de *Valérie* avait lieu à Verdun cette fois. Je devais visiter la salle l'après-midi, avant la représentation du soir. Pour l'occasion, l'établissement avait fait peau neuve. Avant, ce cinéma présentait exclusivement des films érotiques. Le maire, ayant décidé de changer l'orientation de l'endroit pour y présenter un cinéma grand public, avait pensé que *Valérie* ferait diversion sans heurter de plein fouet les habitués de la place. J'entrai donc dans le foyer de cette salle toute neuve pour tomber nez à nez avec le balayeur. Il me dévisagea outrageusement avec, au coin des lèvres, un sourire malicieux :

– Ah ben, vous, vous les battez tout's !

– Heu, je m'excuse… je bats qui ?

– Tous les autres films ! C'est moi qui balaie icitte. Pis c'est après votre film que je ramasse le plusse de capotes sur le plancher !

Je suppose que je devais prendre ça comme un compliment !

Un zeste de provocation...

Comment expliquer l'inexplicable? Il faut avoir vécu l'époque pour la comprendre. *Valérie* est arrivé sur nos écrans en même temps que le *flower-power*, que la nationalisation de l'électricité et que l'élection au pouvoir très chargée en émotions, controversées ou nationalistes, des Pierre Elliot Trudeau et René Lévesque. On avait vu exploser les bombes du FLQ, entendu de Gaulle lancer son fameux « Vive le Québec libre! » et contemplé les filles en minijupes et pantalons à pattes d'éléphant posés bien bas sur les hanches, un lacet leur ceignant le front, croquant des pilules anticonceptionnelles et fumant un joint dans une minivan en écoutant à tue-tête Robert Charlebois et Louise Forestier faire vrombir les hélices « d'Astro Jet, Turbo Jet, Whisper Jet » et même de leur tapis de Turquie... *Valérie* était donc davantage à l'image d'un fait de société que d'une fantaisie de réalisateur. Le film survint à une époque charnière d'éclatement religieux, culturel et politique où tout devait bouger, se transformer, provoquer.

J'ai eu l'immense chance de pouvoir profiter de cette période d'effervescence. Et je peux ajouter, sans fausse modestie, que je n'ai personnellement rien eu à voir avec les tendances de l'époque. N'importe quelle autre fille aurait pu faire le film, et Dieu sait qu'il y en a eu plusieurs à passer l'audition. Pourquoi moi? Mystère... Hasard... Il faut croire que je n'étais pas destinée à une vie comme les autres. Question de karma sans doute! Et je ne vais surtout pas m'en plaindre! En contrepartie, je dois assurément à mon éducation et à une famille plus que spéciale, cette stabilité qui m'a permise de ne jamais perdre pied. Encore aujourd'hui, tout en reconnaissant la chance qui fut la mienne, je ne vois d'autre avantage à toute cette gloriole que celle de m'avoir permis de continuer dans le métier et d'en faire encore partie. Et pourtant, je ne l'ai pas eu facile. On ne m'a jamais accordé de talent. Et lorsqu'on le fit, ce ne fut que pour mieux souligner qu'il passait par la facilité et la provocation.

On se plut, en outre, à la suite de *L'initiation*, à me mettre en nomination avec Chantal Renaud dans la catégorie « comédienne/ découverte de l'année » au fameux *Gala des artistes*, l'équivalent du *MétroStar* d'aujourd'hui. On me décerna l'honneur de lui remettre le prix sur scène ! Depuis, je n'ai jamais été mise en nomination pour quoi que ce soit en 40 ans de métier. Devrais-je en être troublée ? J'en suis plus peinée que troublée.

Ce n'est pas tant pour moi que j'aurais aimé recevoir un prix, mais pour ma mère qui y aurait pris tant de plaisir. J'aurais voulu pouvoir lui montrer que j'étais non seulement devenue celle qu'elle avait voulu que je sois, mais aussi que je recevais l'approbation des autres à travers cet hommage. Et à qui m'importerait-il de plaire aujourd'hui, maintenant que celle qui n'a jamais entretenu le moindre doute, le moindre reproche quant à mes choix, n'est plus ?

Il faut toutefois que j'admette avoir provoqué, et également que ce sont souvent mes parents, mes frères et ma sœur qui en ont subi les contrecoups ! Les médias de l'époque n'étaient guère tendres. Ma mère se faisait agresser jusque chez elle. Une publicité-radio faisait entendre un extrait de la bande sonore du film où Claude Préfontaine, qui tenait un rôle de sculpteur dans la production, disait : « Valérie, c'est la plus belle putain en ville. » On appelait ma mère à la maison pour lui demander comment allait sa putain ! Pour tout vous dire, afin d'éviter le risque de devoir porter un jugement, mes parents n'ont pas voulu voir le film. Je suis donc arrivée à la première officielle, le 2 mai 1969, au bras de Michel Girouard. Il y avait eu une avant-première le 28 avril et, comme la presse s'y était déchaînée, mes parents avaient préféré s'abstenir.

Mais le plus bel exemple de bigoterie provient encore du journal *Le Devoir*, sous la plume de Guy Moreau. Une belle démonstration du chemin parcouru dans l'évolution des mœurs. Jugez par vous-même ce beau morceau d'anthologie... un poème:

Même si la plupart des critiques d'art cinématographique sont unanimes à qualifier le film Valérie *d'échec artistique; même si l'Office des communications sociales a donné à ce film la cote d'appréciation 6, c'est-à-dire médiocre quant à la valeur artistique de l'œuvre; même si le public est très bien informé, soit par la publicité qui entoure la présentation de ce film, soit par les personnes qui ont déjà assisté à la projection de ce film, qu'il s'agit-là d'une œuvre vulgaire, remplie de scènes gratuites de déshabillage, de nudité, de fornication, d'exhibitionnisme et d'adultère.* Valérie *n'en continue pas moins de remporter un grand succès commercial au Québec, depuis plusieurs mois. Il ne sert à rien de blâmer à ce sujet le coûteux et inutile Bureau de surveillance du Québec dont l'unique préoccupation semble bien être celle de veiller à ce que les films présentés au Québec soient d'un niveau d'immoralité comparable à celui des films qui sont présentés dans les pays occidentaux où la décadence des mœurs est la plus avancée. En effet, c'est surtout la population catholique du Québec qu'il faut blâmer, puisque c'est elle qui assure, par sa seule présence payante dans nos salles de cinéma, le succès financier de ce film scandaleux, comme elle l'a fait à l'égard d'autres films étrangers du même acabit, depuis quelques années.*

Ô femme québécoise... Après t'être laissée séduire par les tenants de la pilule; après avoir adopté la minijupe que tu portes avec une légèreté déconcertante jusque dans nos églises; après t'être emballée pour des modes vestimentaires de plus en plus immodestes que tu portes non seulement sur les plages et dans les parterres, mais aussi sur la rue et jusque dans les centres d'achat; après avoir consenti à assister à des spectacles indécents dans les clubs de nuit; après avoir toléré qu'on affiche ta nudité dans une foule de journaux et de revues à sensations, voilà maintenant que tu t'exhibes, toute nue, sur nos écrans, comme un «objet» offert aux regards impudiques de la foule accourue là pour satisfaire une curiosité malsaine... As-tu donc oublié que toi aussi tu as été rachetée par le Sang du Christ? As-tu donc oublié les enseignements de ton Dieu dans la Bible: tu ne commettras pas d'impuretés... Malheur à celui par qui le scandale arrive. Bienheureux les cœurs purs, car ils verront Dieu... Ô femme québécoise... Si les expressions « dignité » et « charité » envers le prochain signifient encore quelque chose pour toi, oublie ta vanité, renonce aux modes indécentes et rhabille-toi... Et surtout n'encourage pas par ta présence et tes commentaires favorables la présentation de spectacles dégradants et humiliants pour toi... Nos regards d'hommes n'en seront que plus purs, et notre estime pour toi plus grande... Peut-être, alors, réussiras-tu aussi à nous détourner nous-mêmes de ce genre de divertissements... Ô femme québécoise... Si, comme je le crains, mon appel ne te semble pas suffisamment autorisé, réfléchis quelques instants sur ce qu'écrivait le pape Paul VI, le 25 juillet 1968: « Tout ce qui, par les moyens modernes de communication sociale, porte à l'excitation des sens, au dérèglement des mœurs, comme aussi toute forme de pornographie ou de spectacles licencieux, doit provoquer la franche et unanime réaction de toutes les personnes soucieuses du progrès de la civilisation et de la défense des biens suprêmes de l'esprit humain. Et c'est en vain qu'on chercherait à justifier ces dépravations par de prétendues exigences artistiques et scientifiques ou à tirer argument de la liberté laissée en ce domaine par les Autorités publiques. » *(Cf. Enc. Humanæ vitæ, par. 22, al. 2)* Valérie, *mes amis et moi avons pris notre décision, nous n'irons pas te voir au cinéma...* »

Il ne devait pas avoir beaucoup d'amis! Comme on aurait dit à l'époque: « Ça devait être une vraie usine à masturbation, ce bonhomme! » Remarquez que j'étais la seule, avec mes petits camarades de travail, à rire abondamment du résultat final. Il y a loin de la technique pour arriver à un effet, à l'effet lui-même. L'illusion est parfois phénoménale et ses effets imprévisibles. Rien que pour m'amuser, j'aimais aller observer, incognito, la tête des gens en file devant le cinéma Le Parisien au centre-ville. Certains jours, les gens étaient si nombreux qu'il leur fallait attendre trois séances avant de pouvoir s'asseoir. La queue rejoignait la tête, ce qui veut dire que la foule contournait le cinéma de la rue Sainte-Catherine en passant par le boulevard Dorchester (aujourd'hui René-Lévesque), et ce, même les jours de grosse pluie. Je n'y comprenais rien. Je n'y comprends toujours rien. Mais bon ! Oserais-je m'en plaindre ?

L'initiation

On avait finalement terminé *Valérie* et, neuf mois plus tard – phénomène extrêmement rare pour les productions québécoises de l'époque –, tout le monde avait de l'argent en poche et ne songeait qu'à réitérer l'exploit. Denis Héroux m'avait d'abord offert le premier rôle de *L'initiation*, pour me le retirer par la suite, en m'assurant qu'il m'offrait en échange un rôle tout aussi important. À la lecture du scénario, je me suis pourtant vite rendu compte que je restais la « sexuelle », tandis que la vedette héritait du rôle de la « romantique », non seulement plus intéressant, mais assurément plus en harmonie avec mes aspirations. Ce fut donc dans la déception que j'abordai mon deuxième film. Comble de l'ironie, Denis avait choisi Chantal Renaud pour le rôle principal.

Ce n'est que 30 ans plus tard, alors que j'interviewais Denis, que je compris enfin son choix. Il m'expliqua qu'il avait choisi Chantal, en grande partie en raison de sa réaction lors de la sortie de *Valérie*. Vous vous souviendrez qu'elle m'avait alors descendue en flammes parce que j'avais accepté un rôle aussi osé.

Pour Denis, choisir Chantal coïncidait avec sa version de ce que l'on appelle la justice poétique : une façon élégante de la rendre consciente du poids de ses paroles blessantes en la plaçant face aux choix qui avaient été les miens lors de la production de *Valérie*. Denis pouvait être machiavélique parfois. Sa décision partait peut-être d'un bon sentiment, mais j'aurais aimé qu'il me l'explique à ce moment-là, ce qui, du reste, ne m'aurait sans doute pas davantage donné l'envie de faire le film. Denis promettait de me rendre belle au-delà de toute espérance sur la pellicule couleur, sans parler de la lentille magique de René Verzier. Le grand privilège de pouvoir tourner avec lui prenait le pas sur ma déception et sur la moindre velléité d'abandonner que j'aurais pu avoir.

Je n'aimais assurément pas le film pour ce qu'on m'y faisait faire. Heureusement, le tournage s'est déroulé dans des conditions idéales et l'on s'est amusé ferme. Je suis même devenue l'amie de Chantal et complice de tous ses petits secrets, une fois qu'elle eut rencontré Jacques Riberolles, qu'on avait fait venir de France, question de donner un caractère international au produit. Elle l'épousa d'ailleurs par la suite. Nous vivions dans le même motel de Sainte-Adèle, dans les Laurentides, tandis que l'action se déroulait en grande partie à Sainte-Marguerite-du-Lac-Masson. Si je n'étais pas en reste, Chantal, par contre, était plus populaire que moi. Elle affichait un air de femme-enfant sous lequel elle camouflait « la femme », sauf lorsqu'il lui fallait donner de l'assurance à ses mouvements, ce qui allait tout à fait à l'encontre de sa nature. Elle entretenait une image très mode Carnaby Street-Mary Quant (une dessinatrice de mode londonienne des années 70, qui avait imposé la minijupe et... la mannequin Twiggy) et se peignait pour ce faire, une à une sur les joues, des taches de rousseur dont elle avait fait sa marque de commerce. Ça lui donnait un petit air « boîte à surprise », qui lui permettait de se démarquer des autres chanteuses.

Durant tout le tournage, elle s'était questionnée sur son travail, se demandant si elle faisait correctement ce qu'on lui demandait. Denis me raconta, par la suite, les longues, très longues séances de justification de sa nudité dans le film. Il me décrivit plus particulièrement une terrible scène de pleurs et de panique sur le plateau au moment où, amoureuse et séduite par son bel écrivain, elle devait se déshabiller pendant que lui restait vêtu. Elle se trouvait moche, n'aimait pas ses seins, se plaignait que la naissance de son fils l'avait abîmée. Tout ça ne résidait évidemment que dans sa tête, et Denis ne lâchait pas prise. Ce qui devait être fait, serait fait. Riberolles, touché sans doute par un tel malaise, en vint à protéger Chantal en la couvant amoureusement. Il la prenait dans ses bras pour cacher en partie sa nudité. Elle avait gagné. N'eût été du charisme de Denis ou du fait qu'elle ait décroché le premier rôle, elle n'aurait pas accepté de tourner dans ce film. De toute façon, elle n'aimait pas le côté factice du métier, qui l'amusait tout au plus. Pas plus d'ailleurs que celui de chanteuse, qu'on lui avait taillé sur mesure, ce qui ne l'empêchait pas de faire son métier consciencieusement. Deux de ses succès tournaient sur les ondes à cette époque. Je me souviens de *Comme un garçon* et de *Bevete piu latte*. Elle fuyait systématiquement les médias et, lorsqu'à bout d'arguments elle ne pouvait les éviter, elle racontait des futilités qui étaient gonflées à l'écriture. Cela lui donnait une image de mystère, qu'elle ne cultivait pas, mais derrière laquelle elle pouvait se cacher.

La chance était de son côté, car c'est sur le plateau de *L'initiation* qu'elle rencontra celui dont elle devait tomber éperdument amoureuse et pour lequel elle allait s'exiler à Paris. Parmi les potins que génèrent immanquablement l'abandon du métier, un départ et l'aura particulière dégagée par les intouchables, on me raconta qu'elle n'avait pas eu la vie facile avec cet homme. Si ma mémoire est fidèle, c'était un joueur invétéré qui gagnait gros pour ensuite tout perdre et s'endetter horriblement.

Mais elle lutta contre vents et marées, restant auprès de lui jusqu'au jour où il fut emporté par un cancer, je crois. Superbrillante, super-imaginative, elle mena, en France, une belle carrière de scénariste, qui marche encore très fort et qui lui a valu des louanges à la cérémonie des césars, l'équivalent des oscars américains. Depuis le décès de son fils unique dans des circonstances tragiques, elle a vécu entre la France et le Québec. Son second compagnon fut Olivier Carmet, le fils de Jean Carmet. Quant au reste, cela appartient à l'histoire, puisqu'elle est maintenant l'épouse de Bernard Landry. Je l'ai revue une fois au *Gala de La Presse*, puis en entrevue à CKAC lors d'une émission sur la décoration, que je coanimais avec un ami qui m'est très cher, Philippe Dagenais, designer de très grand talent. Chantal est toujours agréable, chaleureuse et curieuse. Enfin heureuse, elle a vraiment trouvé sa voie dans l'écriture.

Les rôles masculins avaient été distribués à Gilles Chartrand (décédé depuis), Daniel Gadouas, Michel Girouard, Jacques Zouvi (également décédé, en 1987, dans un tragique accident de la route sur le pont Jacques-Cartier). Parmi les femmes, à part les contributions spéciales de Janine Sutto qui jouait ma mère et de Béatrice Picard dans le rôle d'une douanière, j'ai dû partager la vedette avec Céline Lomez et Louise Turcot. Céline avait à peine 16 ans au moment du tournage. Ça frisait l'illégalité. Ses parents avaient signé une décharge, mais on la faisait tourner nue tout de même. Je me souviens d'un détail… assez choquant, alors que nous tournions une scène dans un sauna. L'effet de buée était provoqué par de la glace artificielle et on nous aspergeait le corps d'huile et d'eau pour simuler la sueur. Mais Céline avait une poitrine aux mamelons « timides » et pour leur donner une belle « prestance », on lui avait demandé de les badigeonner avec un glaçon avant chaque prise. J'étais terriblement gênée pour elle. Or, dans des situations semblables, quand on impose quelque chose de désagréable à quelqu'un que j'aime, j'ai l'habitude de ruer dans les brancards, mais je n'étais pas dans une position qui me permette de le faire. Je ne me considérais pas comme une vedette, ce qui me mettait de fort mauvaise humeur, au point de me dissocier du groupe au moment du repas du midi, moment sacré entre tous, car il nous insufflait de l'énergie pour le restant du parcours.

J'aimais tourner. Mais je détestais ce qu'on me faisait faire. Ajoutez à cela que Denis Héroux avait changé de femme et imposait sa nouvelle compagne comme scripte de plateau. Marie, sa première épouse, avait fait *Valérie* et avait été adorable. Sa seconde fit *L'initiation*. Elle ne m'aimait pas ! Ce n'était pas idéal pour alléger l'atmosphère.

La scène du sauna se révéla finalement fort avant-gardiste. Toujours au Festival des films du monde, 30 ans plus tard, Guy Fournier, assis près de moi durant la projection, me fit remarquer que, plusieurs années plus tard, on avait repris le thème des femmes discutant dans un sauna dans *Le déclin de l'empire américain*. Tout est dans les yeux de celui qui regarde ! Ce qui avait été cochon et voyeur dans *L'initiation*, devenait du « grand art » dans *Le déclin* !

Une histoire d'eau

L'initiation fut tourné à l'automne, comme mon premier film. À chaque scène, nous avons gelé comme des rats.

Dans *Valérie*, on m'avait plongée, vêtue seulement d'un jean, dans un lac où l'on avait dû casser la glace pour m'y faire entrer, me recommandant bien de ne pas respirer en nageant, car la buée sortait de ma bouche. En plein tournage, un nuage capricieux était venu assombrir la scène. Sans se démonter, on avait approché au bord de la grève les voitures de l'équipe, le chauffage allumé pour que tout le monde s'engouffre au chaud en attendant le retour de « Galarneau ». Quant à moi, je fus laissée seule dans la flotte. Denis craignait que de trop grands écarts de température puissent nuire à ma santé !

Au début de *L'initiation,* je dus, une fois de plus, subir le froid de l'automne laurentien, dans la scène de la piscine, où je suis grondée par Janine Sutto dans le rôle de ma mère. Mais, en rétrospective, le plaisir éprouvé à jouer certaines scènes en chasse tous les désagréments.

Je repense à celle tournée avec Serge Laprade, qui est devenue l'une des pièces maîtresses du film. Nous devions simuler l'amour dans la chambre de mes parents partis en vacances. Nous étions dans un magnifique grand espace et Denis avait eu l'idée de filmer le tout de l'extérieur, à travers la vitre panoramique. Un petit coup frappé au carreau signifiait que la caméra tournait, et deux coups voulaient dire que tout était arrêté. On l'a fait une fois, puis deux…

– Ça ne marche pas. On ne vous voit pas. Danielle, mets ta tête au pied du lit, et tentez tous les deux de jouer le plus possible en direction de la caméra.

On a recommencé. Avantagé par l'angle qui le dissimulait un peu, Serge se démenait comme un beau diable. Feindre le plaisir n'est pas évident. Le faire avec un ami qui porte sous les draps une petite culotte rouge est hilarant en soi. Mais le faire sous le regard de tout le monde est affolant. Et tenter d'atteindre le nirvana, fût-il cinématographique, quand tu as surtout envie de rire, est positivement terrifiant.

Serge, pour alléger la situation et au lieu de m'embrasser comme il l'aurait dû, s'amusait à souffler de l'air sur mon ventre comme on le fait aux bébés pour les faire rire. Jusque-là, je résistais assez bien, un rictus au coin des lèvres, qu'on pouvait toujours prendre pour une expression d'extase. Pour me déprendre de ces chatouillis, qui ne faisaient décidément pas sérieux, je me débattais autant que lui, ce qui avait pour effet de me faire glisser la tête, le cou, puis les épaules, voire le dos jusqu'à ce que je sois presque entièrement hors du lit. Pour me retenir, je me raccrochais à ses bras, à ses épaules, aux draps, à tout ce qui me tombait sous la main pour arriver à rester dans ce satané lit. Inutile d'ajouter que je n'avais pas envie de recommencer la scène.

Il faut préciser que Denis était déjà venu nous prévenir :

– … la pellicule couleur coûte cher !

De plus, nous avions vu poindre la petite culotte rouge de Serge sous les draps. Ce qui devait être la scène sexuelle du siècle est devenu pour nous une partie de rigolade et de contorsions plus acrobatiques qu'érotiques, mais tout de même du plus bel effet. Du Buñuel !

Je me souviens de notre réaction le soir de la première. Serge et moi étions écroulés de rire sur nos sièges, tandis qu'autour de nous, la bouche entrouverte, les yeux rivés sur l'écran, certains invités haletaient pendant que d'autres retenaient leur souffle. Chose paradoxale que ce soit là-dessus que se construisent souvent les mythes. Et, on le sait, les mythes ont la vie dure. Dernièrement, j'invitais chez moi François Cousineau, l'auteur de la magnifique musique du film (et de la chanson qui a surtout fait connaître l'œuvre interprétée par Diane Dufresne), qui me dit, heureux de le confirmer, qu'il avait composé la musique devant dégager l'ambiance de cette scène avec autant de fougue que s'il avait été à la place de Serge Laprade. C'est bien pour dire, hein ! Je n'ai pas voulu le désillusionner !

Cela dit, Diane Dufresne a dû beaucoup aimer cette chanson car, bien qu'elle ne semble pas passéiste, elle a ouvert son spectacle sur la scène du Centre Bell en 2000 avec cet air joué par l'Orchestre symphonique de Québec. Ce fut magistral. Et je me suis surprise à penser que j'étais sûrement, ce soir-là, la plus touchée de tous, par cet hommage rendu à l'immense talent de François.

Rumeurs providentielles

Le film fit un malheur. Dans *L'initiation*, c'est 25 % de son salaire que Denis avait risqué cette fois-ci. Quant à moi, j'eus droit à un beau montant de 5 000 $ tout rond, sans droits de suite, évidemment. Pour la première, je m'étais fait confectionner une robe signée Yvon Duhaime, un styliste très à la mode, costumier à Radio-Canada. Elle était en velours rouge, sage de prime abord, mais dès que je retroussais la jupe, elle révélait des jupons encerclés d'un nuage de froufrous rouge métallique. J'ai encore cette robe, une pure merveille. Michel Girouard était à mon bras ce soir-là.

Quoi de plus providentiel qu'une belle histoire d'amour avec rebondissements dramatiques pour alimenter la sortie d'un film. Chantal Renaud, qui habitait au chic immeuble Cartier du centre-ville avec Donald Lautrec, avait décidé de se séparer et de courir se réfugier entre les bras de son beau Français. Donald ne l'a pas pris. Les scènes entre eux, disait-on, étaient de plus en plus mélodramatiques. On a même parlé, dans les journaux de l'époque d'une tentative de suicide. Il se serait lacéré les poignets. Chantal, outrée par cette situation, l'aurait quitté. Il l'aurait poursuivie dans les corridors en perdant son sang sur les murs et les tapis… Vrai ? Faux ? C'est du moins ce qui était dit en coulisse et en partie écrit dans les journaux. Une fois répandue, la rumeur n'a jamais réussi à se calmer, et a fort bien servi les intérêts du lancement. Car c'est lors de la conférence de presse tenue dans une discothèque qui avait pris le nom de L'Initiation, et dont on fêtait l'inauguration pour l'occasion, que Chantal annonça, très théâtralement, sa séparation d'avec Donald. Elle ne l'a pas fait pour le blesser, mais probablement pour souligner le chantage émotif auquel il l'avait soumise. Pour la circonstance, Donald avait lancé une chanson signée Robert Gauthier, au titre évocateur de : *Le mal de toi*.

Le premier couplet allait comme suit :

Blessé comme un chien
Je mords la poussière
Je souffre et j'ai mal
Comme un animal...

Chantal était d'une farouche individualité et ne permettait à personne d'envahir son espace vital sans son consentement. Je l'admirais beaucoup. Il fallait une sacrée dose de détermination pour ne pas plier sous la charge émotive. Droite elle était, et debout elle restait.

Les critiques se sont faites particulièrement vicieuses après la sortie du film. On en voulait beaucoup à Denis de son succès. Comme si on l'accusait de vendre son âme au diable, et comme si l'argent pouvait détruire son talent. Le bon vieux mythe, à l'effet que l'art, le vrai, ne se vit que dans la douleur et le renoncement aux plaisirs de ce monde, avait la couenne dure.

Je m'en voudrais de ne pas souligner le chef-d'œuvre ultime, dans ce qui s'est proféré de plus ordurier. Je veux parler de la réaction de Pierre Brousseau, qui œuvre toujours en cinéma en ce moment, mais qui était journaliste à l'époque et époux de Mariette Lévesque. Je vous rappelle que Mariette avait auditionné pour le rôle de Valérie.

Déjà, lors du lancement de *Valérie*, il avait écrit un article dans lequel il s'apitoyait sur mon sort, parce que, soi-disant sans talent et déficiente en intelligence, je ne me rendais pas compte que les articles dans les journaux n'étaient qu'un complot des producteurs visant uniquement à gonfler mon ego. Selon lui, mon unique plaisir, ma seule motivation n'auraient été autres que de me voir à la une des quotidiens. Ces manchettes, habilement obtenues par mes producteurs, auraient servi à m'entretenir dans l'illusion que j'étais une vedette consacrée, en foi de quoi ils pouvaient se permettre d'abuser de moi inconditionnellement. Situation que la carriériste que j'étais – selon lui – devenue acceptait, faute de s'en rendre compte.

L'article de Brousseau titrait: «*L'initiation*, c'est pourri!» Et il poursuivait: «[...] un vulgaire film de sexe sans véritable érotisme. Un produit d'amateur sans talent... Dans aucun pays du monde, on ne parle des films de cul.» Il avait oublié *I, a Woman* du réalisateur suédois Mac Ahlberg (1965); *Je suis curieuse, jaune* du Suédois Vilgot Sjöman (1969); et plus tard *Emmanuelle* de Just Jaekin (1974).

Il ajoutait, fielleux: «Ici, on est en train de leur consacrer nos premières pages et de créer un cartel des médias pour lancer leurs cochonneries. Quand je dis "cochonneries", je n'entends pas ces ridicules petites parties de fesses de *L'initiation*, où tout le monde éclate de rire, tellement il est évident qu'Héroux n'y entend rien et n'a surtout pas le talent minimum nécessaire pour être érotique... Une véritable petite merde pelliculaire: un peu comme ces *slots machines* où, pour cinq cents, on tourne la manivelle pour voir défiler une série de cartes jaunâtres sur lesquelles figurent d'affreuses putains à poil. *L'initiation*, c'est aussi minable que ça. Et qui plus est, c'est pire que *Valérie*. Peut-on descendre plus bas que ça?»

Au sujet de ma prestation, il ajoutait: «Ce pas de Danielle dans la direction des films pornos est irrévocable: une grande partie de la population ne lui pardonnera jamais. Mais Danielle se croit une star arrivée et absolument rien ne pourrait lui faire croire qu'elle n'est pas dans la bonne voie. Regardez-la aller: elle marche dans les nuages et regarde les gens comme le fera Francine Robert [note de D.O.: jeune fille aux lèvres et à la poitrine pulpeuses, qui avait gagné le titre de Miss Cinéma à l'époque] dans cinq ans, si jamais elle fait encore quelque chose. Ça fait pitié.»

Parfois, je suis très heureuse que les écrits restent. Cher monsieur Brousseau, puis-je me permettre d'espérer que vous avez acquis, dans votre métier actuel, l'art de porter de meilleurs jugements. Mais au fait, c'est vrai, que faites-vous en ce moment ? Ah bon, vous travaillez pour une maison de distribution de films qui a racheté les droits de certaines productions. Mais dites-moi ? N'est-ce pas justement celle qui distribue mes films sur des canaux spécialisés sans que je ne touche un sou ? Parlant de ma vulgarité, vous repasserez !

Le rouge aux lèvres

J'étais à Cannes pour la promotion de *L'initiation*. Je ne me rappelle plus qui de Denis Héroux ou de Cinepix m'avait suggéré une rencontre au Carlton avec le producteur français Henry Lange, pour un nouveau film qui devait se faire en Belgique, quelques mois plus tard. Mais cette rencontre était loin d'avoir pour moi la même importance que celle prévue avec Roman Polanski.

M. Polanski avait vu mon film et avait demandé à mes producteurs de me rencontrer lors d'une réception privée. On lui prêtait une réputation nimbée de relents sulfureux. Ça me dérangeait un peu, mais je tenais à le rencontrer tout de même. Pour cette deuxième visite à Cannes, mon amoureux montréalais, Mastantuono, présent à l'événement et flairant ma possible défection vers des cieux plus glorieux, décida d'imposer sa présence à la visite du producteur.

Redoutant les confrontations par-dessus tout, je m'esquivai, remettant la rencontre à plus tard. Mais plus tard fut trop tard ! Je ne rencontrai jamais Polanski. J'ai toujours pensé, par la suite, que ce rendez-vous aurait pu éventuellement modifier tout mon avenir cinématographique. Autre raison d'en vouloir amèrement à cet homme qui a bouleversé le cours de ma vie.

Nous vivions, dans les années 70, une période de grande permissivité sexuelle et je redoutais comme le diable les auditions dont le but premier était de profiter « de la chair fraîche » et de la naïveté des postulantes, en promettant n'importe quoi.

Fort heureusement, j'ai eu la chance d'être couvée par Denis, très protecteur à mon égard. Et nombre d'amis du métier, à commencer par Pierre Lalonde, étaient là pour me mettre en garde.

Des études de comportement soulignent que tout se joue dans les 30 premières secondes d'une rencontre, le reste n'étant que le déploiement de la structure de notre conditionnement. Ça s'appelle l'instinct et c'est un comportement très utile en cinéma. Dans ce dédale de bonne et mauvaise foi, certaines rencontres sont dominées par le « sexuel » au détriment de la raison, alors que pour d'autres, c'est le contraire qui s'applique. J'étais toutefois assez mûre pour comprendre que « coucher » ne garantissait pas nécessairement le rôle. Et s'il y avait une chance de perdre, pourquoi payer d'avance ?

Toujours est-il que j'appréhendais cette rencontre avec Henry Lange, au bar du Carlton, puisqu'il était le premier producteur, hors les murs de Cinepix, à demander à me voir.

Pourtant, à peine 15 minutes après le début de l'entrevue, il m'annonçait qu'il m'engageait. La rencontre m'avait tellement traumatisée qu'à peine sortie de l'hôtel, j'y retournais pour vomir tout mon repas dans la cuvette des toilettes. J'allais enfin accéder à mon rêve le plus fou : tourner hors du Québec. Et pas avec n'importe qui, mais avec Delphine Seyrig. Le film s'intitulait *Le rouge aux lèvres*. Dans certaines parties du monde, on l'a aussi baptisé *Les lèvres rouges* et, dans les pays anglophones, *Daughters of Darkness* (« Filles des ténèbres »). Le film n'obtint pas un grand succès à sa sortie au Québec. Par contre, ce drame de vampires psychologique est toujours aujourd'hui un

« classique » aux États-Unis, tout comme Dracula et Frankenstein. Je reçois sporadiquement des demandes d'interview d'auteurs de thèses, de dictionnaires, ou d'articles sur le cinéma fantastique. Étant donné que Delphine, qui avait l'habitude de donner des conférences dans les universités américaines, est malheureusement décédée, c'est avec le plus grand des plaisirs que je réponds à leurs questions concernant la production.

Le film, qui devait se faire en Belgique, devint vite une épreuve de force. En effet, l'ennui lors du tournage d'un film de vampires est qu'il demande l'obscurité totale et impose un tournage de nuit. J'allais donc vivre, pendant deux mois, dans la noirceur presque totale. Dans notre hôtel de Bruxelles, par exemple, afin de ne pas déranger la clientèle le soir, nous devions tourner de jour en obturant les fenêtres avec du papier goudronné.

Dès la première rencontre, le réalisateur du film allait se révéler le pire cauchemar de ma carrière. C'était une espèce d'être asexué, bourré de fantasmes, n'existant que par son métier. Et, pour mieux combler son besoin de dominer, ce grand indécis allait m'imposer chacune de ses frustrations. Dès le début des répétitions, je devins son souffre-douleur. Il est vrai que j'avais moins d'expérience que les autres. Mais il lui était très clairement apparu que, lui ayant été imposée par les producteurs et ne coûtant rien à la production (c'est Cinepix qui payait mon salaire, s'assurant ainsi les droits de distribution au Canada), je n'étais pas là pour mon talent, ce qu'il ne ratait pas une occasion de me faire sentir.

Pour pallier cette lacune, je brûlais de l'envie légitime de lui montrer de quoi j'étais capable et travaillais d'arrache-pied. Puisque j'étais arrivée, à la demande du réalisateur, une semaine avant le tournage, celui-ci nous fit répéter le texte d'une façon monocorde. Il partait du principe qu'en se le mettant en bouche sans tonalité, il allait surgir de façon naturelle par la suite devant les caméras. C'était « une école », et je dois avouer que tout réalisateur qui agirait ainsi maintenant obtiendrait sans doute de bons résultats. Ses méthodes me furent, en tout cas, bénéfiques.

Il fallut cependant se rendre à l'évidence que le film devait se faire en anglais, la barrière des langues étant devenue insurmontable. Je me retrouvais avec Delphine Seyrig, de France, John Karlen, des États-Unis, et Andrea Rau, d'Allemagne, de même qu'avec le remarquable Fons Rademakers, l'équivalent néerlandais d'un Marlon Brando. Outre le français, Delphine, le réalisateur et moi parlions anglais, mais Andrea et John ne pouvaient pas prononcer un traître mot de français. De toute urgence, on dû traduire le texte sur place. On allait donc tourner en anglais.

À nouveau, je portais le prénom Valérie et, comme j'avais tout de même un petit accent français en anglais, on me fit prendre des cours de phonétique. Par manque de temps, finalement, on m'inventa une nationalité norvégienne ou suisse, je ne me souviens plus trop.

Je tenais un rôle important. Le scénario voulait que je sois nouvellement mariée à un homme rencontré quelques mois plus tôt. En plein voyage de noces, une panne de train nous forçait à rester dans un hôtel en bord de mer, étrangement vide en cette période de l'année. Au dîner arrivait une femme magnifique, accompagnée de sa gouvernante Ilona. Légèrement apeuré, le portier nous apprenait qu'il s'agissait de la comtesse Élisabeth Bathory, déjà descendue dans cet hôtel, il y a fort longtemps, et qu'elle n'avait jamais changé d'apparence en dépit des années.

En peu de temps, celle-ci se mettait à prendre beaucoup d'ascendant sur moi, parvenant à me séparer de mon mari, Stephan. Nous allions finalement le tuer ensemble. Elle prit aussi le dessus sur sa gouvernante qui allait mourir à son tour.

Me ralliant finalement à sa cause, je devenais vampire. En fait, tout le monde mourait dans cette histoire, sauf mon personnage.

Ce scénario était tiré d'une histoire vraie, devenue légende et basée sur la vie de la comtesse Élisabeth Bathory, née en Hongrie en 1560. Nièce du roi de Pologne, on la surnommait « la comtesse sanglante ». Cette femme de la noblesse hongroise croyait qu'elle pouvait accéder à la vie éternelle en se baignant dans le sang de jeunes vierges qu'elle faisait assassiner au cours d'épouvantables orgies. Longtemps protégée par son rang, elle ne put cacher éternellement la disparition mystérieuse de 600 jeunes filles, toutes à son service. Arrêtée par l'un de ses nombreux amants, car elle « donnait » dans les deux sexes, elle fut traduite en justice et condamnée à être emmurée vivante dans son château, jusqu'à ce que mort s'ensuive. Quelques années plus tard, on décida d'ouvrir cette étrange chambre mortuaire et l'on ne retrouva aucune trace de son corps. D'où la légende qu'elle serait devenue vampire et que, depuis, elle se promènerait de villes en villages à la recherche de sang neuf pour survivre.

Va pour l'histoire. Mais de cet épisode fantastique, pour ne pas dire fantaisiste, mon réalisateur avait décidé de faire une aventure susceptible de déborder sur la réalité. Il désirait, en quelque sorte, que je tombe sous le charme de mon partenaire de cinéma. Il élaborait donc, hors plateau, des mises en scène dignes des entourloupettes hollywoodiennes, histoire de créer une certaine ambiance entre nous.

Tout avait commencé lors de ma première rencontre avec John Karlen, très connu aujourd'hui pour son rôle de l'époux d'une des protagonistes de la série *Cagney and Lacey*, aux États-Unis.

J'étais dans ma chambre. Le téléphone s'est mis à sonner. C'était le réalisateur.

– Danielle, ton « mari » vient d'arriver. Ça te dérangerait de venir nous rencontrer dans le vestibule ? Mais passe par le grand escalier, pas par l'ascenseur.

L'hôtel Astoria de Bruxelles était doté d'un majestueux escalier de marbre et de bois ouvragé donnant accès à un salon décoré à l'ancienne.

Mon arrivée dans ce glorieux espace rouge, bleu et or ne pouvait être que remarquée, et je n'allais évidemment pas le décevoir. À l'heure dite, je me présentai donc, impeccable, ce qui amusa infiniment John Karlen, ce genre de chichi étant inconnu aux États-Unis. Ils m'attendaient tous les deux au pied du grand escalier. Le réalisateur insista pour que nous nous embrassions, ce qui nous gêna profondément. J'ai compris qu'il aurait aimé que nous tombions instantanément amoureux l'un de l'autre. Ce n'est pas que John ne fût pas désirable, mais le procédé était grossier. On réserverait nos débordements pour le tournage. J'en aurais d'ailleurs besoin, car le pire était encore à venir.

John, heureusement, allait vite comprendre à quel harcèlement j'étais soumise et allait devenir l'un de mes plus grands défenseurs.

Le réalisateur supervisait tout : nos heures de repos et de sommeil, les essayages des costumes, le temps que nous mettions à mémoriser le texte, nos repas. Il voulait toujours savoir où nous nous trouvions. Bref, nous lui appartenions. Et celui que l'on croyait « inconditionnellement amoureux » de ses acteurs est vite devenu une espèce d'obsédé du contrôle. Ses angoisses s'exprimaient par des exigences, et j'étais son meilleur public, moi qui ne cherchais qu'à plaire et à m'imposer dans cette « distribution internationale ». John en était également à sa première expérience européenne. Lui, qui évoluait dans les grands studios, avec des budgets plus importants, rongeait son frein face aux demandes farfelues de notre réalisateur et au manque de luxe évident de la production.

Quant à Andrea, très populaire dans son pays, elle en était, au même titre que moi, à une première expérience sur le continent.

Entre nous tous, Delphine trônait, souveraine, magnifique, auréolée de toute la gloire de ses films précédents. Le réalisateur la vénérait, et pour cause.

Ses manies prenaient parfois de drôles de tangentes. Un jour qu'il devait m'expliquer ce qu'il désirait voir à l'écran lors de la scène du voyage de noces dans le train, hésitant entre divers scénarios, il perdit finalement tous ses moyens. Il n'arrivait pas à s'expliquer. Il espérait que l'action soit la plus osée possible, en restant dans les limites du bon goût et de la censure. Hélas ! l'exiguïté de la couchette du wagon-lit (nous tournions en décors naturels) réduisait les possibilités d'angles et de plans. Pris de court, il avait fait venir de Norvège un manuel d'éducation sexuelle, abondamment illustré, qu'il m'avait planté sous le nez, un peu comme un plan de postures amoureuses à prendre pour mimer la réalité, une réalité qu'il était incapable d'expliquer. Pour nous guider, il demandait donc :

– Nous commencerons par celle de la page 32, puis celle de la page 47.

C'était le livre qui commandait, pas lui, ce qui le libérait d'une responsabilité. Ce n'était pas lui qui était cochon, c'était le livre ! Et nous, les comédiens !

Cette méthode donnait un petit côté surréaliste à la situation.

Campée ainsi hors du champ des émotions, la scène devenait alors hautement technique et l'ensemble, précis, ce qui me permettait de refuser certaines « images » que je jugeais trop osées.

Pendant que notre directeur tergiversait entre l'envie de tout essayer, de tout exiger et le problème de ne plus savoir où arrêter ses choix, John et moi élaborions une méthode pour restreindre le nombre des scènes qui me mettaient mal à l'aise.

Dans l'effervescence causée par la mise en place, je lui demandais d'éviter certains gestes, allant en cela à l'encontre des directives de notre réalisateur. John assumait toujours la responsabilité de ces changements de mise en scène lorsque le réalisateur exigeait des explications.

L'indécision de celui-ci était son plus grand problème. Une angoisse indicible s'emparait de lui au moment de s'engager dans une direction. Plus le film avançait, moins il s'impliquait, laissant aux acteurs des « vides » que nous devions remplir grâce à notre imagination, notre talent ou notre spontanéité.

Nous aurions eu mauvaise grâce de refuser un privilège aussi rare – certains réalisateurs ne laissent aucune place aux acteurs –, mais de là à nous laisser créer le film nous-mêmes… Il ne doit la réussite du tournage qu'à notre extrême disponibilité et à notre volonté de faire du film un succès. Des acteurs plus mégalomanes auraient eu, dans les mêmes circonstances, moult occasions de s'arracher mutuellement les cheveux.

En outre, il pouvait devenir tatillon à l'extrême lorsqu'il se sentait perdre le contrôle. Comme il avait rapidement compris qu'il pouvait utiliser chacune de mes faiblesses pour dissimuler les siennes, j'étais devenue la cible de toutes ses revendications. Il avait le beau rôle : n'étant pas, en raison de mon inexpérience, en mesure d'évaluer ses méthodes de travail, j'acceptais sans rechigner ce réalisateur malveillant.

Assujettie à la pression constante de devoir tourner des scènes de nuit en plein jour, je commençais à m'ennuyer sérieusement des miens. Bien que je fusse couvée par John et épaulée par Delphine, l'isolement, conjugué à l'éloignement de ma famille, me fragilisait beaucoup.

René Homier-Roy, journaliste à l'époque et mandaté pour couvrir l'événement de ma consécration hors Québec, était venu à l'hôtel des Thermes d'Ostende pour m'interviewer, ce qui m'avait distraite de mon malheur l'espace de quelques jours. Mais ça n'était pas suffisant. Aussi, quand un mois après mon départ j'appris que mon amoureux du moment profiterait d'un voyage à Paris pour venir me voir, je ressentis un soulagement incroyable. Je ne serais plus seule. Je flottais sur un nuage.

Je dois expliquer ici que Mastantuono et moi avions eu, entre mon retour du festival de Cannes et le début du tournage du *Rouge aux lèvres*, une formidable prise de bec et que nous nous étions séparés. J'hésitais à continuer ma route avec un homme qui m'imposait sans cesse ses colères et sa jalousie, et je songeais sérieusement à changer de vie. Il était retourné vivre en France quelque temps, et j'avais rencontré, durant son absence, le producteur Guy Latraverse.

J'aimais beaucoup Guy. Juste avant mon départ pour le tournage de ce film, nous avions eu, chez moi, une conversation fort apaisante. Nous en avions conclu qu'un bout de chemin ensemble nous serait agréable. Mais, comme il venait tout juste de se séparer de sa dernière flamme, j'avais la hantise de le perdre à cause de l'éloignement et de mon absence prolongée à l'étranger. Même sans grande expérience de la vie, je savais bien qu'il était risqué de laisser un homme seul pendant deux mois, alors que nous venions à peine de commencer à nous fréquenter. Ce jour-là, sur mon balcon, il m'avait rassurée en m'affirmant le contraire. Il m'attendrait.

À mon arrivée à Bruxelles, j'avais trouvé un bouquet de 100 roses sur la table faisant face à la fenêtre dans ma chambre. Un instant, j'ai cru qu'elles m'étaient offertes par la production, mais j'avais écrasé une larme en lisant la petite carte de Guy, qui accompagnait les fleurs. Il allait donc penser à moi pendant tout ce temps passé loin de lui ? Convaincue, enfin, de ses bons sentiments, romantique comme peuvent l'être les femmes de 23 ans, j'ai accueilli ce bouquet comme une déclaration d'amour incontestable. Et maintenant, trois semaines après mon départ, il venait me visiter. Quoi désirer de plus ? J'attendais son arrivée comme celle du messie.

Durant ce séjour, il se fit très présent, très attentionné à mon égard, et plein de délicatesses. Toutes ces choses qu'une femme attend, surtout à l'âge que j'avais !

Pourtant, à la suite de sa visite sur le plateau, et juste avant la fin du film, Guy rompait par téléphone. Il avait rencontré Catherine, une magnifique Sud-Américaine qui allait devenir sa femme et la mère de sa fille, Zoé. Curieusement, quelques mois plus tard, Catherine et moi allions devenir amies.

S'il en avait été autrement entre Guy et moi, je ne me serais pas rabattue, par dépit, sur Mastantuono, qui insistait pour me revoir à la fin du tournage et m'invitait à passer du temps avec lui en Europe, en compagnie de mon fils, ce qui chassa tous mes ressentiments.

Mais, indirectement, Guy avait été à l'origine d'un bouleversement profond dans toute la direction de la production. Toujours aussi harassant, le film se poursuivait sans problème majeur, mis à part les doutes sans cesse renouvelés de notre réalisateur. Tout cela allait changer.

J'ai déjà relaté le fait que le réalisateur voulait tout contrôler. Il avait même pris en charge l'essayage de mes costumes. Nous allions de maisons de couture en grands magasins pour trouver les vêtements appropriés à une « comtesse moderne ». C'est alors qu'il prit la décision de me faire porter un costume en fourrure d'agnelet, noir, super fin et léger.

Au moment de l'essayage, je lui fis remarquer qu'une des peaux à l'arrière du pantalon était décousue et qu'il faudrait la réparer. Il m'assura qu'il s'en occuperait lui-même. Vint le jour où je dus porter ce costume pour jouer une scène difficile. Mon mari devait entrer dans une colère noire et, à moitié fou, me frapper violemment avec sa ceinture. Je me préparais, lorsqu'on téléphona à ma chambre pour me demander de retarder mon arrivée. Sur le plateau, le réalisateur éprouvait quelques difficultés avec la scène précédente. Il s'écoula quelques heures avant que je ne doive descendre sur le plateau. Dans l'attente de l'appel, bien installée dans ma chambre, je m'étais laissé rassurer par Guy, à qui je faisais part de toutes mes insécurités. Comme il était agent d'artistes expérimenté, je savais qu'il me conseillerait avec sagesse pour me sortir de l'impasse dans laquelle m'acculaient les états d'âme de mon réalisateur.

Enfin convoquée par celui-ci sur le plateau et bien guidée par les recommandations de Guy, je pris la direction de la salle de maquillage pour une dernière retouche avant le tournage, avec la ferme intention, cette fois, de me faire respecter. Fin prête et maquillée, quand vint le temps d'enfiler le costume, je remarquai à nouveau la déchirure à l'arrière du pantalon. Je le retirai pour le tendre à l'habilleuse, qui mit 20 minutes de plus pour le réparer. Quand « le maître » me vit arriver dans le corridor menant au plateau, il se mit à hurler que j'étais en retard, que j'étais une nuisance au bon fonctionnement de la production, que je dérangeais les autres lorsque j'étais sur le plateau et que lorsqu'on avait besoin de moi, je me faisais attendre et que…

Il était mal tombé ! Sentant l'orage venir, tout le monde se faisait besogneux, tentant d'éviter le pire. Le coiffeur me brossait les cheveux, le cadreur tentait de se glisser entre le réalisateur et moi pour me mettre en position dans l'éclairage. La costumière enlevait d'hypothétiques charpies sur mon pantalon. La maquilleuse retouchait à nouveau un travail fraîchement fait. On aurait dit une ruche d'abeilles bourdonnantes faisant écran pour éviter la confrontation entre nous deux. Mais l'inévitable allait se produire. Forte de l'appui inconditionnel de Guy, j'ai levé le ton pour la première fois, afin d'expliquer le retard causé par la réparation de la déchirure du pantalon. Interloqué par ce soudain revirement, il m'accusa de ne pas m'occuper de mes vêtements. C'en était trop !

– Il y a une costumière pour ça !

– Oui, mais ce sont TES vêtements, tu en es responsable !

– Justement, parlant responsabilité, c'est vous qui deviez faire recoudre le pantalon. C'est vous qui m'aviez dit que vous alliez vous en occuper. Ce n'est pas une couturière ordinaire qui peut faire ça, c'est de la fourrure. Vous m'avez affirmé que vous le feriez. Je dois retirer la veste et, sans réparation, on va voir la déchirure.

Sur ces paroles, il leva le bras vers mon visage et m'ordonna de me taire, en menaçant de me frapper. Devant cette provocation, je décidai de ne surtout pas m'en laisser imposer. Arrachant la brosse à cheveux des mains du coiffeur, je menaçai à mon tour de me défendre. Choqué par ma bravade, il porta le premier coup. Furieuse, je me suis jetée sur lui, lui labourant la figure de ma brosse. L'équipe dut nous séparer. Mais il me saisit par le poignet et m'entraîna dans une pièce contiguë, où l'on avait entreposé quantité de meubles, et referma la porte derrière nous.

– Tu es complètement folle. T'en prendre à moi devant mon équipe ! Déjà que tu m'as été imposée. Tu ne peux pas me faire perdre la face comme ça. Tu vas te taire et écouter, sinon...

J'ai hurlé :

– C'est assez ! Je n'en peux plus de votre attitude envers moi. Vous me bloquez. Vous imposez une ambiance infernale. Vous me terrorisez !

À ces mots, il a levé le bras à nouveau et m'a frappée. J'ai sauté sur lui, ce qui a eu pour effet d'entraîner avec nous les meubles entassés les uns sur les autres. Redoutant le pire, l'équipe est entrée en trombe pour nous séparer une nouvelle fois. Je pleurais. Mon maquillage était à refaire. Le retard allait être énorme. Guy était reparti prendre l'avion. Sans balises pour me guider, je n'en menais pas large. Tout ça était-il vraiment de ma faute ? Alors que j'arrivais dans la salle de maquillage, défaite, ébouriffée et suffoquant, John se précipita vers moi en me demandant :

– *What's the matter, baby?*
– *He hit me!*
– *What!!!*

Il sortit précipitamment. Je n'avais pas aussitôt commencé à refaire mon maquillage qu'il revenait, une grimace de colère déformant ses traits. La situation devenait irréaliste, excessive. Il marmonna entre ses dents :

– Qui a frappé le premier, toi ou lui ?

– C'est lui, John. D'ailleurs, demande à l'équipe, tout le monde était là.

– Non seulement il a frappé une femme, mais en plus il m'a menti...

Je l'ai vu repartir vers le plateau et j'ai senti que, cette fois, ça serait plus sérieux. J'ai enfilé le corridor à sa suite. La dernière vision que j'eus de lui, devenu fou avant la bataille, fut celle de ses deux petites fesses, complètement nues, malgré le peignoir rouge par l'ourlet duquel je tentais de le retenir. Il se précipitait sans chaussures vers le plateau. Tout à sa rage, il ne s'apercevait pas qu'il nous montrait un petit « bout d'anatomie virile ».

Se dirigeant vers le réalisateur, qui était de dos à ce moment-là et qui ne voyait rien venir, il a hurlé son nom à faire s'écrouler les murs de Jéricho. Le « maître » n'aurait pas dû se retourner. Au moment où il l'a fait, PAF ! il a reçu un coup de poing à lui décrocher la mâchoire. L'équipe, habituée maintenant à s'interposer, les a séparés. Décidément...

On avait arrêté le tournage. Devant l'impasse créée par tant de bouleversements, l'assistant décida d'appeler le producteur à Paris pour lui demander conseil.

Henry Lange prit alors la décision de sauter immédiatement dans un avion et de se présenter sur le plateau. Il cherchait une solution au conflit tout en s'interrogeant sur la nature des sanctions à appliquer. Dans des cas semblables, il n'est pas rare de voir les supérieurs hiérarchiques prendre le dessus sur les subalternes. Convaincue de devoir assumer les frais de ce désastre, j'étais terrorisée.

Après tout, c'était bien à cause de moi que cet affrontement avait eu lieu ! Eh bien, pas du tout ! Toute l'équipe, sans exception, avait pris ma défense. Ils en avaient par-dessus la tête de ce réalisateur et de ses demandes évasives, de son manque de direction et de ses sautes d'humeur injustifiées. Le producteur lui suggéra de prendre des calmants et de changer d'attitude sur le plateau, à défaut de quoi il allait le remplacer sur-le-champ. Il s'exécuta immédiatement. Mais son calvaire n'était pas fini. Le pire restait à venir.

Le lendemain, nous avions à tourner la très belle et très difficile scène du baiser de « la » vampire. Nous avions tué mon mari et, à présent, il fallait s'en débarrasser. Pour me calmer, la comtesse s'approchait de moi et m'embrassait, m'affirmant que tout irait pour le mieux si je l'écoutais. C'est à se moment qu'elle me faisait devenir vampire, en m'embrassant. L'éclairage était primordial. C'était un hyper gros plan sur mon visage d'abord, puis sur mes lèvres où perlait une petite goutte de sang. On nous demanda donc de prendre et de garder nos positions pour la mise en place de l'éclairage. Nous n'avions pas de doublure. C'était, en règle générale, durant ces moments d'attente que nous répétions nos textes, que l'on vérifiait nos maquillages ou, comme à cet instant, que Delphine se manucurait les ongles. Donc, sans que je ne m'y attende, puisque Delphine n'avait pas assisté à l'affrontement de la veille, elle demanda au réalisateur de s'approcher. Croyant à une indication de mise en scène, doux comme un agneau, il s'avança... pour s'entendre dire d'une voix basse, magnifique, à la limite de la perfidie et sans jamais que Delphine ne le regarde, puisqu'elle continuait à se limer les ongles :

– Vous savez, je viens de terminer *Peau d'âne*, avec Jacques Demy qui, à mon avis, est un grand réalisateur. Et Jacques m'a révélé quelque chose de primordial sur le cinéma et qui pourrait bien s'appliquer à notre production. Il m'a dit que lorsque les acteurs ont du talent…

Toujours sans le regarder, elle a alors pointé sa lime dans ma direction, puis la sienne:

– … et c'est le cas aujourd'hui, qu'un réalisateur est totalement inutile sur un plateau.

Puis, sans un mot, elle avait levé ses magnifiques yeux d'ange assassin vers ceux du réalisateur. Elle aurait bien pu lui faire ce commentaire hors de ma présence, mais elle tenait à me dire combien elle m'appréciait et me protégeait. Son appui était évident. Dès lors, elle n'aurait jamais plus fidèle et dévouée camarade de travail que moi.

Je l'idolâtrais bien avant cet événement. Jamais je ne l'oublierai. Delphine était inoubliable. D'ailleurs, elle a toujours eu une aura, un parfum de mystère troublant autour d'elle. Elle était profondément amoureuse d'un comédien connu, plus jeune qu'elle. Ce comédien, Samy Frey, venait la visiter dans le plus grand des secrets. Je m'en suis rendu compte un jour quand, à la fin de mes heures de tournage, je l'ai surpris caché derrière les colonnes du vestibule, en train de contempler sa bien-aimée, en plein tournage.

Jamais je n'ai vu un regard si enveloppant, si totalement abandonné à l'amour. Il la portait, l'embrassait du regard. J'enviais viscéralement ce couple qui savait vivre de passion. Leur quotidien ne devait pas être triste: deux acteurs, deux amoureux fous, deux beautés éperdues. Delphine était d'une générosité sans faille. J'ai gardé d'elle une leçon qui me sert toujours aujourd'hui. Paralysée par mes insécurités sur la place à prendre, ne voulant surtout pas déranger, je me gardais bien de demander quoi que ce soit qui puisse incommoder ou obliger. Même pas l'aide nécessaire pour répéter mon texte. Sans expérience et sans interlocuteur valable, j'arrivais sur le plateau avec des tics, des habitudes de débutante, qu'il me fallait vite effacer. Delphine l'avait compris très rapidement. Ne voulant pas m'humilier, elle avait pris l'habitude de me dire :

– Danielle, j'ai de la difficulté avec mon texte. Cela vous dérangerait de me le faire répéter ?

Et ELLE me faisait répéter le mien jusqu'à ce que notre jeu devienne harmonieux.

Elle était l'âme du film. Elle en avait la flamme, le style, l'aspect éthéré. Elle était tout simplement la comtesse Bathory. Malheureusement Delphine est morte d'un cancer, et quand je passe à Paris, je vais visiter sa sépulture, toute de marbre blanc, logée le long du muret du vieux cimetière Montparnasse. J'y trouve toujours des roses à peine fanées, comme elle, éternelles.

Quant au réalisateur, j'ai entendu cette histoire pas vraiment étonnante à son sujet. À sa sortie, le film avait remporté un gros succès en Angleterre et dans quelques pays anglo-saxons. Peut-être la version française avait-elle eu moins de rayonnement en raison de la trame sonore qui avait été post-synchronisée. Avec ce succès financier, il avait pu se lancer tout de suite dans un long métrage international à gros budget. Ce film s'appelait *Malpertuis*, une autre histoire fantastique sur la réincarnation des dieux de l'Olympe et mettant en vedette, entre autres, Jean-Pierre Cassel, Matthieu Carrière, Sylvie Vartan et Michel Bouquet, avec Daniel Pilon, du Québec, et Orson Welles, du côté international.

On m'a raconté que lors de la création de la scène dans laquelle Zeus (rôle tenu par Orson Welles), le père des dieux, meurt, tous étaient sur le plateau, encore une fois dans l'attente des directives de monsieur. Excédé par son indécision, Orson Welles aurait alors déclaré d'une voix de stentor et avec des paroles très senties que le réalisateur ne savait absolument pas ce qu'il faisait, et ce, devant tout le monde.

On m'a rapporté une autre scène cocasse. En tournage extérieur, furieux de la lenteur d'exécution de son équipe, il aurait jeté son scénario par terre et se serait rageusement mis à sauter dessus à pieds joints. Dommage qu'il ait eu ces problèmes caractériels, car c'était un être sensible, d'une classe à part, très axé sur la beauté, hyper-précis, maniaque de la perfection, ce qui l'aura finalement desservi. Il était beaucoup trop aérien, beaucoup trop fragile pour supporter les pressions de grandes productions cinématographiques.

Quant à moi, quand le film sortit à New York, on m'envoya pour l'occasion rencontrer les agents de promotion américains. On organisa un cocktail de présentation à la presse chez Sardi's, en plein cœur de Broadway, l'endroit mythique de tous les lancements d'événements artistiques importants des 90 dernières années. Plus de 200 photos et caricatures de superstars de Hollywood en ayant franchi le seuil tapissent les murs de l'établissement. Mes producteurs leur firent aussi cadeau de ma photo. Non, ne faites pas le détour... !

Un événement m'a prouvé cependant que je n'étais pas encore arrivée à la cheville de mon rêve américain. Prise d'une frénésie de découvrir la salle où l'on projetait mon film, off-Broadway cette fois-ci, je me suis présentée à l'entrée, pour découvrir un moniteur montrant en boucle des extraits du film. Par un drôle de hasard, je portais ce jour-là la même robe qu'à l'écran. Pouvez-vous arriver à croire que, pendant deux heures, je me suis employée à distraire les gens qui s'arrêtaient pour regarder la trame publicitaire en leur racontant la fin de la scène. Pas un chat n'a fait le lien entre moi et la fille à l'écran. Même longs cheveux blonds, même vêtements et pas une seule personne qui n'ait levé la tête pour dire : « Oh mais, c'est vous ! »

Comme quoi je n'étais pas grand-chose hors du grand écran. Dur, dur, dur pour l'ego.

Le diable est parmi nous

Eh Seigneur ! Qu'étions-nous tous allés faire dans cette galère ? Nous avions pourtant un scénario fantastique. Daniel Pilon, rescapé de *Red*, Louise Marleau, auréolée de sa carrière au théâtre, et rien de moins que Jean Beaudin comme réalisateur. On tournait dans une entente merveilleuse, d'autant plus que c'était un vrai film. Entendez par là que nous tournions pour la première fois dans de vrais décors, en studio, et non dans des endroits de location comme des maisons ou des hôtels.

Louise, plus mystérieuse que les autres, fit montre de beaucoup de courage. En plein tournage, elle dut être opérée à la suite d'une crise d'appendicite, mais elle ne nous abandonna pas et, pour ne pas retarder la production, se présenta sur le plateau trois jours après son intervention chirurgicale. Chapeau ! Fallait le faire.

On s'épaulait d'ailleurs tous dans cette production. Jean avait accepté ce film à la seule condition d'avoir les coudées franches. Malgré cet accord, la direction lui avait fait plein de tracasseries pendant le tournage. La vague des films érotiques en était à ses derniers soubresauts, mais il était difficile pour les producteurs d'en oublier les succès. Désireux de surpasser les critères habituels des films à sensations, ils ne voulaient pas pour autant sabrer dans la rentabilité. Si l'histoire était mieux structurée cette fois et que l'action comportait des scènes moins gratuites que les films précédents, ils exigeaient à nouveau de la nudité. Nous, les comédiens, ne savions pas trop de quoi il retournait, mais sentions que quelque chose ne tournait pas, à l'attitude de plus en plus renfermée et paternaliste de Jean. Attitude qui visait surtout à nous protéger des désirs et exigences des producteurs. Nous sentions qu'il nous aimait et le lui rendions bien.

Pendant ce temps, les producteurs cherchaient où aller. La réponse fut : faisons une scène d'orgie ! Tout le sujet du film devait tendre à ça... Sauf que nous ne pouvions nous empêcher de trouver la scène inutile.

Je me souviens d'une anecdote amusante. Je devais, dans une scène, être nue, couchée sur un autel, où un grand prêtre me prenait. Mais comme on ne devait pas me reconnaître dans cette scène, j'utilisais une longue perruque brune. Jusqu'à la dernière minute, et sans me le dire, on fit croire à mon habilleur, Denis Sperdouklis, qu'il devait me teindre le sexe en brun. Il y crut très longtemps. Ce n'est que la veille du tournage de la scène, de peur qu'il ne s'exécute, qu'on lui avoua la plaisanterie. Évidemment, à partir de ce moment, il ne put jamais plus me voir sans s'esclaffer.

Le film se termina avec l'impression générale d'avoir enfin eu un metteur en scène à notre service. Cinepix ne le vit pas de la même façon. En visionnant le film, trop finement réalisé sans doute, ils ont tout de suite craint la non-viabilité du produit, qui ne répondait pas du tout aux critères des films à sensations de l'époque. Sans plus de formalité, « on » fit venir un monteur qui changea en grande partie la chronologie des scènes, rendant non seulement l'histoire méconnaissable, mais créant également d'énormes lacunes dans sa trame logique. Si un adepte du voyeurisme pouvait y trouver son compte, un puriste n'y comprenait plus rien. Ce n'était plus du tout, à la fin, le film que nous avions tourné. J'ai appris que Jean, rendu furieux par le traitement réservé à son film, avait songé à ne pas le signer au générique. Mais il le fit tout de même par respect et solidarité envers les comédiens qui, eux, n'auraient pas eu le droit d'en faire autant. Il renia cependant l'œuvre par la suite et n'en fit jamais mention dans la nomenclature de ses réalisations.

Quant à moi, je retirai deux grands bonheurs de ce film. Ma rencontre avec Daniel Pilon, tout d'abord, qui s'occupa de moi comme un grand frère, spécialement lors des scènes de nudité, où il faisait rempart de son corps pour éviter les regards indiscrets. On m'accorda, ensuite, la permission de faire mes cascades. Comme je devais être assassinée et pendue dans une église, il fallut me fabriquer un attelage auquel je serais véritablement suspendue dans le vide, à 15 m du sol. On me fit rencontrer un expert en effets spéciaux (et pas n'importe lequel, puisque quelques années plus tard, il allait gagner un oscar pour ses prouesses de simulation d'apesanteur dans *2001 odyssée de l'espace*), qui m'inventa un attelage en forme de croix, sur lequel étaient soudés un siège de bicyclette à une extrémité et, à l'autre, un anneau robuste par lequel passait le câble qui retenait toute l'armature, moi comprise. Toute cette monture m'était sanglée au corps au moyen de ceinturons, comme ceux des avions, le tout dissimulé sous mon chemisier. Il me fallut faire un sacré acte de foi, car la corde, serrée également autour de mon cou, pouvait véritablement m'étrangler si, par mégarde, le siège ou l'anneau sur lesquels reposait tout mon poids (les pieds dans le vide) avaient le malheur de se dessouder.

Le maquillage aussi était parfait. Pour simuler la torture, on avait recouvert quelques endroits de mon visage et de mes jambes d'une pâte qui prenait la couleur de la peau. Un peu de bleu et de violet en atténuaient les pourtours. Sur cette pâte, on avait tracé des stries imbibées de faux sang. L'effet donnait l'illusion que j'étais lacérée de partout, avec la peau en lambeaux.

Évidemment, à la fin du tournage, ne trouvant pas de douche dans l'église, je pris ma voiture pour rentrer chez moi. Quand le portier, mon bon M. Walsh, m'aperçut dans l'entrée, le pauvre homme croyant à un accident grave se mit à courir vers moi, blanc comme un drap.

– Attendez madame Ouimet, je vais vous aider. Ne bougez pas. J'appelle un médecin.

Je riais. J'ai bien cru devoir appeler le médecin, mais pour lui!

Le cinéma québécois, dans la forme érotique qui fut sa gloire, périclitait et l'on m'offrait des films de moins en moins gratifiants. C'est alors qu'Anne-Claire Poirier de l'ONF me jeta un défi qui allait être le plus difficile que j'aie eu à relever, mais également le plus concluant de ma carrière, une sorte de prise de position.

Les Filles du Roy

Lors de notre première rencontre, Anne-Claire m'annonça:

– On vous voit entièrement nue, immobile, dans le milieu de ce grand hangar dans lequel je vous aurai déshabillée.

Si heureuse au départ, je crus que le ciel allait me tomber sur la tête.

Pas encore jouer nue! me suis-je dit. Pas ça venant d'elle! Moi qui pensais m'en être sortie. Qu'est-ce qui poussait deux femmes respectables comme Marthe Blackburn (aujourd'hui décédée) et Anne-Claire Poirier à me demander de remettre ça? D'où pouvait venir ce plaisir malsain de toujours m'approcher pour me foutre à poil? Comment deux êtres sensibles, reconnus pour leur engagement dans la cause féministe, pouvaient-ils tomber dans ce panneau? Il est vrai que l'on ne m'avait jamais rien demandé d'autre. Mais ces femmes, si aguerries aux choses de l'esprit, me donnaient l'impression de se trahir. Elles ne pouvaient pas ne pas avoir compris. Au moment où j'aspirais à mieux, on me demandait de faire pire. Et cette fois-ci, c'était sans compromis. Il n'y avait plus de drap pour cacher « l'essentiel », plus de glissement de caméra qui suggère plutôt que de montrer. Ça serait cru, impitoyable, direct.

Je l'entends encore m'expliquer la scène.

– Ça se passe dans un hangar si grand qu'un 747 pourrait y prendre place. Vous serez sur une plateforme électrique qui tournera, enveloppée de bandelettes, tandis que moi, en défaisant vos bandelettes, je ferai une rotation autour de vous en sens inverse. Pas un mot. Il y aura un mouvement de la caméra vers l'arrière, ce qui fait qu'on vous découvrira entièrement nue et seule dans ce grand espace après le déroulement des bandelettes. Vous finirez face à la caméra, vous regarderez directement dans la lentille et, si c'est possible, je ne veux aucun clignement d'yeux.

J'étais loin d'être convaincue. Pas de sous-vêtements, juste le maquillage.

– C'est quoi le rapport?

– Pendant ce temps, on entendra Dyne Mousseau lire un texte.

Elle m'a tendu le texte. Il m'a porté un coup en plein cœur. De ce long texte, j'ai retenu ce qui suit :

Mais elle n'existe pas, Valérie. Elle n'existe que dans ta tête. Je suis une femme comme toutes les autres femmes. Comme la tienne. Continue à me regarder. Arrête de me rêver. Je suis là. Je voudrais tellement que tu me prennes comme je suis...

Oh, comme elle avait compris !

J'ai accepté tout de suite.

Je vous aime Anne-Claire et Marthe.

Y a toujours moyen de moyenner

Au moment de la sortie des *Filles du Roy*, en 1974, j'allais enchaîner quatre films humoristiques coup sur coup. Le premier avec Dominique Michel, Clémence DesRochers et Willie Lamothe, entre autres. Jean-Guy Moreau y tenait le rôle de mon mari et, pour la seconde fois, je retrouvais Yvan Ducharme, qui cette fois jouait mon frère.

J'adorais l'humour. Bon, c'est vrai qu'on m'a toujours utilisée dans des rôles de blondes sans trop de cervelle. Mais si Suzanne Sommers l'a fait toute sa vie avec succès, pourquoi pas moi ? Denis Héroux (eh oui, encore lui) m'avait attribué le rôle d'une mère de famille dans le synopsis. On n'y verra toutefois jamais d'enfants. Contrairement à *Valérie,* où l'on avait fait jouer Hugo Gélinas, le fils du chanteur Marc Gélinas, on a dû penser que de faire tourner des enfants compliquerait les choses. On avait bien raison. Hugo avait passé son temps à refuser de dire son texte et à s'amuser à se cacher dans la nature pour que l'on parte à sa recherche. De toute façon, c'était toujours ça d'économisé ! On avait besoin d'argent, car la distribution était énorme : Dominique Michel, Clémence DesRochers, Benoît Marleau, Paolo Noël, Paul Berval, Roger Garand, Gilles Latulippe, Jean Guilda... et je vais vous surprendre en ajoutant ces quelques noms : Claude Jean Devirieux et Jacques Morency, les très sérieux lecteurs de bulletins de nouvelles de Radio-Canada et de CKAC. La chanteuse Aglaé, Gilles Proulx, Toto Gingras, photographe à l'époque et âme du *Journal de Montréal* par la suite, ainsi que Robert Desroches, Robert Gillet (oui, oui, la vedette radiophonique de Québec) et la grande Denise Pelletier complétaient la distribution. Assisté de Guy Fournier, Marcel Lefebvre avait écrit le scénario et les dialogues. Gilles Gauthier, Denis Héroux et Jean-Guy Moreau y ont participé également. Mon magnifique René Verzier revenait derrière la caméra.

Un tournage magique. On me faisait à nouveau accomplir une cascade dans laquelle je tentais de m'introduire dans un couvent de religieuses où mon mari s'était réfugié. Après avoir essayé d'y pénétrer sans succès, je décidais donc de sauter le mur. Costumé en sœur, mon personnage prenait une hampe de drapeau et, un peu à la manière d'un sauteur à la perche, tentait l'exploit. Sauf que j'atterrissais au faîte d'un arbre. Vous aurez compris que j'étais incapable de le faire véritablement. Devinez qui a effectué le saut à ma place? Nul autre que l'athlète olympique Claude Ferragne. Cette fois-ci, pour cette nouvelle cascade en hauteur, on m'a fait porter un attelage corset, puis on m'a accrochée à 10 m dans les airs. Mais comme on n'avait pas de camion-perche pour y installer la caméra et filmer la scène de haut, l'angle au sol ne donnait rien de spectaculaire, et l'on n'a pas utilisé la scène au montage final.

Tourner avec Willie Lamothe, c'était du gâteau. Il était d'un calme olympien. Mais il suffisait de lui réclamer le récit d'une anecdote pour qu'il se montre intarissable. Fier comme Artaban, il portait une demi-perruque… dans la vie, ce qui le faisait suer à grosses gouttes et l'obligeait à de constantes retouches de maquillage. Lors d'une pause et dans l'attente du tournage d'une scène, je lui avais fait remarquer qu'il arborait une bague, disons… chère. C'était un fer à cheval serti de quatre rangs de petits diamants, dessiné spécialement pour lui:

– Est-ce que ça coûte cher une bague comme celle-là, Willy? Vous n'avez pas peur de vous la faire voler?

– J'me souviens pas comment *ka* l'a coûté, mais j'me rappelle qui me l'ont vendue avec un *gun*!

Je n'ai pas gardé grand souvenir de ce tournage. Des flashes tout au plus: mon grand plaisir de jouer avec Jean-Guy Moreau, les scènes de fous rires entre Dominique et Clémence déguisées en sœurs, elles aussi.

J'ai cependant en mémoire une engueulade carabinée. Denis Héroux avait fait appel aux frères Fournier pour accomplir certaines cascades. On avait donc loué une voiture qui devait être impliquée dans une collision contrôlée, en tournant un coin de rue. La voiture, volontairement accidentée, ne devait toutefois pas subir trop de dommages, pour éviter que des frais de réparations ne grèvent le budget. Denis avait « commandé » pour 300 $ de dommages, pas plus ! Pour calculer l'effet, face à la caméra, on fit un premier essai sans impact. La voiture ne donnait pas l'impression de rouler assez vite. On répéta deux ou trois fois le mouvement sans arriver à visualiser l'accélération. Excédé à la fin, M. Fournier demanda qu'on lui fasse confiance et que tout serait parfait au tournage. Et parfait ce fut, hormis les mille et quelques dollars de dommages. Qu'est-ce qu'il s'est fait engueuler ! *Mamma mia !* Je me souviens de sa colère en pleine rue, angle Sherbrooke et Décarie. ROCAMBOLESQUE !

C'est à ce même endroit que, pendant toute une journée, nous tournions dans un restaurant chinois. Selon le scénario, un serveur chinois me versait de l'eau et m'obligeait à boire à chaque tentative que je faisais pour retenir mon mari qui s'esquivait sans arrêt par la porte arrière. Multipliez chaque prise par cinq… Je devais m'absenter moi-même assez souvent ! Vingt-cinq ans plus tard, au Mexique, alors que j'attendais mon avion, un monsieur s'approcha de moi, plein de gentillesse, de sourires et de déférence. Il m'expliqua que c'était lui qui avait joué le « serveur » dans cette scène et insista pour me présenter toute sa famille.

Ce genre de rapports avec le public me prend toujours par surprise. Un rapprochement rempli d'amitié, d'admiration se dégage de chacune de ces rencontres, qui restent étrangement intactes malgré le nombre des années, comme si l'on s'était quitté la veille ! Cet homme, après tout, avait été sur pellicule aussi longtemps que moi !

J'ai tourné, en tout, 13 films. Avec, pour certains, des rôles éminemment oubliables dont je n'ai pas gardé de grands souvenirs. Ce fut le cas d'un film de Claude Fournier, tourné en 1974.

La pomme, la queue et les pépins

Dans ce scénario, écrit par Marie-Josée Raymond et son conjoint, je tenais le rôle d'un médecin sexologue. Je crois que Donald Lautrec était mon patient, ou était-ce Donald Pilon ? Bref! Je me souviens cependant de la scène de fermeture du film. Si mes souvenirs sont exacts, il s'agissait d'un film traitant de dysfonction érectile. À la toute fin, après de multiples tentatives de la part du « malade », le problème était réglé. Le metteur en scène avait trouvé très drôle, pour illustrer la « guérison », de faire littéralement dégouliner du « sperme » en quantité industrielle, le long d'un escalier. À la projection, je demandai à Claude ce qu'il avait trouvé pour imiter la texture du sperme.

– Du rince-crème pour les cheveux. C'est tout à fait pareil !

Je dois avouer que, depuis ce jour, sous la douche quand je me lave les cheveux, je ne peux m'empêcher d'avoir une petite pensée pour ce « grand » réalisateur !

Que la mémoire est fragile ! J'avais oublié une grande partie de la distribution : Anne Masson, Roméo Pérusse, Janine Sutto, Réal Béland, Thérèse Morange, Jean Lapointe, Louise Turcot, Denis Drouin, Gilles Pellerin, Paul Buissonneault, Francine Grimaldi et j'en passe. Je ne les ai évidemment pas tous rencontrés sur le plateau, puisque mes scènes – c'est souvent le cas au cinéma – ne faisaient appel qu'à deux personnages.

J'allais ensuite tourner dans une comédie qui m'en apprit beaucoup sur le charisme et le pouvoir de certaines stars.

Y a pas de mal à se faire du bien

Toujours en 1974, le Français Claude Mulot débarqua à Montréal pour tourner une coproduction à laquelle Darry Cowl devait participer. Je ne l'ai rencontré qu'une seule fois sur le plateau. Il était extrêmement sérieux. Décevant, quand tu imagines quelqu'un en la présence duquel tu t'attends à te bidonner. Le rôle qu'on m'avait offert me demandait d'être très sexy. Pas de déshabillage cette fois, mais je jouais la femme d'un inspecteur de police qui se révélait être « échangiste ». Il profitait de ses enquêtes, la nuit, sur le Mont-Royal, pour s'offrir de petits écarts de conduite avec sa femme. Cet inspecteur était interprété par nul autre que Michel Galabru, un « monstre » du cinéma français. Je le trouvai tout de suite très attachant. Timide à l'extrême, il s'isolait dans des coins sombres et ne refaisait surface que pour jouer ses scènes. Je n'ai jamais su s'il était réellement timide à ce point ou s'il réagissait à sa façon au manque d'attentions – loges privées, coiffeurs et habilleurs personnels – habituellement dévolues aux comédiens de sa réputation. La direction préférait souvent sabrer dans les dépenses pour se payer une vedette de calibre supérieur. Mais jamais il ne nous fit sentir ces manques. Et jamais ne l'avons-nous entendu se plaindre.

Quoi qu'il en soit, sur le plateau, nous étions tous suspendus à ses lèvres. Je me souviens de son cabotinage lors d'une scène dans laquelle il devait flirter outrageusement avec une très jeune fille. Ses simagrées avaient eu raison de tout le plateau, gagné par une hilarité telle que nous avons dû recommencer toute la scène. Très fier, bouffon sympathique, il adorait l'effet qu'il produisait. Et avec raison. Nous étions à la cinquième ou sixième prise d'une seule scène quand il nous demanda d'être un peu plus sérieux. On s'exécuta, puis – démonstration que je n'ai jamais revue depuis – tous les comédiens sans exception, de même que les techniciens et le personnel du plateau se sont levés d'un bloc et se sont mis à l'applaudir à tout rompre. Rouge comme une pivoine, il se montra manifestement heureux de notre réaction.

Faisaient aussi partie de la distribution : Jean Lefèvre, Daniel Ceccaldi pour les Français et, de notre côté, Paul Berval, Rina Berti, Léo Ilial, Jean Lajeunesse, Andrée Cousineau, Réal Béland, Jacques Desrosiers, Catherine Blanche complétaient la troupe. Je ne veux pas être rabat-joie, mais en énumérant tous ces comédiens, je m'aperçois que des 10 précités, 6 sont décédés. Je suppose que c'est ça vieillir…

Il ne me restait plus qu'à faire un nouveau film. Nous étions en 1975 et ma carrière de comédienne comique était à son apogée. Je faisais de la télévision avec Dominique Michel. J'étais de la distribution d'une comédie à sketches sur la scène de la Place des Arts, intitulée *La grande patente*. Et, quelques mois plus tôt, j'avais enregistré un *Bye Bye*, toujours avec Dominique, le tout sur des textes de Gilles Richer. C'est alors qu'on m'offrit une nouvelle production…

Tout feu, tout flamme

… Et je ne me souviens de rien, sauf qu'il faisait chaud, qu'on avait fait appel à Muriel Fournier pour exécuter une cascade à ma place, que je portais à nouveau mes vêtements personnels et qu'on avait réussi à tourner dans la partie ouverte du tunnel Ville-Marie, sans ameuter la population, comme cela avait été le cas, quelques années plus tard, lors du tournage de *Death Race 2000* (*La course à la mort de l'an 2000*), un film de vitesse extrême mettant en vedette Sylvester Stallone.

Pour en revenir à *Tout feu, tout flamme*, le producteur, Pierre Lamy, s'était associé à Link-Dunning, mes fidèles producteurs de Cinépix, ceux-là mêmes qui avaient commandé *Valérie*. Faisaient partie de la distribution: Jean Lapointe, Andrée Boucher (qui prenait sa participation très au sérieux), Raymond Lévesque, Guy Lécuyer, Réal Béland, Denis Drouin, Marc Gélinas, Céline Bernier (qui avait déjà déclaré dans un article à l'époque, en gros titre, qu'elle irait beaucoup plus loin que moi, car je n'avais pas de talent), Gilles Pellerin, Francine Morand, Louis de Santis, Danièle Laurin, Alfa Boucher, Albert Desroches.

Et puis après... plus rien de réellement marquant. Je m'en voudrais cependant de taire deux petits rôles que m'a offerts Denise Filiatrault dans deux productions différentes, à 10 ans d'écart. En voici une qui a su faire montre d'un peu plus d'imagination dans la distribution de mes rôles. Sous sa direction, j'ai incarné une « lesbienne » dans la grande scène de bal masqué des *Plouffe*. Je devais y séduire Cécile Plouffe. Je garde un souvenir admirateur et plein de tendresse pour l'énergie, le savoir et la poigne qu'a Denise dans sa recherche de l'innovation. J'ai adoré travailler avec elle. Et j'ajouterai, contrairement à bien des gens qui ne peuvent supporter la critique – ou ce qui semble être une critique – que sa spontanéité, exprimée parfois de manière un peu brusque, a pour avantage d'épargner du temps de production, et de nous obliger à une rigueur très formatrice et profitable en vue du résultat final. Denise est très instinctive et je conçois qu'il ne soit pas toujours facile de la suivre. On apprend parfois abruptement que l'on n'a pas réussi à exécuter son idée ou suivi sa direction. Elle n'est jamais avare d'écoute, mais lorsqu'elle a pris une décision, on a avantage à être intuitif. Elle inspire plus qu'elle n'impose et le plus grand plaisir que puisse ressentir une comédienne est celui de pouvoir la surprendre. Ouverte, généreuse, elle acceptera avec plaisir toute suggestion qui aura l'heur de l'étonner. Dans le doute, elle demandera qu'on lui démontre notre idée, sinon mieux vaut suivre scrupuleusement ses directives, à elle. Elle reste d'ailleurs très fidèle à tous les comédiens qui arrivent à assimiler sa méthode de travail. Les films sont aussi faits de connivence.

Notre dernière collaboration remonte à 2002 où elle me demanda de tenir le rôle de la grand-mère du Petit Chaperon rouge dans *L'odyssée d'Alice Tremblay*, une production de Denise Robert et Daniel Louis. Trois jours à se lever à 4 h du matin, mais avec le plaisir d'avoir des costumes, des perruques et des décors faits sur mesure, ce que je n'avais jamais eu jusqu'ici au cinéma. En plus de l'apprentissage d'une chorégraphie avec Mitsou et Marc Labrèche.

L'odyssée a été mon dernier film.

Dans les années 70, on m'avait approchée pour un film qui aurait pu faire la différence, mais qui, finalement, ne m'a pas été offert. Après plusieurs appels, Pierre Harel, fondateur du groupe musical Corbeau et découvreur de la chanteuse Marjo, m'avait donné rendez-vous dans un restaurant vietnamien de la rue Prince-Arthur. Il considérait la possibilité de m'offrir la vedette de son film *Vie d'ange*.

Dix minutes après mon arrivée, alors que nous étions déjà bien installés dans notre conversation, une comédienne, ayant eu vent de notre rencontre, se présenta à notre table déguisée en Scarlett d'*Autant en emporte le vent*, arborant un chapeau à large bord à 8 h du soir et un décolleté à nous faire voir sa petite culotte. Toute la soirée, elle s'accrocha comme une teigne, dans le dessein avoué d'éventuellement décrocher un rôle. Trop polis pour la chasser, nous n'avons jamais pu parler du projet. Elle voulait le rôle, elle ne l'a pas eu. Et moi non plus, au fait !

Au moment où j'ai écrit ces lignes, le cinéma ne faisait plus partie de mes plans d'avenir. Jusqu'à ce que mon fils, aujourd'hui assistant et réalisateur sur plusieurs productions, m'invite à jeter un coup d'œil sur un extrait d'un projet de son premier futur long métrage en tant que réalisateur. Pour ce projet, Jean-François a dû investir ses économies ; faire appel à des amis acceptant de travailler à très petits prix si ce n'est gratuitement ; à Michel Trudel (un généreux mécène qui a toujours su aider les jeunes débutants) pour la location et le prêt du matériel nécessaire ; et à des comédiens qui sont entrés dans cette aventure sans que l'on ne m'en souffle mot.

Ce jour-là donc, Jean-François me fit asseoir devant l'écran pour me montrer, en deux minutes, ma vie en accéléré. Mon fils, qui a vécu en Europe jusqu'à l'âge de 17 ans, pour ne me connaître qu'à travers les journaux, l'avis des critiques et le regard des autres, avait décidé de résumer la vie de la mère qu'il n'a pas eue. C'est terriblement touchant. Et quelle merveilleuse façon de boucler la boucle.

Mastantuono

J'en suis au point de mon récit où la difficulté de raconter les choses est la plus grande. Longtemps, j'ai hésité avant d'inclure ce qui va suivre dans mon livre, mais ne pas l'avoir fait aurait privé mon récit du processus par lequel je suis devenue, en l'espace d'une nuit, adulte, responsable, victime et coupable à la fois.

Il n'est pas simple de faire revivre en moi ces moments, les plus sombres de ma jeunesse. Les instants les moins glorieux de l'existence ne sont jamais les plus faciles à avouer. Je ne cherche ni à me justifier ni à me faire pardonner. J'explique, c'est tout. Et puis il y a toujours la peur de se tromper. Jusqu'à quel point le temps émousse-t-il les souvenirs ? Serai-je tentée d'embellir certains événements ou, au contraire, de juger sans discernement ?

Toutefois, j'ai acquis, depuis ce temps, une plus grande lucidité quant à la nature humaine et un certain plaisir à prendre la route du pardon, même si je n'oublie rien. Et je n'oublie rien. Ce serait bien mal vieillir que de le faire.

Je n'ai du reste ni le recul, ni la patience, ni le détachement voulus pour accepter d'être jugée, que les jugements soient bons ou mauvais, d'autant plus qu'il s'agirait de jugements formés d'après l'événement médiatique. Cet épisode aura semé le chaos et perturbé mon existence avec une telle violence, il aura touché les miens avec tant de sévérité qu'il reste, à ce jour, ma plus grande peine.

À cette époque, pour épargner mes proches sans toutefois les délaisser, j'ai coupé les ponts émotifs pour leur éviter certains outrages.

On m'avait élevée en fille responsable, j'allais avancer dans cette aventure en essayant de passer seule à travers les événements. Je savais mes proches présents, mais jamais je n'ai demandé d'aide. Puisque c'était ma vie, j'ai eu à en subir les conséquences. Et j'ai beaucoup payé, si l'on peut me permettre l'expression. J'ai payé en raison de mon incapacité à prendre des décisions importantes en état de crise, de mon manque de jugement, de ma jeunesse, de mon insouciance, mais aussi par la faute de ceux qui m'ont manipulée et ont abusé de ma naïveté, tant parmi les malfaiteurs que les juristes. Devant ma fragilité, ils s'en sont tous donné à cœur joie. Par-dessus tout, j'ai payé par la peur. Une peur paralysante, omniprésente, qui n'allait me quitter que bien des années plus tard.

Je n'énumérerai pas ici toutes les péripéties ayant entouré cette affaire. Je n'escamote rien, mais tout raconter ferait l'objet d'un nouveau livre. Je vous expliquerai plutôt, un peu comme on déroulerait petit à petit un dévidoir, les événements qui m'ont le plus bouleversée. À vous de faire la part des choses. J'ajoute encore que je ne recherche ni pitié, ni compassion, ni même d'être comprise. Je tiens à raconter les événements tels qu'ils se sont produits, au meilleur de mes souvenirs, puisque tout ceci remonte à plus de 35 ans.

Mastantuono a été l'un de mes premiers amants. Du moins, il a été le premier homme avec qui j'ai fait vie commune. Il était adorable, doux, attentif, sûr de lui et d'une grande sensualité. Il me trompait allégrement, mais je ne l'ai appris que beaucoup plus tard. Encore fallait-il qu'il me laisse un peu de répit, car en bon Méditerranéen, très porté sur les « moments intimes », il ne m'en laissait pas beaucoup !

Je l'ai rencontré à la boîte Chez Clairette, où je donnais un tour de chant en compagnie de Michel Girouard. Mastantuono y travaillait comme garçon de table et, pour tout vous dire, il ne m'intéressait pas du tout. Pas plus qu'il ne s'intéressait à moi d'ailleurs. Malgré que Michel Girouard me disait que ce bel homme me regardait sans arrêt.

En réalité, c'était pour Michel une façon déguisée de vérifier l'orientation sexuelle de cet homme, car il n'était pas insensible aux attraits du fier Marseillais et cherchait une manière subtile de deviner les affinités de ce dernier, sans se faire rabrouer.

Michel Girouard nous fit donc réciproquement croire qu'il était dans les confidences de l'un comme de l'autre, puis nous inventa un intérêt commun, sur lequel il insista avec conviction. Ce qui nous conduisit, par curiosité peut-être, à nous regarder, à nous parler et enfin à nous fréquenter.

De rencontres en confidences, Mastantuono m'avait raconté sa vie et avoué être venu s'installer au Québec après deux divorces, afin d'oublier sa peine de même que la pénible séparation d'avec son fils. Il expliquait son emploi de garçon de table par un besoin de se distraire. En réalité, conjointement avec son frère et ses sœurs, il était propriétaire de deux restaurants à Marseille. Invitée un peu plus tard à rencontrer sa famille, je m'étais même amusée à y faire le service aux tables. Jusque-là, l'homme que j'avais appris à apprécier n'affichait envers moi qu'une grande droiture.

Je vivais alors dans un minuscule appartement à 170 $ par mois, au dernier étage d'un immeuble de la rue Saint-Mathieu, angle de Maisonneuve ; Michel Girouard était mon voisin. Avec l'arrivée de mon amant, ce cagibi devint vite trop petit.

À sa suggestion, nous avons donc déménagé à Habitat 67, le complexe révolutionnaire de la Cité du Havre. À cette époque, personne ne voulait vivre dans cet endroit, à l'origine érigé pour les bureaux administratifs de l'Expo universelle. Le loyer y était très raisonnable et convenait à mes moyens financiers, et mon amoureux apportait sa contribution. Mais évidemment le bail était à mon nom, monsieur n'étant, en principe, que de passage au Québec.

En 1970 donc, je terminais le tournage de mon deuxième film, *L'initiation*, et mes producteurs me demandèrent d'aller au Festival de Cannes pour en faire la promotion. C'était ma seconde participation à cet événement. Ma présence, comme lors de ma première visite pour la présentation du film *Valérie*, encourageait les distributeurs étrangers à acheter le film. Les droits de distribution de *Valérie* ayant été acquis par 18 pays, on voulait évidemment réitérer l'exploit. J'étais en quelque sorte un panneau-réclame sur deux pattes. Je n'ai pas eu à m'en plaindre, car c'est au cours de ce voyage, à la demande de Denis Héroux, que je rencontrai Henry Lange, le producteur français qui me fit signer un contrat pour le film *Le rouge aux lèvres*, dont le tournage devait débuter quelque deux mois plus tard en Belgique.

Mastantuono en avait profité pour m'accompagner, mais sa présence à Cannes nous gênait un peu. Pour la vedette montante que j'étais, rien ne justifiait la présence d'un amoureux à mes côtés. Il me fallait être disponible, car même si l'événement semblait terriblement mondain, il n'en restait pas moins que chaque rencontre pouvait être une occasion d'affaires. Il aurait au moins fallu qu'il fût lui-même une personnalité, histoire de déposer du rêve sur l'autel des journaux à potins! Mais comme ce n'était pas le cas, il alla plutôt visiter sa famille à Marseille et, à la fin du Festival, j'allai le rejoindre à Paris où j'en profitais toujours pour passer quelques jours avec mon fils, qui habitait la France. Et c'est à Paris qu'une décision anodine allait créer l'événement qui bousculerait toute ma vie.

Je voulais aller sur les Champs-Élysées pour m'acheter des « cuissardes », bottes très hautes à la mode à ce moment-là et que nous n'avions pas encore au Québec.

Nous étions accompagnés de mon fils, qui se traînait les pieds parce qu'il n'aimait pas le magasinage. Sous prétexte de le distraire, sachant qu'il adorait les voitures, Mastantuono nous dirigea tranquillement chez le concessionnaire Citroën.

– Regarde comme elle est belle et luxueuse cette bagnole ! n'en finissait-il pas de s'extasier. Toi qui n'as pas de voiture, imagine l'effet qu'elle ferait à Montréal !

– Ça coûte bien trop cher !

– Tu t'en vas faire un film en Belgique, tu peux te la permettre.

Cette voiture, on aurait dit un gros crapaud. De prime abord, je n'étais pas très portée sur le modèle. Mais quand on m'eut montré les banquettes en cuir, les phares pivotants afin d'éclairer les virages et le système hydraulique soulevant la voiture au-dessus des congères ou la haussant pour changer les pneus, je fus conquise. Mais tout ça n'était pas suffisant pour justifier l'achat d'un véhicule à l'étranger, jusqu'à ce que le concessionnaire m'explique qu'il n'y aurait aucune taxe à ajouter si la transaction servait à l'exportation. De 16 000 $, nous en étions rendu à 7 000 ou 8 000 $ et l'affaire prenait une tout autre allure. Ce genre de contrat était toutefois soumis à deux conditions : la voiture devait rester sur le continent quelque temps, ou accumuler un certain kilométrage avant l'expédition. Ces obstacles allaient facilement être balayés par mon retour en Europe pour tourner le film en Belgique ; donc, en l'achetant immédiatement, ces obligations seraient facilement couvertes.

Et pendant que je serais en tournage, me précisa Mastantuono, il pourrait en profiter pour parcourir les kilomètres nécessaires exigés par la loi. De plus, ajouta-t-il, puisque c'était moi qui faisais l'achat alors que lui-même n'avait pas de voiture, il s'engageait à défrayer les frais de transport vers Montréal.

Sitôt dit, sitôt fait! J'étais en possession d'une Citroën DS 21 à injection électronique, grise et blanche. Toujours sur les Champs-Élysées, une heure plus tard, j'avais mes cuissardes. Quoi rêver de plus quand on a 22 ans?

Tout se passait comme prévu. J'arrivai en Belgique deux mois plus tard, où je mis un mois et demi à faire le film. À la fin du tournage, je devais retrouver Mastantuono à Paris. Mais, à son arrivée, il affichait un air piteux. Il m'annonça qu'il s'était rendu en Espagne une semaine plus tôt avec ma bagnole, qu'elle s'était déglinguée là-bas et qu'il nous fallait prendre le train pour aller la récupérer.

– En Espagne? Comment as-tu pu aller en Espagne sans m'en parler? Qu'est-ce que tu es allé faire en Espagne?

Il avait réponse à tout.

– J'en ai profité pour déposer une copine qui y allait en vacances, histoire de faire rouler le compteur pour atteindre le kilométrage qu'il nous manque pour les douanes.

– Pourquoi n'as-tu pas attendu la fin des réparations?

– Ils n'avaient pas les pièces là-bas et il fallait les faire venir de France. Une semaine d'attente, m'a-t-on dit. Mais comme je devais également venir te chercher, j'ai voulu éviter des frais sur place et surtout ne pas te faire faire le voyage en Espagne toute seule. La voiture sera prête demain, donc on peut partir maintenant la chercher.

Bref, je n'avais aucune raison de me méfier, même si, dans ma tête, il s'était débrouillé comme un manche. Et pour tout dire, qu'il ait fait monter une étrangère dans ma voiture me dérangeait considérablement plus que les problèmes de moteur ! Mais l'idée d'aller en Espagne me faisait plutôt plaisir. J'ai toujours aimé voyager. Faire de longues distances sur la route est encore l'un de mes plus grands plaisirs.

On s'est déplacés en train vers notre destination finale.

Cette voiture était vite devenue tout son univers. Il en était fier comme si elle était sienne. C'est à peine si j'ai pu y toucher. Je ne savais pas la conduire, car c'était un modèle avec une boîte cinq vitesses sans pédale d'embrayage. On devait passer les vitesses aux changements de régime. C'est donc lui qui en prit le contrôle. Lors d'une première tentative, j'avais presque fait sauter la boîte de vitesse. Donc, à l'exception de quelques essais, je lui laissais le volant.

Au retour, confortablement installés dans mon bolide, on fit le voyage de l'Espagne vers Paris en 16 heures, avant de partir déposer la voiture au Havre puis de revenir vers Montréal. Quelques semaines plus tard, on m'appelait pour que j'aille la dédouaner. C'est à ce moment que Mastantuono, prétextant un surcroît de travail, m'a demandé d'aller la chercher. Comme je lui faisais remarquer que je risquais à nouveau de malmener l'embrayage, il rétorqua qu'il était temps que j'apprenne enfin à m'en servir correctement et que si en France je n'étais pas familière avec la signalisation, qu'à Montréal c'était différent. J'en conclus qu'effectivement il était temps de profiter de ce luxe que je m'étais offert et je m'acheminai seule vers la douane.

Au port de Montréal, une très désagréable surprise m'attendait. Pour soulever la voiture de la cale du bateau et la déposer sur le quai, on avait fixé quatre crochets de touage aux ailes. Le travail avait-il été fait trop brusquement, les points d'appui étaient-ils trop faibles ? Ahurie, je constatai un froissement de tôle sur chacune des ailes et surtout que je n'avais pas l'argent nécessaire pour la faire débosseler.

Déçue, énervée de tant de maladresse, je fis une crise aux responsables, y compris le capitaine du bateau, pour que l'on me dresse un constat en bonne et due forme. On a dû me trouver un peu excessive mais, bon, c'était ma première voiture.

En route vers la maison, craintive, je me suis dit que le moment serait mal choisi d'avoir à nouveau des ennuis, car, dans le cas d'un nouvel accident, les assurances n'accepteraient sûrement pas deux réclamations. Je me garai donc dans un parking du Vieux-Montréal, comptant sur Mastantuono pour récupérer la voiture.

Quand il aperçut les ailes cabossées, et que je lui eus fait le récit de mon énervement, il me fit remarquer, de façon assez abrupte, qu'il n'y avait pas de quoi faire tout ce scandale et ameuter les autorités puisque la voiture était assurée. Je trouvais son attitude pour le moins cavalière. Accueillir une voiture neuve, endommagée, n'était certes pas une situation idéale, mais la déception liée à l'événement nous avait mis tous les deux de mauvaise humeur, et je décidai de ne plus y penser.

Notre vie reprit son cours normal. Quelque temps plus tard, Mastantuono m'annonça que nous allions passer quelques jours à New York pour y rejoindre des amis français qui y étaient en visite. Il arrivait fréquemment que nous fassions ce voyage. Nous recevions beaucoup de visiteurs à la maison, et il n'était pas rare que nous nous rendions aux États-Unis pour faire plaisir à ceux qui n'y avaient jamais mis les pieds. Il avait été convenu que nous partirions en groupe retrouver les amis qui arrivaient de France. Or, le moment venu, Mastantuono m'annonça qu'il voyagerait dans une seconde voiture.

– Tu vas franchir la frontière en premier, car moi je serai en voiture avec notre ami français dont le passeport est périmé. Il risque d'avoir des difficultés à passer l'immigration. Puisque c'est moi qui conduirai, c'est donc à moi qu'on posera les questions. Comme j'ai des papiers avec une adresse au Québec, nous ne serons pas inquiétés.

Il était ensuite convenu que nous nous retrouvions dans une aire de repos de l'autre côté de la frontière. Si le copain ne passait pas, Mastantuono trouverait le moyen de me rejoindre à cet endroit. Dans le cas contraire, je devais rebrousser chemin, une heure plus tard. Mais tout se passa bien, et le voyage se poursuivit sans encombre.

Parvenus à notre hôtel à New York, Mastantuono, qui ne parlait pas un traître mot d'anglais, me demanda d'enregistrer la chambre à mon nom. Étant parfaitement bilingue, j'acceptai, ce que je ferais par la suite à chacun de nos déplacements.

En attendant ceux dont l'avion devait arriver quelques heures plus tard, il me suggéra d'aller faire du shopping dans les environs pour passer le temps, mais refusa de m'accompagner, sous prétexte qu'il était préférable qu'il attende l'arrivée des voyageurs dans la chambre. Je partis donc seule.

À mon retour, il n'était plus là. Ma voiture non plus. Il finit toutefois par me téléphoner pour m'expliquer qu'il prenait un verre avec ses amis et me dire de l'attendre, car nous irions tous manger ensemble. Et j'ai attendu... mais il ne rentra qu'à 3 h 30 du matin ! Inutile de vous dire que j'avais expérimenté toute la gamme des émotions : de la colère à la rage folle de-la-femme-délaissée-pendant-que-monsieur-s'amuse, sans compter l'épouvantable peur qu'il lui soit arrivé un accident.

Ce n'était pas la première fois qu'il s'esquivait de la sorte. Lors de nos très rares mais violentes disputes, histoire de laisser passer l'orage, il s'éloignait parfois pour deux ou trois jours, sans donner signe de vie. Mais de là à me laisser sans nouvelles, dans une chambre d'hôtel aux États-Unis ! Jamais il n'avait fait ça. Que pouvait-il lui être arrivé ? Le fait que je puisse l'imaginer agonisant à l'hôpital ou victime d'un terrible accident ne lui avait-il même pas effleuré l'esprit ?

Avec l'aide de la direction de l'hôtel, j'avais appelé la police, restant en contact avec elle une bonne partie de la nuit, pour vérifier si son nom ne figurait pas sur la liste des accidentés récemment admis dans un des hôpitaux de la ville. Ce n'était pas le cas. J'avais même laissé mon numéro d'immatriculation aux policiers, au cas où on retrouverait ma voiture.

Il était rentré à l'hôtel de fort mauvaise humeur, affirmant s'être disputé avec ses amis. Une sombre histoire d'argent, semblait-il. Il disait ne plus vouloir les revoir et que notre séjour en sol américain se ferait sans eux.

La discussion s'est évidemment enflammée et, comme je posais des questions auxquelles il ne voulait pas répondre, il m'a tout de suite fait comprendre que si ça ne faisait pas mon affaire, ce serait la fin de notre couple et qu'on se séparerait dès notre retour à Montréal. J'étais outrée. J'essayais de comprendre. Je ne comprenais surtout pas à quel point il m'aurait rendu service en donnant suite à ses menaces. Quelque chose m'échappait, évidemment. Pourquoi cette rage envers moi, alors qu'il était le fautif? Pourquoi me reprocher mes inquiétudes alors qu'il m'avait laissée sans nouvelles depuis des heures? Le reste de la nuit ne fut qu'une longue suite d'argumentations, de protestations, de justifications, et devint un interminable combat alors que je déteste depuis toujours tout affrontement.

Pendant le week-end, Mastantuono, grâce à son charme et à son intelligence, arriva toutefois à me faire oublier l'incident. Amoureuse à 22 ans et terrorisée à l'idée de le perdre, je lui pardonnais tout!

Mais aujourd'hui encore, je remercie le ciel qu'il ait prétexté un accès de mauvaise humeur pour ne pas me faire rencontrer ses amis. En réalité, il ne *voulait* pas que je les voie, il ne *fallait* pas que je les voie. C'est ce qui m'a protégée, m'a sauvée en quelque sorte. Car je n'ai été témoin de rien.

Voilà ! À ce point du récit, sans doute avez-vous deviné que ce que je raconte depuis le début, c'est la façon dont Mastantuono s'était servi de moi, et de mon véhicule, pour faire transiter d'impressionnantes quantités de drogue, depuis l'Espagne jusqu'au lucratif marché de l'héroïne de New York, sans être lui-même impliqué. L'inimaginable odyssée s'était produite sans que je ne m'en sois rendu compte, et ne me sera révélée avec exactitude qu'au moment de son arrestation, par son avocat qui m'en avisera.

Rien n'était plus grisant, j'imagine, pour un homme tel que lui, que d'exercer son ascendant sur moi. Je ne compris que deux thérapies plus tard, combien il avait été facile de m'assujettir, vu les lacunes de mon éducation dans l'enseignement du moindre rudiment de méfiance. Mon instinct de survie s'en ressentit. Facile à dire, me direz-vous ! J'avais été élevée et éduquée dans une famille pour laquelle le mal n'existait pas, où la confiance envers l'humain était prêchée comme une vertu et où l'homme, surtout, était roi et maître. Inconsciemment, dans mon cœur et dans ma tête, ceux que j'aimais avaient tous les droits, y compris celui de me faire admettre que, « pour la paix des ménages », la volonté du mâle avait préséance. Je recréais avec mes partenaires le même modèle de soumission que celui imposé chez mes parents. Or, j'aimais Mastantuono d'un amour aveugle – comme on dit dans les romans à quatre sous – et il en profitait, en abusait même. Pousser plus loin les limites de sa domination ne fut pour lui qu'un jeu d'enfant. Comme il était facile de m'embobiner ! Puisque j'ignorais la nature de ses activités, et tant que je n'étais pas mise devant les faits accomplis, je ne pouvais le dénoncer à la police, ce qu'il redoutait par-dessus tout. Alors il louvoyait, mentait, inventait des histoires, me bernait, m'utilisait, puis me séduisait pour faire passer la pilule. Sans pouvoir le confirmer avec certitude, on aurait dit que son but premier consistait à m'impliquer peu à peu dans son trafic, de façon à ce que je ne puisse plus témoigner contre lui devant la justice sans moi-même m'impliquer et risquer d'être inculpée de complicité par le fait même. Ce grand art d'apprivoisement consistait à ne jamais me brusquer, mais plutôt à me mettre peu à peu devant les faits accomplis, irréfutables et inchangeables !

Sans jamais rien avouer sur son trafic lui-même, il m'a dévoilé d'abord, jour après jour, le travail véritable de ses amis. J'ai alors su que l'« agent d'artistes » n'était pas que ça, que l'acheteur de meubles voyageait beaucoup aux États-Unis et que le « retraité » avait une femme qui faisait le trottoir à Paris le soir, après les devoirs et le coucher de son fils.

Puis, à coups de menaces voilées, il m'enseigna les risques qu'il y avait à défier la quiétude de ces gens-là. Citant en exemple certains faits qu'on lui aurait racontés, il me confiait l'histoire de filles – vraie ou inventée ? – que l'on droguait à l'héroïne pour les larguer ensuite dans un avion, sans leur dose et les valises bourrées de drogue, en leur promettant « le soulagement » une fois arrivées à destination. À la moindre incartade, à la moindre rébellion, ces femmes étaient frappées jusqu'à la soumission. Et s'il devenait trop risqué de leur faire confiance parce que trop utilisées ou trop humiliées, ou si on les savait sur le point de tout balancer à la police, on les enfermait dans des bordels à l'étranger où l'overdose libératrice les attendait presque à coup sûr. Même s'il me disait connaître toutes ces histoires, parce qu'il était né dans « le panier » à Marseille, haut lieu de la mafia locale, je n'ai pas compris tout de suite pourquoi il m'abreuvait de ces récits sordides et, jusque-là, plutôt anecdotiques.

Néanmoins, insidieusement, ces récits engendraient chez moi la peur, la sensation d'une menace que je n'arrivais pas à cerner. Mon amoureux me disait évidemment que ces procédés n'étaient pas utilisés par ses amis. Mais comme pour contredire ses propos, beaucoup plus tard, j'ai rencontré… appelons-la Marie.

J'aimais beaucoup Marie, qui était la femme d'un des « visiteurs » de ma maison. Issue d'une famille très aisée, magnifique brindille blonde d'une classe folle, Marie était aussi douce que sensuelle. D'une maigreur cadavérique, elle se droguait. Un jour, comme je n'avais plus de ses nouvelles et que j'ai osé en demander avec insistance, Mastantuono m'avait dit qu'elle avait quitté son amoureux pour une cure de désintoxication, car il lui était devenu difficile de vivre en perpétuelle dépendance. C'est peut-être vrai, mais j'en doute. Le fait est que je ne l'ai plus jamais revue.

Ainsi me terrorisait-il, lentement. L'histoire de ces malheureuses me faisait comprendre que lorsqu'on ne sait pas d'où vient le malheur, tout peut basculer au moindre faux pas. Mais quel faux pas ? La subtilité était de m'amener à croire que ces choses pouvaient m'arriver sans que je ne l'aie vraiment cherché.

Certes, Mastantuono connaissait et fréquentait des gens bien étranges, mais je me sentais tout de même à l'abri, protégée par cet « ange blond » qui disait m'aimer et qui me le prouvait sans cesse. Mes questionnements étaient donc tissés sur une trame d'ambivalence. Rien ne me rassurait vraiment. Mais par ces confidences, il tentait de me faire comprendre qu'il me serait difficile dorénavant de ne pas faire partie du clan sans devenir pour eux une personne à risque. Et moi, j'espérais que tout cela disparaisse, persuadée que l'amour pouvait rendre les gens meilleurs et qu'il allait abandonner ce genre de fréquentations.

Il devait bien savoir pourtant qu'il ne pourrait pas toujours me berner. Quand allait-il juger à-propos de tout m'avouer ? Volontairement, je crois qu'il ne l'aurait jamais fait. Moins j'en savais, plus grande était sa liberté. Mais comme je n'avais pas l'habitude des oppressions auxquelles étaient soumises les femmes de ces clans et que mon caractère était instable, et puisque lui n'était pas tout à fait encore soumis à la peur, il ne pouvait jauger jusqu'où il pouvait se fier à moi en cas de pépins. Cette assurance ne pouvait être créée que par la terreur et il s'y « attelait » quotidiennement.

Il m'a fallu beaucoup de temps avant de comprendre que je me trouvais dans une sale affaire dont je ne pouvais plus me sortir. Deux ans au cours desquels se sont succédé vie normale, révélations, cadeaux, voyages, gâteries et menaces, toujours accompagnés de gestes et de déclarations d'amour au quotidien. Tout cela était arrivé à me déconnecter de plus en plus de la réalité. M'aimait-il ? Sûrement. Mais j'étais plutôt le « cadeau-surprise » que lui offrait la vie. Ne pas m'aimer aurait été plus simple. Dans ce milieu, on « utilise les femmes ». Les aimer complique terriblement les choses. Il me tenait donc à l'écart de ses combines. Jusqu'au jour… Parce qu'il y a toujours un jour où tout éclate.

Ce sera de façon accidentelle, mais avec certitude cette fois, que je découvrirai quel était le commerce auquel se livrait l'homme que j'aimais. Il l'a fait une première fois ouvertement, puis a récidivé, mais toujours en me mettant devant le fait accompli.

J'ai vu ce que je ne devais pas voir. Mais dès cette toute première fois, je venais de recevoir un coup en plein estomac et je ne savais plus que faire. Les idées se bousculaient dans ma tête. Devais-je m'enfuir ? Devais-je feindre l'inconscience ? Devais-je faire croire que je n'avais rien vu ? C'est alors que je compris que je ne pourrais plus compter sur l'aide de personne. Ni de la police, ni de celle des gens du milieu de la drogue. Surtout pas de mes parents à qui je ne révélais rien, à cause de la honte et des conséquences inévitables que cela allait leur occasionner. D'un côté, la justice pouvait m'accuser d'être complice, de l'autre, l'organisation pouvait craindre que j'agisse comme délatrice. Dans les faits, il me semblait avoir moins à craindre de la police qui ne savait rien de ces activités jusqu'ici avec exactitude (du moins le croyions-nous !), que de ces gens qui, sachant que je les connaissais, savaient aussi où j'habitais, que j'étais une personnalité publique et qu'ils pouvaient facilement trouver l'identité de mes parents et l'existence de mon fils. Pour eux, je représentais un danger très sérieux. S'il fallait agir, on me sacrifierait. Je n'avais aucun doute là-dessus... d'un côté comme de l'autre !

Une épouvantable frayeur s'installa alors en moi pour ne plus me quitter. L'exprimer risquait d'obliger l'« entourage » à décider d'une action. Mais quelle action ? Tandis que de me taire obligeait Mastantuono à me défendre auprès d'eux. Je compris d'un seul coup que mon bourreau devait devenir mon protecteur. Le piège s'était refermé.

À la maison, Mastantuono passa quelques heures à m'expliquer les répercussions de mes gestes, le cas échéant. Il n'avait pas besoin d'en rajouter. Connaissant les conséquences qui surviendraient obligatoirement, je n'avais aucune envie d'actes d'héroïsme téméraires en lançant des dénonciations hasardeuses. Mes parents auraient été atterrés, ma carrière compromise, sans oublier la peur des représailles menaçant toujours de venir de Dieu sait où, Dieu sait qui.

Accablée, confuse, sans défense aucune, j'ai choisi la survie. Décidée à fermer les yeux, j'ai voulu me convaincre que je n'avais rien su. Mon corps avait été là, ma tête non. C'était la seule solution envisageable. Ça et prier le ciel qu'on m'oublie. Oubli fort improbable, car j'étais maintenant un danger à contenir.

À partir de ce jour, Mastantuono continua de vaquer à ses obligations sans évidemment me consulter. S'il ne m'expliquait rien, il ne se cachait pas non plus. Je ne m'interrogeais pas sur ses rencontres, je ne m'impliquais pas volontairement. J'avais même peur de lui montrer ma peur.

Mais un jour, dans un rare moment de désespoir et de rage, j'explosai, l'implorant de cesser ces combines dangereuses. Quand je lui demandai qui, à son avis, s'occuperait de lui si nous étions tous les deux en difficulté, il me répondit qu'il n'y avait pas songé. À ses yeux de Méditerranéen, être sa femme me rendait sa complice. Jamais il n'avait envisagé que je ne puisse être à ses côtés. Lui ai-je fait ce jour-là soudainement réaliser la précarité de son emprise ? Il décida de mettre fin à ses activités. Nous avons alors eu quelques mois de répit, durant lesquels il me sembla enfin possible d'envisager une vie normale, sans peur et sans danger. Mais il était déjà trop tard.

C'était une journée d'août au parfum de miel ; je préparais à manger pendant que mon amoureux prenait sa douche. Nous devions partir pour Québec, où j'avais du travail le lendemain, dans un congrès. La journée était si douce que j'avais laissé la porte d'entrée de l'appartement entrouverte, histoire de profiter de cette moiteur de fin d'été. Soudain, sans que je m'en aperçoive, un homme tout habillé de noir entra dans ma cuisine. Imposant, il s'approcha de moi en m'intimant l'ordre de ne pas bouger. C'était l'époque où le meurtre de l'actrice Sharon Tate hantait tous les esprits et nous nagions en pleine psychose collective.

Effrayée, je tentai de fuir par le salon, pour y découvrir une dizaine d'hommes me dévisageant tout en me faisant signe de ne pas bouger. Au premier abord, personne ne se nomma, du moins dans ma terreur extrême je n'ai rien vu, même si l'on m'affirma avoir un mandat de perquisition. La plupart d'entre eux étaient d'ailleurs en civil. On me demanda où était Mastantuono. Je me précipitai dans l'escalier menant à la salle de bains, mais on essaya de m'en empêcher. En me débattant, je réussis tout de même à les suivre. Ils étaient déjà deux devant le rideau de douche, mais le bruit de l'eau couvrait ma voix et notre lutte. En silence, le premier intrus agrippa le rebord du tissu pendant que l'autre pointa son arme. En un éclair, le rideau fut arraché, l'arme braquée sur la tête de mon amant.

– Ne bougez pas, police!

Sans ménagement, on extirpa Mastantuono, dégoulinant, de la douche. Je tentai de m'emparer d'un drap de bain pour le couvrir, mais on m'en empêcha. Je m'insurgerai avec force de ces manières abruptes, mais ce sont des procédures normales de sécurité, m'a-t-on fait comprendre par la suite, car, comment savoir, j'aurais pu profiter de l'occasion pour saisir une arme dissimulée dans l'armoire, si j'en avais eu une. À six ou sept policiers armés contre une femme et un gars nu, je ne vois pas trop comment nous aurions pu nous y prendre, mais bon! Puis, on entreprit la fouille de l'appartement. Tout y passa. On alla jusqu'à déterrer les fleurs de la terrasse. Deux heures de recherche ne rapportèrent rien, si ce n'est la découverte d'argent dans la poche d'une chemise de Mastantuono. Nous avons quitté Habitat 67 séparément, dans deux voitures balisées, sous le regard affligé du portier.

On nous conduisit au quartier général de la GRC, rue Guy. C'est là que le travail commença. On nous interrogea séparément:

– Depuis combien de temps êtes-vous ensemble? Où vous êtes-vous connus?

Puis, les questions se firent plus précises:

– Voyagez-vous souvent tous les deux? Où allez-vous? Qui rencontrez-vous?

L'angoisse m'engourdissait. J'étais tellement déconnectée de tout, que je ne pensais qu'à une chose: ne rien dire sans la présence d'un avocat, que je réclamais. Ça les agaçait. Depuis le temps que je suivais des séries policières et des téléromans à la télévision, j'en avais bien retenu quelque chose. Je continuai de réclamer un avocat, ignorant que mon attitude allait déclencher un processus qui me mettrait au seuil de la catatonie.

Sans habitude des conventions lors des interrogatoires, l'usage abusif de certains procédés fut tout aussi terrifiant que l'arrestation elle-même. On m'isola et, pendant des heures, deux policiers se sont chargés de me poser des questions.

Le premier se montra plutôt sympathique et protecteur : il minimisa les événements, disant qu'il ne s'agissait que d'une simple procédure, une vérification, rien de plus. Le second joua le rôle de l'odieux, en me faisant croire que mon amoureux avait tout raconté, en m'impliquant d'heure en heure dans ses activités. Ne sachant rien avec certitude, ces questions ne me préoccupaient guère. Je sais maintenant qu'ayant été placée sous écoute électronique, on savait déjà jusqu'où mon interrogatoire pouvait les mener, c'est-à-dire pas bien loin. Mais on espérait de nouvelles révélations.

Les « amis » de Mastantuono, par contre, me faisaient bien plus peur que la police et, malgré la situation, je tolérais plutôt bien que, sans interférence de ma part, une intervention supérieure, extérieure à mon quotidien vienne enfin mettre un terme à ce qui se tramait autour de moi. Cette arrestation avait été ma hantise, mais elle était aussi ma libération. Et cette libération, je la voulais totale. En fait, j'aurais voulu disparaître. Sans guide, sans directive, sans soutien, j'étais devenue un zombie de l'âme. Je croyais encore que mon amoureux avait pu être impliqué, contre sa volonté, dans de sales histoires, un peu comme moi qui n'avais rien fait pour les provoquer, mais qui devais y faire face parce qu'elles étaient hors contrôle.

J'étais convaincue qu'on allait lui taper sérieusement sur les doigts, mais qu'on allait aussi se rendre compte que, témoin innocent depuis l'enfance de délits de tout acabit, il n'avait eu d'autre choix que d'obéir. Qu'une fois ce mauvais moment passé, tout irait bien. Il faut croire que j'étais d'un indécrottable optimisme. Et amoureuse. Aveuglément amoureuse.

À 22 ans à peine, je me retrouvais donc dans la merde jusqu'au cou. Presque cinq heures plus tard, on me signala que je pouvais partir, sans oublier toutefois de m'exhiber une photo de mon amant portant son numéro de détention imprimé dans le bas, histoire de m'ébranler davantage peut-être, alors que j'étais déjà dans un état de confusion extrême. Ce qui m'est passé par la tête pendant ces heures interminables, où même les visites aux toilettes sont supervisées, portière ouverte, par une policière, est indescriptible. J'ai bien dû vieillir de 10 ans!

Un avocat maintenant! Je n'en connaissais aucun, si ce n'est Me Claude F. Archambault, qui m'avait enseigné au lycée Da Silva et qui était devenu un ami alors que je l'avais accompagné à un mariage à cette époque. Mais comment le joindre à 19 h, un vendredi soir, quand tous les bureaux sont fermés? J'ai tout de même tenté un appel. C'est son associé, un célèbre juriste, qui répondit.

J'ai dû lui bafouiller quelques explications maladroites; il m'assura tout de même que Claude serait rapidement contacté. Mais il m'offrait, en tant que partenaire de Me Archambault, de venir lui-même vers les 21 h au restaurant de l'hôtel Bonaventure, afin d'établir un premier contact. Il avait déjà un client à voir à cet endroit. Il me demanda d'apporter l'acte d'accusation (qui émanait des États-Unis), les papiers pertinents à la cause, ainsi que des vêtements de rechange qu'il apporterait en prison, me promettant de rencontrer mon amant à Parthenais dès le lendemain, si bien sûr je confiais à son étude le mandat de le représenter.

J'ai accepté, car j'étais prête à tout. Je nageais dans un tel délire et avais à tel point perdu le sens des réalités que je n'arrivais pas à être préoccupée par autre chose que l'obligation d'honorer mon contrat à Québec le lendemain. C'était complètement aberrant, mais je redoutais davantage une poursuite pour bris de contrat, que les graves conséquences des accusations qui pesaient contre Mastantuono.

Si le cumul des problèmes pouvait m'ensevelir ou m'aspirer vers le néant, j'avais le choix, d'un autre côté, de me réfugier dans un domaine où j'avais encore toute ma liberté et la pleine maîtrise de mes actes. Quoi qu'il en soit, la fuite m'était primordiale.

Il me faudrait tout prévoir, ne rien laisser au hasard. Évidemment, avec toute la candeur de ma jeunesse, j'étais convaincue que le problème allait se résorber de lui-même et je décidai, encore une fois, de ne rien dire à mes parents.

En arrivant au restaurant où je devais rencontrer l'avocat, je soupçonnai, ayant eu un échantillon des procédés de la police, que la GRC avait bien pu me libérer pour mieux me prendre en filature. Je ne pus m'empêcher d'esquisser un petit sourire de satisfaction à l'idée de rencontrer un avocat aussi prestigieux, tout en me sachant suivie par les autorités.

Ce dernier n'étant pas encore arrivé, le maître d'hôtel m'invita à prendre place au bar où, me souligna-t-il, je pourrais rejoindre une autre personne qui l'attendait. Je déclinai l'invitation, n'ayant pas le cœur aux mondanités, et le priai de me prévenir à l'arrivée de mon avocat.

Suivant le maître d'hôtel du regard, je le vis se diriger vers le bar et parler à l'oreille de l'homme en attente, tout en me pointant du doigt. Très élégant, la tempe grise, d'allure impressionnante, l'inconnu se leva en boutonnant sa veste et se dirigea vers mon fauteuil. C'était vraiment un très bel homme!

Me tendant la main, il se pencha vers moi et m'affirma qu'il était tout à fait coutumier que son avocat soit en retard. Il m'offrit donc de prendre un verre en sa compagnie, puis il ajouta:

– Je me présente, mon nom est... Frank Cotroni.

J'ai cru que j'allais m'évanouir! Mais enfin, dites-moi que je rêve! J'avais devant moi celui que la presse qualifiait de grand caïd de la mafia montréalaise. Je n'osais plus imaginer ce qu'allaient penser ceux qui m'espionnaient!

M. Cotroni fut charmant. La conversation, de courte durée, se vit interrompre par l'arrivée de celui que l'on attendait tous deux. Je n'étais d'ailleurs plus seule, car un ami était venu me rejoindre.

La soirée de mon avocat se poursuivit en va-et-vient entre deux tables: celle de M. Cotroni et la mienne.

Engagé pendant près de quatre heures dans deux conversations distinctes, copieusement arrosées d'alcool, mon avocat semblait de plus en plus éméché. Malgré l'heure avancée, il insista pour passer chez moi afin que je lui remette l'argent appartenant à Mastantuono, qu'il voulait mettre en sécurité, disait-il. Croyant que l'avocat était seul à me suivre jusqu'à l'appartement, j'ignorais que M. Cotroni avait pris place dans une troisième voiture. Sans doute épuisé par l'alcool et l'heure tardive, mon avocat oublia son « invité » à l'entrée de l'immeuble. Mais j'allais affronter un nouveau problème:

– Danielle! Il est 2 h du matin et je suis fatigué. Pourquoi ne pas me laisser dormir quelques heures ici avec toi et reprendre la route demain?

Je protestai énergiquement, lui affirmant que je devais être au boulot dans quelques heures à Québec, mais rien ne semblait vouloir le distraire de son acharnement. Jusqu'à ce que M. Cotroni vienne frapper à ma porte:

– Ça fait un bout de temps que je vous attends dans l'auto!

– Je reste à coucher, lui a répondu l'avocat, la bouche pâteuse.

J'ai fait discrètement signe à M. Cotroni que je ne voulais pas que l'avocat reste chez moi et que s'il pouvait m'aider... La réplique fut immédiate. D'une voix ferme, Frank Cotroni lui ordonna de le suivre et l'avocat obtempéra. Il eut quelques râles pour la forme, mais il n'y eut pas de coup d'éclat. Et voilà comment je fus protégée par Frank Cotroni ! Je l'en remercie, du reste, trop tard.

J'honorai mon contrat à Québec sans rien laisser paraître, naviguant dans un état second, comme si quelqu'un d'autre m'habitait.

Je sentais ressurgir tout ce que je m'étais caché depuis des mois, tout ce que j'avais occulté, par protection. La police me flanquait la frousse. Et malgré mes sentiments à son égard, mon amant lui-même me faisait soudainement peur. Pour la première fois, je le voyais sous un autre jour. Je sentais cependant qu'il me fallait choisir une direction. À qui devrais-je faire confiance ? Même l'avocat m'avouait se faire du souci pour ma sécurité. Face à l'inconnu, j'ai choisi Mastantuono qui, contrairement aux autorités, me promettait de l'aide. Un peu comme l'esclave qui épouse l'idéologie de son maître, croyant voir là sa seule planche de salut, je m'insensibilisai à tous conseils éclairés, soucieuse de ne suivre qu'une seule voie, la moins douloureuse. Si ni l'une ni l'autre de ces voies n'était la bonne, isolée, j'ai choisi la pire. J'allais le regretter fort longtemps. Et l'aventure ne faisait que commencer.

Mastantuono était donc incarcéré à la demande des États-Unis, qui réclamaient son extradition. Pour l'obtenir, il leur fallait des preuves. Des preuves, il en pleuvait de partout, puisque toute une équipe s'était fait arrêter en France et avait « donné » Mastantuono aux autorités. Et comme l'enquête prenait son origine au bureau de la DEA (*Drug Enforcement Agency*), c'étaient ces gens qui réclamaient de l'aide du Canada pour l'extradition. Or, il était impensable d'effectuer une arrestation sur simple dénonciation, de sorte que, pour avoir des certitudes, l'« Oncle Sam » avait demandé à la GRC de nous épier à la maison. Était-ce le fruit de mon imagination ? Toujours est-il que, plusieurs mois après l'arrestation de Mastantuono, je me suis souvenu de deux hommes effectuant prétendument des travaux dans l'immeuble. Ce n'était pas tant leur présence qui m'avait étonnée – après tout, j'ignorais si nous étions surveillés –, mais l'état de leurs combinaisons de travail : impeccables, d'un blanc éclatant, sans une tache ni un accroc. Des ouvriers d'opérette, quoi ! La meilleure dénonciation de leurs activités m'avait d'ailleurs été fournie de façon inusitée. En passant l'aspirateur, j'avais entendu un épouvantable vacarme sous le balai de l'appareil. Après avoir heurté accidentellement une plinthe, j'avais vu jaillir une douille qui s'était fichée dans la section rotative. C'était un minuscule microphone, qui avait été installé dans le mur par des experts de l'écoute électronique.

Lors d'une visite chez moi quelques jours plus tard, j'avais montré ce petit morceau de métal à Jean-Pierre Coallier. Cela l'avait fait hurler de rire. Depuis, chaque fois qu'il en a l'occasion, il raconte à qui veut bien l'entendre l'anecdote de cette visite où il s'était promené d'une pièce à l'autre en criant :

– *Testing, testing, one, two.* Mon nom est Pierre Lalonde. *Testing!*

L'incarcération de Mastantuono allait donner lieu à une longue série de rencontres à Parthenais (la prison, à l'époque, des gens en attente de procès) et durer un an. De failles dans les articles de la loi en procédures non admissibles, on gardait toujours l'espoir que Mastantuono puisse sortir en attendant la divulgation de la preuve. Mais les policiers ne voulaient pas donner de détails exhaustifs, car chaque renseignement était nécessaire pour raffermir la cause pendant le procès, si procès il devait y avoir. Et la poursuite était mise à rude épreuve par nos avocats

– dont Me Archambault, demandé initialement au dossier – qui cherchait à leur arracher ces détails.

Éventuellement, l'avocat initialement mandaté s'était mis à se sentir incommodé par Me Archambault. Une histoire d'argent, je crois ! Ou une question d'orgueil ! D'une part, Mastantuono n'avait pas l'argent pour se payer une batterie d'avocats, d'autre part, une bataille interne s'était instaurée à savoir lequel des deux, à défaut d'argent, tirerait le plus d'avantages de l'effet médiatique de l'événement. Au départ, Me Archambault était un ami, et c'est lui que j'avais essayé de joindre en premier, tandis que son associé, avocat principal de l'étude, réclamait son droit d'aînesse à grands cris. De sorte qu'en plus des décisions majeures que je devais prendre seule, il me fallut jongler avec les demandes des deux avocats. Comme si je n'avais pas déjà assez de problèmes ! Heureusement, dans ce dilemme, Mastantuono avait fait son choix et tranché pour une raison bêtement technique. En cours de procès, nous avions changé de juge. En retirant Me Archambault du dossier, mon avocat me suggérait de prendre un second partenaire avec qui il avait l'habitude de plaider, sous prétexte que le juge qui présidait la cause était aussi habitué à ses plaidoiries, et qu'il pourrait être plus réceptif – en toute honnêteté et comme il se doit – à nos démarches.

– Légalement, ça ne nous aidera pas outre mesure, Danielle ; le juge doit juger selon les preuves et uniquement selon elles, puisqu'il s'agit de décider de l'extradition. Mais ça lui permettra d'être plus à l'écoute et éventuellement plus ouvert, puisqu'il connaît la solidité de nos revendications.

La cause piétinait tellement que Mastantuono me demanda de retenir les services d'un autre avocat et de disposer des deux autres. Il me recommanda d'entrer en contact avec Me Tomesco. Celui-ci hésita longuement avant d'accepter. En raison de sa durée et, contrairement à toute attente, la cause s'était détériorée. Sans argent, j'en fus réduite à vendre mes biens, et je cédai ma voiture en guise de paiement à Me Tomesco. Je perdis alors ma Citroën, laquelle, par son travail, il mérita grandement. Cet homme se battit pour moi et s'occupa de mes problèmes comme si j'avais été sa propre fille. Il fournit un travail très minutieux. Hélas, il était trop tard !

Sous le poids des révélations, Mastantuono convint qu'il lui serait préférable de partir vers les États-Unis. Cette décision fut prise à la suite d'une rencontre fortuite avec Me Mayer Gross, le procureur du gouvernement américain. Me croisant au palais de justice, ce sympathique petit monsieur s'était approché de moi et, paternaliste, sans animosité – du moins c'est ainsi que je l'ai perçu –, il m'avait simplement fait cette remarque :

– Danielle, je vais vous donner un conseil que vous n'êtes pas obligée de suivre, mais je trouve que ce procès vous oblige beaucoup trop. Mastantuono ira aux États-Unis, et vos avocats le savent parfaitement, car la preuve est trop lourde et s'étoffe de jour en jour par de nouvelles arrestations. Pour l'instant, tout le monde vous manipule, on vous soutire de l'argent et quand il n'y en aura plus pour faire le travail, ils vous laisseront tomber. Dites à Mastantuono de s'épargner du temps. Dites-lui de se rendre aux autorités et de faire une entente avec les États-Unis. Plus le temps passe, moins il en aura le pouvoir. De toute façon, ce n'est pas lui qu'on désire avoir, ce sont les dirigeants. Lui ne sera condamné que pour ce qu'il a fait.

J'en parlais le soir même à Mastantuono. Le lendemain, il demandait à rencontrer les policiers de la GRC.

Un officier m'appela ensuite pour me dire qu'on le transportait à l'aéroport. C'était surprenant de la part des autorités, car on aurait pu, pour des raisons de sécurité, tenir ce déplacement secret. Je l'ai revu une dernière fois à la porte des départs. Les occasions de le rencontrer allaient désormais se révéler autrement plus difficiles.

Si je me souviens bien, on l'installa d'abord dans une prison de New York, puis dans une seconde au New Jersey. Nos séances de discussion par téléphone me rendaient la vie impossible. Confiné, sans visite et sans famille, avec pour seul contact l'avocat américain qu'on lui avait commis d'office et ne parlant pas l'anglais, il était en proie à une déprime carabinée et m'appelait presque sans arrêt. Il troquait des cigarettes contre du temps d'appel avec d'autres prisonniers. Il ne cessait de répéter que nous passerions à travers cette mésaventure ensemble et que nous allions poursuivre tranquillement nos vies une fois l'affaire réglée. J'avais encore la naïveté de ne pas en douter, éprouvant malgré tout – mêlée de grandes peurs – de la compassion pour lui. S'il fallait trouver une raison à son comportement, je puisais aux péripéties de sa vie pour comprendre.

Il avait grandi dans un quartier mafieux de Marseille appelé « le panier » et n'avait connu d'autre milieu que celui des caïds. Il était le dernier-né d'une famille nombreuse. Sa mère, devenue veuve très tôt, avait dû faire des ménages puis, avec ses enfants, tenir un restaurant, pour subvenir aux besoins de la famille. Mastantuono me racontait souvent, un peu comme une légende, que ce restaurant était fréquenté par le parrain de la mafia marseillaise, qui le faisait sauter sur ses genoux. Il avait connu son père. À la mort de ce dernier, il avait promis de surveiller le « petiot » pour que lui et la famille ne manquent de rien. Ce qui fut fait. C'était une caution purement morale, car le restaurant réussissait très bien à nourrir la famille.

En fait, son arrestation n'était presque qu'une formalité. Il n'avait rien pu ajouter à ce que les autorités américaines savaient déjà. On avait cependant besoin de lui pour clore les dossiers d'enquêtes. Plus les histoires concordaient, plus on réglait de cas. Et plus on en fermait, moins cela coûtait cher au gouvernement américain. Ils étaient en fait à la recherche de quelqu'un pouvant leur donner le nom des têtes dirigeantes, et Mastantuono n'était pas de ceux pouvant leur fournir des informations. Du moins, le croyait-il.

Jusque-là, je n'avais pas été trop inquiétée. Quoique présente parfois dans des situations où j'aurais, au sens strict de la loi, dû intervenir, les agents savaient qu'il n'y avait rien d'avantageux à tirer de mon arrestation. Et comme ils n'arrivaient pas à obtenir l'extradition des Français résidant en France et susceptibles de leur fournir de nouvelles déclarations utiles au démantèlement du réseau, l'extradition de Mastantuono leur était capitale.

Le principe de corroboration est essentiel aux yeux de la justice américaine. Justice qui me fit alors la proposition suivante : « Venez répondre à nos questions volontairement et confirmer les dires de Mastantuono, et vos déclarations ne seront pas retenues contre vous. » En fait, ce que l'on attendait de moi était que je témoigne de la présence de certains Français en sol américain, spécialement ceux qui y avaient rencontré Mastantuono. Je décidai donc d'accepter la demande.

Petite anecdote en passant : Rudy Giuliani, l'ancien et très populaire maire de New York, était l'un des agents qui me questionna lors de certaines de ces rencontres aux quartiers de la DEA.

Au tout début cependant, j'avais refusé la proposition, mes avocats m'ayant avertie qu'il était très risqué d'aller seule aux États-Unis sans garantie de protection. Mais quelque chose me poussait à accepter. Pas une seule de mes déclarations, toutefois, ne servit à faire des arrestations, puisque tout le monde était déjà sous les verrous et Mastantuono allait écoper de cinq ans d'internement, dont il ne ferait que deux et demi en raison d'un dossier de première offense, de collaboration et de bonne conduite.

On l'avait interné dans une base militaire où on lui confia la responsabilité des cuisines. Il y eut la chance d'apprendre l'espagnol et de jouer au tennis tous les jours. C'est d'ailleurs à cet endroit qu'étaient détenus les responsables du scandale du Watergate. Mais dans cette cage apparemment idyllique se déroulaient parfois quelques scènes d'horreur. Et celle qu'il me raconta, lors de ma seule visite, me fit constater la nature, de même que le secret entourant les mœurs carcérales. En se servant d'un haltère de gymnase, il avait réussi à se sauver du viol en cassant le bras de l'un de ses assaillants. Il n'avait ni mouchardé ni porté plainte, et l'agresseur, de son côté, n'avait pas insisté. Cet incident lui avait permis de jouir du statut, à l'intérieur même du pénitencier et selon la loi du milieu, de personne à protéger.

Pendant son séjour à New York, dans la période précédant le procès, je lui avais quelquefois rendu visite, visites toujours jumelées à une rencontre avec les autorités. À Montréal, la vie était dure. À 23 ans, je me retrouvais soudain livrée à moi-même. Avec l'aide de mes amis et de ma famille, toujours présents mais discrets, je reprenais goût à une vie normale et à une façon plus saine d'entrevoir l'avenir. Je pansais mes plaies. Je m'ouvrais à certaines évidences. Je tentais d'imaginer, objectivement et sans pression, quelles pourraient être nos chances de vie commune si nous nous retrouvions tous les deux. Et pour tout vous dire, comme le procès continuait de teinter mon quotidien de toutes sortes de contraintes et que l'argent se faisait rare en raison du manque de travail, je ne voyais pas mon avenir s'améliorer face aux obstacles qui risquaient immanquablement de s'élever dans l'éventualité de son retour. L'idée de la séparation s'imposait lentement à mon esprit, même s'il m'arrivait d'espérer pouvoir aller à l'encontre des problèmes infranchissables et des préjugés. Mais de nouveaux événements allaient tout changer.

Au cours de sa deuxième année d'internement, peu de temps avant sa libération, Mastantuono fut rappelé à New York. Cette fois-ci, la menace était de taille.

On venait de découvrir que lors de son premier procès, il leur avait caché les relations d'affaires qu'il avait entretenues avec un important trafiquant de drogue américain, « tête dirigeante » vivant dans la région new-yorkaise. Un homme que la justice américaine essayait en vain d'épingler depuis de nombreuses années, car, selon Mastantuono, tous les témoins susceptibles de l'incriminer finissaient leurs jours à la morgue. Cet homme était le responsable d'une mémorable opération.

Pour sa défense, Mastantuono avait invoqué le fait qu'on ne lui avait jamais posé de questions sur ce trafiquant et que la disparition des témoins qui auraient pu le dénoncer n'était pas de nature à l'inciter à l'aveu. Par peur sans doute, il avait décidé de s'abstenir et de ne pas collaborer avec les autorités. Mais la justice américaine n'avait rien à faire de ces excuses. Il lui fallait une « tête de réseau » et elle allait l'obtenir.

Dès lors, prétendument pour sa protection, on l'isola dans une cellule en verre. Quatre murs à l'intérieur d'une autre pièce éclairée 24 heures sur 24, rafraîchie par un système d'air climatisé. La nourriture était toujours froide. Les toilettes étaient en dehors de la pièce et on lui permettait deux douches par semaine. Pas de chaise pour s'asseoir, interdiction de s'installer plus de deux heures sur le lit qu'il devait remonter vers le mur s'il voulait se mouvoir dans son espace. Pas de visite, pas de lecture ni de télévision, pas de courrier, et pas plus de deux appels par semaine. Il a tenu un mois avant d'accepter de collaborer, mais pas à n'importe quel prix. Les conditions devaient êtres négociées à la hauteur du risque. On lui accorderait la citoyenneté américaine, puis la fameuse carte verte essentielle au travail aux États-Unis. On lui offrirait aussi une nouvelle identité, une protection policière, un nouveau visage grâce à la chirurgie esthétique s'il le désirait, un salaire pour un certain temps et l'assurance de ne pas être extradé vers la France, où il aurait eu droit à un procès similaire.

– Et si je continue de refuser de collaborer? demanda-t-il aux autorités.

– On te fera tout de même un nouveau procès et cette fois-ci tu écoperas de 20 ans fermes!

Le choix était évident!

Mais la mise en place de ce procès, d'une extrême importance, n'était pas simple, car les preuves réelles de la présence physique de Mastantuono aux États-Unis étaient inexistantes. Il n'avait été ni vu ni pris sur les lieux du délit, et il n'existait aucun billet d'avion, aucune déclaration écrite à la douane, aucun reçu de cartes de crédit, aucune fiche d'enregistrement d'hôtel émis à son nom. Je vous l'ai dit plus haut, tout le système judiciaire américain repose sur la corroboration. Sans elle, pas de procès. À moins que…

– Et les fiches d'hôtel?

– C'est Danielle qui les signait.

– Donc Danielle peut venir dire que tu étais ici à cette date avec elle.

– Oui, mais elle dira qu'on est venus ici pour du shopping, ou du tourisme, c'est ce qu'on faisait souvent. De toute façon, elle n'a jamais rencontré le suspect.

– Mais pour la corroboration de la preuve, Danielle doit témoigner que c'est elle qui a signé les fiches et que tu étais avec elle.

– Mais Danielle ne peut pas faire ça, elle va devoir s'accuser. Ça deviendrait un acte de complicité.

N'étant pas mariée à Mastantuono (les autorités y avaient songé un temps, on me l'avait même suggéré), je ne pouvais bénéficier de la loi protégeant les déclarations de l'épouse contre son mari. Le problème restait entier. La toile d'araignée se tissait lentement autour de moi. C'est à ce moment qu'on fit une offre à Mastantuono, de celles qu'on ne peut pas refuser. Piégé, il n'avait d'autre choix que de me faire à son tour une proposition que je ne pourrais refuser.

– Danielle, on me fait un nouveau procès. Tu vas venir témoigner pour moi. J'ai besoin de ta déposition pour corroborer mes déclarations quant à ma présence aux États-Unis à certaines dates.

– T'es complètement fou. Je vais devoir dire que je savais. On va m'accuser de complicité.

– On m'a dit que si tu venais déposer, on allait t'inculper sous une charge réduite et qu'on allait plaider ta cause auprès du juge. On ne peut pas te garantir sa décision, mais on peut souligner ta bonne volonté et implorer sa clémence.

– Et si je ne viens pas ?

– Si tu ne viens pas, ils vont t'accuser de trafic pour t'obliger à venir et demander ton extradition. Tu vas devoir faire face à des charges pouvant mener à 25 ans de réclusion. Au bas mot, ta défense pourrait te coûter 50 000 $ US, que je n'ai pas et que tu n'as pas. De plus, tu auras l'obligation de répondre. Le résultat sera le même.

– Oui mais, pour ça, il faudra prouver que j'étais consentante. Ça, au moins, tu peux leur dire que ce n'était pas le cas. On ne peut pas me demander de m'accuser tout de même !

C'est à ce moment-là qu'il a ajouté :

– Écoute-moi bien, Danielle. Je n'ai pas le choix. Si tu ne viens pas, j'en prends pour 25 ans. Tu vas venir, et tu vas le faire ! Sinon, c'est moi qui déposerai contre toi et qui dirai que tu étais ma complice. Et tu devras toi aussi faire face à la possibilité d'être enfermée 25 ans. Je vais t'accuser et t'impliquer pour que le procès se tienne d'une façon ou d'une autre. J'ai besoin de ce procès et j'ai besoin de preuves pour le mien. Personne ne peut m'aider sauf toi.

Je l'ai fait. J'ai « avoué » comme le dira le titre d'un article en première page de *La Presse*.

J'ai avoué que je n'avais rien vu en fait, car je n'avais pas vu l'homme qu'on tentait de poursuivre. Seul Mastantuono l'avait rencontré. Mais qui pouvait prouver qu'il était aux États-Unis à ce moment-là ? Moi ! Qui pouvait le sortir de ce pétrin même s'il me mettait dans la merde ? Moi ! Pour tout vous dire, à sa place, sans doute aurais-je agi de la même manière. D'un côté, il était isolé, dos au mur, sans argent, sans avenir, sans futur possible avec moi, avec en plus un procès à recommencer en France… et de l'autre, tout ce qu'on lui offrait s'il acceptait de témoigner. Ça ne l'excuse pas, mais bon, on peut arriver à comprendre.

Ce qu'on me demandait allait se révéler lourd de conséquences. La complicité, telle que décrite dans le code, est un acte grave. La poursuite se demandait comment aider celle qui allait les aider. Quoi qu'il arrive, pour la légalité du procès, il me fallait impérativement passer par une accusation. On réquisitionna les services d'un avocat qui m'indiqua qu'en acceptant l'inculpation… *d'avoir utilisé le téléphone afin de faciliter un acte illicite*, je n'encourrais qu'une peine de cinq ans. Il me fallait tout de même envisager la possibilité de me retrouver en prison. Un livre entier ne suffirait pas à raconter les méandres de cette bureaucratie.

Les rencontres recommencèrent au quartier général de la *Drug Enforcement Agency.* Je voyais de moins en moins Mastantuono. Quelques appels. Pas de visites. « On » voulait qu'il en soit ainsi. « On » nous divisait pour mieux régner. Quoique profondément atténuée, la peur me tenaillait toujours. D'où viendrait le pire ? Pourrait-il y avoir pire ? Je ne savais plus. La justice est aussi implacable que le « milieu ».

La date de mon procès fut fixée. Je n'avais toujours rien dit à mes parents. Comme toujours, je ne voulais pas les mêler à mes problèmes. Jamais, en huit ans de troubles divers liés à cette affaire, ils n'ont su ce que j'avais eu à vivre. Pas une seule de mes visites outre-frontières ne leur a été expliquée. Quand est venu le temps de partir, pour ne pas revenir peut-être, j'ai dit à ma mère que j'allais tourner une publicité à l'extérieur et que j'en aurais pour quelques jours. Cette résolution de les mettre le plus possible à l'abri m'était venue à la suite de la parution d'un article couvrant l'événement, et à la lecture duquel ma mère avait eu un malaise cardiaque. De son côté, mon père avait perdu des clients, car il travaillait dans le domaine de l'automobile et on avait cru à sa possible implication, tandis que mes frères, eux, avaient dû se battre pour me défendre. Quant à mes employeurs, ils étaient dans une situation compliquée : me garder ou me rejeter ? On m'aimait bien, mais de quel côté les conséquences de mon soutien pourraient-elles faire pencher la balance ? Souvent on me rejeta, ce qui m'avait fait perdre du travail. Il m'était donc devenu très important de protéger les miens, même si cela m'isolait.

À cette époque, quelque quatre ans après l'arrestation de Mastantuono, je fréquentais Michel Forget. On s'était rencontrés autour d'une table, un soir de première de théâtre, et l'on ne s'était plus quittés. Michel était venu vivre chez moi. Je l'avais rencontré en « retour de délinquance ». Entendre par là que n'ayant pas eu la vie facile, il se refaisait, lui aussi, une santé morale bienfaitrice qui passait par le travail. Le succès de son « Mario Duquette » associé à des émissions de radio quotidiennes et au théâtre de temps en temps y contribuaient. Michel tombait à point pour me faire oublier mes propres soucis. On travaillait ensemble. En sa compagnie, je fis une pièce à sketches au Patriote de Montréal. On voyageait. On s'acheta une maison de campagne à Saint-Guillaume. On appelait ça notre « aubaine pour bricoleur ». Une vraie maison canadienne, sans isolation et guère plus de peinture. Il l'avait payée 12 ou 13 000 $, si je me souviens bien. Et, faute d'argent, j'y avais fait tous les travaux. Un an de décapage, de peinture, de récurage et de décoration – c'était ma contribution – m'a bien remis les pieds sur terre. Je peux vous affirmer qu'il n'existe pas meilleure thérapie, quand on est en attente d'un procès et d'une sentence, que de se dépenser physiquement dans un travail aussi exigeant.

Mais la date du procès approchait et, avec elle, l'inévitable à affronter. Le matin du 18 mars 1976, je me présentai au palais de justice de New York, accompagnée d'un avocat qu'on m'avait commis d'office, faute d'argent. Michel Forget avait insisté pour m'accompagner au procès, qui ne dura qu'une demi-journée. On lut l'acte d'accusation, présenta les preuves, on m'interrogea et contre-interrogea. J'avais devant moi un juge qui ne pouvait qu'être mis en présence des faits, puisqu'il n'avait pas suivi mon dossier ni même celui de Mastantuono. Un juge, en outre, qu'on ne pouvait influencer. Il décidait seul, sur les recommandations des parties. Le moindre écart en ce sens et je risquais une double sanction. On m'avait peut-être fait miroiter un acquittement, mais, dans le cas contraire, une certaine clémence était difficilement envisageable. C'était clair. Juste avant de rendre sa décision devant public, un juge américain peut utiliser une procédure qui n'existe pas en justice au Québec. Il décide d'abord d'une sentence, puis fait part de ses intentions au procureur, mais se réserve le droit, avant le prononcé de cette dernière, d'écouter les explications de l'accusé pour ajuster éventuellement sa décision. Or, j'ai su par mon avocat, sur un bout de papier lors de la reprise des audiences, que le juge allait me demander d'essayer de m'expliquer. J'y lisais :

– Quand le juge vous demandera de parler, allez-y avec cœur. Son idée est faite et ça sera sévère. C'est à vous de plaider votre cause. Moi, je ne peux plus rien pour vous.

Il faut dire que mon avocat n'avait rien de flamboyant. Tout reposait sur la jurisprudence, c'est-à-dire sur la démonstration de ce qu'on avait auparavant donné comme sentence dans des cas similaires au mien. Or, des cas comme le mien, il y en avait quelques-uns. On ne pouvait s'en remettre qu'à ma conduite exemplaire dictée par mes rencontres policières et à mon désir de coopérer avec la justice.

Le juge me demanda donc si j'avais autre chose à dire pour ma défense. Je n'avais pas eu le temps de me préparer, mais j'avais eu le temps, durant ces huit ans, de vivre la désolation que laissent derrière elles des rencontres du type de celles que j'avais faites. J'avais eu le temps d'apprendre les ravages causés par la drogue. J'avais aussi appris à m'aimer un peu plus et à faire la part des choses dans cette relation où « l'aimé » n'avait plus l'ascendant dévastateur que je lui avais octroyé d'abord par amour, et ensuite par peur.

Je m'adressai donc au juge pendant une heure. Je lui racontai ce que je vous raconte aujourd'hui. Ça n'était ni simple ni compliqué, je parlais avec mon cœur. Un trop-plein d'émotions avait toujours eu pour effet de brouiller mon sens de l'analyse. J'avais fait une thérapie afin de comprendre pourquoi je me sentais coupable d'être libre, alors que Mastantuono était en prison. Je sublimais complètement le lavage de cerveau que la peur et l'isolement m'avaient fait subir.

Une psychologue soulignait à CNN, au sujet des pirates de l'air du 11 septembre 2001, qu'indépendamment des croyances et de l'éducation, l'engrenage qui t'emmène au sein d'un cercle d'amis capables de t'endoctriner à petites doses a pour conséquence première de te permettre de commettre des actes d'une portée complètement irrationnelle sans que jamais tu te sentes concerné par la gravité de ces actes.

À la suite de mon témoignage, je sentis le juge hésitant. Le silence s'était installé. Un drôle de silence ! On n'entendait que Michel Forget sangloter. De gros sanglots d'enfant en manque de bras pour le consoler. Moi, j'étais à sec. Zombie parmi les zombies. On n'entendait que lui et le cliquetis des menottes que la matrone préparait au cas où je serais condamnée. J'étais vidée. Vidée de toute ma substance intelligente ou raisonnable. Les dés étaient jetés. Tout ce que j'avais craint pendant toutes ces années, tous mes cauchemars étaient sur le point d'aboutir. Huit ans sur la défensive, huit ans de questionnements, d'hésitations de toutes sortes, de peur, d'envies refoulées, d'isolement, de travail hésitant, d'émotion.

Je sentais bien que le juge devait parler mais qu'il hésitait à le faire. Il s'est raclé la gorge :

– J'aurais aimé qu'on me présente plus clairement une défense dans votre cas, et...

Et l'impensable – que dis-je ? – l'impossible s'est produit. Le procureur de la poursuite s'est levé :

– Votre honneur puis-je porter à votre attention que dans « telle » cause – une cause antérieure et différente de la mienne – l'accusée a reçu une sentence de cinq ans de probation. Et que dans « telle » autre cause également, il y a eu une nouvelle probation, et... ainsi de suite.

In-croyable !

Que je vous explique : allant à l'encontre de mon avocat, qui n'avait pas fait ses devoirs, c'étaient mes accusateurs qui prenaient maintenant ma défense. Rien de moins. Que s'était-il passé ? Je n'en sais rien. Mais l'effet fut colossal. Le juge réclama un nouvel ajournement de 10 minutes. À son retour, il prononça ma sentence : cinq ans de probation ! La matrone retourna à ses quartiers. Les procureurs de l'accusation quittèrent le tribunal sans me jeter un regard. Mon avocat se faisait le plus petit possible. Mastantuono n'avait pas assisté au procès et je retrouvai Michel Forget, encore plus perturbé que moi.

Le voyage de retour se déroula dans un silence inquiétant. On aurait dit que j'avais perdu la parole. Michel me parlait. Je n'entendais pas, ne répondais pas. Pour la première fois depuis fort longtemps, j'avais l'impression de m'appartenir. Je me sentais libre, même si la prison était encore en dedans.

Il m'a fallu des mois pour cesser de vivre dans la crainte, mais il me restait à vivre une dernière frayeur. Les avocats de l'homme contre qui Mastantuono avait témoigné allaient réussir à me joindre, exigeant que je me rétracte. Plus forte qu'avant, je leur répondis que j'allais m'en référer au système judiciaire de New York. Après tout, je n'avais jamais rencontré leur client et ne l'avais jamais accusé directement. Au bout de quelques appels, on me laissa tranquille.

Mastantuono s'étonna par la suite que je ne veuille plus le voir ni lui parler. Aujourd'hui il voyage où bon lui semble, libre, protégé par une loi qui lui a accordé des faveurs – méritées ou non, je préfère ne pas en juger. D'ailleurs depuis cet événement, je suis incapable de juger qui que ce soit, si je n'ai pas tous les éléments de la preuve. Et encore. La justice juge. Pas moi.

Quelques années plus tard, il a tenté de me joindre au poste de radio où je travaillais. J'appelai alors la GRC ; il retraversa la frontière sans me voir. La correction avait été très coûteuse pour nous deux et je tenais à ce que nous en arrêtions là. Il s'agissait d'une leçon pour laquelle les forces n'avaient pas été égales – ce n'est pas moi qui le dis, c'est lui qui m'en fit la remarque. La loi des moyennes ne peut plus s'appliquer dans une telle situation. Pour expliquer son infortune, il s'était rangé du côté des policiers qui lui firent valoir les raisons du succès de l'arrestation. Parlant probabilité, on me dit : si le truand prend le temps de vivre entre ses coups croyant pouvoir se faire oublier, les escouades de police, elles, se relayent 24 heures sur 24 sur ces méfaits. La loterie de l'erreur ne peut tourner qu'à l'avantage des policiers. Un jour, le truand perd. C'est chacun son tour.

Si Mastantuono voyage sans restriction, moi, encore aujourd'hui et 30 ans plus tard, je ne peux aller aux États-Unis sans passer par un dédale administratif et des contraintes énormes au point de me faire régulièrement repousser mes voyages. De plus, les Américains me terrorisent. Je me demande vraiment pourquoi !

De tout mon cœur, je tente sincèrement de comprendre ceux qui font des reproches et portent des jugements sans connaître les tenants et aboutissants, sans accorder le moindre bénéfice de questionnement, sans jamais gratifier l'accusé d'un doute. Un peu comme si l'on avait besoin d'impliquer sa conscience dans un processus de jugement lié à la morale (et non aux événements) pour donner une raison à ces mauvaises actions. On se sent moins coupable quand quelqu'un de connu, d'adulé, de privilégié, en est réduit à payer de sa personne. Un peu comme si, en le jugeant, on se sortait soi-même de sa médiocrité, de sa petite vie routinière. J'ai du mal à l'admettre sans me rebiffer, sans en éprouver un malaise profond.

Je n'ai pas les mots pour décrire ce qu'a été ma douleur. Rien ne pourra jamais la calmer, serait-ce même une montagne de compréhension. Ces événements ont laissé un amas de ruines sur mes 20 ans et saccagé ma jeunesse de nouvelle adulte. Encore aujourd'hui, j'en subis les répercussions, comme s'il y avait en moi une faille impossible à refermer.

Cette affaire a anéanti ma carrière internationale en cinéma et m'a traumatisée au point de devoir suivre une thérapie pour venir à bout de séquelles qui menaçaient de complètement bousiller ma vie affective. Sans ces thérapies, oserai-je dire ces mots : « la folie me guettait ». Et quoique beaucoup atténué, cet épisode de ma vie me hante dans chaque décision importante, dans chaque rencontre, amoureuse ou autre.

Faute de l'avoir éclaircie plus tôt – l'auriez-vous fait à ma place ? –, cette histoire a grandi dans la tête de quelques farfelus, grands redresseurs de torts, grands initiés des affaires judiciaires. Tous ces braves gens que l'on dit bien intentionnés espéraient accéder au « Temple de la bonne conscience » en déballant cette histoire à froid, sans nuances ni retenue. Tout pour la nouvelle sensationnelle, prometteuse de reconnaissance et d'avancement.

Dans cette parade à l'exclusivité, un homme s'est démarqué : Claude Poirier. Je ne dis pas qu'il n'a jamais commis de gestes qui m'aient fait mal. Je dis qu'il s'est astreint à faire son métier sans pour autant, me sachant par terre, s'essuyer les pieds sur moi, comme certains autres l'ont fait. Je n'ai pas simplifié la vie de Claude pour autant, refusant toujours de lui accorder des interviews.

J'ai payé si longtemps – pécuniairement, publiquement, amoureusement et dans mon âme – les conséquences de mes gestes que je ne me laisserai plus jamais affecter par le venin des autres.

J'avais un grand besoin, une fois pour toutes, d'exprimer combien un événement peut former ou déformer un être. J'avais besoin, pour moi et pour moi seule, de tuer cette lueur de doute dans les yeux de ceux qui se rappellent. Un besoin vital et rien d'autre. Et je n'ai plus eu peur, enfin, de tout raconter.

L'image, toujours l'image

Les journaux à potins ne sont pas une invention nouvelle. Si, aujourd'hui, on déplore, même au Québec, que tout passe par le *star system,* j'ai certainement connu les débuts d'une époque où peu d'entreprises artistiques, ou autres, n'existaient vraiment sans être montées en épingle par une certaine presse spécialisée. Tout passait par là.

Maintenant, la question se pose : cela vaut-il vraiment la peine d'en payer le prix ? Quand et comment peut-on cesser de se donner en spectacle à un public de plus en plus friand des moindres cancans du milieu artistique ? Comment s'en accommoder sans s'y consumer, sans s'y perdre soi-même ? Et pourquoi, somme toute, abdiquer ce que l'on est et accepter de jouer le jeu pour se soumettre aux désirs d'un public prêt à gober les histoires les plus saugrenues, les textes les plus trompeurs pour satisfaire son besoin de rêve et de fantastique ?

Dans ce milieu ultracompétitif, ce n'est évidemment pas la banalité du quotidien qui vend. Et pourtant, avec le recul, je sais maintenant que ce n'est qu'à travers ce quotidien et les gestes qu'on y accomplit que le métier prend un sens.

Je me demande parfois si j'atteindrai jamais l'âge vénérable où l'on peut enfin jeter derrière soi un regard amusé sur ce que fut l'exposition publique de son existence.

Pour le moment, une contradiction m'habite encore: qu'est-ce qui m'a fait longtemps rechercher ces moments d'une gloire que je sais éphémère? Pourquoi avoir négligé le désir d'assumer pleinement ce que je suis plutôt que ce que je parais être.

Comment peut-on en venir à redouter la normalité? Même si l'on parvient à dresser un mur entre le public et soi-même, à refuser parfois de jouer le jeu, comment assumer l'inévitable double vie qui subsiste malgré tout, l'envahissement de son espace vital dès que l'on met le nez dehors et qu'il faut défendre, toutes griffes dehors, pour se garder un petit bout d'âme?

Le public se lasse rapidement de ses idoles. Les aduler ne suffit pas, il aime aussi se payer l'illusion de les connaître intimement, de les comparer, de les soutenir, de les protéger et parfois même de les démolir.

Tant de questions continuent de me hanter. Comment le public en est-il arrivé à me percevoir comme il l'a fait? Qu'est-ce qui a pu faire naître tant de passion, tant de haine, et rarement d'indifférence? Devant une critique habile, comment m'en sortir sans être blessée? Comment ne pas me vautrer dans les flatteries obséquieuses? Comment rester indifférente à tant de passions, positives ou négatives? Comment faire taire la panique qui s'empare de moi lorsque, dans une foule, je me sens regardée, jugée, soupesée, décortiquée, sans que je puisse moi, face à un inconnu, faire la même chose? Comment évaluer les événements qui mènent ma vie professionnelle, me réinventer et composer sans cesse avec les modes dont je désirerais parfois me détacher, alors que c'est avec l'agrément du public que je perdure?

Mais ne vous laissez pas prendre à ce qui risque de ressembler à des jérémiades, ce ne sont que des questionnements qui surviennent quand je ressens le besoin, soit par lassitude, soit par fatigue, soit par usure, de faire évoluer ma vie.

Et puisque je vis, depuis plus de 40 ans, sous l'œil de ce public, comment laisserai-je tomber ce vieil amant fidèle qui m'oblige à ne penser qu'à lui ?

Il a quand même fallu que je me crée une bulle. Quand la vedette sort, Danielle reste à la maison. Ce n'est pas que j'éprouve du déplaisir à me promener en « Danielle », sauf lorsqu'on la pointe du doigt dans les Dollarama, en hurlant à la ronde, pour que tous se retournent : « C'est elle, c'est elle, je l'ai reconnue ! » et que la Ouimet rétorque :

– Voulez-vous bien baisser le ton, je ne suis pas en représentation ici, madame. Je magasine comme tout le monde et j'aimerais avoir la paix !

Plus souvent qu'autrement, je lis des regards qui me disent :

– Reste donc chez vous, épaisse, si tu veux pas qu'on te reconnaisse !

Bon, encore une de moins dans mon *fan club* ! Heureusement que ces pénibles rencontres sont rares.

Et s'il n'y avait que ça. Mon amie Denise fait de l'urticaire avant chacune de nos visites au Costco. Elle est incapable de rester auprès de moi plus de 10 minutes, et pourtant elle sait bien que c'est sa présence qui me protège et m'isole de la foule. Dès qu'elle sent un regard insistant se poser sur nous, le genre de regard que je ne remarque même plus, je la vois détaler et quitter l'allée en poussant un chariot à peine garni. Je me retrouve alors démunie, au bord de la panique, à parcourir toutes les allées pour la retrouver.

Mais il existe de pires situations. Cocasses, mais pires ! J'étais en visite à La Malbaie. Pas maquillée, les cheveux décoiffés par le vent et la vitesse, toute de cuir noir vêtue, j'étais assise sur une terrasse au soleil pour déjeuner, contemplant les images parfaites d'une belle matinée d'été avant de reprendre la route en moto avec des amis. Une jolie petite madame endimanchée s'approcha de moi, hésitante.

– Vous n'êtes pas Danielle Ouimet ?

– Oui madame.

Je sentis qu'elle était troublée. Elle se retourna vers ses amis et lança :

– Ben oui, c'est elle.

Puis elle ajouta en me fixant, effarée :

– Mon Dieu, je vous regarde tous les jours à la télévision, on dirait que vous n'êtes pas pareille.

– C'est que madame, je suis en vacances et je fais de la moto. C'est sûr que je ne suis pas comme à la télévision !

Elle rétorqua :

– Je vous trouve bien plus belle à la télévision qu'en personne !

Il arrive parfois que des gens, surpris et confus de me rencontrer une toute première fois, disent le contraire de ce qu'ils ont en tête. Cette fois-là, un silence embarrassé a plané sur la table. Mes amis, les yeux fuyants, réprimaient à grand peine leur envie de rire, tout en m'observant, curieux de voir ma réaction. Habituée à ce genre de situation, je décidai de remettre notre septuagénaire « un peu mêlée » sur la bonne piste et, avec un sourire plein de délicatesse – de tendresse même, dirais-je –, j'ajoutai :

– Vous voulez sûrement dire le contraire. Vous savez, la télévision nous fait paraître 20 % plus gros qu'on ne l'est en réalité et le maquillage vieillit.

Sur quoi elle me répondit sèchement :

– Pantoute ! Je sais ce que je dis ! J'ai dit que je vous trouvais plus belle à la télévision. J'suis pas mélangée. J'vous reconnais pas comme ça !

Je l'aurais étranglée ! Mais elle avait droit à ses opinions et je n'allais pas insister pour la faire changer d'idée.

Je ne m'étais pas soumise à une psychanalyse intensive sans que j'aie appris au moins à accepter qu'il n'est pas obligatoire de me faire aimer de tout le monde. Je n'étais pas prête à abandonner ce beau principe à la critique d'une vieille « malcommode » !

Mes amis étaient morts de rire, ils en avaient les larmes aux yeux. À partir de ce moment, la simple possibilité que je puisse à nouveau faire les frais de ce genre de commentaires, le moindre regard de la part d'un inconnu les faisait se plier en deux.

Trois ans plus tard, on m'en parle encore. Et l'on se prend même à espérer qu'un autre esprit égaré y aille à nouveau de ses compliments à rebours. Juste pour voir ! Il faut, dit le dicton, de tout pour faire un monde, et je ne m'en plains pas. La vie peut être si fade parfois, qu'un peu d'inédit change la donne.

Nous faisons un métier de passion, et la passion attise l'imaginaire. Ce qu'une figure publique peut imprimer dans le subconscient de certains individus me paraît cependant plus inquiétant. Il faut dire que je ne me suis pas aidée en tenant la vedette du premier « film à fantasmes » québécois. Mais tout en assumant mes actes, j'ai appris qu'il pouvait être douloureux de s'extirper de la fange dans laquelle on s'est plu à me rouler, à la suite de ma participation à une série de films prônant une sexualité libre. Quand j'entendais critiquer *Valérie*, il me suffisait de m'assurer intérieurement qu'on ne parlait pas de moi. Cela ne m'a toutefois pas empêchée d'être atteinte à l'occasion.

Il est difficile de transcender la déformation de sa propre image, le mensonge pelliculaire, et de ne pas rêver de tomber un jour sur celui qui aura la grâce de savoir faire la différence.

Si mes choix faits en début de carrière ont eu pour effet de briser certains tabous, ils ont également donné à la majorité des hommes qui m'ont approchée à cette époque l'impression qu'ils pouvaient librement exprimer leur libido avec moi. J'ai d'ailleurs appris avec certains les risques que l'on court à provoquer.

Quoi qu'il en soit, ces événements ont eu des conséquences douloureuses sur mon intimité. Toujours à l'affût de l'image libidineuse, au coin de l'œil de celui qui m'approchait, j'avais tendance à me méfier, de sorte que mes rêves d'une vie équilibrée ont rarement été assouvis. Car s'il me faut évoquer mes fantasmes à moi – non ceux que l'on m'attribuait, mais les miens propres, décevants de banalité et de simplicité, en contraste avec les images lubriques entretenues par mes films –, comment pouvais-je faire comprendre à un homme que je préférais dormir en cuillère toute une nuit, avec des petits bisous dans le cou, alors qu'il m'avoue ne penser qu'à me violer, attachée à un lit, convaincu que j'aime ce genre d'exercice et tout aussi convaincu qu'une fille qui abandonne sa pudeur à l'écran ne peut être au lit qu'une joyeuse salope ? Et de quel droit, l'ayant provoqué au cinéma par des séquences explicites, ne pas admettre la légitimité de ses fantasmes ? Mais de là à passer à l'acte...

J'avais 21 ans, j'étais romantique à l'excès ; vous pouvez vous imaginer les interrogations dans lesquelles me jetait chacune de mes nouvelles rencontres amoureuses. C'était loin d'être simple, et le réveil fut parfois brutal.

En fait, le problème était insidieux. Dès qu'il m'arrivait de rencontrer quelqu'un qui soit susceptible de me plaire, l'angoisse m'envahissait invariablement. Laquelle de « nous deux » approchait-il ? Danielle, ou bien l'image projetée au cinéma et dans les médias ? Il suffisait qu'une rencontre soit exempte d'allusion sexuelle pour que je me sente comblée. Chacun était d'ailleurs très vite mis au parfum de « ma » réalité, de l'existence à parts égales des deux Danielle qui vivaient en moi – la publique et la secrète. S'ils souscrivaient au plaisir d'aimer tendrement la fille, généreusement je me permettais de leur livrer la « star », de céder à leur fantaisie secrète et de les présenter publiquement ; les hommes sont encore tellement sensibles aux rituels de la parade amoureuse, toujours prêts à brandir le trophée.

Je n'en restais pas moins aux aguets du moindre indice, par lequel mon prétendant du moment aurait pu trahir ses intentions véritables, peut-être rien d'autre que le désir d'aller chercher sa part d'un fantasme sexuel, exacerbé par l'image de mon impudeur à l'écran. Longtemps, cette obsession a fait partie de mes « bibittes » et, tout aussi longtemps, j'ai douté d'être digne que l'on puisse m'aimer pour moi-même.

Mais avec l'âge, je me suis mise à avoir moins peur. Si j'ai aimé cette époque de flirts excessifs, j'apprécie davantage maintenant celle de la joute intellectuelle, prélude plus gratifiant à des aventures autrement plus signifiantes.

Dans ce contexte, j'ai souvent eu à faire face, au tout début de ma vie d'adulte, à des situations et confrontations assez désarçonnantes. En voici, en vrac, quelques spécimens, des pires aux meilleures. On y trouve à peu près tout l'échantillonnage des rencontres possibles : celle des malades, des fous furieux, des obsédés, des maniaques sexuels, des doux excentriques et des farfelus, du schizophrène habituel, du joyeux hurluberlu, de l'amoureux transi et même, de temps à autre, d'un homme de bonne foi. Je me contenterai donc de narrer les faits, en laissant au lecteur le loisir d'apposer lui-même son étiquette, comme il lui plaira.

L'une de ces rencontres prit naissance au cours d'une tournée, à Alma plus précisément, où je donnais un spectacle en compagnie de Pierre Lalonde et de Guy Cloutier. Le film *Valérie* était depuis un an sur les écrans, et Guy voulait en tirer avantage en me faisant chanter sur scène.

Après la représentation, alors que j'étais assise dans un bar avec Pierre Lalonde, on m'apporta un verre d'un monsieur qui voulait rester anonyme. Puis un deuxième et un troisième. Je me demande encore s'il buvait à ce rythme.

Il s'approcha enfin, gêné au début, engoncé dans un solennel vouvoiement, pour me déclarer au bout d'interminables atermoiements, abandonnant enfin le « vous » :

– Tu ne le sais pas, mais t'as sauvé mon mariage !

Je devinai, à son sourire salace, que je préférerais sans doute ne pas entendre la suite. Que répondre à un homme qui vient s'épancher de telle façon en croyant te faire plaisir ? Rien. Parce qu'il s'épanchera de toute manière.

– Quand ton film est sorti, me dit-il, je suis allé le voir seul. J'ai bien aimé ça. J'en ai parlé aux gars, au bureau, et sans le dire à nos femmes, on est tous allés le voir ensemble. On en a parlé entre nous en se disant qu'on devrait y emmener nos épouses. Moi, j'avais un problème de ce côté-là parce que ma femme – on est mariés depuis 15 ans –, elle était très gênée avec les histoires de sexe. J'ai pensé qu'elle allait refuser, mais quand elle a vu que tout le monde voulait y aller, elle a décidé de suivre le groupe. En revenant à la maison, je lui ai demandé comment elle avait aimé le film. Elle m'a dit que tout était bien correct et que ça n'était pas si pire. On s'est couchés et on a passé une très belle nuit. Depuis ce temps, ma femme met les enfants au lit de bonne heure et elle me fait des soupers à la chandelle. Elle s'est acheté des déshabillés, ne met plus de rouleaux sur sa tête pour dormir, et on fait l'amour comme jamais on ne l'avait fait avant. Quant à moi, je pense à toi à chaque fois, et ça marche... comme si tu étais là.

Et hop ! je m'étais retrouvée sexologue de service. J'étais ravie pour eux, mais j'aurais préféré ne pas le savoir.

Même si l'ordinateur, Internet et le courriel n'existaient pas à l'époque, je recevais malgré tout énormément de courrier de toutes sortes, particulièrement à CFGL. Certainement aussi troublante que la rencontre d'Alma avait été cette lettre d'un homme qui voulait absolument taire son nom si je ne matérialisais pas ses fantasmes. Il disait vouloir m'habiller d'une robe de bébé, me poudrer les fesses de talc tout en changeant ma couche !

Une autre lettre, reçue à l'époque où je faisais de la radio avec M. Bélair, venait d'un individu qui me promettait cette fois de verser 5 000 $ à une œuvre de charité de mon choix si je le laissais entrer dans ma chambre, un jour où je travaillerais à la radio, et lui permettais d'éjaculer dans le gousset d'un de mes soutien-gorge pendant qu'il m'écouterait en ondes. Pour prouver sa « bonne foi », il me demandait d'ouvrir une seconde enveloppe dans laquelle se trouverait « la preuve » disait-il... de ce qu'il avançait. Il soutenait en effet ce qu'il avançait, puisque l'enveloppe contenait une photo polaroïd de son sexe en érection ! Mieux vaut en sourire même si ce n'est pas nécessairement drôle !

Mais le chef-d'œuvre m'arriva sous la forme d'une lettre d'une quarantaine de pages, plutôt bien écrite. Il était évident qu'elle avait été rédigée sur plusieurs jours. L'auteur m'y racontait ses fantasmes les plus profonds, fabulait sur mes réactions, se réservait des pauses pendant lesquelles il disait redescendre de son rêve pour faire place aux miens, me suggérant d'aller boire de l'eau, car la lecture de ses écrits devait forcément m'assécher la gorge. De toute évidence, il « vivait » avec moi, imaginant l'impact de chacun de ses mots. Il écrivait :

« Je te ferais l'amour sur mon lit d'eau, ta tête frapperait le montant à chacune de mes attaques ; ma femme regarderait la scène en se masturbant ; je sucerais ton orteil droit jusqu'à ce que le sang s'en extirpe, je lécherais tes aisselles de toute ta sueur, j'imprimerais mes dents sur ton postérieur, lécherais ton entrejambe, etc. »

Quarante pages de cette littérature, écrite sur plusieurs jours, mais reçue en un seul envoi ! Je souligne à nouveau ce détail pour que vous compreniez qu'il ne m'exprimait pas là une fantaisie de passage, mais un fantasme élaboré, auquel chaque jour apportait de nouveaux éléments. À l'époque, l'ecstasy et les *poppers* faisaient leurs ravages. En consommait-il ? Je ne l'ai jamais su.

Mais il avait gardé le clou de la lettre pour la fin. Il y prétendait être professeur de sexologie à l'Université de Montréal ! Heureux pour lui que je n'aie pas eu l'idée perverse de soumettre son œuvre au directeur de son département. En songeant à ses étudiants, pauvres otages d'un pervers imaginatif, je me demande encore si je n'aurais pas dû…

Un nombre incalculable d'hommes me faisaient également parvenir la clé de leur appartement et leur adresse en m'invitant à leur rendre visite « quand tu veux ! ».

Ce genre de débordements et de confidences non sollicitées marquait ma vie de bien des façons. Ce n'étaient pas tant les fantasmes des autres qui m'affligeaient. La sexualité s'exprime différemment chez chacun et, en ce sens, je n'ai pas à juger des autres et des moyens dont ils parviennent au plaisir, mais aujourd'hui encore, je ne m'habitue pas à recueillir « la fine fleur » des épanchements intimistes de purs inconnus qui me croient « ouverte » à ce genre de dévoilement.

Un auditeur – un malade – m'écrivait régulièrement des lettres qu'il glissait dans des enveloppes de la Croix-Rouge. Il était évident qu'il était pris en charge, mais on le laissait m'écrire. Il était convaincu que j'étais l'amoureuse qu'il avait perdue de vue et qu'il avait enfin retrouvée. Retrouvailles qui avaient provoqué chez lui, et je cite : « une grosse dépression nerveuse ». Il me reprochait mes absences et je ne pouvais m'empêcher d'être bouleversée de ne pouvoir lui répondre pour lui laisser savoir, le plus délicatement possible, que je n'étais pas « son amoureuse » retrouvée. Le plus pénible était de sentir que, un peu par ma faute, il revivait à nouveau l'abandon. Je ne réussirais pas à le convaincre que je n'étais pas celle dont il désespérait le retour. Je me désolais rien que de l'imaginer en train de m'attendre. Compatissante envers son isolement, l'abandonner me semblait une traîtrise. « Pourquoi tu ne viens pas me voir ? » m'écrivait-il. C'était déchirant.

Il y eut aussi celui qui voulait me rencontrer dans un parc, en un endroit précis, entre telle et telle heure, à une date prédéterminée. Comme je ne me présentais évidemment jamais au rendez-vous et qu'il était obstiné, il réitéra son invitation jusqu'à 50 reprises, chaque fois selon un nouveau scénario. Le plus terrifiant était de le voir poursuivre son manège tout en supputant les raisons pour lesquelles je ne m'étais pas déplacée. Chaque fois, il me prêtait une nouvelle excuse, puis, inlassablement, inventait une nouvelle approche. Terrorisée, excédée, je me demandais souvent en sortant du travail si aujourd'hui ne serait pas le jour où ce fou furieux me sauterait dessus.

Toutes les catégories de déséquilibrés défilaient. Je garde presque tout mon courrier et je vous soumets ici un bout d'une lettre que j'ai conservée :

« Je vais te dire ce que je te ferais si tu étais là. Je te prendrais le cou avec mes mains parce que je t'aime, puis je serrerais très fort comme pour garder quelque chose de toi, puis je te tuerais. Tout ça parce que je t'aime. Dis pas que je ne te le ferais pas. J'ai déjà été enfermé parce que j'ai tenté de le faire à ma sœur. Quand on est enfermé, on nous donne des piqûres toutes les heures. Des piqûres très fortes et puis ensuite, c'est les chocs électriques. Mais je t'aime beaucoup. Là, je suis dehors et je bois. Je suis dehors avec les loups comme la chèvre de monsieur Séguin. J'aime les bums, tu comprends ? Et puis je lis, c'est ma caractéristique. Je suis enragé de lire. Quand j'étais fou, j'embrassais les livres, etc. »

Imaginez un peu comment ce genre de courrier peut vous altérer une petite journée tranquille. Et moi qui aspirais à une sexualité simple !

D'autre part, certaines rencontres se révélèrent passablement dérangeantes. Un individu se prenant pour mon fiancé l'annonçait à tout un chacun et était résolu à me suivre partout. Hiver comme été, il m'attendait, toujours vêtu du même costume ocre, d'une chemise bordeaux assortie d'une cravate bariolée de peinture jaune de sa confection. Il avait le cheveu rare et l'odeur, enfin… passons. Tous les samedis et dimanches, il m'attendait à la sortie de CFGL, les bras chargés de cadeaux. Il avait décidé de contribuer au « ménage », disait-il, et, pour ce faire, s'affairait sur-le-champ à partager son épicerie de la semaine, pour m'en donner ma part. Un demi-pain, un demi-pot de confiture, une demi-bouteille de vitamines Paramette, dans laquelle il avait la délicatesse de glisser 80 $ en billets, ainsi qu'une demi-douzaine d'œufs durs qu'il faisait cuire au petit restaurant du coin en spécifiant à la serveuse que c'était pour « sa fiancée Danielle Ouimet ». Il affirmait avec le plus grand sérieux que la GRC avait fait sauter les ronds de sa cuisinière pour l'affaiblir en l'affamant. Raison pour laquelle il devait compter sur l'aide de la gentille serveuse du coin, qui devait bien se marrer au récit de ses déboires.

J'avais deviné qu'il était médecin, car, un jour que je souffrais d'une bronchite tenace et qu'il m'avait entendue m'en plaindre en ondes, il m'avait prescrit des antibiotiques, avec son nom sur l'étiquette, à l'endroit réservé au nom du médecin traitant. Curieusement, son nom était le même que celui d'un annonceur très connu à CFTM.

Je l'avais rencontré à l'occasion d'une entrevue qu'il m'avait réclamée. Il rédigeait un essai sur les îles du Pacifique et des Antilles, et sachant que j'en avais visité quelques-unes, il désirait connaître mes impressions pour terminer la rédaction de son livre. Nous avions pris rendez-vous à la station de radio. Il était arrivé transportant trois gros sacs en plastique rouge, bourrés de coupures de journaux soigneusement répertoriées et numérotées. Avec une précision d'ordinateur, il s'était mis à en tirer, sans jamais se tromper, le document pertinent à l'illustration de son propos. Un de ces sacs regroupait sa documentation sur les conflits mondiaux, le deuxième était consacré à la recherche médicale, laquelle stimulait particulièrement son éloquence, et le troisième m'était consacré ! Super-brillant, l'homme était vraiment au fait de TOUT. Mais la rencontre s'éternisait et j'attendais toujours en vain qu'il me questionne. Ça faisait déjà une bonne heure que j'essayais de naviguer à travers les méandres de ses propos farfelus et ma patience commençait à s'émousser. Mais comme il était poli et érudit, je prenais mon mal en patience.

Nous étions au milieu d'une conversation on ne peut plus normale portant sur mes voyages, lorsqu'il sortit une carte de Cuba et me demanda, en la plaçant devant moi :

– Alors, où sont-elles ?

– Où sont-elles, quoi ?

– Vous le savez bien, voyons. On ne vous a pas envoyée là-bas pour rien !

– Si vous pouviez être plus précis.

– Pourquoi ne voulez-vous pas me le dire ?

– Vous dire quoi ?

– … Où sont les bases militaires secrètes ?

C'était surréaliste. Tout basculait. Et aussi invraisemblable que cela puisse paraître, pendant huit ans, cet homme allait se présenter sans relâche partout où je me trouverais. Son but : me protéger « du gouvernement qui t'envoie du haut de la tour de l'Université de Montréal, des micro-ondes sur le cerveau pour t'endoctriner et te faire devenir le prochain premier ministre du Canada ».

Je le retrouvais à mon arrivée, puis à ma sortie de CFGL, six heures plus tard. Je ne m'en formalisais pas outre mesure. Il était bizarre sans doute, mais pas vraiment dérangeant.

Toutes les semaines, il me livrait *ma part* d'épicerie, m'entretenait de choses et d'autres pendant cinq minutes, m'accompagnait jusqu'à ma voiture, puis disparaissait jusqu'à la semaine suivante. Mais lorsqu'il commença à prendre l'autobus jusqu'à Chicoutimi, afin de me voir animer un défilé de mode, engueulant et attaquant tout homme qui, même à ma demande, aurait eu l'impudence de m'accompagner à ma voiture dans le noir, je réalisai qu'il y avait peut-être lieu de m'inquiéter.

Et ça n'allait pas être le pire. Il apprit que j'avais fait l'achat d'une nouvelle maison dans l'ouest de la ville. La maison faisait face à un magnifique parc, ce que j'avais eu le malheur de souligner en ondes, sans donner de précision, mais en ajoutant que je vivais dans l'ouest de la ville. Le territoire était vaste, mais il en fallait plus pour le décourager, car il parcourut à pied tous les parcs de la région ouest afin de repérer ma voiture. Il me retrouva. De ce jour, il se mit à dormir devant chez moi, beau temps mauvais temps, sur un banc de bois dissimulé sous un arbre. Je consultai la police à plusieurs reprises. On m'expliquait qu'il me fallait obligatoirement porter plainte ce dont, jusqu'alors, je n'avais pas éprouvé le besoin. Mon instinct me dictait que si cet homme, dans son cerveau de schizophrène (car c'est bien la maladie qui le minait), en venait à penser que je m'étais retournée contre lui, je risquais davantage, puisqu'il avait le don de me retrouver n'importe où. Ne proclamait-il pas une haine sans bornes pour la police, la GRC, les gouvernements qui voulaient, selon lui, le bâillonner ?

L'affaire se régla toutefois de façon inusitée. À nouveau posté devant chez moi, un jour où je faisais des rénovations à la maison, il se mit à déblatérer. Excédée par sa présence, j'ai fait comme si je ne le voyais pas, ne l'entendais pas. Il était devenu invisible. Il me menaça de l'enfer, m'accusa de trahison, me traita d'écervelée à la Margaret Trudeau, me menaça de faire en sorte que je ne devienne jamais premier ministre, puis il disparut. Je ne l'ai plus jamais revu, mais huit ans, c'est long pour régler un problème.

Je m'en voudrais de passer outre à des événements plus réjouissants, qui viennent faire contrepoids aux quelques bizarreries dont je viens de faire le récit.

Je reçus un jour une lettre d'un homme qui affirmait vouloir me rencontrer. Ses lettres, très bien écrites, m'intriguaient. Il y racontait entre autres que, mêlé à la foule, il était déjà venu me voir au théâtre, à Saint-Marc-sur-Richelieu, où je jouais en compagnie de Larry-Michel Demers et André Montmorency. Il se serait d'ailleurs présenté à quelques reprises au théâtre sans oser m'aborder, mais me promettait qu'il était de son intention de le faire à sa prochaine visite.

Un soir donc, je vis Patrick, notre régisseur, arriver les bras chargés de tant de paquets qu'il avait peine à avancer. Les paquets m'étaient destinés, et quelle ne fut pas ma surprise en les ouvrant de voir se répandre sur le sol une trentaine de pochettes de bonbons de toutes sortes, un chemisier à motifs africains, une assiette de plastique au bord ajouré avec l'image de la tour du CN de Toronto imprimée au centre, puis des fleurs, des œillets (même si la superstition veut qu'on n'offre jamais d'œillets à des acteurs, sachez qu'elles ont la réputation de porter malheur) enveloppés dans du cellophane de dépanneur, d'autres fleurs, plantées en terre dans des bacs de plastique, un vrai capharnaüm! J'attendais l'énergumène et ne fus pas déçue : il était au diapason de ses cadeaux. Affublé d'un costume vert, presque lime – un poème –, il était visiblement très heureux de me rencontrer!

Reconnaissante de l'attention que l'on me porte, j'essaie toujours de répondre à mon courrier de même qu'à toute marque d'attention, sachant combien chaque geste souligne l'élan du cœur. Comme il m'écrivait souvent, je répondais par des remerciements, sans jamais lui laisser d'espoir, d'autant plus que ses lettres prenaient un ton obsessionnel.

Dans ses missives, il me racontait son mariage à une femme dont il m'avait envoyé la photo et à qui, m'avoua-t-il candidement, il faisait croire qu'il me fréquentait. Il ajoutait qu'elle trouvait cela très normal ! Eh bien pas moi ! À ce moment-là, j'avais déjà cessé tout contact, mais qui peut empêcher un cœur de rêver ? Le coup de grâce était à venir et il allait venir, comment dire, de façon peu banale !

Je venais de terminer mon émission à CKVL avec M. Bélair quand la téléphoniste m'a jointe au troisième étage pour m'annoncer :

– Il y a des gens ici pour toi. Je les ai fait monter.

Je trouvais bizarre qu'elle se soit permise de les laisser monter. Les personnes étrangères au poste n'avaient normalement pas droit de passage, mais il était trop tard pour réagir, ils étaient déjà là à ma sortie du studio.

Le choc ! C'était mon soupirant vert lime et sa progéniture d'ascendance haïtienne. Ils m'attendaient, endimanchés, dans le corridor. S'approchant de moi avec un large sourire, il me déposa la plus petite dans les bras en disant :

– Les enfants, dites bonjour à Danielle. Dites bonjour à votre nouvelle maman.

Ils étaient magnifiques, mais, bon... je n'étais pas tout à fait prête à avaler l'incongruité de cette famille instantanée !

J'ai dû recourir à un avocat, lui suggérant de régler avec rigueur cette demande de maternité aussi soudaine qu'intempestive. Ce qui fut fait sans problème.

Doit-on répondre à qui vous courtise par la poste ? Est-il possible de débusquer, dans les écrits, ce qui pourrait se révéler une rencontre d'exception ? Je m'y suis risquée une fois. La lettre était adorable et je sentais beaucoup de chaleur dans la façon dont son auteur avait essayé de me joindre. Il me promettait, un jour, la surprise d'une visite, ce en quoi il s'exécuta, se présentant en costume-cravate, une rose à la main dans le parking de CKVL. Je pris son numéro de téléphone, sans toutefois lui donner le mien, et s'instaura dès lors l'habitude de nous parler tous les soirs sur mon portable, durant le trajet du théâtre à la maison. Il devint une sorte d'ami-accompagnateur. Je vivais seule et appréciais cette « oreille neuve » à mes confidences, jusqu'à ce que nos conversations me deviennent indispensables. Tout est si simple quand on n'a rien à prouver. Son histoire à lui n'avait rien de compliqué : la mère de sa petite fille l'avait quitté, et il se mit à prendre très au sérieux l'attention que je lui portais et à espérer que nous puissions connaître une aventure plus sérieuse. C'était impossible. Je ne vivais pas une période heureuse ; il n'était pas question pour moi de troquer une peine d'amour récente contre celui d'un être qui aurait à en subir les contrecoups.

Entre-temps, sa « blonde » – il n'était pas marié –, mise au courant de nos conversations, en était devenue jalouse au point de le menacer de lui faire perdre la garde de l'enfant. Éventuellement, il disparut, ayant changé de numéro de téléphone sans me prévenir. Je n'ai plus jamais entendu parler de lui. Et pourtant, je pense encore souvent, très souvent à lui, scrutant les visages sur chaque chantier de construction. Est-il heureux ? Subit-il toujours le chantage de sa femme ? C'était ce qu'on appelle un « bon gars ». Il idolâtrait sa fille. Elle ne saura jamais sans doute ce qu'il en a coûté à son père pour qu'il puisse la garder auprès de lui.

Au chapitre de mes aventures singulières, il m'est arrivé de répondre à une lettre adressée à CFGL, trois ans après l'avoir reçue! Un premier appel m'apprit que l'homme était parti vivre à l'étranger pour des études en architecture. L'idée de répondre à cette lettre, quoique touchante, suscitait curieusement en moi un sentiment de gêne. Mais, très sensible aux belles écritures, je l'avais conservée jusqu'à ce que, plus tard, je tombe par hasard sur la missive et qu'une envie incontrôlable me pousse à téléphoner à nouveau. Incroyable! Le numéro était encore bon. C'est sa mère qui répondit, m'annonçant que son fils faisait un stage d'architecture en Algérie, qu'il en avait donc pour un bon moment avant de revenir. Je lui laissai mon numéro en lui disant: « S'il vous appelle, dites à votre fils que j'ai appelé. » Je n'en entendis plus parler.

Mais, serais-je un peu sorcière? J'ai un certain don d'intuition, tout petit mais étonnant. Par exemple, il suffit que je pense à un ami pour qu'il m'appelle. Je veux des nouvelles d'un autre, il m'écrit ou me rend visite. Il m'arrive de pressentir quand exactement on m'offrira du travail. Bref, sans nouvelles, j'avais oublié l'existence de mon beau voyageur. Dix ans plus tard, j'assistais à l'ouverture d'une boutique de meubles sur la rue de Mentana – la boutique même où l'on allait me proposer un peu plus tard d'installer ma galerie d'art – quand j'aperçus un bel homme qui déposait son manteau au vestiaire. Nos regards se croisèrent un court instant, puis se firent plus insistants. Je m'approchai:

– Vous allez me trouver très spéciale de vous demander ça, mais vous n'avez pas essayé de me joindre un jour…

– Oui, je vous ai écrit une lettre…

– Votre nom ne serait-il pas Pierre C. par hasard?

Il a failli tomber à la renverse. Je n'avais jamais parlé à cet homme, jamais vu sa photo. J'avais oublié jusqu'à son nom. Mais là, devant lui, il me revenait avec précision. Je ne savais pas qu'il était revenu au pays et pourtant j'avais la certitude absolue qu'il s'agissait de lui. Nous nous sommes reparlés à plusieurs reprises, puis perdus de vue à nouveau. Et les années ont passé.

Mais l'histoire ne s'arrête pas là. Au moment même où j'étais à écrire cette anecdote, Pierre se manifesta à nouveau, par courriel cette fois, acheminé par la maison de production qui m'emploie. Il m'avait vue à l'émission *D'ici et d'ailleurs.* On s'est donné rendez-vous et on a parlé pendant six heures d'affilée. Dix ans s'étaient écoulés et c'était comme si l'on ne s'était jamais quittés. Drôle de destin…

Serait-ce mon karma ? Car il ne s'agit pas là d'un cas isolé. Des histoires semblables semblent m'arriver à répétition. Quand, au hasard des rencontres, je fais la connaissance d'un homme libre, mais récemment séparé, et que s'esquisse entre nous la possibilité d'une aventure amoureuse, l'événement décevant survient presque immanquablement. Une fois sur deux, émoustillée par l'attention nouvelle que me porte « son » homme, fouettée par le fait qu'il ait pu l'oublier, l'ex rapplique en quatrième vitesse toutes larmes ruisselantes. Mais comme ce genre de réconciliation ne dure jamais, quelques mois plus tard, la belle est à nouveau dans la nature. Et moi aussi.

Je me suis peut-être parfois rendue trop accessible, mais j'ai toujours tracé impitoyablement la ligne lorsque, pour glorifier le scandale, provoquer ou attiser la curiosité malsaine d'un certain public, j'ai senti que l'on tentait de prendre des décisions à ma place. Je suis inflexible lorsque je sens la manipulation, le mensonge, l'abus de pouvoir et lorsque quiconque risque d'être blessé dans l'exercice.

Et Dieu sait qu'on ne m'a pas ratée ! Même si je n'éprouve aucun pieux regret, j'ai payé cher les choix que j'ai faits. On m'a regardée de haut, fait porter la responsabilité de l'inavouable ; on m'a prêté des mœurs dépravées, croyant qu'elles faisaient partie de mon quotidien. On m'a jugée légère, futile, superficielle, sans talent et j'en passe. Parfois « j'avalais » ma peine. D'autres fois, je ne me suis pas laissé faire. Surtout quand cela risquait de porter préjudice à ma famille.

Je me souviens d'un journaliste du nom de Michel Collet. Venu de la France franchouillarde et détenteur – comme tous les Français un tant soit peu habiles à l'écriture – du droit d'écrire n'importe quoi. Du simple fait qu'il avait scribouillé pour *Le Canard enchaîné*, on lui avait consenti une chronique d'une pleine page dans un journal de fin de semaine qui lui permettait de déblatérer, plus souvent qu'autrement, sur des artistes de son choix. Si le choix était vaste, l'ennui c'est qu'il n'en connaissait aucun ! Ce n'était pas grave. Il avait carte blanche du rédacteur en chef de l'époque et avait entrepris ses écritures avec un succès, ma foi, assez percutant. Ses premiers articles, en fait, avaient eu l'effet de véritables bombes. Son lectorat, peu aguerri aux finesses du double sens linguistique qu'utilisent habilement, convenons-en, certains auteurs français et encore moins habitué à ses tentatives de prouesses littéraires, était demeuré stoïque. Mais ce n'était pas pour décourager notre joyeux farceur qui continua de persévérer dans ses attaques et dénigrements... jusqu'à notre rencontre.

On m'avait envoyé « l'oiseau rare » pour que je lui accorde une entrevue avant mon départ pour le Festival de Cannes, où l'on allait présenter *Valérie* aux acheteurs. Nous nous sommes rencontrés chez Bourgetel, endroit à la mode de l'époque, où il me fit répondre à une série de questions anodines du genre : « Quel est votre animal préféré ? Réponse : Le cheval ! Que lisiez-vous enfant ? – La comtesse de Ségur. » Il me proposa finalement de me raccompagner chez moi, bien que je lui aie fait savoir que j'habitais très loin, à l'autre bout de la ville, chez mes parents à Ahuntsic. Pas de problème, il m'accompagnerait quand même et, comme à l'époque je voyageais en métro, je trouvai l'invitation sympathique. Je lui demandai de m'attendre, le temps de passer au petit coin. Mais, à mon retour, il s'était volatilisé !

Je n'ai pas les termes exacts de l'article qui parut durant mon séjour en France, mais je me souviens de l'essentiel. Ça s'intitulait « La guère froide » et se poursuivait sur le même ton et à peu près comme suit : « Très peu se soucient de leur première partie de cartes ou de la température qu'il fait, mais Danielle Ouimet prépare avec amour sa prochaine partie de jambes en l'air et suppute avec doigté le quotient érectile de son partenaire futur. Danielle est un sexe ambulant ! »

Il ajoutait qu'au moment où les jeunes filles lisaient la comtesse de Ségur, moi, j'en étais déjà au marquis de Sade. Faisant référence à mes préférences équines, il n'avait pu s'empêcher d'ajouter : « son étalon ce n'est pas le pied, mais la verge » et finissait en disant, en substance : « si vous désirez la rencontrer, chose aisée, le journal vous fait savoir qu'elle est en ce moment à Cannes où, si le vedettariat ne la nourrit pas, il a pour principe au moins de lui en boucher un trou ! »

Rien de moins. C'est beau, la culture ! À cette lecture, ma mère avait eu un malaise et avait dû rentrer à l'hôpital. À mon retour de Cannes, ma famille vint me chercher à l'aéroport, me montrant l'article dans la voiture. Dominique Michel, outrée, prit le temps de m'appeler pour me suggérer de poursuivre le scribouillard et pour m'assurer de sa participation à un témoignage en cour, le cas échéant.

Le lendemain, je contactais le bureau de Me Raymond Daoust pour demander réparation au journaliste ainsi qu'au rédacteur en chef et au président du journal. C'est vraiment drôle, la justice. En tous points aussi comique et aussi triste que la bêtise humaine. On interrogea d'abord M. Collet, qui vasouilla quelques explications selon lesquelles son article aurait été altéré. On avança même qu'il n'avait peut-être pas soumis le texte lui-même.

Personne ne savait trop d'ailleurs ce qui aurait été modifié, ni qui avait pu le faire, car ni lui ni la rédaction n'avaient gardé de brouillon. On en vint à la conclusion qu'il était impossible de savoir avec certitude qui était l'auteur de l'article. Le rédacteur en chef fit une déclaration identique, ajoutant en plus que son travail avait été ardu cette semaine-là et qu'il n'avait pas eu le temps de lire la version finale. En fait, deux articles avait paru sur moi ce même week-end, dans le même journal : un relatant ma rencontre avec le journaliste, puis un autre plus important, sur plusieurs pages, couvrant la présentation de *Valérie* au festival. On ne s'était pas immédiatement rendu compte, à la lecture de ce dernier, qu'il y en avait un deuxième et que, oui, il était possible qu'il y ait eu modification du texte, mais par qui ?

N'importe quoi. Ils racontèrent n'importe quoi !

On s'acheminait doucement vers un « pas de preuves donc pas de plainte » tant la copie avait circulé entre de nombreuses mains. C'est alors que mon avocat eut une idée de génie. Il fit témoigner la comptable, sans avertir la direction de sa convocation. Cette dernière n'était pas au courant des déclarations précédentes et de la preuve devant être faite à l'effet que M. Collet avait été payé pour l'article. Sans qu'on le lui demande, croyant aider la cause, elle sortit de sa poche le bon de commande qui fait office de facture, comprenant un numéro plutôt qu'un titre d'article. Elle nous remit également, signé par le rédacteur en chef, le talon de retour du chèque endossé par Collet à une date en concordance avec l'article. Preuves en main, la direction du journal comprit alors qu'elle ne pouvait plus gagner et, comptabilisant le prix à payer pour l'erreur, crut intelligent de laisser tomber M. Collet. Croyant peut-être éviter de payer l'amende imposée au journaliste, on le congédia. Ce qui ne plut pas du tout à M. Collet, vous le comprendrez bien ! Techniquement donc, nous avions enfin cette preuve, mais encore fallait-il prouver qu'il s'agissait spécifiquement de cet article qui avait été approuvé par le rédacteur en chef, puisque nous n'avions qu'un numéro de bon de commande.

Mon avocat rencontra donc Collet lui proposant ceci :

– Voici le *deal*. Faites une déposition selon laquelle le rédacteur en chef a bien reçu votre article et Danielle retire sa plainte contre vous.

Le journal pouvait se payer ces frais. Pas lui. La décision n'était pas difficile à prendre. Le nouveau chômeur finit donc par obtempérer, révélant que le rédacteur en chef avait non seulement reçu l'article, mais qu'il l'avait corrigé à la main. Il nous en donna même la copie. En fait, on lui avait passé le flambeau, il s'était vengé comme il avait pu. Le journal dut payer. Quant à moi, ça ne me coûta rien et je ne reçus rien non plus. L'avocat empocha tout… pour ses honoraires !

Tout le monde en avait pris pour son rhume dans cette affaire. Le président du journal, n'ayant pas daigné répondre à l'avis de comparution au début du procès, avait été arrêté et avait dû passer la fin de semaine en prison. Ses avocats étaient en vacances ! Rien ne m'avait été épargné à moi non plus. Cela sert à forger la détermination.

André Montmorency m'avait dit un jour : « Tu n'es pas immorale, toi Danielle. Tu es amorale. »

Selon *Le Petit Larousse*…

Immorale : qui agit contrairement à la morale établie.

Amorale : qui manifeste une indifférence à l'égard de la morale.

Tiens, on dirait, une fois encore, que tout ça relève de l'image ! Serait-ce plutôt une image qu'on se fait de la morale et qui serait aussi fragile que l'air du temps ?

Amorale ? S'il voulait dire par là que je ne juge pas, ne condamne pas et que mes critères moraux sont personnels, façonnés à force de coups, de sérieuses censures et de grands jugements tout à fait gratuits à mon égard, alors oui, je veux bien être amorale.

Tout ça, fort heureusement, fait partie du passé. On ne m'écrit plus de lettres obsédantes, les scandales sont derrière moi, l'image s'est peaufinée avec les événements. J'ai des opinions hors normes parfois, mais toujours dictées par le souci d'être honnête et juste pour tout le monde.

Avec une bonne partie de ma vie derrière moi, j'aime encore penser qu'il y reste de la place pour de grandes surprises. Du moins, je le souhaite. Merci à tous ceux qui m'ont aidée à devenir ce que je suis. À force d'être « barouettée » dans toutes les directions, j'ai appris qu'il n'en tient qu'à moi d'assumer mes choix.

Mon destin a été peu banal, et je n'y peux rien. Il me reste, pour conjurer ce destin, à le redessiner à petits traits, de gestes et de pensées simples. Je parie que j'y arriverai... à la veille de ma mort peut-être ! Et encore...

Lison

– Je ne peux pas croire que je m'en vais en Grèce avec *ma* Danielle!

Oh boy! Il me semblait bien aussi qu'il allait y en avoir au moins un (ou une) dans le groupe qui allait, à sa manière, me faire mériter mon voyage.

Nous étions dans l'avion et je servais d'accompagnatrice à un groupe d'une cinquantaine de personnes que je rencontrais pour la première fois. Notre destination était la Grèce, un pays que jamais je n'aurais cru avoir un jour la chance d'explorer. C'était un véritable rêve.

Nous n'avions pas encore foulé les trottoirs d'Athènes que cette dame, déjà, m'abordait avec familiarité. Non pas qu'elle fût désagréable, mais une longue habitude du public m'a fait comprendre que certaines personnes trop sociables s'installent aisément sur le perron de votre intimité. La question était de savoir si j'avais envie de recevoir des visiteurs envahissants, surtout en voyage.

Coquette, élégante, Lison avait la taille fine et le regard un peu dur. Une chevelure frisottée et peroxydée distrayait toutefois l'œil de sa grâce naturelle. Mais le cœur rachetait tous ces petits défauts. Sa tendresse, ses déclarations bruyantes et musclées, surtout lorsque, pour me démontrer son amitié, elle m'emprisonnait de ses bras en étau, me bouleversaient quelque peu. Tout chez elle était débordement amoureux. Pour la vie, les choses et les gens. Volubile, sans demi-mesure, elle passait d'une émotion à l'autre comme portée par un coup de vent. Elle me racontait, entre autres, avec des mots poignants la vie du seul homme qu'elle ait aimé, puis du même souffle, dans un flot de larmes sans fin, m'avouait s'ennuyer de ses enfants.

Je m'habituais peu à peu à sa présence, prenant souvent le temps de déguster avec elle un de ses éternels « ti-z'oiseaux », la façon dont elle commandait l'ouzo.

Un soir, vers minuit, alors que nous étions assises à la terrasse de sa chambre surplombant la vallée de Kalambaka, là où les feuilles de l'oliveraie brillent sous la lune comme des lucioles égarées, dans une nuit douce à en gémir, elle me révéla l'inexorable : elle allait mourir.

À sa façon, elle crânait : « Je vais me battre, je vais gagner. » Mais je devinais, malgré sa volonté de m'épargner, qu'elle ne savait que trop bien qu'il n'en serait rien.

Ses malheurs avaient commencé quelques années plus tôt. Un premier cancer, guéri, lui avait accordé un répit. Hélas, la maladie récidivait.

– Pfft, que j'ai dit au médecin, ah non, non, non ! Avant de reprendre mes traitements et que vous me mettiez cette saloperie-là dans le corps, pis que je *parde* tout' mes cheveux, j'm'en vas avec ma Danielle. On s'en va en Grèce !

À partir de ce jour, plus rien n'a été pareil.

Il n'y a rien de pire que de rencontrer une personne en sursis et de se savoir impuissante. Quoi de plus terrifiant que de songer que ça pourrait vous arriver à vous-même, comment sublimer la culpabilité qu'apporte le bonheur d'être épargné ? Comment tuer cette ogresse qu'est la maladie ? Quel déchirement de regarder un être partir et devant notre dérisoire impuissance, devant les reproches qu'on s'adresse, généralement trop tard, de n'avoir pas donné le meilleur de nous-même, alors qu'il en était encore temps !

Pour Lison, tout dans ce voyage était magique. En fait, les lieux étaient magiques : Olympie, Corinthe, Épidaure, les Météores... Surtout les Météores. Tout soudainement s'enduisait d'un vernis précieux, car c'est à travers ses sens que j'obligeais les miens à respirer, sentir, voir, goûter et toucher chaque élément de cette nature généreuse, gorgée de vie et d'histoire. J'en avais besoin pour comprendre l'éternité, pour apprivoiser l'essentiel.

En Grèce, il est de mise de danser le sirtaki en fracassant des assiettes sur le sol, puis de danser sur les tessons, tradition qu'Onassis avait transformée en habitude lors de ses réceptions.

Je regardais Lison, en Crète, valser sur les piles d'assiettes et en redemander, au grand déplaisir des serveurs du restaurant. Je la voyais virevolter comme un derviche tourneur, entraînée dans une furieuse farandole, comme pour jeter un sort à ses démons intérieurs. À n'en pas douter, c'était sa douleur qu'elle cassait, et je ne pouvais que la regarder et essayer de piétiner avec elle son mal à l'âme, incarné ce soir-là en faïence blanc et bleu.

Partout où nous allions, elle achetait, marchandait, songeait à des cadeaux, toujours pour les autres : son fils, sa bru, ses amis. Et si elle se permettait une dérogation, c'était pour s'offrir un objet minuscule qu'elle me montrait avec fierté. Elle avait lu quelque part que j'avais déjà nagé avec les dauphins. C'était son animal préféré. Elle s'était donc acheté trois petits cétacés, plaqués or, dans une boutique bon marché. Ils pendaient à son cou, à ses oreilles, lui faisant rosir les joues.

– J'ai fait une « follerie » Danielle, regarde !

Non, ce n'était pas une folie. Elle dépensait difficilement pour se faire plaisir, comptant chaque sou quand il s'agissait d'elle.

Donner et encore donner était sa seule façon de dire *je t'aime*. Dans ce partage, Lison était rarement au rendez-vous.

Jusqu'à ce que j'aperçoive, dans une vitrine, une bague magnifique : deux dauphins entrelacés, finement cambrés dans des rondeurs d'or et de diamants.

– Écoute-moi bien, ma Lison, lui dis-je en la prenant par les épaules. Il est temps de penser à toi. Tes valises sont pleines de cadeaux pour les autres. Tu arrêtes tout ça pour l'instant et tu t'offres un gros cadeau pour toi, rien que pour toi.

Ça ne supportait pas de réplique. Je ressens encore la profondeur de son silence alors qu'elle fixait avec convoitise l'objet en vitrine. On s'enquit du prix. Elle pouvait se l'offrir et se l'est enfin permis. Pour accueillir le bijou, sa main se fit plus douce, plus vulnérable. La paume et les doigts en corolle, elle recueillit l'objet comme en une communion. Étonnée par son audace, elle me regarda avec les yeux d'une enfant recevant des ballons d'anniversaire. Puis, elle enfila la bague avec un plaisir évident. Pas le plaisir de l'achat, mais celui d'avoir commis l'impensable : s'être permis une « vraie follerie ».

Le reste du voyage se déroula dans l'enchantement.

De retour à Montréal, je lui remis les doubles – soit près de 360 images – de toutes les photos que j'avais prises. Pour me remercier, et parce que c'était mon anniversaire, elle m'offrit une bague sertie d'une aigue-marine :

– Bleue pour la chance, ma Danielle !

Tel que prévu, les traitements de chimiothérapie recommencèrent, lui faisant perdre tous ses cheveux. Elle mettait de jolis chapeaux très colorés pour couvrir sa calvitie. Jamais une plainte. Du moins pas devant moi.

Elle m'annonça, sans grand éclat, une rémission. Mais un an plus tard, le cancer s'était remis à progresser, et elle eut à reprendre le traitement.

– Bon, encore une fois. Mais s'il me faut recommencer une quatrième fois, j'arrête. C'est trop dur.

Pas une parole amère, pas un reproche à la vie.

Je l'invitai pour mon 50e anniversaire, avec ma famille et mes amis les plus chers, puisqu'elle en faisait maintenant partie. Symbole de la fragilité de la vie, elle m'offrit une broche montée d'un petit phoque tenant une perle sur son nez. Et, comme pour confirmer le souvenir du bonheur toujours présent de notre rencontre, levant sa main vers la lumière, elle fit miroiter à nouveau la bague qu'elle s'était offerte en Grèce, évoquant ainsi notre connivence.

Tout au long de la soirée, avec la candeur des gens au bonheur simple, elle me demanda souvent :

– Pourquoi m'as-tu invitée, Danielle ? Pourquoi, moi ?

Comment lui faire comprendre qu'elle représentait pour moi un cadeau unique et précieux. La fête tirait à sa fin et elle était encore là, s'attardant, savourant cet événement qui – à ses yeux – lui certifiait mon affection.

Si seulement elle savait combien elle m'importait, me comblait, m'apaisait, combien je la voyais grande et belle. Combien elle faisait partie des miens.

Puis soudain, elle me prit à l'écart et me dit :

– Si tu refuses, tu vas me faire beaucoup de peine. Moi, j'ai bien vécu et j'ai été gâtée par la vie. Aujourd'hui, c'est un jour important pour toi. C'est à ton tour. Je veux que tu la prennes.

Et de ses doigts tendus vers moi, elle m'offrit la bague aux dauphins endiamantés. Je refusai, résistai, m'insurgeai, argumentai, mais c'était impératif et sans réplique, et je n'eus pas d'autre choix que de la prendre.

Quelque temps plus tard, son fils me prévint qu'elle avait été à nouveau hospitalisée. Pensant lui faire une surprise, j'allai lui rendre visite sans m'annoncer. Sans le savoir, mais intuitive et confiante en notre amitié, elle avait déjà annoncé ma venue au personnel infirmier.

– Ma Danielle va sûrement venir me voir, les prévint-elle. « Checkez »-la, vous lui indiquerez ma chambre, qu'à *charche* pas !

Jusqu'à la fin, elle se moqua d'elle-même, du mauvais sort et des vicissitudes de sa vie. Elle mourut un mois plus tard.

Un matin, au réveil, son fils me raconta qu'elle lui avait dit :

– Viens me conduire. Je m'en vais à l'hôpital. C'est la dernière fois.

Chez elle, il l'avait trouvée dans la salle de bains, en train de faire sa toilette.

– On va pas à l'hôpital toute crottée, lui avait-elle expliqué.

Le cancer ayant fragilisé ses os, rien que de se lever lui avait causé d'horribles souffrances et ces quelques pas vers le lavabo lui avaient fracturé la jambe.

Bien que je n'aie pas rencontré ses enfants plus de deux fois, je me rendis au salon funéraire, essayant de ne pas pleurer, mais sans y parvenir. Comprendraient-ils mon chagrin face à la perte de quelqu'un si récemment arrivé dans ma vie ? Sur le cercueil fermé, dans un cadre tout simple, une photo que j'avais moi-même prise d'elle à Olympie me faisait cruellement ressentir son départ. Elle l'avait choisie avant sa mort et avait demandé à son fils de la placer là, pour montrer combien elle avait été heureuse et qu'elle était allée au bout de ses rêves en faisant patienter la mort, le temps d'un voyage en Grèce.

Ma Lison, je pense à toi souvent, mais je n'aime plus le goût des « ti-z'oiseaux » sans ta présence. Tu es et tu seras toujours là. Et toutes mes « folleries » ont désormais le goût de ton ardeur de vivre, car la vie est si courte.

La scène

« La plus belle fille du monde ne peut donner que ce qu'elle a. » L'ennui, c'est qu'on s'attend toujours à ce qu'elle donne plus, puisqu'elle semble avoir reçu plus que les autres. On pardonne mal à ceux à qui sourit la chance de ne pas être à la hauteur des cadeaux que la vie leur a faits.

C'est au cinéma que je dus mémoriser un texte pour la première fois. Je n'avais aucune formation, aucune expérience, mais nous pouvions changer le texte à notre gré. De sorte que lorsqu'on me demanda de jouer au théâtre, je crus que l'on plaisantait. Je pense n'avoir accepté mon premier rôle sur scène que par crainte de décevoir celui qui me l'offrait. Je suppose qu'on m'offrit cette première participation parce que j'avais fait du cinéma, et que l'on voulait voir ce que j'avais dans le ventre. Ensuite, parce que je faisais sur scène ce que l'on appelle « des entrées », c'est-à-dire que mon talent n'y était pour rien, mais qu'on voulait tout simplement me voir « en personne », peu importe le rôle. Le public et le producteur s'en accommodaient peut-être, mais moi pas.

J'étais propulsée vers ce monde par l'idée de dépasser l'image de la fille à qui tout arrivait trop facilement.

Malheureusement, je n'ai jamais eu complètement confiance en mon talent. Mon accord pour un rôle se basait sur deux critères.

Premièrement, qui dans cette production aurait la générosité de me soutenir au maximum pour que j'en arrive à jouer de façon acceptable ? Deuxièmement, y aurait-il quelqu'un dans la distribution doué d'un talent tel qu'il ne me serait pas difficile de m'intégrer à l'équipe ? Car j'avais une peur immense du talent de celui qui aurait pu facilement faire apparaître mon manque d'expérience de la scène. De la réponse à ces questions dépendait mon accord. Consciente de posséder un talent limité en ce domaine, je refusais d'imposer ma présence à des comédiens auprès desquels je n'aurais pu tirer honorablement mon épingle du jeu. À présent, il me semble que j'aurais du plaisir à jouer mais, à l'époque, je ne me sentais pas suffisamment détachée pour arriver à me livrer, corps et âme, à de fausses situations qu'il m'aurait fallu faire paraître vraies sans l'assurance de pouvoir les jouer avec justesse.

Je ne crois pas que ce soit l'orgueil qui m'ait retenue, mais plutôt une réticence à imposer mes faiblesses à un groupe qui aurait sans cesse dû s'ajuster à cause de mes lacunes. Plus les autres acteurs avaient de talent, moins je me sentais capable d'accepter le rôle. J'ai d'ailleurs fait des grossièretés à tant de gens bienveillants qui me proposaient des scénarios sans se rendre compte de la terreur qui m'habitait. Claude Michaud fut, sans jamais se douter de rien, victime de cette terreur. Il m'avait réclamée trois ou quatre années de suite pour son théâtre d'été. J'avais tellement peur qu'à la fin je ne retournais même plus ses appels. Il a peut-être cru à du mépris de ma part, alors qu'il ne s'agissait que de panique pure.

Si on m'avait offert des rôles courts, soutenue par un metteur en scène pointilleux, il me semble que j'aurais écouté religieusement ses directives et que j'aurais a-do-ré pouvoir faire régulièrement de la scène. Mais ce genre de prise en charge, de surplus d'attention, aurait eu pour effet de ralentir considérablement la production et de susciter, sans nul doute, la jalousie et l'énervement du reste de la troupe.

C'est à la télévision de Radio-Canada que j'ai eu la chance d'être initiée au théâtre. On m'avait confié un rôle que je qualifierais d'important pour une débutante : celui de la maîtresse dans la pièce *Florence* de Marcel Dubé. Jean Faucher en faisait la mise en scène, Guy Provost y jouait le rôle de mon amant. J'étais pétrifiée. Le souffle me manquait. Je me retrouvais au bord de l'évanouissement dès qu'il me fallait prononcer un mot (à la française, malgré le texte québécois). Les phrases sortaient, atones, haut perchées. Je me haïssais au plus haut point.

Un autre événement allait définitivement river le clou dans le cercueil de mes prétentions théâtrales – et pourtant, j'en connais qui auraient vendu leur âme pour être à ma place. On m'avait demandé d'auditionner pour *Six personnages en quête d'auteur*, la merveilleuse pièce de Pirandello, qui devait être jouée à Québec. Paul Hébert m'avait convoquée et demandé de lire le texte. Il me donnait la réplique. Ça a bien duré une heure. Puis, sans crier gare, il m'a annoncé que j'avais le rôle et qu'il aimerait que je reste pour donner la réplique aux autres. À lui non plus, je n'ai jamais retourné son appel. Je m'imaginais décevant tout le monde par mon manque d'expérience. Je voyais les critiques titrer : « Magnifique pièce, n'était-ce de la participation de Danielle Ouimet ! » Je n'ai pas pu.

D'ailleurs, faut-il que cette hantise soit bien ancrée en moi. Le cauchemar qui me hante le plus, c'est justement celui où j'entre en scène et mets mes camarades dans l'embarras, car je n'ai pas appris une seule réplique. Invariablement, je me réveille en sueur, le cœur battant la chamade. Je n'ai pourtant jamais eu, au théâtre, de critiques exécrables.

Partant de loin dans l'opinion de ces illustres faiseurs de succès et de bides que sont les critiques, je ne pouvais que les surprendre. Il fallait voir la tête des comédiens de formation quand je me tapais une meilleure critique qu'eux! Mais bon, ce n'est pas ce qui allait changer la piètre opinion que j'avais de mon talent.

Il y avait cependant des amis pour qui je pouvais faire exception. Je venais de terminer le film *L'initiation* avec Serge Laprade, lorsque Robert Gauthier me demanda de tenir un rôle dans la pièce *Nous avez-vous vus nus?* qui devait être montée au Patriote de Montréal dans une mise en scène du regretté Jacques Zouvi, sur une musique de Marc Fortier, avec Mirielle Lachance, Michel Morin et Serge Laprade. J'ai accepté. Aujourd'hui, en repensant à cette pièce, je me dis qu'elle partait d'un bon principe: dénoncer ce en quoi s'enlise toute tendance artistique.

À l'époque, la nudité n'était plus taboue, pour ne pas dire qu'elle était presque devenue de mise. Mais au-delà, que restait-il à voir? Donc, l'idée était bonne, mais il y avait peu d'argent pour la réaliser et ça n'a pas duré longtemps.

Je me souviens d'une chorégraphie, entre autres, où, aguicheuse, je devais glisser, tête en bas, sur le corps de Serge Laprade. À chaque représentation, mes parures de métal lui égratignaient la figure, quand ce n'était pas moi qui me retrouvais avec le crâne ou le nez égratignés par la scène au moment où j'y étais précipitée à une vitesse presque incontrôlable. L'atterrissage n'était vraiment pas au point!

Mais, petit à petit, mes prestations en comédie à la télévision allaient me donner un peu plus d'assurance dans ce domaine. Ainsi, quand vint le temps de jouer des sketches montés en pièces de théâtre, je ne rencontrai plus les mêmes difficultés. L'un de mes bons souvenirs de scène est celui de la tournée de *La grande patente*. Dominique Michel, encore une fois, me faisait confiance pour mener à bien cette production. Pour tout vous dire, je serais heureuse d'accepter les comédies à sketches toute l'année, et ce, jusqu'à la fin de mes jours.

C'était une énorme production. Nous étions cinq sur scène: Dominique, Suzanne Lévesque et moi, du côté féminin; Benoît Marleau et le comédien français Jean Lefèvre, qui faisait partie de la distribution du spectacle présenté à la Place des Arts, mais qui était remplacé par Paul Berval pour la tournée du Québec. L'orchestre, dirigé par Stéphane Venne, était avec nous sur scène. Gilles Richer signait les textes, Roger Fournier, la mise en scène. Yvon Duhaime avait créé des costumes tout à fait futuristes, en plastique transparent, que nous portions sur des maillots de ballerine gris. Qu'est-ce qu'on s'est amusés! On travaillait d'arrache-pied pour chaque sketch, mais le résultat était très efficace.

Ma prestation la plus percutante consistait en une parodie d'hôtesses de l'air. Dominique et moi représentions la belle et la... moins belle hôtesse, en soulignant le pour et le contre des lignes nationales et internationales. J'étais habillée sexy, très court. Dominique avait une calotte de l'armée sur la tête et une jupe qui lui tombait sous les genoux. Je me souviens encore du texte. C'était une chanson écrite par Gilles Richer sur une musique de Stéphane Venne. N'oubliez pas, nous sommes en 1973.

Moi: *Maintenant que la femme est libérée*
Nous pouvons faire tous les métiers
À nous le droit et le génie, le notariat, la pharmacie.
Toute profession est accessible, du professeur jusqu'au toubib
Mais pour être extraordinaire, il faut être hôtesse de l'air.

Moi: *Je suis sur les lignes internationales.*
Dominique, sur une musique style *reel* canadien:
Moi j'suis toujours sur les lignes locales.
Moi: *Londres ou Bangkok, Madrid ou Tokyo*

Dominique : *Moi, c'est Wabush et Baie-Comeau.*
Moi : *J'apporte toujours mon sombrero, mon bikini, pour Hawaii.*
Elle : *Mon capot d'chat pour Noranda.*
Moi : *Sur un de mes vols j'ai rencontré le petit-fils de l'Aga Khan.*
Elle : *Moi sur mon vol, j'ai pu flirter l'foreman*
de la Manicouagan…

Et ainsi de suite.

C'est également à ces représentations que je dois la sortie d'un disque qui fit le palmarès assez longtemps. Il faut dire que le texte de *Je drague* faisait un effet-choc. En substance, la chanson de Venne-Richer disait ceci :

De Drummond à Guy, de Maisonneuve à Dorchester
Je drague
J'suis pas la plus jolie, mais je suis la meilleure dans mon bag
Je drague
J'apporte tout dans ma sacoche,
Ma brosse à cheveux, ma brosse à dents,
Démaquillant, déodorant, du rouge à lèvres jusqu'aux faux cils
J'ai tout mon kit, mon baise-en-ville,
Avec tout ça vous comprendrez que c'est sacrant,
Quand il ne t'invite pas à son appartement.
etc.

Jean Lefèvre (décédé en 2004) était adorable, mais habitué à un certain vedettariat en France (il faisait partie de la série de films *Le gendarme de Saint-Tropez*), il prenait peut-être un peu ombrage de la grande popularité de Dominique et devenait, de soir en soir, toujours plus cabotin sur scène, essayant de lui voler quelques effets.

Je me souviens d'un sketch qui s'appelait *Le cours de rire* dans lequel Benoît Marleau, en professeur, essayait de nous expliquer, aidé de ses assistants, comment se disséquait un gag. Il y avait évidemment le coup de la planche de bois qui te frappe en pleine figure en virevoltant, puis celui de la tarte à la crème (... dont j'étais exemptée et qui faisait dire à Dominique: « Elle est trop belle, ELLLLLE ! A peut pas faire ça, ELLLLE !) et de celui qui l'évite. Mais le gag de la pelure de banane était un classique. Benoît demandait à son assistant (Jean) d'éplucher la banane et de négligemment en laisser tomber la pelure. Ce sur quoi Dominique faisait une grimace au professeur et glissait sur la pelure. C'était le gag. Mais tandis que Dominique se tapait la glissade, avec son air de chien battu, Jean regardait fixement la banane pour se l'enfourner d'un seul coup dans la bouche, ce qui faisait rire davantage le public. Le moins que l'on puisse dire, c'est que « la madame, elle n'était pas contente ! » et avec raison.

Nous avons tenu l'affiche deux semaines à la Place des Arts, dont plusieurs soirs dans la grande salle. Puis nous sommes partis en tournée, en autobus. Je me souviens d'une anecdote qui, pour autant que je me rappelle, a mis quelques rires à cette soirée. C'était à la fin du spectacle. On attendait l'équipe technique, assis dans l'autobus. Un jeune étudiant d'un collège de Grand-Mère, armé d'une petite enregistreuse, nous demanda une interview pour un projet scolaire. J'étais assise sur la banquette du fond, j'allais donc être la dernière. Il commençait toujours de la même façon : « J'ai devant moi, Dominique Michel, comédienne... » « J'ai devant moi Benoît Marleau, comédien... » « J'ai devant moi Paul Berval, comédien... » Quand est venu mon tour, le silence était total, c'est alors que j'ai entendu mon zigoto déclarer : « J'ai devant moi Danielle Ouimet, euh... peut-on dire comédienne ? » Qu'est-ce qu'ils ont ri mes petits camarades ! Quelle humiliation ! Le jeune homme avait beau se défendre :

– Mais vous faites de la radio, de la télévision, du cinéma...

Je suis remontée sur scène à quelques reprises au cours de ces années-là, mais cette fois pour du vrai théâtre d'été. Jeanine Beaubien, directrice de La Poudrière, allait être placée face à un problème peu commun quand vint le temps de distribuer les rôles à des comédiens. Pour le bénéfice de ceux qui ne connaissent pas le métier, disons qu'en général la direction choisit d'abord les rôles principaux. Une fois le plus gros du budget distribué à ces comédiens, on sait combien il reste à débourser pour les rôles moins importants. Jeanine avait fait son choix : le rôle principal reviendrait à Pierre Dufresne. Puis elle avait choisi le reste de la distribution, dont j'étais. À la divulgation des noms, M. Dufresne vint annoncer à Mme Beaubien qu'il ne désirait plus faire partie de la distribution. Sa femme, en apprenant que je faisais partie de la liste des comédiens, alarmée sans doute par l'image sulfureuse que je traînais depuis la sortie de mes films, l'avait mis au défi : c'était elle ou la pièce. J'espère qu'ils sont restés longtemps ensemble ! Cette anecdote ne m'a été racontée que quelque 30 ans plus tard, au hasard d'une rencontre avec Mme Beaubien. Elle y fait même allusion dans le livre qui relate ses années de théâtre.

Cette femme m'impressionnait beaucoup. Dès les premiers jours, elle se glissait dans la salle de répétitions pour m'expliquer comment sa fille s'y était prise pour bien rendre le rôle, qu'elle avait tenu l'année précédente. Encore profondément timide et pleine d'insécurité quant à mes capacités, j'en perdais tous mes moyens. Comment rivaliser avec une vraie comédienne, fille d'une comédienne, directrice de théâtre, de surcroît !

Ajoutez à cela que Septimiu Sever assurait la mise en scène. En bon Roumain expansif qu'il était, il changeait d'avis et de direction tous les jours. J'étais paniquée à l'extrême. Pierre Thériault – Monsieur Surprise lui-même – avait pris la relève de Pierre Dufresne. Il avait paru un peu déçu que je lui avoue, en le voyant, que *La boîte à surprises* avait bercé mon enfance et mon monde imaginaire. Mais c'était un peu lui faire comprendre que mes souvenirs de jeunesse me mettaient mal à l'aise, parce qu'il me fallait m'asseoir sur ses genoux, comme le demandait la mise en scène. Mais la gêne se transforma rapidement en plaisir; on flirta même bien innocemment. Nous arrivions plus tôt au théâtre et n'en jouions que mieux. Ça n'alla pas plus loin que la session d'été, mais il me complimentait sur mon jeu et, me sentant appuyée par un acteur de prestige, l'assurance d'être soutenue améliora sans doute ma performance.

Janine Mignolet et Robert Lalonde faisaient aussi partie du spectacle. C'est cependant avec Roger Garand que je me suis le plus amusée. Roger était toujours partant pour rire et faire rire. Par tradition, les soirs de dernière ont ceci de spécial que tout le monde lâche son fou et se joue des tours pendables en scène. Roger avait préparé de longue date celui qu'il me réservait. Dans cette pièce, je jouais la petite amie de Robert Lalonde et nous passions la fin de semaine dans la famille des parents de ce dernier (Janine Mignolet et Pierre Thériault). Roger Garand tenait le rôle d'un ami de la famille en visite. Dans l'une des scènes qui se passait au salon – qui servait de chambre à coucher à mon amoureux –, je me retrouvais seule un soir, avec le père. Le fils, voulant aller dormir, décidait donc de prendre ma chambre et de me laisser le divan. Exit l'amoureux. Seule au salon avec le père, j'essayais de le séduire. Il résistait, montait se coucher. À mon tour, je sortais de scène pour prendre une douche mais, pendant ce temps, le fils, ne pouvant dormir, décidait de reprendre sa place au salon et se couchait sous les draps. Retour du père. Pris de regret, il décidait, à son tour d'aller faire la cour à la jeune fille et faisait une déclaration enflammée à la personne étendue sous les draps, pensant qu'il s'agissait de la demoiselle. Réalisant la méprise, le fils se scandalisait et sautait à la gorge du père. Le bruit réveillait l'ami qui arrivait en pyjama, puis c'était la mère qui déboulait, comateuse après avoir pris ses somnifères. J'arrivais finalement, sortant de la douche presque nue, une serviette nouée autour de la poitrine. Pour éviter toute altercation, je distrayais tout ce beau monde en mettant de la musique et, pour entraîner les autres, me mettais à danser avec Roger. Celui-ci se retrouvait dans les bras d'une fille dont l'extrême souci – réel celui-là – était, à chaque représentation, de retenir la fameuse serviette.

Chaque soir, Roger tirait sec sur ce tissu de ratine pour s'amuser un peu et rire de mes contorsions. Je me doutais bien qu'il allait se surpasser le soir de la dernière. Aussi avais-je prévu du papier collant et des épingles en quantité suffisante pour me sécuriser. C'est donc confiante que je fis mon entrée en scène, bras écartés et lui lançant un regard de défi. Savez-vous ce qu'il a fait ? Au lieu de tirer sur la serviette, il l'a remontée ! Je me suis retrouvée en petite culotte sur la scène, la serviette autour de la tête !

L'année suivante, je suis retournée au théâtre d'été, au Bateau l'Escale cette fois, dans une pièce intitulée *Une fille dans ma soupe*. Anne Dandurand, Jacques Létourneau, Jean Dalmain, Benoît Dagenais et Johanne Côté (une débutante à l'époque) faisaient partie de la distribution. Jacques Létourneau nous dirigeait et s'était octroyé, lui aussi, un rôle. Je jouais la maîtresse de Jean Dalmain. C'était mon lot ! Après *Florence*, j'allais souvent tenir ce rôle. Les belles filles sont souvent maîtresses ou fofolles au théâtre d'été.

À la fin de la représentation, j'avais imaginé un cadeau inusité pour mes petits camarades. À la manière d'Andy Warhol, j'avais découpé dans des revues de mode, des corps de femmes que j'avais collés sur un papier coloré où j'avais dessiné une boîte de soupe Campbell. Ces corps semblaient sortir de la boîte, reprenant ainsi le thème de la pièce de théâtre.

Johanne Côté a donné le sien à un ami qui appréciait particulièrement ce montage. Il n'y a pas bien longtemps, j'ai reçu un appel d'un ami m'affirmant que ce dessin était à vendre, chez un antiquaire, à un « prix incroyablement élevé ». Je ne sais pas ce qu'en ont fait les autres, mais il est bizarre de constater combien certaines petites choses anodines peuvent prendre parfois de l'importance.

Entre comédiens, tout dans la vie tourne autour du théâtre. Puisque l'homme avec qui je vivais, Michel Forget, était comédien, nous respirions, mangions, parlions théâtre. Je l'assistais dans la tâche ardue de répéter ses textes. C'était à l'époque où il tenait des rôles importants à la télévision, dont celui de Mario Duquette dans *Du tac au tac*, ce qui ne l'empêchait pas de monter sur les planches le soir. Il jouait au Saint-Denis dans un spectacle signé André Dubois, monté en parallèle aux Jeux olympiques. J'allais le conduire et le chercher. Nous baignions sans arrêt dans la création. C'était on ne peut plus stimulant.

Au Patriote, quelque temps après, Yvan Ponton montait *La coupe Stainless*. Michel en faisait partie avec, autour de lui, Pierre Labelle, Yves Corbeil, Monique Joly, Roger Le Bel et Francine Ruel. Tous les soirs, c'était le délire dans la salle. Comme c'était une production faite « à la mitaine », chacun fournissait ses costumes. J'étais en charge des « améliorations décoratives ». C'est ainsi que je devins « amélioratrice-accessoiriste » des costumes.

À la suite de ce succès, je me retrouvai dans la nouvelle production commandée par le Patriote. Il s'agissait d'un collectif de mini-pièces intitulé *Le Clan Simard*, du nom de son auteur, André Simard. Roger Le Bel, avec Michel, faisait la première partie qui s'intitulait *Le temps d'une pêche*. Je jouais dans la seconde, *Une histoire de fou*, avec Yves Corbeil. Je finissais en jupon sur scène... évidemment !

Puis, plus rien ! La radio prendra alors tout mon temps.

J'ai dû attendre 12 ans avant de remonter sur scène. Mais cette fois, c'était du gâteau ! Larry-Michel Demers avait besoin d'une fille sexy et un peu « bébête » pour jouer une série de sketches qui s'entrecroisaient sur le thème principal – et unique – d'une salle d'urgence. Mes camarades Suzanne Léveillée et Sylvie Potvin partageaient la loge et la scène avec moi. Larry-Michel, Yanick Trusdale (qui fait maintenant carrière à Hollywood) et André Montmorency complétaient la production.

Un mois de répétitions à Montréal, rue Mont-Royal, et trois mois dans ce four qu'était le théâtre Molson à Saint-Jean-sur-Richelieu. Pas d'air climatisé. Nous avions le double de nos costumes et, lorsque, après une prestation où nous bougions beaucoup, le premier était trempé, nous le suspendions dans le couloir sous un ventilateur, pour le remettre plus tard.

Le directeur du théâtre était un peu, comment dire… près de ses sous. Au cours des générales (pour les non-initiés, c'est la mise en place de la pièce en salle, en costumes, dans le décor réel), on s'aperçut qu'il manquait des portes au décor. Sans elles, le spectateur pouvait voir l'arrière-scène. Ces portes étaient essentielles à nos entrées et sorties. On les réclama donc au directeur et, comme prévu, elles furent installées le lendemain. Mais, petit détail, nos loges n'avaient plus de portes. On dû se contenter d'une nappe pour préserver notre intimité.

En plus de la dizaine de rôles qui incombaient à chacun dans autant de situations différentes, nous avions chacun « notre » sketch et le mien était *Le couteau dans le front*, une histoire tout à fait débridée. Je tenais le rôle d'une femme mariée qui, le soir de son anniversaire de mariage, avait préparé pour son mari un souper exceptionnel. De retour à la maison, il soulevait le couvercle de la casserole et, apercevant les petites pommes de terre bien rissolées, déclarait qu'il préférerait, comme d'habitude, des patates pilées avec une sauce brune au centre.

«Et vlan! mon bras est parti et je lui ai planté le couteau en plein front», devais-je expliquer à l'infirmière de l'urgence.

Larry faisait celui qui n'en finissait plus de mourir entre la chaise et le comptoir avec, effectivement, le couteau planté dans le front. L'infirmière (Sylvie Potvin) lui faisait malgré tout des tracasseries avec les papiers d'admission qu'il lui fallait remplir au préalable. L'invraisemblance et l'absurdité du texte montaient d'un cran d'une réplique à l'autre. Solidement envahis par le jeu, nous finissions par diviser la salle en deux groupes qui se répondaient: les femmes m'appuyaient et les hommes hurlaient. Le crescendo était tel que cela me drainait une énergie du diable à chaque fois. Il me fallait crier plus fort que la salle, or, je n'ai aucune force dans la voix. L'extinction me guettait à chaque représentation, mais comme on s'amusait! C'est la seule fois où j'ai éprouvé un très grand bonheur à monter sur scène. Nous formions une petite famille «tricotée serré» et nous avions créé un rituel selon lequel il était essentiel de nous embrasser avant chaque début de spectacle. On faisait ce qu'on appelait le «cercle d'amour». Accrochés l'un à l'autre, nos têtes se touchant, Larry nous disait qu'il nous aimait, que nous étions bons et que nous allions faire un travail extra. La représentation ne commençait pas sans ce rituel.

Pour le seul plaisir d'être le plus longtemps possible ensemble, nous nous faisions presque un devoir d'arriver plus tôt que prévu. Nos longues conversations sur nos amours, le métier et les anecdotes de plateau d'André Montmorency nous donnaient presque le goût de ne pas travailler. D'une histoire à l'autre, quelle que soit l'avance que nous ayons prise sur l'heure d'arrivée, on risquait toujours d'être en retard pour l'ouverture.

Si l'on exclut la chanson d'ouverture et celle de la fermeture de la pièce, nous n'étions que rarement tous ensemble sur scène en même temps. Nous avions donc pris l'habitude, en coulisse, d'écouter les autres comédiens lors de leur prestation en nous glissant le plus près possible des interstices donnant sur la scène. Je me souviens qu'arrimées l'une à l'autre, Sylvie et moi, dans de petits coins sombres du décor, nous attendions avec appréhension les rires aux répliques que nous connaissions par cœur, ce qui nous permettait d'évaluer la « disponibilité émotive » de la salle de soir en soir.

Sans raison apparente et contrairement à d'autres soirs où c'était le délire, il nous arrivait parfois d'avoir un public peu réceptif et lent à réagir aux répliques. Ce qui faisait dire à Larry en sortant de scène : « Décidément, le public n'a aucun talent ce soir ! » Et selon la réaction, Larry-Michel, comme un caméléon, changeait sa prestation, nous indiquant inconsciemment nos propres ajustements.

Larry était l'âme de notre spectacle, et le bonheur total était de ne jamais rater ses petits sketches, entre deux tableaux, qui lui permettaient de faire monter un spectateur sur la scène. Chaque fois, par ses soins, cette personne se retrouvait à moitié nue devant le public. Le problème étant que le rôle de l'infirmier qu'il interprétait en était un d'homosexuel, ça ne faisait pas nécessairement l'affaire de tout le monde de se retrouver, les fesses à l'air, et être la risée du public, avec un homosexuel se moquant de ses attributs supposés.

Un soir donc, ce qui devait arriver arriva. Un homme magnifique, jeune et bien musclé (c'est toujours ce que recherchait Larry-Michel en premier), est invité à monter sur scène. Palpant l'homme un peu plus et un peu plus loin que la décence ne le permet, Larry-Michel fit tellement rire la salle que, rendu furieux par les insinuations d'homosexualité et le regard narquois de sa femme, l'individu quitta la salle à la fin du spectacle, monta dans son véhicule, laissa plus loin son épouse sur la route, rebroussa chemin et se présenta à Larry-Michel pour lui réclamer 1 000 $, à défaut desquels il promit de lui casser la gueule et de lui faire un procès pour atteinte à sa réputation. On a dû se mettre à plusieurs pour l'éloigner.

Larry-Michel était un fabuleux créateur d'événements. Pour la dernière, il nous avait tous invités dans son appartement et avait recruté une représentante Tupperware chargée de nous faire une démonstration complète. C'était évidemment une surprise. J'ai encore sur pellicule ce moment d'humour incroyable où on le voit, un sac à lunch en plastique sur la tête, faire semblant d'apprêter une recette à la manière d'un grand chef.

Ces images me sont très précieuses, car, quelques mois plus tard, j'eus à faire face à un ami affaibli, maigre à faire peur et pour qui la vie avait perdu sa saveur. Invitée à la réception donnée pour son anniversaire, je l'avais vu disparaître et s'enfermer dans les toilettes du restaurant. Une heure plus tard, il y était toujours. Dans ce genre de situation, j'ai plutôt tendance à aller voir ce qui ne va pas. Il suffit parfois d'une caresse, d'un petit mot, d'un sourire silencieux, d'une présence pour désamorcer plein de gros chagrins. Mais le mal était beaucoup plus profond. Larry-Michel allait mourir. Il n'en avait que pour très peu de temps et il le savait. Il ne savait plus comment faire face au bonheur, comme celui de cette réception en son honneur. Comment vivre au quotidien avec la conscience d'un futur impossible ? Le regard fiévreux, il m'avait observée sans un mot. Je savais. On s'est étreints. Pas un son. Juste beaucoup d'amour. Il a moins pleuré. Quelque deux mois plus tard, il était mort. Il me manque.

L'air et la mélodie

J'ai enregistré quelques disques au cours de ma carrière, dont plusieurs avec Michel Paje à l'époque de *Valérie*. *Fugue en si* était ma chanson préférée, et elle avait occupé les premières places du palmarès en province. Mais j'ai aussi chanté sur scène. Non pas que je sois très bonne chanteuse. Mais je chante juste et je me débrouille. J'avais pensé – Dieu sait pourquoi – que je pourrais faire une carrière intéressante comme chanteuse. J'avais chanté à la boîte Chez Clairette ; les files d'attente dans la rue et les escaliers m'avaient bêtement laissé croire que ça pourrait continuer. J'avais un répertoire, comment dire, tarabiscoté ! Je mélangeais les genres : du Brassens et du Petula Clark, et *Les parapluies de Cherbourg* côtoyait *Déshabillez-moi* de Juliette Greco. J'enchaînais avec du France Gall, du Françoise Hardy, du Barbara… et le tour était joué. Mais ça s'est compliqué quand j'ai dit à Mmes Grimaldi et Daniel, deux femmes qui avaient la mainmise sur les spectacles dans les bars et cabarets de la région, que j'étais prête à travailler. Je vais beaucoup faire rire les musiciens, mais j'arrivais dans les clubs avec une quinzaine de chansons au maximum (alors qu'il en fallait une cinquantaine) et me présentais avec des feuilles de musique sans transposition dans ma tonalité. Je m'explique. Une feuille de musique est écrite dans une clé, uniforme à toute écriture musicale, qui n'est pas nécessairement la vôtre, il faut donc faire appel à un musicien qui transpose l'œuvre dans votre tonalité. Ça ne se fait pas (ou peu) à l'œil, ni même à l'oreille. Il faut connaître les chansons par cœur, et encore... Et ces chansons devaient changer entre le premier et le second spectacle donné en soirée. Quand j'arrivais pour les répétitions, c'était si près de la représentation qu'on ne pouvait évaluer mon talent. L'heure venue, on me laissait faire la première partie du spectacle... puis l'on me remerciait pour la seconde.

Une autre aventure me vient à l'esprit. Durant un spectacle de la tournée québécoise de Michel Paje, à Mont-Joli, nous devions chanter dans un hôtel. Nous avions demandé à une chanteuse très populaire à l'époque, Claire Syril (qui est devenue présidente des Publications TVA), de nous prêter ses musiciens. Comme elle n'avait pas de spectacle à donner, elle avait accepté. Ils devaient venir de Montréal. Nous les attendions pour les répétitions quand, prenant le téléphone pour savoir la raison de leur retard, on nous expliqua que Claire avait décroché un contrat et qu'ils ne viendraient pas. Il nous fallait trouver des musiciens avant la soirée du lendemain. Ayant trouvé à Québec un bassiste et un guitariste qui pourraient faire l'affaire, Michel était parti en voiture les chercher. Un seul problème: le *lead guitar* ne savait pas lire la musique. Aucune importance quand il faut jouer les succès du jour, maintes fois répétés pour satisfaire la clientèle des clubs de nuit, mais c'est autre chose quand tu ne connais pas le répertoire d'un Français en tournée au Québec pour la première fois. Ce n'est plus la même chanson, si vous me passez le jeu de mots. Le problème restait entier.

À six heures du show, Michel essayait de griffonner des grilles d'accords, ce qui est suffisant pour une bonne répétition, mais pas pour 20 chansons à apprendre juste avant de monter sur scène. En cherchant désespérément une solution, on s'est

En 1965,
j'avais 19 ans.
Je n'avais pu
accompagner
Pierre Lalonde
au Gala des artistes,
mais je l'y retrouvai
plus tard dans la soirée.

En mars 1976,
en compagnie
de Michel Forget,
mon amoureux
de l'époque.

Il était beau comme un dieu. Il était amérindien. Et comme pour combler mon envie d'exotisme, on le surnommait Manigouche.

J'ai entretenu avec Jean-Guy Moreau des moments mi-amoureux, mi-amicaux.

Ma première visite
à mon fils à Strasbourg, en France.
Jean-François avait neuf ans.

Fabuleux instant
de complicité
avec Jean-François.

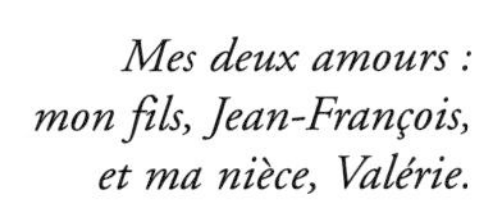

Mes deux amours :
mon fils, Jean-François,
et ma nièce, Valérie.

De gauche à droite :
François, moi, Jacques et Judith.
Bien que très différents
les uns des autres, nous sommes
par ailleurs unis par des liens
très étroits, comme une « bande
de mafieux ».

Au-delà de 30 ans de complicité,
une de mes plus grandes amies,
Nicole Beaulieu.

Ma grande complice, Suzanne Murray,
avec qui j'ai ouvert une école de mannequins
et lancé une collection de vêtements griffés à nos deux noms.

Toute l'équipe de L'or du temps *entoure Serge Bélair et moi-même pendant une émission à CKVL.*

Jean-Pierre Coallier, mon patron et ami. Il accompagne fidèlement ma vie depuis 35 ans.

Des touristes québécois m'ont envoyé cette photo prise en Asie :
des affiches, annonçant Valérie *et* L'initiation,
présentés en programme double.

Avec mon mari, Hubert. Notre union a duré trois ans. On ne peut pas s'abandonner si on ne sait pas comment faire, si on ne l'a jamais fait.

Pierre Péladeau et moi avons partagé de nombreux bons moments, en privé comme en public.

Pierre Lalonde et moi,
une histoire d'amitié
qui dure
depuis plus de 30 ans.

Avant d'être
le talentueux
animateur
*d'*Occupation double*,*
Éric Salvail
fut l'un de mes charmants
chroniqueurs
à Bla Bla Bla*.*
Un ami devenu
indispensable à ma vie.

Cette page et les suivantes :
Daniel Poulin avait un talent remarquable
pour saisir l'essence des gens
qui posaient pour lui. (Ici : mon fils, Jean-François, et moi.)

soudain aperçu que le bassiste pouvait lire les grilles d'accords, mais qu'il n'avait jamais joué de la guitare. On lui a demandé d'essayer. Ce n'était pas parfait, mais il plaquait des accords et on estima qu'avec une salle pleine, à une heure du spectacle, c'était la seule chose qu'il nous restait à faire. On mit donc notre guitariste à la basse. Il se permettait une note de temps en temps. On demanda au batteur de « battre fort » pour couvrir les imperfections. Il se surpassa. On n'entendait que lui.

Finalement, avec la peur de se faire virer et de devoir payer le voyage, l'hôtel, la publicité et tous ces musiciens sans récupérer notre salaire, nous sommes montés sur scène. Michel entrait en scène le premier, puis je le rejoignais. Je chantais la chanson du film *Valérie* que Michel avait écrite pour moi, puis l'éternel *Les parapluies de Cherbourg*, ainsi que *Un homme et une femme*, en duo. Je portais une chemise marine transparente, un pantalon à pattes d'éléphant et les cheveux tombant jusqu'à la taille. Le show terminé, le propriétaire monta sur scène pour nous présenter. Pas dupe pour deux sous, il commença par demander une prestation solo à chacun de nous. Le batteur a commencé. Solo. Puis le bassiste. Solo. Puis le guitariste. Ah, le guitariste ! Notre cauchemar. Ce dernier a plaqué un accord, un seul, et s'est arrêté. Le proprio a insisté. Bref, on avait l'air de vrais *twits*. En sortant de scène, on ne fut pas surpris d'apprendre que nous étions effectivement virés. Michel a osé demander le prix de la chambre et l'argent d'une représentation. On nous a menacés d'appeler la police pour nous sortir de la salle.

Dès lors, l'aventure prit une autre tournure. Je demandai – que dis-je, puisqu'on me menaçait – j'exigeai à mon tour la présence d'un policier. J'étais près du patron qui s'agitait et vociférait, quand le chef de police se présenta en personne. Le voyant, le directeur bondit vers lui, exigeant une réparation et une expulsion immédiate de ces deux intrus. Je ne bronchais pas. Le policier s'approcha de moi avec un beau sourire, me prit dans ses bras, m'embrassa. Et pour cause.

– Bonjour oncle Albert. J'ai un petit problème, tu n'pourrais régler ça pour moi ? lui demandai-je.

Il s'agissait véritablement de mon oncle, celui du cirque de mon enfance. Il était là, heureux de me voir, s'excusant de ne pas avoir pu se présenter au premier spectacle à cause de son horaire de travail. Quinze minutes plus tard, tout était réglé.

Quelque 15 ans plus tard, dans une émission de Michel Jasmin, on a fait venir mon oncle et le propriétaire du bar pour me faire une surprise. J'en ris encore.

Mais de tout ce que j'ai fait sur scène, une seule chose me remplit de fierté : ma participation au spectacle *Jaune* de Jean-Pierre Ferland à la Place des Arts, ce spectacle que tout le monde a descendu en flammes au moment de sa sortie, mais qui serait, dans le contexte d'aujourd'hui, aussi fort que le succès du Cirque du Soleil, tout au moins pour l'attrait médiatique.

Jean-Pierre a toujours été un grand visionnaire. Il s'entourait de musiciens créateurs, et cette énergie (et autre chose peut-être, ce n'est pas moi qui le dis, mais lui dans ses récents spectacles) le faisait inventer et désirer mieux… ou pire, c'est selon.

Qu'il vous suffise de savoir qu'il avait dû, pour ce spectacle, construire un double plancher pour la scène de la grande salle, et ce, uniquement pour soutenir le poids de trois énormes machines industrielles jaunes (une pelle mécanique très haute, une autre très large et un monte-charge) qui déposaient ses musiciens sur scène dès l'ouverture du spectacle. Toutes ces machines faisaient entendre le bruit infernal de leurs moteurs avant même le lever du rideau.

Petit moment d'intoxication à l'ouverture, fumée nauséabonde de fuel en dissolution, lumière jaune tourbillonnante perçant cette fumée épaisse, l'effet était saisissant. La finale était tout aussi spectaculaire. Il terminait avec la chanson *Le chat du café des artistes.* Entraient alors en scène une centaine d'enfants, tous des *Petits chanteurs à la croix de bois* en culotte courte, une bougie à la main. Puis, le groupe Infonie se mêlait à la fête avec ses instruments acoustiques composés, entre autres, de tam-tam, de triangles et de sifflets. Jean-Pierre, enfin, présentait une sorte d'homélie à travers son chant, pour disparaître tranquillement dans une trappe le menant sous la scène, tandis que descendait du plafond son immense photo nous faisant un clin d'œil. L'espace se vidait de ses chœurs, musiciens et décor. Jean-Pierre ne revenait même pas pour les applaudissements ! Que venais-je faire dans cet événement ? À une semaine de l'ouverture du spectacle, Jean-Pierre m'a téléphoné :

– J'ai un problème avec mes musiciens et tu pourrais peut-être me le solutionner. On est en répétition, peux-tu venir me voir tout de suite à la Place des Arts ?

Pour présenter ses musiciens sur scène, Jean-Pierre avait composé une chanson qui avait pour titre *Amélie*, et les musiciens, qui devaient tous chanter et lui répondre dans cette présentation, ne se sentaient pas à l'aise avec la chanson. Il eut alors l'idée de broder quelque chose autour du personnage de Valérie, au lieu d'Amélie, celle-ci étant une hypothétique jeune fille qui aurait créé un lien les unissant en tant qu'hommes.

J'ai oublié en partie les paroles, mais ça ressemblait à ceci : on entendait un immense gong, puis les gars chantaient : *Ohhhhhh boy !*

Jean-Pierre : *Oh boy ! Que j'aurais donc dû passer par-dessus et pas lui dire bonjour, Valérie !*

Les gars : *Salut Valérie !*

Jean-Pierre : *C'était pas bien grave !*

Un gars : *C'était entre amis.*

Jean-Pierre : *Moi, je dis qu'elle était fidèle.*

Un gars : *Elle l'était un peu trop souvent.*

Tous : *Oh boy, Valérie !*

Jean-Pierre : *Elle avait de beaux grands yeux, et des seins comme des papillons bleus...*

Tous : *Hein ?*

Jean-Pierre : *C'est rare !*

Tous : *Oh boy !*

De phrase en phrase, la salle riait et les musiciens scandaient doucement, puis de plus en plus fort :

– *On veut Valérie ! On veut Valérie !*

Quand la salle finissait par entrer dans le jeu et se mettait à scander à son tour, je faisais mon entrée.

J'entendais un gros : « AHHHHH !!!!! »

Libert Subirana m'accompagnait à la flûte traversière, donnant le ton à la chanson créée pour eux. Et j'entonnais : *Bien sûr j'ai aimé Jean-Pierre qui fut le premier...*

Jean-Pierre : *Vous voyez !*

Moi : *Mais de guitare en guitare, j'ai vu Robidoux...*

Robidoux : *Ça dit tout !*

Moi : *J'ai pris goût à la musique et Yves est venu.*

Yves : *Cocu, cocu, cocu !*

Moi : *Ç'a duré ce que ç'a duré, Franck est arrivé.*

Franck : *Terminé !*

Moi : *Pas tout à fait, quand je serai partie, parlez-en à Christian, et à Jean, à Robert, à Sylvain, à Gérard, à René...* (Suivait le nom de tous les musiciens.)

Jean-Pierre : *TERMINÉ !*

Moi : *Pas tout à fait, pensez à l'été dernier...*

Jean-Pierre s'arrêtant : *Ben, qu'est-ce qu'on a fait l'été dernier, les boys ?*

Silence, et Jean-Pierre reprenait : *Pas l'Orchestre symphonique de Montréal ! OH BOY VALÉRIE !!!*

Un triomphe. J'ai adoré travailler avec lui. Quoique la première chanson qu'il me fit chanter, c'était *M'aimeras-tu ou ne m'aimeras-tu pas?* lors d'une émission hommage à Radio-Canada. J'avais 21 ans et déjà on lui rendait hommage!

Je dois malheureusement terminer cet heureux chapitre sur une histoire un peu triste, mais qui démontre combien les petites camarades de métier peuvent parfois profiter de certaines occasions.

Pendant toute une semaine, j'ai vécu dans un chalet des Cantons-de-l'Est, enfermée avec un ami qui avait un urgent besoin d'aide. Il était en dépression et incapable de se nourrir ou d'être seul. Comme il m'avait beaucoup aidée dans le passé, il était normal que je lui retourne l'ascenseur. J'avais demandé à ma mère de ne m'appeler qu'en cas d'extrême urgence. C'est ce moment-là que Jean-Pierre choisit pour appeler et me demander de chanter avec lui sur la montagne, dans le fameux spectacle du 24 juin où il avait eu l'idée de réunir 10 femmes autour de lui. La rencontre promettait d'être mémorable et l'histoire prouvera qu'elle le fut.

Ma mère était heureuse de répondre à mes appels, petit travail qui la valorisait et lui donnait l'impression de se rendre utile. Ainsi, placée devant le dilemme de savoir s'il fallait me déranger pour un spectacle qui n'était prévu qu'un mois plus tard, elle s'en était ouverte à quelqu'un, qui lui suggéra d'attendre mon retour.

À mon retour, Jean-Pierre me rapporta qu'on lui avait affirmé que je n'étais pas libre et qu'il était trop tard pour faire marche arrière puisqu'il avait déjà demandé à quelqu'un de prendre ma place. Devinez qui avait eu ce plaisir de chanter sur la montagne? Eh oui, comme par hasard, la même personne à qui ma mère avait parlé. Le métier a aussi de bien vilains moments.

Mes amours

On se rattache à n'importe quoi quand le cœur est à la dérive. J'en sais quelque chose, l'ayant payé de larmes, de remises en question et de douloureuses heures de thérapie. De solitude aussi, si lourde à porter parfois. J'ai pourtant eu des amours heureuses, dans des bras que certains qualifieront de trop nombreux. Mais c'est bien mal me connaître que de croire que, de cette multitude, j'ai pu trouver l'apaisement.

J'ai commencé ma vie amoureuse, comme bien d'autres femmes, avec une idée totalement irréaliste de l'amour. J'avais du mal à imaginer que tout ne puisse être que beau et pur. J'ai d'ailleurs toujours conservé une image très idéalisée des « intentions » véritables des hommes.

Ma mère nous tenait toujours occupées, ma sœur et moi, à un cours, un sport quelconque. Je n'avais d'autre recours pour occuper mon imaginaire et m'évader – tout en restant sage – que celui de la lecture. La lecture devint ma terre d'isolement, et la rêverie, le seul moyen de voler cette liberté tant désiré. Les livres me donnaient le pouvoir de vivre dans ma tête, en me glissant dans la peau des héros de romans. Je préférais les aventures vécues, toutes abominablement romanesques évidemment. Je lisais donc la nuit, une lampe de poche sous les draps, que je n'éteignais que lorsque la fatigue venait à bout de ma soif d'aventures, aventures dans lesquelles, dans un demi-sommeil, je peaufinais mon insertion. Comme je détestais dormir, j'y trouvais mon compte.

Janette Bertrand me disait un jour en entrevue : « Si c'était possible, je paierais quelqu'un pour dormir à ma place. » Je ferais volontiers la même chose.

Ces rêves éveillés me permettaient de décider de mon sort sans l'ingérence de mon entourage. C'était mon exutoire préféré. Surtout à l'école. Il suffisait que je me mette à perdre un peu le fil de ce que le prof nous enseignait, pour que je bascule invariablement dans mes rêveries, dans des aventures asservies à mes besoins.

À force d'en avoir fomenté tous les tenants et aboutissants, le rêve devenait si réel que je finissais par me convaincre que j'aurais assurément, sur les événements de ma vie, la même maîtrise que sur lui. Je m'attribuais le beau rôle de ces histoires à l'eau de rose et m'y donnais corps et âme, sans calcul, ni restriction, certaine que l'on me rendrait la pareille. Cela ne faisait aucun doute, comment aurait-on pu ne pas m'aimer ? Le contraire était impensable. Je ne mis d'ailleurs pas beaucoup de temps à faire basculer les principes du rêve dans la réalité. Recette idéale, vous le devinez, pour s'assurer nombre de déceptions.

Et puisque « les mémoires » sont aussi faites de souvenirs d'amours, me faut-il donc vous parler des miens ? À vrai dire, je m'en passerais. J'ai eu beaucoup de difficulté, tout au long de ma vie, à voir la presse s'approprier mes histoires de cœur, les étaler, les découper, les romancer, les juger, sans compter celles qu'on inventait de toutes pièces. Je dois avouer avoir coopéré avec la presse au début, pour m'amuser et sans en mesurer les conséquences. On avait réussi à me rallier à l'idée qu'étant aimée du public, celui-ci apprécierait chaque détail de ma vie privée pour ne m'en aimer que davantage. « Vivre comme eux » était le cri de ralliement et, dans ma hâte et mon besoin d'être aimée et acceptée, je l'avais moi aussi adopté. Mais j'appris vite que « trop » banalise et que, quoi que l'on fasse, il est impossible de rallier tout le monde à sa cause.

Ma vie ÉTAIT différente de la leur ; j'avais beau vouloir être comme tout le monde, la critique et les jugements accompagnant mes moindres faits et gestes m'atteignaient terriblement.

La situation devenait hors contrôle et elle atteignit son paroxysme – ce qui m'incita à changer de cap en douceur vis-à-vis de la presse – lorsque je me présentai à un spectacle avec un ami, le magnifique joaillier Walter Schluep.

Photos d'usage à l'entrée de la salle, salutations, sourires, accolades. Je ne pouvais m'empêcher de lire dans les yeux des photographes : « Si elle le présente, c'est qu'il est près d'elle. S'il est près d'elle, c'est que c'est son amant. Et si elle ne voulait pas le présenter, elle n'avait qu'à rester chez elle ! »

Une semaine plus tard, en première page d'un journal à potins, je découvris les photos d'une dizaine d'amis et connaissances masculines étalées dans une mise en pages à petits carreaux, chacun marqué d'une croix. Dans le haut de la page, on avait inscrit « ILS SONT *OUT* ». Et au bas de la page, mise en évidence par une immense flèche noire, la photo de Walter sous le titre : « VOICI LE NOUVEAU ! »

Des autres photos, deux sur trois ne présentaient que des amis, voire, pour certains d'entre eux, des homosexuels. Les journalistes le savaient sûrement, peut-être ont-ils pensé que je trouverais ça drôle. Mais ce qui fait le plus de mal, dans un cas semblable, est le peu de cas que l'on fait de vos sentiments. Tout pour la vente, rien pour la victime.

Une immense lassitude s'est emparée de moi. Car la victime, finalement, ce n'était pas moi, mais mes amis. J'ai vite appris le prix à payer pour être à la une des journaux… Les avantages aussi, mais pour l'instant parlons déception. Et ce n'était pas à eux de l'assumer. Ils n'avaient pas choisi ce métier et se retrouvaient injustement punis du plaisir de me connaître, ou du simple fait de m'accompagner. Plaisir, en fait, qui était surtout le mien, car je ne pouvais passer ma vie à sortir seule. Une vie normale suppose le partage, mais le vedettariat n'a rien d'une vie normale. De gré ou de force, tu dois jouer le jeu, et tant que tu fais vendre des journaux...

Après cet incident, ce devint pour moi la norme de ne plus présenter les «vrais» à la presse. Mais même cette discrétion eut ses inconvénients: isolés de l'aura que me donnait toute publicité, beaucoup ont cru que j'avais honte de les fréquenter et insistèrent pour obtenir leur part de lumière. Pour établir publiquement leur territoire, j'imagine...

Donc, vous parler de ma vie privée m'inquiète un peu, voire beaucoup. Il m'est difficile de vous livrer l'histoire d'êtres avec qui, déjà, je ne suis arrivée à préserver que peu d'intimité. Mais que seraient ces mémoires si j'en effaçais l'essence même de ce que je suis devenue, grâce à la manière dont chacun d'entre eux a su toucher ma vie?

Certains de ceux qui m'ont aimée m'ont dit l'avoir pris comme un cadeau. D'autres en ont profité. Mais je peux conclure en affirmant qu'au quotidien, tout ceux que j'ai aimés et qui m'ont aimée ont dû subir, en dépit des avantages du vedettariat, quelques-uns aussi de ses désagréments.

Quelle est l'option la plus viable? Fréquenter et s'engager amoureusement avec quelqu'un appartenant au milieu artistique, et sachant lui aussi utiliser et vivre avec les avantages et désavantages du vedettariat, ou chercher plutôt quelqu'un d'étranger au milieu avec qui il faut s'astreindre à la réserve, alors que l'amour commande tout, sauf ça? Voilà la question!

À 16 ans, je faisais la rencontre et tombais amoureuse de Pierre Lalonde qui, de prime abord, me découragea complètement de faire ce métier. J'avais pourtant l'impression que de côtoyer la gent artistique ne pouvait comporter que des avantages, dont la possibilité de rencontrer des gens d'ordinaire inaccessibles aux non-initiés.

Dans ma naïveté, je croyais qu'il ne pouvait exister d'obstacles à l'amour, et le métier n'en était certainement pas un. Jusqu'au jour où je devins moi-même « vedette ».

Avant, il m'était difficile de concevoir ou de comprendre ce code d'éthique, uniquement dicté par les intérêts artistiques, et selon lequel il était défendu d'afficher ou de clamer ses sentiments lorsqu'on fréquentait quelqu'un. Puis vint mon tour de devoir tenter d'expliquer et de faire accepter à un amoureux, étranger au milieu, qu'un artiste « populaire » se doit de paraître libre ! Difficile !

Et que doit faire le malheureux avec son sens de la territorialité lorsque la règle d'or, pour l'être aimé, consiste à projeter une image d'accessibilité, susceptible d'alimenter l'imaginaire du public ? Ingrédient essentiel de la cote de popularité, surtout si l'on a un physique avantageux assorti d'un talent limité. J'en vois sursauter, c'était cependant la norme dans les années 60 !

Voici donc quelques aventures éparses, pas nécessairement les plus révélatrices de ma nature profonde, mais significatives quant à la vérité qu'en matière de cœur, on se ressemble tous un peu.

Premiers émois

J'ai toujours voulu me vieillir. Le temps de l'enfance et de l'adolescence m'a semblé interminable, inutile et entravé de limites. J'entrais donc, à 14 ans, de plain-pied dans le domaine des premiers émois amoureux avec Jean-Rock Brindle, un fier jeune homme, voisin de mes grands-parents, à Windsor Mills. Mais mes débuts à la télévision allaient changer le cours de ma vie et de mes amours.

À 16 ans donc, je rencontrais Pierre Lalonde. Rien ne laissait présager, au départ, que nous puissions avoir une aventure, mais je fus ravie par-dessus tout lorsqu'il m'invita à l'accompagner à une réception organisée pour son anniversaire. C'était mon premier *party* d'adultes. Sa mère était entrée en contact avec la mienne pour lui assurer qu'elle se chargerait elle-même de me chaperonner.

La fête avait lieu dans sa maison de la rue Coolbrook à Notre-Dame-de-Grâce, un bungalow qu'il avait acheté et où vivaient également sa mère et sa sœur. Toute l'équipe de *Jeunesse d'aujourd'hui* était réunie dans le sous-sol. C'était la première fois que je consommais de l'alcool et que j'avais la permission de rentrer chez moi à 3 h du matin. Au cours de la réception, Pierre avait improvisé une « carte d'anniversaire » insolite. Il nous avait demandé d'apposer nos noms sur une porte du sous-sol, ce qui me semblait d'une grande extravagance. Certaine de ne pas faire partie de la grande famille du show-business, j'étais gênée de signer. Mais Pierre était venu me chercher par la main pour que je puisse moi aussi y apposer ma griffe. C'était mon premier autographe ! Naïve, j'ai tout de suite interprété ce geste comme une manifestation d'attention privilégiée, un gage d'amour peut-être. À cet âge, on a tous besoin que des gestes tangibles viennent valider les sentiments. J'en avais, en tout cas, un pressant besoin.

Ce jour-là, Pierre me confia également son numéro de téléphone privé. Je n'en ai d'ailleurs jamais abusé. Mais je me souviens qu'invitée à l'appeler, je « répétais » dans ma tête pendant des heures toutes les questions que j'allais lui poser. J'inventais les réponses possibles, soupesais l'effet de mes déclarations, préparais une contre-réplique et m'égarais dans toutes les éventuelles répercussions de la conversation. Je trouvais cet exercice bien compliqué, car le but en était toujours le même : comment l'amener à m'inviter à le revoir en faisant en sorte que l'invitation vienne de lui. Cela m'occupait tellement l'esprit que les jours s'étiolaient sans que j'ose passer l'appel, m'évitant ainsi le risque d'un rejet. L'orgueil était plus fort et flirter n'était pas simple en 1962 ! Il existait une étiquette, des conventions qui voulaient, entre autres, qu'une jeune fille bien ne fasse jamais le premier appel. Il fallait pouvoir dire, marque d'attention essentielle, que c'était L'AUTRE qui avait fait les premiers pas.

J'allais souvent skier dans les Laurentides avec Pierre. Il dévalait les pistes plus vite que moi, mais on remontait ensemble sur le « T-bar ». Le manque d'équilibre sur la barre de bois nous obligeait à nous cramponner l'un à l'autre et, quitte à se toucher, pourquoi ne pas s'embrasser ? On le faisait profusément. Moments périlleux, s'il en fut, car il était alors facile de perdre pied sur la piste. Et de tomber ainsi en pleine remontée m'eût certes fait perdre ma superbe, humiliation inconcevable dans le grand livre de la « fille parfaite » et impair impardonnable à mes yeux.

Invariablement, ces journées de plein air se terminaient au Chiriotto Lodge où Pierre, pratiquement assis sur la table, chantait *Sugar Shack* (il ne l'a jamais endisquée), une chanson populaire de l'époque qui me faisait positivement « flipper ». S'il désirait être seul avec moi, il m'emmenait manger au Pep Steak House à Sainte-Adèle, le *nec plus ultra* de la « fine cuisine » et de la décoration des *sixties* : murs en bois rond de couleur sombre, chaises massives « gossées » à la main, nappes à carreaux rouges et inévitable bougie plantée dans une fiasque de chianti, dégoulinante de toutes les couleurs de cire des chandelles précédentes. Rien, absolument rien, ne pouvait être plus romantique que ces dîners. On se farcissait un steak assez gros pour nourrir un Biafrais pendant au moins un an et une pomme de terre en robe des champs cuite dans du papier d'aluminium. À part le papier, on ne laissait rien dans l'assiette. Je préférais le filet mignon enrobé de bacon, mais me serais fait couper en rondelles plutôt que d'en commander un. J'avais vu la liste des prix et n'aurais jamais osé imposer une telle « folie » (6 $) à mon partenaire. Mais toujours attentionné et conscient de ma réserve, Pierre se chargeait heureusement de changer lui-même ma commande.

– C'est bien meilleur, Danielle. Pourquoi est-ce que tu te prives ?

Comment ne pas l'aimer ? Il n'y avait, par contre, jamais d'hésitation devant l'immense saucisse que la braise faisait retrousser aux deux bouts, ou les escargots à l'ail aux coquilles récalcitrantes quand il fallait les saisir entre les fameuses pinces. Je ne me permettais évidemment ces choix que si Pierre se les permettait lui-même.

De ces délicieux moments de notre adolescence, Pierre a gardé une version plus masculine. De tous ses souvenirs, celui qu'il raconte toujours avec un évident plaisir est celui du jour où, s'étant présenté chez mes parents avec une Vespa toute neuve et ayant demandé à ma mère la permission de m'emmener faire un tour, il avait ressenti comme une grande gloire le fait de transporter dans son bolide, et devant tous les voisins, celle qu'il considérait comme la « plus belle fille du boutte ». Pierre me dit, encore aujourd'hui, que Bo Derek, c'était de la « petite bière » à côté de la Danielle de l'époque. Fort heureusement, je n'avais aucune idée de l'effet que je pouvais produire.

Chez mes parents, l'idée même de la sensualité avait un côté aseptisé. Quant à Pierre, j'ai été longtemps persuadée que c'était la fille qu'il aimait en moi, et rien d'autre. C'est ainsi qu'on en arrive à coucher avec son amoureux, avec la conviction profonde qu'il s'agit là du geste d'amour suprême et d'un engagement à vie. Avec une telle attitude, il va sans dire que j'allais subir de grosses peines. L'une d'entre elles se révéla particulièrement dévastatrice. Pierre nous avait invitées, ma meilleure copine –

Muriel Vanier – et moi à une partie de pêche à La Macaza dans les Laurentides. Mes parents, croyant que la mère de Pierre y serait, m'avaient laissée partir. Pierre était aussi accompagné de son meilleur ami, Ronny. Muriel et moi étions arrivées en autobus. Une fois sur place, il me sembla que Pierre lorgnait un peu trop ma copine. Je n'en voulais pas à Muriel, et nous avons fait front pour rétablir les choses. Il s'en fallut tout de même de peu pour que la fin de semaine ne tourne au vinaigre. Et c'est en autobus que nous sommes revenues à Montréal.

Mais l'objet de toutes mes douleurs était l'espoir que je cultivais toujours de réussir à le convaincre, bien tranquillement, de me laisser l'accompagner au *Gala des artistes* qui devait avoir lieu une semaine plus tard. Les « irritants » de notre congé en pleine nature n'avaient évidemment pas été très propices à mon projet. C'est du moins ce que je croyais, ignorant à l'époque que les « vedettes » devaient toujours se présenter seules à ce genre de réception. Ma robe était achetée et j'attendais cette invitation comme on attend le messie, mais elle n'est finalement jamais venue. En fait, plus que l'invitation, j'attendais un mot, un geste, une consécration qui me permettraient d'être reconnue un peu plus officiellement dans la vie de Pierre Lalonde. C'était pure vanité, car je savais déjà qu'il était impossible à Pierre de privilégier une présence féminine à ses côtés. Invitée finalement par un cousin lointain, je pus constater, une fois arrivée à la réception, qu'il n'y était pas accompagné. Ce qui n'eut pas l'effet de me calmer, mais plutôt de m'indigner de l'ingratitude et de l'indifférence qu'il démontrait en se passant de ma présence. Quitte à être seul... Au bras de mon cousin Serge Champagne, je m'amusai à créer une certaine confusion qui puisse le rendre jaloux. Peine perdue ! Et une autre belle leçon !

L'adolescence s'étalait, lourde de tous ses désirs non assouvis, mais combien formatrice pour l'adulte en devenir !

Allez savoir ce qui causa notre éloignement, si on peut parler de notre amitié comme d'une idylle. Pierre restera toutefois, pendant très longtemps, comme un tendre amoureux que l'on retrouve dans les « périodes creuses ».

Quelques années plus tard, alors que je pouvais en rire plutôt qu'en pleurer, Michèle Richard me raconta ses propres émois avec Pierre, copie carbone des miens. Il nous avait fait vivre, à toutes deux, les mêmes choses. Mais bien avant cette révélation, entre deux blondes, deux amours, après une déception, nous avons toujours su nous faire une niche complice, lui et moi. Il était très tendre, très affectueux, amusant, calme, pondéré. Les raisons de l'aimer étaient nombreuses. Pourquoi y résister ?

Après *Valérie*, je me souviens d'un spectacle produit par Guy Cloutier et intitulé *Jeunesse en vacances* (à cause de l'émission *Jeunesse d'aujourd'hui* retirée des ondes pour l'été) qui devait nous envoyer en tournée dans les arénas et salles du Québec. J'y chantais avec des artistes tels que Simon, Les Myladies et Dany Aubé. Je n'avais que deux chansons à mon répertoire : *L'orage* de France Gall et une autre de Petula Clark, je ne sais plus très bien laquelle. Sans doute *Donnez-moi des fleurs*, puisqu'elle faisait partie de tous mes spectacles.

De villes en villages, nous allions en autobus rencontrer le Québec profond qui parfois, dans sa candeur, s'exclamait : « Tiens, v'là Jeannette en vacances ! » (Je vous rappelle que la tournée s'appelait *Jeunesse en vacances*.)

Nous dormions dans des motels où régnait la plus grande des confusions. Dans l'une de ces villes, en fin de la soirée, dans un bar, quelqu'un avait drogué Pierre en glissant dans son verre une substance quelconque. C'est donc un homme très confus que la direction déposa à la porte de ma chambre. On pouvait boire sec à l'époque, mais Pierre ne se droguait pas. Au début, je l'ai cru ivre mort, puis j'ai vite constaté qu'il n'avait pas des réactions normales, il délirait. J'avais l'habitude de le materner, mais cette nuit-là fut mémorable. Je dus littéralement le traîner sous la douche pour l'aider à se réveiller, tant il me paraissait au bord de l'inconscience. Mais pour ce faire, il me fallut y aller moi-même toute habillée. Au matin, il ne se souvenait de rien.

Un peu plus tard dans la tournée, on s'arrêta, après sept à huit heures de route, en pleine nuit, dans un motel qui, ne nous attendant plus, avait déjà loué certaines de nos chambres. « Pas grave, me suis-je dit, il reste tout de même quelques chambres et je vais partager celle de Pierre. Je me suis si bien occupée de lui pendant cette tournée qu'il ne peut faire autrement que de me réserver une petite place. »

Contre toute attente, Pierre s'était dirigé comme une flèche vers la réception pour s'engouffrer dans une chambre dont il ne ressortit que le lendemain, une magnifique femme à l'accent anglais pendue à son bras. Elle avait fait la route en voiture pour venir passer le week-end avec nous ! J'ai dû coucher dans l'autobus, maudissant ma trop grande faiblesse à ne pas lui dire son fait. Mais bon, après tout, nous n'étions pas ensemble ! Cette femme est devenue son épouse par la suite et il a eu avec elle une fille magnifique prénommée Alexandra. J'aimais beaucoup cette enfant que j'ai un peu connue au moment du divorce de ses parents. J'ai peut-être, d'une certaine manière, marqué son enfance, car elle m'a reconnue, 20 ans plus tard, dans un corridor de l'aéroport d'Orly, au moment où elle venait s'installer en France pour parfaire ses études.

L'important, je crois, est de savoir rire de ses travers. On entretenait l'un et l'autre une drôle de relation, plus amicale qu'amoureuse, mais dans laquelle on cultivait toutefois une espèce d'illusion amoureuse. Nous avions des phrases complices qui auraient pu évoquer, pour d'autres, la jalousie ou la possession. Rien cependant qui puisse égratigner, ne serait-ce que légèrement, notre relation. Une espèce de rituel de protection nous faisait parfois dire des mots insensés dont le but n'était que de garder notre place dans la vie de l'autre. De sorte que lorsque venait le temps d'approuver le choix de l'amoureux de l'autre – et ça venait souvent, de son bord comme du mien – on ne se ratait pas !

Lorsqu'il nous arrive de reparler de cette période, Pierre me dit toujours avec un sourire : « Tu m'avais pourtant prévenu Danielle, de me méfier des femmes qui tricotent ! »

Une fois, par surprise, je m'étais présentée à son appartement de la rue Redpath, dans le centre-ville de Montréal. Cette « femme » était là, qui tricotait ! Sans me saluer ou me regarder, silencieuse, elle n'avait jamais levé les yeux une seconde de son tricot. Pas un mot non plus sur ma présence. Je sentais la lourdeur de sa désapprobation. J'entrais sur son territoire. J'avais alors dit à Pierre qu'une femme qui, plutôt que de se rebiffer, essaie de se composer une image parfaite de froideur devant une « ancienne flamme » qui se pointe, comme ça par hasard, n'est qu'une araignée tricotant sa toile pour mieux y étouffer son mâle. Rien de moins ! Monica, pourtant, était une femme adorable. À son divorce, dans un grand éclat de rire et par dérision sans doute, il m'avait reparlé de cette scène de tricot. Je crois que, malgré tout, cette séparation avait dû lui faire très mal.

Jean-Pierre Ferland

Je vous avouerai un flirt avec Jean-Pierre Ferland, que j'ai rencontré pour la première fois en face de l'ancien édifice de Radio-Canada, rue Dorchester. J'attendais ma mère, qui devait venir me chercher à la fin d'une audition. En m'apercevant, il se saisit de ma main et m'emmena en studio sous prétexte de me faire entendre une musique qu'il avait créée pour un jeu-questionnaire. Assise devant lui sur un tabouret, subjuguée, je l'écoutai me jouer pour la première fois, sur sa guitare, un thème que j'allais par la suite reconnaître à la télé. La seconde rencontre eut lieu à *La poule aux œufs d'or* où j'étais devenue hôtesse. Jean-Pierre était l'invité chargé de cacher le gros lot dans l'œuf. À la fin de l'émission, me voyant me diriger vers la sortie, il s'était installé entre deux rideaux, m'avait appelée, puis embrassée fougueusement. Je me souviens encore de l'émoi provoqué par ce baiser, et pourtant, j'avais à peine 18 ans!

J'avais 21 ans à la sortie de *Valérie*. De passage à Paris après le Festival de Cannes, je rencontrai Jean-Pierre qui avait vu le film et m'avoua s'être senti trahi: «Ma petite Danielle, nue, devant tous ces hommes qui la désirent.»

Cette remarque avait ceci de charmant qu'elle évoquait l'image «virginale» dans laquelle il me confinait. Elle témoignait aussi de l'atteinte de l'affection qu'il avait pour moi et qu'il aurait voulue unique. Pour lui, cette affection était bafouée par le voyeurisme de purs inconnus. Il aimait me rappeler qu'il était terriblement jaloux de nature et que «ça» l'avait profondément choqué. Jean-Pierre était un grand seigneur. Tombant instantanément amoureux fou, il n'avait de retenue ni dans ses déclarations amoureuses publiques ni dans les surprises – terriblement efficaces pour la séduction – qu'il aimait concocter.

Jean-Guy Moreau

J'ai entretenu avec Jean-Guy Moreau des moments mi-amoureux, mi-amicaux. Nous nous étions fréquentés plus assidûment à la suite du film *Y a toujours moyen de moyenner* dans lequel nous avions joué ensemble. Notre attachement l'un pour l'autre avait surgi alors que nous traversions tous deux des moments importants et douloureux. Lui, dans ses amours, et moi, dans les démêlés judiciaires de l'affaire Mastantuono.

Face au malheur, nous faisions de chacune de nos rencontres un îlot de sécurité, de dépendance et de soutien.

Au moment de la sortie du film, je m'étais retrouvée en plein scandale, à la une de *La Presse*, qui titrait « Danielle avoue », grâce aux bons offices d'un journaliste, soulignant que j'avais commis des gestes illégaux avec mon fiancé. Je décidai donc de ne pas assister à la première de mon film, ne me sentant pas la force de répondre aux journalistes sur un sujet hors contexte et susceptible, un soir de première, de détourner l'attention de la raison principale de l'événement, soit la sortie du film. Mais après qu'on m'eut assurée qu'aucun journaliste ne serait présent, j'acceptai d'assister à une réception privée que donnaient les producteurs dans un restaurant du centre-ville, fermé pour l'occasion. Or, vers minuit, j'entendis qu'il y en avait un qui essayait de forcer l'entrée, et je décidai de me réfugier dans les toilettes pendant que Jean-Guy s'occupait à distraire l'intrus. Je m'engageai donc dans un corridor, derrière la salle qui nous avait été réservée, au deuxième étage du restaurant. Habituée à fréquenter cet établissement, je savais que les toilettes, où je cherchais à me réfugier, étaient situées au rez-de-chaussée. Poussant une porte, croyant m'y retrouver, je ne découvris qu'un passage sans lumière et nulle indication des lieux d'aisances. Je décidai tout de même de l'emprunter, même si je n'y voyais rien, me disant que je trouverais bien où descendre… juste avant de sentir le sol se dérober sous mes pieds. Une chute cauchemardesque, qui n'en finissait plus, dans un trou sans lumière, sans plafond ni plancher qui m'aspirait dans une vertigineuse dégringolade. Je tentai bien de m'agripper à quelque chose, mais rien ne se présentait sous mes doigts. Des coups me tabassèrent le corps en tous sens. Où étais-je ? Combien de temps cela allait-il durer ? Puis ça s'arrêta enfin. Étonnamment, j'étais vivante. La lumière s'alluma. On se précipita vers moi. Je venais de m'envoyer des doubles et triples saltos avant-arrière dans la cage d'escalier menant au sous-sol. Deux étages en chute libre. On m'aida à me relever. J'arrivai à bouger. Je semblais n'avoir rien de cassé. Une côte fêlée peut-être. Mais j'avais quelque chose à la figure. Ça brûlait!

Jean-Guy décida de me soustraire à la foule grossissante pour m'emmener à l'hôpital, ce qui le priva de la soirée, donnée pour lui tout autant que pour moi, puisqu'on avait fait le film ensemble. Je pleurai, à bout de forces. Pour tout vous dire, je voulais mourir. C'était trop d'émotions, de combats, d'événements désastreux en peu de temps. Mais Jean-Guy était là. Je réclamai à grands cris ma maison, ma chambre, mon lit, pour m'y perdre, m'y faire oublier et peut-être, si la vie était bonne, m'y faire disparaître. Mais Jean-Guy était toujours là! Il me dit, très doucement dans l'oreille, pour me faire patienter et pour m'assurer qu'il y avait un temps pour tout:

– Danielle, on va attendre le médecin. Il va te voir et quand on aura l'assurance que tout va bien, j'irai avec toi, chez toi. Je vais m'occuper de toi le temps qu'il faudra. On ne traverse pas le pont avant d'arriver à la rivière, Danielle. Sois patiente.

Il ne le savait pas, mais dès cet instant il m'a donné une force qui guiderait désormais ma vie et mes gestes lors de mes moments de tristesse. Lorsque la chance me quitte – elle le fait parfois, la cruelle! –, j'attends son retour en pensant à la rivière. La route est parfois longue et ses sentiers tortueux, mais la rivière est toujours là.

J'ai donc vu le médecin. Un morceau de bois m'avait traversé la joue de part en part. On l'a extrait. Je me retrouvai avec un bandage sur la joue et, à nouveau, je fondis en larmes en voyant le résultat final. Jean-Guy, atteint par mes pleurs, prit un stylo-feutre et m'y dessina une petite fleur. Il désamorçait ainsi le drame et réussit à me faire sourire. Une fois rentrés chez moi, il insista pour me surveiller toute la nuit sans fermer l'œil.

Le lendemain matin, nous nous sommes aperçu que le médecin de garde avait mal nettoyé la plaie. Je dus retourner à l'hôpital, pour soigner une infection cette fois. On retira à nouveau des parcelles de bois qui allaient me laisser une cicatrice à la joue, de là la fossette qu'on me voit encore sur la joue droite.

Plus tard, beaucoup plus tard, quand ce sera à Jean-Guy que la chance fera faux bond cette fois, je serai heureuse de pouvoir à mon tour me rendre utile. Il m'avait tant donné.

Lorsqu'on m'offrit une visite de quatre jours à Aruba, à l'époque ou les agences de voyages offraient aux vedettes de voyager en échange de publicité, je demandai que Jean-Guy puisse m'accompagner, en échange d'une prestation sur scène pour les journalistes québécois en déplacement avec nous. On mit un tel temps à se décider que Jean-Guy faillit rater l'avion. Autre temps, autres mœurs: Air Canada avait eu, à l'époque, la gentillesse tout de même de l'attendre pendant une demi-heure, toutes hélices tournantes, sur la piste de Dorval. Un convoyeur particulier vint le déposer au pied de l'avion.

À Aruba, au moment de donner son spectacle, je dus lui prêter une de mes vestes pour qu'il puisse monter sur scène avec le décorum requis.

C'est sur cette île qu'on se retrouva nus, toute une journée sur une plage déserte (eh oui, l'influence de Woodstock faisait du chemin), libres, profondément heureux, et profitant du soleil sans même se toucher ou se parler. Avant de quitter ce paradis, délogés par un car de touristes qui s'étaient mis à prendre des photos du haut de la falaise, nous avions pris nous-mêmes quelques photos, dont l'une orne la page couverture d'un de mes livres. De cette photo se dégage une puissante impression de paix, une paix que seul Jean-Guy pouvait m'apporter en me côtoyant.

Dominique Michel m'en demanda une copie, qui a longtemps paré les murs de sa villa jamaïcaine. On ne se voit plus tellement maintenant, Jean-Guy et moi, la vie le veut ainsi. Mais chaque rencontre reste un moment unique de charme enveloppant. Encore et toujours, il peut compter sur moi.

Un amour secret

Il y a eu aussi les amours déchirantes. Je me remémore l'époque où j'étais tombée éperdument amoureuse d'un artiste québécois extrêmement populaire. Je l'ai aimé à en être malade. J'en prends d'ailleurs entièrement le blâme. J'avais besoin de tendresse, d'attention, de reconnaissance. J'ai rêvé un moment que mes sentiments pourraient être partagés. Mes rêves chimériques, encore une fois, refaisaient surface. Son public lui vouait une admiration sans bornes. Je pensais, bien naïvement, pouvoir profiter un peu de sa présence exclusive. Il me le fit payer amèrement. Vous me permettrez de taire son nom, par respect pour sa famille actuelle.

Il me faut toutefois en parler, car cette relation entre nous est devenue la pierre angulaire d'une prise de conscience importante dans ma vie. Elle m'a d'abord fait comprendre qu'on ne doit jamais espérer être celle qui fera oublier une peine d'amour récente. On peut distraire et calmer l'autre de sa peine, rarement la lui faire oublier.

Un troisième amour vient invariablement se greffer à ce que nous croyions être « notre couple » alors qu'il ne s'agissait que d'une étape de transition. Ce qui fut évidemment le cas.

D'autre part, j'ai pu me rendre compte que l'image de légèreté que je projetais, grâce à une carrière où le succès se nourrissait au scandale, ne m'attirait que des gens avides d'en profiter sans jamais me donner en retour les sentiments simples et désintéressés auxquels j'aspirais et que je distribuais pourtant avec largesse. J'étais devenue une distraction. Je ne le serais plus jamais.

Grâce à cet amour bouleversant, j'ai appris à m'aimer davantage moi-même et à ne plus compter que sur ce que j'avais véritablement à offrir : ce qui vient du cœur.

Mais avant de découvrir tout ça, soucieuse de préserver son image, honteuse aussi d'imposer une présence que j'estimais « si peu valorisante » à un homme doué d'une telle aura, d'un tel talent, je me cachais constamment. L'opinion des autres devenait toute puissante dès que nous sortions du cercle de ses amis immédiats. Je ne voulais pas que quiconque, en manque de jugement, puisse questionner les motifs de nos fréquentations. Je ne pouvais supporter l'idée que ma présence ou ma réputation de légèreté puissent le décevoir.

À la fin de chacun de ses spectacles, j'allais l'attendre, enfermée dans les toilettes. L'intellectuel et la belle ! Nous étions un peu la Marilyn Monroe et le Arthur Miller du show-biz québécois. Quel duo !

De peur de le perdre, je taisais cet amour. J'ai souffert mille fois du sentiment de ne pas être à la hauteur. Inutile de mentionner que je me remis très difficilement de cette aventure. Il faut avouer que je l'idéalisais beaucoup plus que lui ne m'aimait. Il ne m'avait rien promis. Je rêvais. Mais il devait bien mesurer l'étendue de mes efforts pour gagner son affection et, ne serait-ce que pour ce motif, il aurait pu avoir la délicatesse de se comporter autrement que comme un parfait barbare lors de notre rupture.

Donc, la veille de son départ pour un voyage dans le Sud où il m'avait invitée et pour lequel je ne pouvais l'accompagner, car j'enregistrais l'un des *Bye Bye* à Radio-Canada, je m'offris à le rejoindre chez lui et à le conduire à l'aéroport très tôt le lendemain matin. Sans avertissement ni raison qui puisse justifier ce comportement, il me répondit simplement : « Tu ne peux pas, on serait très mal à l'aise à trois dans mon lit ! »

Plus tard, beaucoup plus tard, quand j'osai enfin lui demander le pourquoi de cette peine infligée gratuitement. Il me répondit: « L'amour, c'est comme un grand miroir. Quand tu t'y regardes et que tu n'aimes plus l'image qu'il te projette, il faut réagir. » Parlait-il de mon image ou de la sienne? Allez savoir.

Mon amour était plus simple. J'ai sans doute échappé à bien des tourments, mais il ne s'en est jamais excusé. Et comme personne ne connaissait cette histoire, je restai seule à cuver ma peine. Jusqu'au jour où, au détour d'une conversation impromptue, provoquée par l'entrée de cet artiste au restaurant, un producteur avec qui j'étais attablée me fit part de confidences, qu'il avait recueillies de ce dernier, à propos de notre aventure. Avec des détails très précis sur l'objet de ma peine et de mon ressentiment, cet ami intime de l'artiste m'assura que celui-ci lui avait mentionné le regret ressenti à la suite de son geste. Toutes mes peines se sont envolées. Une courte phrase en avait allégé le fardeau. Je suis comme ça, des années de tristesse m'habitent puis, au détour d'un témoignage anodin, l'apaisement. Depuis, j'ai fait la paix avec cet épisode de ma vie. Dommage toutefois qu'il ait dû être réglé par l'intermédiaire d'un parfait inconnu.

Michel Forget

Avant cet amour passionné, mon aventure la plus longue avait été celle avec Michel Forget. Nous avons vécu trois ans ensemble. Peu de temps après notre rencontre, il emménageait chez moi à Habitat 67. Nous avons connu toutes les guerres. Michel était tout sauf plat. Il l'a avoué lui-même en entrevue: il buvait, sortait, travaillait à l'excès. J'aimais ça. Moi, si raisonnable et obéissante, sa délinquance me ravivait.

C'est lui qui m'initia à un monde auquel jamais je n'aurais pensé pouvoir accéder : celui du théâtre. C'est grâce à lui que j'ai joué dans une pièce rassemblant de courts textes de Jean Simard, au Patriote de Montréal. À cette époque, il incarnait Mario dans *Du tac au tac*. Son fameux « mon ti-lard », cri du cœur amoureux qu'il avait inventé pour sa partenaire dans la télésérie (Marthe Choquette), faisait partie intégrante de mes petits mots d'amour au quotidien.

Lorsque je ne travaillais pas, j'allais voir Michel sur scène, ce qui était un réel plaisir. Un soir cependant, les choses tournèrent au drame. J'étais allée le chercher à la fin d'une répétition au théâtre du Rideau Vert, rue Saint-Denis. Il insista pour conduire. Au moment de sortir de son espace de stationnement, il se fit sauvagement couper la route, ce qui fit légèrement monter la pression au thermomètre de sa tolérance. La patience n'étant pas sa vertu dominante, il descendit de voiture, se dirigea vers le conducteur de la camionnette fautive lorsque, d'un mouvement brusque, la porte latérale du véhicule lui faisant face s'ouvrit. Michel se retrouva coincé devant un revolver chargé à bloc, pointé sur sa tête. Vous auriez pu penser qu'il se serait assagi ! C'est bien mal le connaître. Il se mit à invectiver le type :

– Tire pour voir ! Vas-y ! Fais un homme de toi !

J'ai pensé m'évanouir, mais puisqu'il fallait réagir, j'ai appuyée des deux mains sur le klaxon, essayant désespérément d'attirer l'attention de témoins potentiels. La camionnette ne mit pas de temps à disparaître. Michel s'était bien amusé, je suppose.

Michel était une véritable boîte à surprise. Il partait le matin, mais je ne savais jamais quand il rentrerait, même si ça n'était jamais bien tard. Un appel interrompait parfois l'attente, parfois pas.

Je me souviens d'une nuit où Michel n'était pas encore rentré à 3 h du matin. Quand la porte s'ouvrit enfin, à 3 h 30, je me pointai, furieuse, au haut de la cage d'escalier menant à ma chambre, pour apercevoir Michel la figure en sang, égratigné de partout! Dans ses bras, accroché de toutes ses griffes au revers de sa veste avec l'énergie du désespoir, un chat. Il me tendit la bête et, avec des yeux suppliant le pardon, murmura:

– Tiens ma minoune. Ça fait si longtemps que t'en voulais un!

Distrait par le plaisir d'une rencontre entre comédiens et réalisant son grand retard, Michel avait craint ma réaction. Dans son inconfort, il s'était souvenu que nous avions promis à un ami comédien de prendre l'un des deux chats dont il voulait se séparer. Bien après minuit, il s'était présenté chez l'ami en question qui avait omis de lui expliquer que la bête, habituée à un appartement, n'avait jamais mis la patte dehors. Le chat, terrifié, s'était mis à lui griffer la figure et s'était échappé dans la ruelle la plus proche. Une heure de recherches plus tard, entre les poubelles et autres immondices de l'arrière-cour, à peine dessoûlé, Michel avait fini par retrouver son «cadeau».

Puisque cet animal était une terreur, nous l'avions appelé Ti-mine Dada. Cette magnifique bête avait une regrettable habitude que le vétérinaire finit par m'expliquer. En témoignage de tendresse, et pour me faire plaisir, il capturait des oiseaux sur ma terrasse pour les déposer encore frétillants, à moitié morts, à mes pieds.

J'ai vécu toutes les émotions avec cet homme. J'omettrai les moins agréables, le meilleur chassant le vilain. Et de meilleur, il est resté un fait important.

Michel était présent à la toute fin de mes neuf ans de démêlés avec la justice américaine. Me restait l'épreuve du procès à New York et, comme à l'habitude, voulant tenir mes proches à l'écart de mes problèmes, et précisément de ceux-là, j'annonçai à Michel que j'irais seule aux États-Unis. Il refusa net:

– Qui va s'occuper de toi si ça va mal? Qui va savoir quoi faire si on te garde?

Je n'ai pas connu beaucoup d'hommes, depuis, qui ont eu le courage de m'appuyer à ce point. Au sortir de la cour, j'étais en charpie, comme un pantin dont on aurait coupé les fils. Muette, atone, complètement zombie pendant des heures. Il était là, protecteur, pour donner corps à mon soulagement d'être enfin libre. Nous avons refait le voyage de retour main dans la main. Il m'a serrée fort, si fort et m'a dit:

– C'est fini. Tout va bien aller à partir de maintenant. Tu n'auras plus à avoir peur. Je suis là. Je suis là.

Nous avons eu une fermette à Saint-Guillaume, tout juste à côté de celle du réalisateur d'images de cinéma Bernard Chantrier. Michel avait acheté la maison, ma part consistait à la rénover. Un an de travaux herculéens ininterrompus. C'est là que je suis devenue experte en rénovations. Je sais absolument tout faire: découper et peindre, scier et clouer. Je sais faire les décapages au liquide, à la plaque chauffante, au chalumeau, au bassin d'acide et au séchoir de décapage; les plâtres, les joints de *gyproc*; monter et démonter vitres et moustiquaires: une vraie Martha Stewart bien avant l'heure.

Mais je n'ai jamais pu profiter de cette maison, car nous nous sommes séparés la semaine même où je retirai mes vêtements de travail. Tout était terminé, non seulement dans la maison, mais aussi entre nous.

Michel avait été à mes côtés jusqu'au jour où il me trompa. Mais cela faisait déjà partie de son autre vie. Depuis, il a cessé de boire et il a exploité avec bonheur ses qualités remarquables d'homme d'affaires. Et puis, il faut bien se séparer pour quelque chose. C'est même devenu un *running gag* entre nous maintenant. Lorsqu'il fait référence au remarquable équilibre de sa relation avec Marie, sa femme, il se moque de moi en disant:

– Tu vois, si t'avais été patiente aussi!

Je le sais très heureux aujourd'hui. Marie et lui forment un couple merveilleux. Que c'est rafraîchissant ! Et lui aussi peut compter sur moi, aussi longtemps qu'il le voudra, même si l'on ne se voit plus.

J'ai eu peu de fréquentations en somme avec les gens du milieu artistique. Ne serait-ce que pour vous faire sourire, j'avouerai des périodes amoureuses avec Marc Laurendeau, des Cyniques, avec le metteur en scène Olivier Reichenbach, que j'appelais Maître, et avec Germain Houde. Mais, chut, je n'en dirai pas plus.

Hubert, mon mari

Je n'ai été mariée qu'une fois, et ce fut une erreur. L'erreur n'étant pas de m'être attachée à Hubert qui était un être magique, mais bien de l'avoir épousé.

Rencontré un 1er juin, je m'unissais à lui le 17 août de la même année. Deux ans plus tôt, une cartomancienne m'avait prédit cette union et je l'avais traitée d'illuminée. À l'époque, j'allais d'amours décevantes en amours impossibles et j'avais constaté, dans une pause créée par une thérapie, qu'à 38 ans je n'avais jamais pris le parti de m'engager dans une relation. J'avais peur de l'intimité. J'avais surtout peur de ce qu'il me faudrait laisser aller – entre autres, ma liberté – pour réussir une union. J'en conclus que c'était moi qui étais fautive et qu'un petit effort ne pourrait que m'ouvrir les portes du bonheur. Il m'ouvrit plutôt les portes de l'erreur. On ne peut pas s'abandonner si on ne sait pas comment faire, si on ne l'a jamais fait.

Ç'a duré trois ans. On a divorcé à la suite d'une conversation téléphonique :

– Puis ta journée à Montréal ?

– Magnifique ! Ça fait longtemps que j'ai pas eu autant de *fun*. Je faisais une émission à la télé avec Pierre Marcotte.

– Ah, je suis content pour toi *babe*.

– Ben, on ne dirait pas !

– Oui, oui, tant que tu t'amuses…

– Ben justement, je me disais que toi tu sembles avoir de moins en moins de *fun* quand je suis là. Veux-tu que l'on divorce Hubert ?

– J'y pensais justement.

– Qu'est-ce qu'on fait ?

– Ben, on pourrait rencontrer un avocat.

– Quand ?

– Ce soir. Mais à une seule condition. Tu dis que c'est toi qui demandes le divorce.

– Si c'est pour me faire payer l'avocat, j'ai pas d'argent.

– Non, c'est par principe.

Je montai à Sainte-Adèle et, au restaurant, devant l'avocat Pierre Boivin, celui-là même qui avait fait les papiers du mariage, nous avons signé un papier de quittance réciproque. Nous avions dû poser la main sur une lasagne en guise de Bible, absente au moment de l'assertion des faits. Je lui laissais ma part de la belle maison de 16 pièces avec piscine, sur ses trois acres de terrain perdus dans la nature.

Je rentrai à Montréal pour louer un appartement à 1 100 $ par mois, alors que je n'avais que 800 $ en banque. En fait, je lui avais tout laissé sauf un divan, que j'avais gardé en unique compensation des meubles qui m'appartenaient et qu'il avait vendus sans me consulter aux nouveaux propriétaires, lors de la vente de la première maison que nous avions habitée ensemble.

Au premier soir de ma nouvelle liberté, mon arrivée devança celle du divan à l'appartement de l'Île-des-Sœurs, je couchai donc par terre, empruntant un oreiller et une couverture à un ami qui ne comprit pas que je ne veuille rien d'autre.

Jamais je ne me suis sentie aussi libre, étendue à côté de mon nouveau téléphone qui ne sonnait pas encore, mais que je fixais obstinément, espérant du travail.

Chose bizarre, happée par l'émotion, j'avais eu le jour même de mon mariage une prémonition de la finalité de notre union.

Tremblante, amoureuse et magnifique au bras de mon frère, j'entrais dans la chapelle décorée, grâce à mon homme, de marguerites blanches. Je cherchais avec avidité le regard heureux de celui qui m'avait demandée en mariage sur une terrasse par un jour d'orage, au moment précis où le tonnerre s'abattait à mille pieds de nous, sur le lac des Sables à Sainte-Agathe. Il ne se retourna même pas. J'ai su là, et là précisément, que je faisais une erreur.

Hubert, précédemment marié et père de quatre filles, avait été thanatologue toute sa vie, ayant hérité de son père Lionel diverses maisons funéraires de Hull, Ottawa et Gatineau. Il se dégageait de lui un silence que j'avais pris pour de l'assurance, alors qu'une immense tristesse teintait son existence. Hubert était trop impressionnable, trop artiste pour ce métier. Il y étouffait. Devait-il ce mal à l'âme à une époque où, faisant également office d'ambulancier, il s'était retrouvé par hasard face à une tragédie impliquant quatre morts ? En s'approchant des corps, il s'aperçut que deux d'entre eux étaient ses propres sœurs. Il était devenu, dès lors, enfant unique et ne s'en était jamais remis tout à fait. Il essaya souvent de s'évader en exerçant d'autres métiers, mais ce n'étaient jamais que des diversions. Il avait même eu une ferme où il élevait des chevaux.

Chose curieuse, je ne l'avais pas reconnu, mais Hubert avait tenu le rôle d'un lad (puisque la scène se passait dans une écurie) dans un film mettant en vedette Alexandra Stewart (*Your Ticket Is no Longer Valid*) et dans lequel je faisais une apparition. Comme quoi l'on n'échappe pas à son destin.

Au moment où je le rencontrai, quelques années plus tard, il vivait avec aisance des rentes de ses activités dans le domaine immobilier, dont il m'apprit d'ailleurs les rudiments. Il achetait de petites maisons, puis des plus grosses, que je rénovais et décorais moi-même de fond en combles avant de les revendre à profit. Heureuse de pouvoir vivre dans la superbe maison qu'Hubert m'avait offerte, je n'ai jamais touché un sou de ces transactions.

Nous avons même fait l'acquisition de deux restaurants, l'un à Sainte-Adèle, L'Abordage, à deux pas de l'église anglicane où nous nous étions mariés, et le second à Sainte-Agathe, Le vieux Sainte-Agathe, à deux pas également de l'église. Je mis, là aussi, des mois à terminer la décoration de cet immense espace où nous pouvions accueillir près de 200 personnes à la fois. Hubert s'étant pris d'une frénésie de construction, il agrandissait de plus en plus le restaurant, ce qui le mit bientôt devant un gouffre financier difficile à combler.

Ce fut le début de la fin. Je ne le voyais plus. Parti dès 10 h le matin pour ouvrir les cuisines, il ne rentrait à la maison qu'à 3 h... du matin, sous prétexte qu'il voulait être présent au moment de la fermeture des caisses.

Pendant un certain temps, j'étais allée l'aider et je mangeais avec lui le soir, mais il en vint à me reprocher de lui porter ombrage, car les gens, en me reconnaissant, avaient tendance à réserver leurs compliments pour « mon » restaurant, ignorant les efforts d'Hubert pour le maintenir. J'en vins à ne plus jamais m'y présenter.

Mais toujours inquiète de la route qu'il avait à faire en pleine montagne à une heure si tardive, après avoir bu nombre de consommations qu'il se faisait offrir, je n'arrivais jamais à m'endormir avant son retour. Je ne respirais que lorsque la porte, enfin, se refermait. Commençait alors la spirale des soliloques, car il avait envie de parler ! Or, j'étais souvent debout depuis 8 h, pour signer les commandes des fournisseurs qui faisaient les livraisons aux restaurants, en l'absence de la gérante, elle-même épuisée. Je ne dormais plus, vivais en solitaire, sans travail ni valorisation. Ça ne pouvait continuer ainsi.

Avant que les reproches n'entraînent de vaines querelles et les moments pénibles qui les accompagnent, nous avons compris qu'il fallait nous séparer. Nous sommes restés amis quelque temps après notre séparation, jusqu'à ce que la femme qui prit ma place par la suite décida qu'elle n'aimait plus l'attention qu'il me portait.

S'il arrivait à Hubert de prendre le temps de s'isoler pour m'appeler, il lui arrivait souvent de se faire arracher le téléphone des mains et moi de me faire fermer la ligne au nez. Je n'ai plus de nouvelles, c'est dommage. Je pense souvent à Hubert. J'espère finalement qu'il est heureux.

Juste au moment de mon divorce, les dieux, comme par magie, mirent sur mon chemin un monsieur qui me fut d'un énorme secours. Sans lui, je me demande encore ce que je serais devenue. Il s'appelait Marcel, un homme d'affaires prospère dont la connaissance me fut providentielle, et ce, bien au-delà de ce que je saurais exprimer. Pour ce qu'il m'a fait découvrir et vivre, je lui garde une tendresse et une reconnaissance particulières.

Beaucoup d'hommes bien nantis et adulés vivent avec la conviction que tout se monnaye et qu'il suffit de payer pour connaître la félicité. Marcel, lui, n'était absolument pas du genre à jeter de la poudre aux yeux de qui que ce soit. Nombreux étaient ceux, toutefois, qui profitaient de ses largesses. Il était facile de se laisser vivre et gâter à côté de cet homme qui pouvait tout se permettre. Aussi avais-je pris l'habitude de le remercier avec des petits riens qui lui rendaient la vie bien différente.

Lors d'un voyage d'affaires à Paris (et quand je dis « affaires », je parle de millions, puisqu'il était question de dérivés du pétrole), nous avions projeté de petites vacances de quelques jours sur la Côte d'Azur. Or je connaissais, près de Bordeaux, des gens tout à fait charmants, les DeVallouit, producteurs d'un des meilleurs vins de France, vin largement médaillé d'ailleurs. Ils nous ont accueillis tout d'abord dans leur petit châtelet de Saint-Vallier, puis sur la côte à Agay, où ils habitent maintenant. Inutile de vous dire que chaque repas était un festin toujours arrosé des meilleurs crus de la réserve de l'hôte. Cécile et Louis avaient l'attention délicate de sortir une bouteille dont l'année coïncidait à celle de la naissance de leur invité. C'était de vénérables bouteilles ! Et Marcel réalisait bien qu'il est des choses sans prix que tout l'argent du monde ne saurait acheter. Il savait apprécier, ce qui me rendait très heureuse.

Je me souviens aussi de la célébration d'un de ses anniversaires. Personne, m'avait-il assuré, ne le fêtait jamais. Pour le surprendre, j'avais convoqué, avec l'aide de sa secrétaire, un groupe de ses amis – parmi lesquels se trouvaient quelques ministres – et organisé un petit cinq à sept chez moi, qui s'était terminé à 4 h du matin. Ils étaient tous venus. Je me souviens d'avoir repassé un pantalon, à 3 h du matin, pour un invité qui devait prononcer une allocution à 7 h.

Célibataire endurci de son côté, déçue par un divorce récent du mien, Marcel et moi avions convenu d'un *modus vivendi* des plus rudimentaires. Nous fermions les yeux sur les moments que nous passions loin l'un de l'autre. J'exigeais toutefois que ses incartades, s'il en avait, ne me viennent pas aux oreilles. C'était une condition *sine qua non*. Cette permissivité ne fit évidemment rien pour nous rapprocher.

Ce que je pouvais donner à Marcel et ce qu'il me donnait était bien au-dessus des avantages monétaires et des considérations liées à sa position. Je voulais un homme que je puisse respecter, aimer, et je n'arrivais pas à le trouver. J'avais tellement besoin de vérité. Marcel valait certes le détour mais, malgré ma résolution à adopter de nouvelles dispositions afin de ne plus « obliger » mes partenaires, je ne réussis pas à apprendre à vivre une attente teintée de questionnements.

Il ne me restait plus qu'à essayer, encore une fois, de recoller les morceaux de ce petit cœur en miettes.

On ne se parle plus, mais j'aimerais qu'il sache qu'il a toujours une place bien spéciale dans mes pensées. Je le répète : sans lui, je ne sais vraiment pas ce que je serais devenue.

Des amours longtemps regrettées

J'aurai beaucoup de mal à vous raconter le plus grand amour de toute ma vie. Celui-là même qui me quitta « par fax », sous prétexte qu'il n'aurait pas su comment m'exprimer de vive voix son incapacité à me rendre, tant elles lui semblaient démesurées, toute l'attention, toute la passion que je lui donnais. Il y en a que la passion dérange... que l'amour étouffe.

Or, je m'y connaissais en sentiments extrêmes, j'avais du mal à concevoir l'amour autrement. J'aimais chaque fois sans condition, totalement, à en perdre le souffle.

Raisonnable pourtant, je n'exigeais ni présence ni disponibilité particulière. Je débarquais dans la vie de mes amoureux sans demande de déclarations d'amour, sans obligations. Ni cohabitation ni jalousie ou appels de surveillance. Tout ce détachement n'était pas naturel. Je refusais en fait de m'abandonner à des émotions que je considérais comme trop contrôlantes, de peur d'être rejetée ou insuffisamment aimée. Donc, je n'avais aucune exigence quant aux jours ou même aux heures qu'on aurait dû me consacrer. Mon amour, ils avaient tout le loisir de me le retourner à leur manière, mais librement.

J'avais entendu trop d'hommes se plaindre des tracasseries que les femmes leur infligeaient et j'étais résolue à éviter ces pièges. Le problème était qu'en ne demandant rien, j'espérais que l'on m'aime moi aussi inconditionnellement. Il faut croire que je les désarçonnais. En voulant « remplir les blancs » laissés par mon manque de directives, ils ne savaient plus jusqu'où aller et arrivaient vite à la conclusion que rien qu'ils puissent faire ne serait jamais suffisant. Ce fardeau d'exigences non formulées leur devenait éventuellement trop lourd à porter.

Pendant un certain temps, après le rejet abrupt de cet homme qui ne voulait plus me voir, se prétendant « brûlé par les caresses », moi, « la femme parfaite », en vins à croire que je ne valais peut-être pas la peine d'être aimée.

Mais une séparation fait perdre, à une femme aussi profondément amoureuse que je l'étais, toute capacité de voir les choses objectivement. La seule espérance d'un retour me faisait porter sur moi-même un regard démesurément sévère et me percevoir comme encore plus déraisonnable que je ne l'étais en réalité. Et il est toujours plus facile d'envisager la recherche de solutions que les motifs de la séparation.

Ayant donné tout ce que j'avais à cette relation, je n'arrivais pas à comprendre la logique du rejet, comme si la logique y était pour quelque chose. Tout reconnaissant de mes qualités qu'il ait été, cet homme avait donné l'ordre à sa tête, à son corps de m'éviter. Cela n'avait pour moi aucun sens.

J'ai pourtant bien fini par comprendre que ce genre de prétextes est une façon bien pratique d'éviter les reproches et les peines occasionnées lorsqu'on n'a plus envie de l'autre. Encore faudrait-il se l'avouer. La guérison et la recherche d'un nouvel amour auraient ainsi la chance d'être plus rapides. Aujourd'hui, il est l'un de mes amis les plus précieux. La douleur passée, la tendresse est parfois plus grande que le désenchantement, parfois plus grande que l'homme lui-même. Et je l'aime différemment.

Et j'ai eu de ces amours bêtes à en pleurer. Comment vous raconter l'histoire de cet homme qui m'a laissée parce que je n'étais pas assez grande ? Oui, vous avez bien lu. Pas ASSEZ GRANDE. De la hauteur de ses six pieds et quelques, cet homme mûr, sans doute intelligent puisqu'il exerçait une profession exigeant un indéfectible jugement, m'avait asséné cette vérité au moment où je m'y attendais le moins.

Je pouvais maigrir, changer la couleur de mes cheveux, m'habiller de façon plus conservatrice, porter des talons plus hauts à la rigueur, mais... grandir était au-delà de mes capacités. Désolée !

S'il m'est arrivé, pour me dérober à des discussions sans fin dont je sortais toujours perdante ou pour éviter de faire du mal, de ne pas dire à l'être aimé qu'il ne l'était plus, j'ai toujours gardé une grande fidélité à l'amour que je leur avais porté. Eux pas. Presque tous m'ont trompée.

Que vous dire de cet amour qui, au bout de quatre ans, me fit le coup qu'il avait déjà fait à ses deux autres femmes avant moi ? Il m'avait pourtant juré avoir compris, une fois la maturité de sa cinquantaine bien engagée, la portée de la douleur qu'il avait provoquée et sa ferme intention de ne plus recommencer. J'avais voulu le croire et croire à notre relation. Lui, je l'ai passionnément aimé.

Or, quelques mois après notre rupture, il épousait une « petite jeunesse ». Je me demande combien de temps il mettra, cette fois, avant de se remettre à son scénario infernal, avant de céder à son besoin de séduire. Je me suis rendu compte plus tard, trop tard – c'est toujours après que les amis parlent –

combien le besoin de conquérir lui était indispensable. À 60 ans, plus près de la fin que du début et « fier-pet » comme il est, il n'est pas dit que ses vieux démons ne reviennent le hanter. Et si je me trompe, c'est qu'il est assurément devenu vieux... ou amoureux. J'espère qu'elle a du *fun* au moins ! Mais si le bon Dieu est bon, c'est lui qui se fera faire le coup cette fois-ci.

Parmi tous ceux que j'avais rencontrés, il avait pourtant été l'amoureux le plus délicat, le plus prévenant, le plus souriant. Sa philosophie de vie m'a apporté beaucoup de paix et me guide souvent, encore aujourd'hui, vers des sentiers plus harmonieux. Il y a pourtant une décennie que nous ne nous sommes vus.

Il avait survécu aux quatre années durant lesquelles je travaillais à Québec pour l'émission *Bla Bla Bla*. Le sachant volage, notre séparation forcée me causait plein de tourments.

À Québec parfois, sans arrière-pensée au départ, lorsque je m'ennuyais profondément, il m'arrivait de téléphoner chez lui tard, très tard, et de ne jamais avoir de réponse. En quatre ans, je ne lui en fis jamais le reproche, jamais je ne lui posai de questions. La qualité de sa présence, la douceur de son attachement m'étaient trop précieuses.

Pour lui, rien n'était grave. Une petite anecdote très amusante vous le prouvera. Mon contrat à Québec tirait à sa fin et je devais déménager à Montréal. Or, ma petite Miata ne suffisant pas à la tâche, il m'offrit sa voiture, une Jeep quatre-quatre, très coûteuse. Il me restait un dernier enregistrement à faire, une entrevue au Musée de la civilisation de Québec. Je stationnai donc le véhicule dans une rue étroite, mais qui me semblait sûre, derrière le musée. Mon travail fait, je retournai à la voiture au moment même où un camion l'emboutit et en arracha pratiquement les deux portières, côté passager. Catastrophée, je décidai d'attendre le soir avant d'en avertir mon amoureux. Retournant immédiatement à mon appartement, je glissai la clé dans la serrure de la porte du garage et je sentis une certaine hésitation du mécanisme. Un bruit infernal secoua la porte. J'attendis qu'elle se referme et recommençai la manœuvre. Même problème. Mais, cette fois-ci, la personne en attente derrière moi klaxonna, impatiente, m'intimant l'ordre d'avancer. Nerveuse, j'engageai ma voiture sous la porte qui glissa hors de ses gonds et s'effondra sur le véhicule. Le toit était enfoncé, j'avais peine à m'y tenir droite. La voiture avait l'air d'un accordéon. Quelle fut, pensez-vous, la réaction de son propriétaire lorsque je lui annonçai la mauvaise nouvelle? Il s'en amusa. Du moment que je n'étais pas blessée, il m'assura que le véhicule avait besoin d'une nouvelle peinture et que ça faisait plutôt son affaire. Il était comme ça: joyeux, serein, généreux en tout.

Dernier enfant d'une famille nombreuse, jeune à la mort de sa mère, il avait été élevé par ses sœurs qui l'avaient protégé à outrance, sans doute pour combler le vide causé par l'absence maternelle. C'est du moins ainsi qu'il me décrivit cette enfance idyllique durant lesquelles ses sœurs se chargèrent de lui apprendre l'amour et le respect des femmes.

L'une d'entre elles, devenue religieuse, lui inculqua une éducation catholique très marquée, sans par ailleurs verser dans la bondieuserie. Il avait l'habitude de me dire, lorsque nous parlions libertinage, que le bon Dieu n'avait rien à voir là-dedans, réglant ainsi à tout jamais la morale de ses préférences et faiblesses.

Il lui arrivait parfois de me « traîner » à l'église, au moment de certains offices religieux, et d'insister pour que je communie. Nous avions chacun notre morale et la mienne ne me dictait pas nécessairement de passer par ce rituel. Pour l'apaiser, je lui faisais croire que l'idée de distraire les gens par ma présence et d'être, de surcroît, dévisagée en remontant l'allée, me gênait horriblement. Il accepta cette explication jusqu'au jour où, lors d'un voyage à New York, où j'étais privée de ce vedettariat qui n'avait plus place en terre étrangère, il s'attendit à ce que j'aille communier à la cathédrale St. Patrick. Comme je refusais à nouveau, il partit communier puis, se penchant vers le prêtre, il lui parla à l'oreille et revint à notre banc accompagné de ce dernier. Lui faisant croire que j'étais malade et incapable de me déplacer, il lui avait demandé de venir me porter la communion. Pour lui, rien n'était impossible.

Notre séparation ne se fit pas dans l'harmonie. Même pour moi qui pardonne tout, certains de ses gestes, jusqu'à aujourd'hui, restent difficiles à oublier.

C'est peut-être l'image irréprochable que j'avais de lui qui me le fit voir, par contraste, de façon si décevante lorsque je réalisai m'être trompée. J'avoue, pour sa défense, n'avoir rien fait à la fin de nos fréquentations pour le conserver véritablement.

Profondément malheureuse, désœuvrée, je m'étais laissée aller à une goinfrerie qui semblait étouffer mes malheurs, dont son manque évident à vouloir s'engager dans une relation stable. Il avait profité des bons moments mais, lorsque étaient venus les coups durs, il s'était retranché dans ses quartiers pour y vivre une vie secrète dans laquelle je n'existais plus. J'étais devenue monstrueuse, inerte, acariâtre. Rien toutefois qu'un amour véritable n'ait pu arranger.

Ses petits-déjeuners où il me dessinait « je t'aime » avec des fruits ; les cartes qu'il m'envoyait par le courrier, sans raison particulière ; les longs repas préparés amoureusement et précédés d'un bain à la bougie dans l'odeur des huiles essentielles, que pour me faire plaisir, tout cela me manque.

Quant à sa trahison, c'est une autre histoire. Se faire ainsi bêtement surprendre à donner rendez-vous à une fille, rencontrée en ma présence, lors d'un voyage que je lui avais offert en cadeau ! Celui-là, je ne l'ai pas gardé comme ami. Ou seraitce plutôt lui qui a perdu mon amitié ?

Une femme battue, moi !

A. était juif anglophone. Je ne me souviens plus où je l'avais rencontré. C'était bizarre. Il travaillait, mais si peu. Il construisait des maisons avec un associé italien et, pendant que l'Italien travaillait, A. s'occupait de moi.

Mais j'étais jeune, et qui se plaindrait d'avoir son chum tout à soi ? Mais rien ne naît de bon de l'oisiveté et j'aurais dû me méfier. Je sortais de l'histoire Mastantuono, j'avais rompu avec Michel Forget et j'avais un terrible besoin que l'on ne s'occupe que de moi. Étant anglophone, il n'avait aucune idée de ma popularité. Il ne l'a découverte qu'au fur et à mesure de nos fréquentations. Et de le voir s'extasier sur la femme que j'étais, et non la vedette, *a posteriori* était charmant.

À cette époque, je travaillais peu. Quelques trucs à la radio et la série *Dominique*, avec Dominique Michel, à CFTM. Grâce à elle, j'étais cependant sur une relance, ce qui cadrait bien avec le désir de paraître de mon bel adonis (qu'est-ce qu'il était beau, l'enfant de chœur !) qui n'en avait soudainement jamais assez de ma popularité.

Je n'ai jamais rencontré ses parents (j'étais une goy, c'est à dire une non-juive, donc inacceptable pour un jeune homme en âge de se marier), ni ses amis non plus. Il n'en avait pas...

Mais il était toujours avec moi et, même si l'on n'a jamais vécu ensemble, il se payait le luxe d'être jaloux comme un singe ! Il avait, jusqu'à un certain point, raison. J'étais au sommet de ma forme, les cheveux jusqu'à la taille, 127 lb toute mouillée... Les vautours étaient nombreux. Mais je l'aimais et, malgré les nombreuses propositions, je n'avais d'yeux que pour lui.

Dans le même édifice que moi, à Habitat 67, vivait un autre « être superbe », juif anglophone lui aussi, encore plus époustouflant que lui. Cet homme sortait avec une fille magnifique et très gentille, qui est devenue, en le quittant, une comédienne très connue à Los Angeles, Michele Scarabelli.

Elle et moi sortions parfois prendre l'apéritif sur une terrasse, et c'est l'une de nos sorties qui allait tisser la trame d'un incident qui ferait perdre les pédales à mon amoureux.

À l'époque, on m'offrit la rédaction de la chronique artistique d'un quotidien anglais qui devait être lancé pour faire concurrence au *Journal de Montréal*. Je devenais un peu la Francine Grimaldi des anglophones, grâce à Douglas Leopold qui m'avait décroché cet emploi.

Après de longues tractations retardant la sortie de ce journal qu'on essayait de lancer sans les fonds nécessaires, on m'appela d'urgence pour m'annoncer qu'on publiait le lendemain et qu'il leur fallait un article à l'instant. Avec l'aide de Michele, je ramassai quelques informations, puis je lui demandai de m'accompagner jusqu'à la rédaction. Sur place, on m'informa que les articles devaient être dactylographiés. Je n'avais, hélas! jamais mis les mains sur un clavier. Une heure plus tard, me voyant ployer sous la tâche, Michele offrit de m'aider. Le travail accompli, le rédacteur en chef me fit valoir qu'il n'avait pas le temps de faire traduire le texte et que je devais, par conséquent, le traduire moi-même en anglais. Michèle, parfaite bilingue, se porta à la rescousse.

Prévoyant être en retard, j'appelai A. et lui dis de manger seul, que je serais à la maison vers les 23 h. Mais, le travail à deux s'étant terminé plus tôt que prévu, Michèle, alors que je la déposais devant la porte de chez son amoureux, m'invita à manger avec eux:

– S'il y en a pour deux, il y en a pour trois.

Je restai donc et me dirigeai à l'heure convenue chez moi après le repas. A. n'y étant pas, je me suis donc couchée, car j'avais une émission de télé à enregistrer le lendemain à 7 h. Il devait être environ 1 h du matin quand la porte de ma chambre s'ouvrit à toute volée. A. faisait irruption dans ma chambre, saoul, agressif.

– *Where were you tonight?*

– Au journal, où veux-tu que je sois allée?

– Menteuse. Je suis arrivé plus tôt et j'ai vu ta voiture devant l'entrée du building de Lyon.

– Oui, j'ai fini plus tôt, grâce à Michele qui m'a aidée. ELLE et MOI avons mangé chez son ami, puis je suis revenue ici.

Ne pouvant calmer sa rage, je lui offris, malgré l'heure tardive, de téléphoner à Michele pour vérifier mes dires. Se refusant à perdre ainsi la face, il continua de m'abreuver d'injures.

Désireuse d'en finir avec la scène, je me levai pour éteindre le plafonnier. C'est à ce moment que, pris de peur sans doute par cette ruée dans sa direction qui nous plongeait dans le noir en éteignant la lumière, il m'atteignit d'un direct à la figure qui me précipita par terre, tout en me faisant heurter le coin de la télévision. À moitié assommée, je ne sentis pas tout de suite la douleur, seulement quelque chose de chaud qui coulait sur ma joue. J'essayai de me relever, ce qui n'était pas aisé dans le noir et avec les nausées de ce qui tout à coup me montait dans la gorge, mais « la bête » s'était calmée. Je lui demandai d'allumer. La lumière revenue, je constatai le carnage. Le sang avait giclé partout. Il y en avait sur les murs, les miroirs, la moquette blanche, mon lit, mes meubles et j'étais couverte de ce magma rouge. Mes cheveux ressemblaient à ceux de Carrie dans le film du même nom et, chez moi comme chez elle, une rage sourde se mit à monter.

Je décidai d'attaquer à mon tour. Je n'étais cependant pas de taille et l'« abominable » me sauta encore dessus, me plaquant par terre, les deux mains autour du cou.

– *I'm going to kill you if you move.*

Mais je refusai de m'immobiliser et il continua de serrer. Je décidai de feindre l'inertie, puis murmurai:

– Il faut que j'aille à l'hôpital, A. Laisse-moi y aller, je travaille dans quelques heures.

J'ai dû trouver le ton juste, car son attitude a changé du tout au tout. Il décida même de m'accompagner. Quelle grande âme ! Chemin faisant, il se mit à réaliser la portée de son acte et, comme le dit l'expression québécoise populaire, « une chienne du verrat l'a pogné ». Il se mit à s'excuser, à pleurer, puis à me menacer.

– Si tu dis à qui que ce soit que c'est moi qui ai fait ça, je vais raconter tout ce que tu m'as dit et que tu veux garder secret.

Sauf que je n'en ai pas de secrets… Enfin, bref.

À l'hôpital, je racontai aux infirmières que j'étais tombée dans l'escalier. Pas par peur de représailles venant de lui, mais bien par peur qu'un employé ne se mette à lire le rapport d'hôpital et ne le vende à la presse à potins. Sans parler d'*Allô Police*, un hebdomadaire qui était particulièrement friand de ce genre de nouvelles. Or, quelques années à peine séparait cet événement de l'histoire Mastantuono et, sur le plan des scandales, j'avais donné. Tout sauf une nouvelle histoire pour apeurer ma famille !

Les médecins sentirent évidemment mon trouble. L'histoire ne collait pas et on me regardait avec scepticisme. On me demanda si je voulais voir la police. J'en étais encore à mes réflexions quand, justement, deux policiers se présentèrent à l'hôpital. Je demandai à les voir. A., calme jusque-là, devint agité, menaçant. Les policiers comprirent. Ils glissèrent le rideau de l'isoloir et y entraînèrent A. – appuyé au mur et retenu par la matraque de l'officier – pour le soustraire à la vue des autres patients. Je ne sais pas ce qui s'est passé, mais il devint beaucoup plus sage par la suite. Le problème, cependant, restait entier. Si je voulais porter plainte, il me fallait faire un rapport, le signer et me laisser photographier par les enquêteurs. J'eus soudain plus peur de la police que de mon chum. Et s'ils donnaient ces photos à la presse ? A. méritait pourtant chaque seconde de son calvaire. Mais le mien serait pire. Il me faudrait me justifier auprès des journaux, les laisser encore une fois raconter ma vie privée et y impliquer des gens involontairement mêlés aux événements. Pouvais-je, encore une fois, donner ma vie en pâture à toutes les opinions et idées préconçues à mon sujet?

Bien des gens pensent qu'une femme battue mérite le châtiment. Ou tout au moins qu'elle l'a sollicité, provoqué, voulu! Et moi, pensez donc! Une fille qui s'est déshabillée, qui a attisé et probablement rendu fous une quantité d'hommes... C'est mon procès qu'on ferait, tandis que lui sombrerait dans l'oubli.

Entre-temps, les plasticiens étant au repos, le médecin de service m'annonça que j'avais le nez cassé et que personne ne voulait m'opérer. Je représentais un trop gros risque pour eux. S'il fallait que je m'avise d'être insatisfaite du résultat et les poursuive! J'appris, une semaine plus tard, qu'on devait me recasser le nez. On me confia à un expert de la reconstruction maxillofaciale, qui répara mon nez en se fiant à une photo prise avant l'événement, et qui se promena partout en disant à des clientes potentielles que c'était lui qui m'avait refait le nez. Depuis, on pense que j'ai un nez refait, différent de l'original pour des motifs de coquetteries esthétiques. Ce n'est pas le cas.

Mon visage, cette nuit-là, ressemblait donc à un Jell-O trois couleurs. J'avais les joues au niveau de l'arête du nez. Aussi bien dire que je n'étais qu'un énorme nez avec les yeux d'un Hilton qui venait de perdre le dernier round.

Il était 5 h du matin et je devais être en studio à 7 h. À 6 h, j'appelai Dominique et lui dis la vérité. Je lui demandai de taire l'histoire aux autres et de raconter la version de la chute dans l'escalier. Le réalisateur s'imaginant que je pouvais, au pire, être couverte d'égratignures me demanda de me présenter malgré tout. J'avais trois ou quatre scènes importantes à enregistrer et on n'avait pas les moyens de reporter l'émission dont l'histoire reposait sur le personnage de Julie que j'incarnais. En arrivant au maquillage, j'ai craint d'en voir s'évanouir quelques-uns. On mandata d'urgence Clarence, le maquilleur en chef, spécialiste en travestissements de tous genres, qui me concocta une pâte blanche pour couvrir le rouge et le violacé autour de mes yeux, puis appliqua une couche de maquillage couleur peau qui prit un drôle d'effet quand la pâte se mit à craquer. Pour tout dire, j'avais l'air d'un guerrier maori. Pour me cacher davantage, on m'autorisa à porter mes lunettes, qui glissaient sans arrêt sur mon nez déformé. La photographie, en plans lointains, s'occupa de camoufler le reste. On a dû me trouver l'air bizarre, mais bon! J'ai fait mon travail malgré les obstacles.

Je n'étais cependant pas au bout de mes peines: Dominique, dans l'énervement, m'inventa un accident de voiture. Or, les journaux, alertés par les rumeurs, voulaient voir la voiture! Je ne me souviens plus comment je m'en suis sortie, mais aucune photo n'a été publiée.

Je n'ai pas assez de place ici pour vous dire comment j'ai réussi à me défaire de l'emprise d'A. Il a tout fait pour me reconquérir, jusqu'à coucher à l'extérieur, dans les escaliers de mon appartement en plein hiver, pendant des jours. J'ai même vécu ce fameux phénomène de l'identification à l'agresseur qui finit par nous convaincre, malgré la peur, les blessures et l'amour «poqué», que l'incident n'était que circonstanciel. Et pourtant!

Quelques années plus tard, une belle grande fille, anglophone, s'est avancée vers moi dans un restaurant.

– Vous êtes Danielle Ouimet! On a quelque chose en commun. On connaît toutes les deux A. Il m'a frappée moi aussi. Et j'ai eu, moi aussi, le nez cassé.

Et les inoubliables...

Il était beau comme un dieu. Et quel dieu ! Il était amérindien. Et comme pour combler mon envie d'exotisme, on le surnommait Manigouche. Je l'ai connu saoul et il allait le rester tout le temps de notre union. Parfaitement libre, il arrivait à m'imposer des choses monstrueuses que j'acceptais avec difficulté, pour ne pas dire rage et soumission. Mais je restais là tout de même. Il m'enseigna une espèce de détachement qui ne vient qu'avec le désespoir et la solitude, lorsque ne subsistent que l'essentiel, le plaisir de vivre le moment présent. Ses gestes pouvaient être aussi glorieux qu'odieux. Rien n'était jamais tiède avec lui. J'ai supporté tant et aussi longtemps que le « plus » détrônait le « moins ». Il m'a aimée, j'en suis sûre, mais il aimait davantage sa liberté. Il avait d'ailleurs le don rare d'imposer le respect de ses besoins, même si ceux d'autrui en étaient lésés d'autant.

La vie n'était jamais assez pleine, assez grouillante pour lui. Si j'avais à mettre une image sur sa manière de vivre, je dirais, comme ma copine Denise, qu'il était « à bécique, dan' côte, pas d'brakes ». Il avait de bonnes raisons pour ça. Il avait compris, bien avant nous, la brièveté de son destin.

Je l'avais rencontré au restaurant Thursday's. Il était là, en haut de l'escalier, et tout de suite en m'apercevant, il m'avait glissé d'un souffle, un peu hésitant :

– Tiens, madame Ouimet ! Depuis très longtemps, j'ai un manteau de vison à vous donner en cadeau.

– *Yeah*, bien sûr ! Un manteau de vison !

Pourtant, en m'y attardant un peu, je me suis rendu compte que ce n'était pas dit dans l'espoir de m'en mettre plein la vue ou de me séduire avec de vaines promesses. Un je-ne-sais-quoi dans sa voix m'invitait à le croire.

La phrase avait été lancée comme si nous nous étions toujours connus et qu'elle était restée comme un espoir à combler. Un peu comme s'il avait oublié de me donner un cadeau d'anniversaire. Sa voix était douce, presque inaudible. Parfois même il bégayait, ce qui le rendait encore plus sympathique. Comme il m'intriguait, je ne vis aucune objection à lui refiler mon numéro de téléphone, qu'il composa le lendemain même à 7 h du matin, rentrant chez lui au terme d'une nuit blanche. Il voulait soi-disant vérifier si le bout de papier qu'il avait tiré de sa poche, en même temps que les 25 ¢ qu'il réservait au poste de péage de Joliette, était bien celui sur lequel j'avais inscrit mon numéro. Il m'invitait aussi à venir le rencontrer chez lui le lendemain soir.

– Je vous présenterai à mes enfants. Ils vivent avec moi. Je suis divorcé.

Je n'avais pas à me méfier, l'invitation était pour 17 h 30. Je mangerais avec eux. Mais, allez savoir pourquoi, je fis un grand détour et finis par me perdre, de sorte qu'il dû venir me chercher, vers les 19 h, à l'entrée de Joliette où je garai ma voiture.

La maison était simple, les enfants, charmants. J'étais assise au salon à siroter un verre de vin rouge quand j'entendis une voiture se garer dans l'entrée. Une femme en descendit qui se dirigea vers la porte de côté. Serge (car c'était son nom), un peu embarrassé, se leva et ferma le paravent cloisonné du salon, me disant qu'il reviendrait dans quelques minutes. Ce qu'il n'eut pas le temps de faire, car une magnifique blonde arriva sur ces entrefaites.

– Madame Ouimet, bienvenue chez moi. Je vous emprunte mon mari pour un instant car, voyez-vous, il devait me retrouver à 20 h chez l'avocat pour la signature du divorce et, comme il ne s'est pas présenté, je suis venue voir s'il y avait un problème. On a quelques petites choses à régler ensemble, si vous le permettez, et je vous le retourne.

Que de considérations ! J'essayais de calmer les palpitations de mon cœur en me demandant avec désespoir où j'avais stationné ma voiture !

Pas de panique ! Je vais attendre et on verra bien.

Dix minutes plus tard, la porte s'ouvrit à nouveau, mais cette fois avec fracas.

– Madame Ouimet, d'après vous, qui doit s'occuper des enfants après un divorce ? C'est la mère, n'est-ce pas ? Dites-lui que c'est la mère. Ce sont mes enfants.

– Pierrette, lui disait-il, laisse Mme Ouimet tranquille, tu la déranges avec tes questions.

Retour des pugilistes à la cuisine, tandis que je cherchais désespérément au fond de ma poche quelques dollars perdus pour prendre un taxi et tenter de retrouver l'emplacement de ma voiture. J'étais prisonnière de leur dispute et n'en menais pas large !

Et le pire était encore à venir.

La porte s'ouvrit à nouveau et la furie me cria :

– Fallait me le dire que vous restiez à coucher ! Je ne resterai pas ici, soyez-en assurée, mais ça me touche quand même, c'est dans ma maison…

Puis, elle s'était effondrée en larmes. Il lui avait raconté ce bobard pour s'en débarrasser. Le croirez-vous, j'ai passé la soirée à la consoler. Sans nécessairement devenir amies, nous éprouvions un profond respect l'une pour l'autre. Mais ce que je ne savais pas alors, et qu'il me faudrait comprendre, c'est que ce respect devrait aussi s'étendre à une troisième femme. Car il en avait une troisième ! Manigouche l'Indien se devait d'avoir une femme indienne et l'« officielle » ne l'était pas. C'était une Blanche ! Importante nuance. Annette donc, la troisième dans notre classement et la première dans le sien, faisait office de secrétaire, de bonne à tout faire et de gardienne quand il n'était pas là. Elle s'éclipsait dès que j'arrivais. Bon ! Je n'ai évidemment pas compris cela au départ. Mais j'allais encore découvrir des tas de choses du même acabit, de quoi mortifier l'âme de plus d'une féministe, et même d'une moins féministe, à commencer par moi-même !

C'est un fait, rien chez lui n'était banal et l'homme était exceptionnel. C'est la seule défense que je nous accorde. Né d'un père blanc qu'il n'avait pas connu, Serge était devenu avocat très jeune. L'un des rares Amérindiens à le devenir. Il avait aussi trouvé le moyen d'être radié du Barreau. Que je me rappelle...

Des variations de l'histoire sont sûrement prévisibles entre sa version et les défaillances de ma mémoire. Bref, il avait essayé de représenter de jeunes Amérindiennes dans une cause de viol. Trois sportifs s'étaient dirigés, comme chaque année, vers leur camp de chasse et de pêche sur la réserve indienne. La femme et les filles de leur guide avaient été engagées pour faire le ménage et la cuisine au camp. La nuit tombée, l'alcool aidant, nos « sportifs » violèrent brutalement les petites. On parla d'opérations pour recoudre des anus déchirés et d'avortement. En trois mots, un beau gâchis. Au moment du procès, le juge prenant appui sur la présence des parents au camp et sur leur responsabilité vis-à-vis de leurs filles, minimisa la gravité du crime et acquitta les violeurs.

Mon bel avocat ne s'en remit jamais. Il attendit le retour de la « vermine » l'année suivante et, aidé de ses amis, leur organisa un magnifique comité de réception. On leur fit faire, me dit-on, du « surf de gravelle » attachés derrière une camionnette. Faute de délation, on ne put jamais officiellement accuser Manigouche mais, les soupçons étant trop grands, on lui enleva son droit de pratique, avec possibilité, cinq ans plus tard, d'être réadmis au Barreau.

Ce fut justement à cette époque que je suis arrivée. Le samedi, juste après sa partie de hockey qu'il jouait à Crabtree, il se plongeait dans son code criminel, cigare et cognac à la main, puis me demandait de refermer le livre, pour l'ouvrir à ma guise à une page de mon choix. Je devais alors lui donner le numéro de la page, de l'article et l'endroit où l'article était situé sur la page... puis il me récitait le texte par cœur. C'était du Manigouche tout pur.

Il était très sportif. Souvent, il était déjà ivre lorsque j'arrivais à Joliette; je l'ai vu enfiler ses souliers de course, les laçant de peine et de misère, et, pendant que je me préparais pour le restaurant, se taper ses 15 km de jogging pour me revenir frais et dispos, prêt à entamer... une autre soirée de beuverie.

Il courait même le marathon. Nous avions convenu d'un rituel, poursuivi même après notre séparation. J'habitais alors à Habitat 67, et la course passait juste devant le complexe d'habitation. Je l'attendais pendant des heures à l'extrémité du boulevard, bouteille d'eau et quartiers d'orange en main, et nous courions un peu ensemble jusqu'à la rampe du pont de la Concorde. C'était presque l'étape finale. Qu'importe que c'eût été vrai ou pas, il disait toujours que l'espérance de me voir, si près du but, lui donnait l'énergie de l'étape enfin atteinte, encore plus que la finale elle-même. Et que, juste pour ça, il aurait tenu debout toute la nuit! Invariablement, il ajoutait: «Je suis très content de ma machine», faisant référence à son corps. Il avait une telle urgence de vivre...

Serge travaillait pour le ministère des Affaires indiennes. Sa responsabilité consistait à administrer un budget gouvernemental qui lui permettait de placer de jeunes Amérindiennes dans des familles d'accueil de Joliette le temps de leurs études.

Il m'apprit beaucoup sur les Amérindiens. Rien ne leur appartient, car le «matériel» rend servile. Ils aiment posséder, mais peuvent également se départir d'absolument tout sans émotion. Serge était ainsi. Il donnait tout. Même les cadeaux que je lui offrais. Ainsi, je reçus un jour un crayon en argent massif qu'il venait de recevoir en cadeau et que j'avais admiré.

Il conduisait une Datsun 280 ZX, voiture que j'adorais. Mais elle était à transmission manuelle et comme j'avais déjà bousillé deux voitures de ce genre auparavant, il n'était pas question que j'y touche. C'était un sujet de disputes fréquentes, car il insistait pour que je la conduise. Un soir, il me dit: «Allons manger sur la Rive-Sud.» Arrivés au pont Jacques-Cartier, en plein milieu du pont et en pleine heure de pointe, il descendit de la voiture et me dit: «Tu conduis!»

Quinze minutes plus tard, toujours appuyé à l'aile avant de sa voiture, il envoyait des bye-bye aux passants tandis que je rageais à l'intérieur. J'avais (j'ai toujours d'ailleurs) une belle tête de cochon. C'est en entendant la sirène de la police que je me décidai enfin à prendre le volant. Deux jours plus tard, il m'annonça: «Cette voiture n'est plus ma maîtresse. Elle t'écoute mieux que moi. Je te la donne.» Et il me signa les papiers du véhicule. Je ne la lui ai jamais enlevée. Il l'a vendue à un garçon du Thursday's bien des années plus tard.

En dehors de ces cadeaux et gâteries, il avait des manières d'agir, de parler, qui me le rendaient indispensable. Manigouche, c'était une force de la nature, une montagne, un ruisseau. Que dis-je: un torrent! Il m'appelait sa louve blanche. Encore que le nom servît à toutes ses maîtresses. Il me disait aussi, et j'y vais phonétiquement, *maïngatten*. Même si je n'ai jamais su ce que ça voulait dire, rien n'était plus précieux que de l'entendre me dire ce mot, ses mains en corolle autour de mes joues, ses magnifiques yeux bridés plongés dans les miens.

L'hiver, avant même que je ne me lève, mes bottes étaient toujours cirées avec de la graisse d'ours. Combien de fois m'a-t-il parlé avec respect de son «indiénitude». Il m'avait appris, en me le faisant – et ça fait très mal –, que les mères indiennes placent, dès le bas âge, leurs doigts entre les doigts de pieds de leurs enfants, ce qui écarte les orteils en éventail. Le but de l'exercice ? Mais de leur donner des pieds spatulés pour qu'en vieillissant ils aient dans leurs mocassins une meilleure surface de support sur la neige !

Et il sentait bon. Nous avions un rituel dans lequel, plutôt que de nous embrasser, nous nous sentions les lèvres. C'était terriblement sensuel.

Il me disait souvent, et cela m'affolait au plus haut point, qu'il savait qu'il mourrait jeune : « Bientôt, je vais retourner à ma rivière, ma louve. Profite de moi et de la vie. » Son nom indien, m'avait-il d'ailleurs expliqué, voulait dire « l'homme qui vit près de la rivière ». On s'est séparés, mais ce ne fut pas, cette fois, pour une de ces bêtes et banales histoires de femmes. La suivante s'appelait Maude. Elle allait lui donner un fils.

Quant à Annette, sa très méritoire femme indienne, elle lui donna plus tard une fille, qu'il a prénommée elle aussi Maude, et qui naquit le 15 juin, la veille de mon anniversaire. Il y voyait une sorte de présage. Comme si la coïncidence de la date et du sexe féminin pouvait régir et joindre nos avenirs, mais je n'ai jamais vu cette enfant.

– Elle sera belle comme toi, me disait-il en parlant de sa fille. Et je suis sûr que je n'suis pas sorti du bois avec elle !

C'était sa façon de nous rassembler. De nous aimer toutes. Il me disait souvent qu'il aimerait que je m'occupe de sa fille plus tard. Je n'en ai jamais eu l'occasion. Après tout, c'est la fille d'Annette. Mais c'est typiquement indien, ça : garder l'idée de clan bien au-delà des considérations pratico-pratiques.

J'aimerais pourtant raconter à cette petite comment son père me parlait d'elle. Comme de son autre fille d'ailleurs, Nathalie, qui est devenue sexologue, et de son fils, Hugo. Je les ai perdus de vue et c'est bien dommage.

J'étais mariée quand je reçus l'appel m'annonçant sa mort. Ironiquement, c'est un ami, Me Edmond Jolicoeur, qui m'informa du drame. Où se loge l'ironie ? C'est qu'Edmond avait été la cause de disputes violentes entre Serge et moi, disputes qui furent d'ailleurs à l'origine de notre séparation.

Serge prenait ombrage du fait que j'aie des camarades masculins ! Or, Edmond Jolicoeur, André Dupuis, un autre ami, et moi-même formions, depuis de nombreuses années, un trio inséparable. Je n'admettais pas qu'on me dicte qui fréquenter. Mais, avouez que la vie est bizarre, près d'un an après notre séparation, Manigouche entrait dans l'étude d'avocats d'Edmond.

Sa mort n'a pas été banale. En fait, il m'y avait en quelque sorte préparée de longue date. Pas un mois ne se passait sans qu'il ne me répète qu'il allait mourir jeune. Je pensais qu'il versait dans ces déclarations pour appeler les bons sentiments, pour me faire oublier qu'il brûlait sa vie par les deux bouts et qu'il était normal qu'il en profite, puisqu'il pressentait qu'elle allait être courte. Je croyais que c'était sa manière à lui d'éviter que je ne me formalise de son manque de discipline ou de bon sens pour sa santé. Il buvait beaucoup.

J'ai toujours pensé qu'on le retrouverait un jour, assassiné par quelqu'un qu'il aurait provoqué, car il aimait se bagarrer. En souvenir du temps où, au lac Saint-Jean, songeant à devenir boxeur, il était souvent monté dans le ring.

On lui avait donné à plaider une cause de meurtre à Rivière-du-Loup. Une fois sur place, il se rendit compte qu'il aurait besoin, pour sa cause, de la déposition d'une experte. Il refit donc l'aller-retour Montréal–Rivière-du-Loup pour aller la chercher. Lors d'un arrêt-repas en chemin, il avait été convenu que la dame conduirait de Québec à Rivière-du-Loup. Le procès devant avoir lieu tôt le lendemain, il lui fallait dormir. Habitué à de très longues distances sur la route pour son travail dans les différentes réserves, normalement JAMAIS Serge n'aurait négligé de s'attacher.

Je l'avais vu, en plein délire éthylique, me demander de parler à des interlocuteurs imaginaires. Je l'avais vu, dans des moments d'ébriété profonde, utiliser la bougie au centre de la table en guise de salière. Mais il s'était toujours attaché en voiture.

Cette nuit-là, le véhicule fit une embardée juste avant un pont. Sous le choc, la voiture effectua plusieurs tonneaux. Au matin, un automobiliste curieux en apercevant plusieurs traces de débris sur la route, mais pas de voiture, s'était penché et avait aperçu la scène. La femme était dans l'habitacle avec de multiples fractures qui l'empêchaient de sortir. Serge avait été éjecté. On le retrouva, pauvre petite chose désarticulée, sur une plaque de neige au milieu de la rivière. Il mourut dans l'ambulance... Il était retourné à sa rivière. La « rivière du loup » l'avait réclamé. Exactement comme il l'avait prédit. Il frôlait de peu les premières années de la quarantaine. Je l'avais aimé de toute les fibres de ma vie.

Tous nous avons gardé de lui un souvenir heureux. Un Européen, qui l'avait connu dans son pays, vint me rencontrer dans l'intention d'écrire un livre sur sa vie tellement pleine, tellement folle, tellement exceptionnelle. Il n'est pas le seul. Réjean Tremblay, qui l'a côtoyé dans sa période de boxe à Chicoutimi, me parle souvent de son intention de s'y mettre lui aussi.

Ah oui, mon manteau de fourrure? Je l'ai eu. Sa mère amérindienne, « Mali » comme il l'appelait (elle se prénommait Marie en réalité), conceptrice d'expositions d'objets amérindiens au musée de Pointe-Bleue, ayant un droit de chasse, m'avait réservé des peaux de vison.

Je m'ennuie souvent de toi l'Indien, surtout dans mes moments d'excès purs ou quand, retombant sur terre à la suite d'équipées peu glorieuses, j'éprouve de la difficulté à me pardonner moi-même. Mais la vie peut finir demain et mieux vaut avoir des regrets que des remords.

Je pense encore toujours à toi quand, dans la nature, j'approche l'infini à travers la paix des plus beaux soirs d'automne sous la pluie, comme à l'île d'Anticosti où tu m'as fait découvrir la musique de la forêt, la musique de ton cœur...

Et les amusantes...

Depuis quelques mois, je fréquentais le plus jeune président que la chaîne d'hôtel Ramada Inn ait jamais eu. Dans l'exercice de ses fonctions, Éric devait visiter les sites de nouveaux hôtels construits au pays par ses bons soins. Il se faisait donc un plaisir de m'inviter à certaines de ces inaugurations. Nous nous dirigions cette fois-ci vers Toronto où un imposant complexe venait d'être ouvert.

On lui avait évidemment réservé la plus belle suite. Et quelle suite! Sept chambres régulières pour n'en faire qu'une. Nous étions encore à l'époque où, dans le domaine rigide des affaires, les gens non mariés devaient en principe faire gage de bonne morale, et les patrons d'Éric étaient particulièrement à cheval sur les principes. Il m'avait réservé, pour l'occasion, une autre chambre qui devait me servir de couverture.

Vigilants, nous n'entrions dans la suite que séparément. Essayez d'imaginer. Un lit circulaire, surmonté d'un miroir au plafond également circulaire, trônant sur une estrade surélevée de trois marches, le tout inséré dans une alcôve créée par un rideau épousant la forme du lit. Luxe suprême, le rideau était actionné par un petit moteur dont les commandes étaient placées à la tête du lit. En fait, toutes les commandes s'y trouvaient: celles des rideaux des fenêtres, de la chaîne stéréo, du système de climatisation, de la télévision, du téléphone et des lumières. Les draps étaient en satin, le champagne était au frais et, dans la salle de bains en marbre, la baignoire ressemblait à une mini-piscine. Tout le reste était en acajou. Une splendeur baptisée « Suite présidentielle ».

Tout se passait bien, jusqu'à ce que je sois soudain prise par l'envie enfantine de sauter à pieds joints sur le lit, ce qui fit sauter la literie de satin du matelas. Mi-tortues, mi-reptiles, nous avons tenté toute la soirée de remettre les draps en place. Peine perdue. Ils se refermaient sur nous comme une huître et il fallait voir le fou rire qui nous gagnait quand, au moindre mouvement, l'élastique du drap que nous avions tenté de réinstaller autour du matelas nous sautait à la figure. Vu du miroir « érotique » suspendu au plafond, c'était du plus bel effet.

Tout en sirotant le champagne, on s'est amusés comme des fous, dans ce Disneyland pour adultes, ouvrant et refermant puérilement les rideaux pour finalement les laisser fermés pour dormir. On s'endormit donc dans la noirceur totale. Au milieu de la nuit, réveillée par un besoin urgent, je me glissai en douceur vers la salle de bains de marbre blanc. Surtout ne pas réveiller Éric. Je posai le pied par terre, m'avançai, et soudain ce fut le gouffre. J'avais oublié les marches. Dans cette noirceur d'enfer et engourdie par la demi-torpeur du réveil, j'essayai de me retenir à... quelque chose, n'importe quoi. Mais je n'y voyais rien. J'avais davantage l'air de l'épouvantail dans *Le magicien d'Oz* que de Margot Fonteyn dans *Le lac des cygnes* rattrapée par Noureïev à la suite d'un grand échappé. Puis enfin, après avoir tâté le néant pendant quelques angoissantes secondes, je sentis soudain ma main prendre prise. Une bienheureuse résistance rapidement suivie d'un CRAC ! digne d'un décollage d'avion. Je venais de me pendre aux rideaux du lit, qui en avaient profité pour se défaire de la tringle qui, elle aussi, s'était arrachée. Je dévalai les trois marches à une vitesse olympique, emportant avec moi les tissus de notre tente de bédouins.

Éric, paniqué par ce réveil abrupt et cherchant à allumer, se mit à appuyer sur tous les boutons en même temps. La radio et la télévision explosèrent dans une détonation de décibels, hurlant du *heavy metal.* J'avais entraîné dans ma chute le champagne qui avait aspergé le lit, se mêlant au plâtras tombant du plafond en volute. On se serait cru en plein incendie.

Essayant de couvrir le son, Éric me hurlait de me relever, point trop sûr que je n'étais pas morte. À bien y penser, c'eût peut-être été préférable ! Sa belle suite présidentielle ! Je vois encore sa tête quand il eut à expliquer à la réception qu'un « petit malheur » lui était arrivé. Quant à moi... ben voyons, vous vous souvenez ! J'étais dans ma chambre... à l'autre bout du couloir !

Le vaudou

Je n'ai pas eu que de beaux hommes dans ma vie. Chacun avait son charme, mais celui-là était tellement beau ! Sur l'échelle Bo Derek qui culminait à 10, disait-on... c'était un 12 ! Il s'était présenté à moi d'une drôle de façon. Et comme j'adore les surprises...

À la sortie d'Habitat 67, il avait doublé ma voiture, s'était arrêté brusquement devant, me bloquant la route, puis m'avait dit :

– Donnez-moi votre numéro de téléphone. Si vous ne le faites pas, je le trouverai quand même. Vous ne pouvez pas ne pas vouloir me connaître.

Tout ça dit avec le sourire Pepsodent. En dépit de son arrogance, je devinai tout de même un léger manque d'assurance, et c'était charmant. Bon, me suis-je dit pour calmer mon hésitation, ce n'est quand même pas mon adresse. Je n'ai qu'à raccrocher s'il est déplaisant.

Il m'invita d'abord au restaurant. Les choses commençaient mal lorsqu'il me dit, en plaçant ma serviette sur mes genoux :

– A lady should know that the first thing she does when approaching the table is to put her serviette on her lap.

J'avais répondu, du tac au tac :

– The first thing a gentleman should know is never to say that to a lady.

Traduction : « La première chose qu'une femme bien élevée doit savoir faire en s'approchant de table est de mettre sa serviette sur ses genoux.

– La première chose qu'un homme bien élevé doit savoir est de ne jamais faire ce genre de commentaire à une femme. »

Je l'invitai à venir me voir au théâtre. À cette époque, je jouais dans une pièce sur le bateau-théâtre L'Escale. Ça lui avait plu. Je crois d'ailleurs que l'idée que je sois comédienne servait bien son orgueil : connaître une véritable *actress* n'est pas chose si commune. Il commença même à me présenter à son entourage.

En fait, j'aurais bien voulu devenir sa copine de cœur et faire un bout de chemin avec lui, mais, malgré tous mes efforts, rien ne semblait le toucher. Il me glissait des doigts sans arrêt quelle que soit l'attitude que je puisse adopter.

Un soir, alors que je m'ouvrais de mes frustrations à Anne et Johanne, mes complices de bavardages au théâtre, Anne me dit : « Quand j'étais petite, ma grand-mère, au lieu de m'apprendre des chansons enfantines, me faisait réciter des formules magiques parce qu'elle était sorcière. C'était de la magie blanche ! » De confidence en confidence, elle s'offrit pour jeter un sort amoureux à mon bel adonis.

Je n'y croyais pas vraiment, mais l'idée m'amusa ! Elle me demanda donc, dans un premier temps, d'obtenir trois cheveux de cet homme, de ne pas les toucher, du moins le moins possible, puis de les placer dans un chiffon blanc propre et de les lui apporter à l'arrivée de la pleine lune. Bon, pas évident comme expédition !

Quoi qu'il en soit, je les trouvai sur son oreiller un soir où, dînant chez lui, je m'absentai aux toilettes. Et comme je n'en n'étais pas encore à fréquenter ses quartiers, ce fut tout un cirque pour arriver à pénétrer le saint des Saints.

Pour compléter le travail, ma « sorcière » avait trouvé du ruban rouge, du fil rouge et du velours de même couleur, l'idée générale étant d'enfermer les trois cheveux dans un petit sachet confectionné de ces matériaux. Je devais recevoir ce talisman au coucher du soleil, précisément au moment où elle réciterait la prière appelant les entités de l'amour à mon aide. Le hic, c'est que nous devions être en scène à ce moment-là. Qu'à cela ne tienne : les filles décidèrent que nous aurions du retard. Rien n'était plus urgent que l'appel de l'amour et on pouvait toujours prétexter un malaise. Je reçus donc cérémonieusement le talisman sur le pont arrière, au moment même où un magnifique soleil orange plongeait dans le Richelieu. Je devais le porter pendant un mois du côté du cœur, sans jamais le retirer. Ce que je fis.

Un mois plus tard, toujours en plein spectacle, Anne me fit savoir qu'il lui fallait brûler le talisman avec une bougie de cire rouge et qu'à nouveau nous devions attendre l'arrivée de la pleine lune. Réinvention d'un malaise un mois plus tard, les spectateurs entraient avec une demi-heure de retard dans la salle tandis que je bouclais la boucle de mon sortilège. Que croyez-vous qu'il en advint ?

Eh ben oui, ça fonctionna très bien. Trop bien d'ailleurs. Cet homme ne me laissa plus un moment de répit. Il m'appelait à 7 h 30 le matin pour prendre des rendez-vous le soir même. Puis, ce furent des lunchs le midi. Même mes petits-déjeuners furent envahis. C'est lorsqu'il se mit à sonner à ma porte entre 2 h et 3 h du matin que les choses se précipitèrent. Je ne le trouvais vraiment plus très drôle… ni plus si beau, ni si gentil, et certainement pas subtil… Je ne comprenais pas, ne dormait-il plus, l'animal?

Nous avons heureusement su rester amis et trouver un juste milieu à nos rencontres sans que je doive demander à Anne de régler mon problème en inversant le sort. Quant à lui, il n'a évidemment jamais su que je l'avais ensorcelé.

Je m'autorise parfois des enfantillages, moments d'ébahissements sur des choses toutes simples qui renforcent mon attachement à quelqu'un.

Je me souviens avec bonheur d'un Noël, alors que j'étais très seule et très malheureuse, où il m'avait téléphoné à minuit pile pour me dire de regarder devant ma porte: il m'avait laissé deux magnifiques poupées thaïlandaises que j'ai encore et que je regarde toujours avec tendresse.

J'ai eu de belles relations, j'en ai eu de moins belles… pour ne pas dire d'infiniment douloureuses. L'important était de savoir en profiter, d'en apprendre ou d'en rire. De ces aventures, je garde un souvenir intact et dénué d'animosité. Aucune ne m'a jamais fait dire «plus jamais». J'y ai puisé une éducation: un diplôme avec maîtrise sur la science de tout ce que je ne veux plus vivre, à défaut de maîtriser encore parfaitement la science de ce que je voudrais vivre.

Personne n'y échappe. Notre vie amoureuse est souvent la somme des échanges amoureux de nos parents. Si ça s'est mal passé, on se surprend à créer un modèle qui, pour nous, ressemble au bonheur et qui fera bien l'affaire pour éviter d'avoir mal. Si, au contraire, la vie est harmonieuse à la maison, on reproduit inconsciemment le modèle parental, nonobstant nos besoins. Ça dure, je suppose, jusqu'à ce que l'on ait atteint l'âge adulte, je parle évidemment de l'âge mental.

Ainsi n'ai-je pas failli moi non plus au modèle. Mon père étant un homme des moins conventionnels, j'ai donc recherché des hommes à part. Et, ma foi, j'en ai trouvé! Ma mère étant, par ailleurs, un modèle de vertu, d'attention, de droiture et d'abnégation, j'ai non seulement répété l'exploit, mais l'ai exigé moralement de mes partenaires. Je n'exigeais en fait rien de vive voix, mais j'étais dans l'attente constante de vertus hypothétiques qui s'imposeraient d'elles-mêmes, par le seul pouvoir de l'amour.

J'ai mis du temps à réaliser que rien n'est plus délicat qu'une relation amoureuse et que le plus beau cadeau que l'on puisse faire à l'autre est de ne jamais – même en pensée – lui imposer un choix. Mon passage à la sérénité m'a permis de comprendre et de mettre en pratique ce principe: laisser l'autre libre de partir et de venir à sa guise. Libre de penser différemment. Libre d'aimer à sa façon, car il existe nombre d'autres manières que celle que nous a léguée notre apprentissage. Libre enfin d'accepter ou de refuser les choix de l'autre sans que cela devienne une menace au couple.

Célibataire, j'ai encore la fantaisie, l'inconscience ou la naïveté de croire que je finirai mes jours avec quelqu'un qui saura profiter de mon besoin de simplicité et le partager intelligemment. Chaque vie prend rivage sur des territoires nouveaux à découvrir. Pour moi, ce fut celui de la simplicité. C'est un choix personnel qui me convient et j'accepte qu'il puisse en être autrement pour les autres. Ma vie a été tellement différente que les amours conventionnelles n'y ont, pendant longtemps, pas eu leur place. Il est temps, à présent, de tisser la paix autour de mes jours.

Mais vous avouerez que les temps sont durs pour les célibataires. Faisons un bilan.

Dans le journal *La Presse*, on faisait mention d'une étude selon laquelle l'infidélité masculine ne cesserait de croître après 18 ans de mariage.

En vacances et attablée à l'Auberge du pirate à Percé, je prenais plaisir à rapporter ce fait à un ami, le propriétaire des lieux, Jean-François Guité, qui rétorqua:

– La 18e année, impossible. Im-pos-sible! La 18e minute, ça oui!

Reprenant la lecture de l'enquête, j'ajoutai que la femme perdait toute envie d'infidélité au fur et à mesure que le temps passait dans sa relation. Tout de go, Jean-François surenchérit en disant:

– C'est normal, plus personne en veut!

Bon, c'est cruel peut-être mais, quelque part, un peu vrai aussi.

Les femmes de mon âge résument assez régulièrement les rencontres de cette façon. Il y a les machos qui ne veulent pas s'engager. Les hommes roses qui ne voient aucun inconvénient à ce que la femme travaille plus fort qu'eux. Les 50 ans et plus qui ne regardent que les 35 ans et moins. Les homosexuels et les bis, de plus en plus nombreux, et enfin les autres, tous les autres... sont mariés.

Ah, les hommes! Seriez-vous surpris si je vous disais que je ne me sens vraiment bien qu'en présence des hommes?

J'ai de très grandes amitiés féminines, mais je m'identifie davantage à l'esprit direct et grégaire des hommes. Avec eux, je ne biaise pas, ne me perds pas en tergiversations, indécisions, envies et jalousies de toutes sortes. Avec eux, tout est direct. C'est rude mais simple. Les minauderies m'épuisent. Fort heureusement, la nouvelle génération est beaucoup plus directe dans ses revendications.

Je suis très consciente que ces paroles peuvent en choquer quelques-unes qui ne méritent certes pas un jugement si sévère. Surtout que ces considérations, raccrochées à ce que toutes ces femmes ont eu à vivre depuis, ont beaucoup changé. Mais je vous parle du temps où les femmes m'ont si violemment reproché ma popularité auprès des hommes, me prêtant toutes sortes d'intentions et de comportements, que je n'ai peut-être pas eu envie d'aller me serrer les coudes avec une masse qui aurait aimé me voir plus solidaire, alors que, pour une bonne partie de ma vie, elle m'a imposé le « bannissement ». Fort heureusement, en vieillissant, nous nous sommes rapprochées, et j'en suis ravie.

Si je n'ai pas réussi certaines de mes amours, j'ai toutefois réussi mes séparations : je suis restée amie avec presque tous mes anciens. Ils sont devenus des confidents, des compagnons de voyage, qui viennent parfois me consulter sur leurs amours présentes ou me conseiller sur les miennes. Je reviens d'un voyage de deux semaines en Italie, voyage que j'ai fait avec Henri, qui est de plus mon dentiste, et que j'avais amèrement heurté il y a de cela de fort nombreuses années. L'amitié est restée intacte.

La tendresse et la connivence peuvent très avantageusement remplacer l'amour lorsque celui-ci se révèle décevant. Les rares auxquels je ne parle pas, et il n'y en a que très peu, sont ceux dont la nouvelle femme est excessivement jalouse ou possessive... Je dérange, j'imagine. Il est aisé de croire que ma présence puisse être irritante. On ne peut pas tous assumer ses forces et ses faiblesses avec le même talent. Je peux être terriblement flamboyante, je l'admets. Et ça me fait toujours rire quand ces dernières m'affirment ne pas être jalouses.

Mais j'ai réussi mieux que ça : mes anciens se fréquentent entre eux ! Il me faut vous expliquer qu'un homme ne reste jamais bien longtemps dans ma vie s'il se permet de juger mon passé. Ce qui est fait ne peut être défait. Il découvre très tôt que je n'admets pas qu'on ne puisse respecter l'attachement qui me lie à tout ceux que j'ai aimés. Respecter cet attachement, c'est respecter ce que je suis devenue. Et croyez-moi, ça ne s'est pas fait en un jour!

Je les ai tous aimés différemment et chaque fois pour des raisons différentes. Et si l'une des raisons de nos désaccords a séparé nos vies, je ne vois pas pourquoi je ne pourrais pas profiter des autres raisons, des plus belles, de celles qui m'ont poussée à vouloir découvrir cet homme et à l'aimer par la suite.

Par pure fidélité, je n'entretiens ces fréquentations que dans la joie, en leur retirant, c'est évident, toute connotation sexuelle. Comme je suis restée liée à mes anciens, il arrive que mes nouveaux les rencontrent, d'où la naissance de certaines amitiés spontanées.

À mon mariage, trois de mes anciens étaient à mes côtés et parfois, à mon tour, j'ai assisté au leur. Certains d'entre eux sont même devenus partenaires de golf pour toute une saison!

Alors dites-moi: ai-je vraiment tout raté?

Ces derniers temps, mes amours ont été brèves, par choix. Et je crois avoir fait le meilleur choix. Une série d'événements m'a conduite aujourd'hui à vivre seule. Volontairement. J'ai beau parfois, en public, me plaindre de solitude, je ressens pourtant très intérieurement le besoin viscéral de m'isoler, à la suite de toutes ces amours consumantes qui n'ont pas été, toutefois, sans égayer ma vie de célibataire.

Je voulais tant aimer… j'ai si mal choisi. J'ai investi bien des larmes et bien des années à réaliser que c'est dans la solitude, et en faisant table rase de tout, qu'on peut arriver à se connaître suffisamment pour pouvoir, à nouveau, arriver à aimer sans contrainte.

La méthode risque d'être douloureuse si l'on ne sait se nourrir que de l'autre, en s'oubliant soi-même; c'est pourtant le vide qui comble et qui guérit. J'attends sereinement. Et s'il ne devait plus rien y avoir jusqu'à la fin de ma vie, ce qu'il y a eu aura été si plein d'amour et d'émotion, si intense que je m'en contenterai. Il paraît que c'est lorsqu'on ne cherche pas qu'on trouve. Je ne cherche pas. Et si vous me trouvez, je vous en prie aimez Danielle, car madame Ouimet n'est plus là. Partie dans une île qu'on appelle si joliment Lady Sérénité.

Monsieur Péladeau

Je ne le connaissais pas et, déjà, il n'avait rien pour me plaire. D'abord, il était petit : nez à nez avec moi, ça ne fait pas très grand pour un homme. Le smoking dont il était affublé lui aurait malgré tout donné bonne mine, n'eût été les lunettes de marque Playboy qui déparaient quelque peu. Il avait l'aisance et l'insolence qui viennent avec l'argent. Tout le gratin – ministres, directeurs, hommes d'affaires influents – se pressait à la réception où il nous avait conviés.

Debout, dans la file d'attente venue saluer sa famille, j'attendais de lui être présentée. Mon tour arriva. Enjôleur, il effleura ma main de ses lèvres. Puis, sans crier gare, il s'employa désespérément à se faufiler sous mon corsage en forçant la main par une manche trop étroite. À ses côtés, l'un des invités observait la scène, impassible. L'était-il vraiment ? De deux choses l'une : ou bien l'inconvenance de l'hôte le troublait, à moins qu'il n'espérât secrètement voir la demoiselle lui mettre la main sur la gueule en public. Mais n'étant pas au fait des habitudes du grand monde, je me contentai de lui suggérer de s'y prendre autrement, en passant par le col par exemple. En plus, ça risquerait moins de déchirer ma robe. Voilà ! Ça le calma. Il rit même. Un rire de crécelle. Un rire qui sonnait faux. Mais un rire tout de même, indiquant qu'il venait de comprendre qu'en voilà une qui savait lui répondre sans avoir peur des conséquences. Tout ça n'était pas pour me le rendre plus sympathique.

Toujours en attente dans la file, j'aperçus René Lévesque et Corinne Côté, son épouse, se présenter. Salutations d'usage et soudain, l'hôte prit le bras de Mme Côté, et l'invita à virevolter tout en soulignant son élégance. Sans doute aussi éberluée que moi, l'invitée s'exécuta. Mais quelle ne fut pas sa stupéfaction d'entendre l'horrible personnage s'exclamer :

– Eh, que t'as un beau cul, Corinne !

Au bord de l'évanouissement, couleur pivoine, je voulais disparaître. Fort heureusement, l'hôtesse arriva enfin pour nous diriger vers nos sièges. Dans la bousculade générale, je me retrouvai à une table isolée où je ne connaissais personne. Dans l'espace impeccablement décoré, je regardai la masse d'invités et me demandai s'ils s'étaient tous fait débiter quelque ineptie. Avaient-ils tous refoulé leur stupeur en se disant que l'hôte avait sûrement oublié de prendre ses calmants – peut-être aurait-il dû en prendre ce matin-là ?

Je me surpris à réaliser que la gigantesque tente blanche, dressée sur ses trois pieux au centre de l'immense domaine laurentien du maître des lieux, regorgeait de tout ce qui grouille en politique au Québec, et que les plus grosses fortunes, voire les concurrents de notre hôte dégustaient leurs crevettes avec aisance et sans se salir les doigts. Balayant à nouveau du regard cette masse glorifiée, une question qui ne me quitterait plus me vint soudain à l'esprit : « Qu'est-ce que je fais ici ? Pourquoi m'a-t-on invitée ? »

Déjà, à la réception du carton, j'avais cru à une erreur. Comme je n'avais pas rapidement confirmé ma présence, la secrétaire de M. Péladeau avait insisté. Pressée de répondre, j'avais dit oui, flattée je l'admets de tant de sollicitude, mais surprise tout de même de constater que ma place avait été réservée par le patron lui-même.

À l'époque, je travaillais (pour ne pas dire que je végétais) les fins de semaine à la radio, du côté des Laurentides. J'y habitais grâce à Michèle Richard qui m'accueillait généreusement chez elle. Si ce n'est que nous ayons été plus ou moins voisins, je n'arrivais pas à saisir la raison de l'invitation. Comme Michèle était invitée – une première pour elle aussi –, je me disais qu'il s'agissait peut-être là d'une façon galante d'accueillir les voisins de village !

La soirée se déroula sans problème et je me laissai séduire par le concert donné par Pierre Jasmin, pianiste invité et protégé de monsieur P. Mais quand vint le moment du départ, je vis l'hôte se ruer vers moi avec des petits cris de souris convoitant un fromage.

– Madame Ouimet, je veux vous voir. Ne quittez pas sans que je vous aie embrassée.

Il se créa alors un jeu de chaises époustouflant : moi essayant d'en accumuler le plus possible entre lui et moi, et lui les escaladant comme s'il essayait de gagner le 110 mètres haies aux Jeux olympiques. Michèle Richard vint à ma rescousse :

– Si vous désirez la voir, elle demeure chez moi, je suis sa gardienne officielle, lança-t-elle, taquine.

Horriblement gênée, je le laissai déposer, sur ma main tendue, un nouveau baiser de limace. Je la lui aurais bien, d'ailleurs, enfoncée jusqu'au fond de la gorge. Il me lâcha. J'étais sauve… jusqu'au lendemain.

Dimanche, 19 h. Je profitais de la balançoire dans le magnifique jardin de Michèle pendant qu'elle se préparait. Nous avions projeté d'aller manger au restaurant avant mon retour à Montréal. Sortant d'un buisson, une voix familière m'alerta. C'était M. Péladeau !

– Bonsoir, madame. Quel temps magnifique ! Je passais par là et comme Michèle m'a dit que vous y étiez…

« *L'abominable* réclame un café, maintenant ! Est-ce pour mieux me coincer ? » Je hurlai :

– Michèle, on a de la visite...

Elle ne se démonta pas.

– Quel dommage, on s'en va dîner à l'extérieur, répondit-elle.

M. Péladeau décréta qu'il allait nous accompagner. Pire, il me tendit les clés de sa Rolls et me dit :

– Vous conduirez, madame.

« Bon, tant pis ! S'il me touche, je jette la voiture dans le fossé ! »

Heureusement, le trajet fut court, et rien de désagréable ne se produisit. Mais que pouvait-il bien me vouloir ?

Au restaurant, je sentis le félin m'épier. Je me sentis devenir sa proie. Son audace était moins évidente que la veille, le temps était à la réflexion, je suppose.

En fait, ce que je retiens de ce moment, important car il changerait une partie de ma vie, c'est que l'homme était devenu tout à fait charmant, pour ne pas dire charmeur. Mais la partie n'en était pas gagnée pour autant.

– Madame, j'aimerais vous inviter au théâtre de temps en temps. Est-ce que je peux espérer votre compagnie ?

En mon for intérieur, je me dis : « Cause toujours mon lapin ! Au téléphone, il y aura la distance. N'entre pas qui veut chez moi ! »

C'est alors qu'a commencé la ronde des appels incessants. J'aurais pu voir tout ce qui se donnait à Montréal en fait de productions théâtrales, tant les invitations fusaient. Mais j'y opposais chaque fois un « non » systématique. J'aurais dû savoir que ces trois petites lettres anodines, prononcées avec détermination, risquaient d'avoir, pour ce quinquagénaire avancé, un effet aphrodisiaque. On ne dit pas non à Pierre Péladeau !

Il lui fallait changer de tactique, trouver une autre manière. Il la trouva. Il m'appela, le ton plus incisif :

– Madame, le TNM donne une intéressante pièce de Tremblay jeudi soir. J'aimerais que vous m'y accompagniez. Et je ne veux surtout pas d'un « non » cette fois. Mon chauffeur sera devant votre porte à 7 h. Soyez précise.

Puis il avait raccroché. Il m'était souvent arrivé de rappeler pour décliner l'invitation, mais sa secrétaire le disait toujours occupé.

« M. Péladeau est en conférence... ou sur une autre ligne... ou sorti pour l'instant » me disait-on inlassablement.

Il était clair qu'il ne désirait pas prendre mes appels. Je ne le trouvais pas poli, mais ça me faisait sourire et j'appréciais la ruse, même si elle était puérile.

Au jour dit, je me retrouvai dans sa voiture. On ne pouvait pas dire qu'il affichait l'arrogance de la victoire. Tout au plus un plaisir, que je qualifierais d'enfantin, collé malicieusement au coin de l'œil. Cela me le rendait sympathique. J'avais encore la maîtrise de la situation, en ce sens que l'homme ne m'impressionnait pas outre mesure, même s'il marquait des points.

La soirée fut très agréable, même si je dus le réveiller régulièrement en lui pinçant le bras. Et encore, s'il n'avait fait que somnoler, mais il ronflait ! Et j'aurais à le faire souvent, parce que j'allais l'accompagner de plus en plus régulièrement !

Je me souviens particulièrement d'une réception donnée par l'Opéra de Montréal lors de sa création permanente à Montréal, mettant en vedette Renata Tebaldi et Tito Gobbi dans *Othello*. La faune des invités se composait de tout ce que l'élite montréalaise compte de « m'as-tu-vu », comme Pierre aimait les appeler avec un sourire. Chose déconcertante, c'était précisément la raison pour laquelle il m'avait invitée.

– Ah, bonjour monsieur Desmarais. Tiens, monsieur Chagnon !

Tout le monde était là ! « Madame Ouimet », ne cessait-il de me présenter.

Puis, une fois isolés tous les deux, il me dit, amusé comme s'il s'agissait d'un jeu :

– Tu vois, je suis plus « vedette » que toi. C'est moi qu'ils connaissent. C'est moi qu'ils saluent. Pas toi.

Deux enfants ! Pris au jeu, c'était à celui qui connaîtrait le plus de monde avant l'autre. Dans la compétition, on se jetait littéralement à la tête des gens à saluer ! À la fin de l'entracte, il me dit :

– Tout le monde nous a vus, « la job est faite », on s'en va. Où veux-tu aller ?

Mais où va-t-on en robe longue et en habit de gala à 21 h 30, un soir de semaine ? Pour le provoquer, je lui dis que Michèle Richard chantait dans un Supper Club, rue Lacordaire. Pas une seconde d'hésitation. On y a fini la soirée dans le *ringside*, parmi quelques spectateurs perplexes. Mais ça n'avait pas été la seule épreuve ce soir-là. Comme son chauffeur, Maurice, était en congé, Pierre m'avait demandé de le conduire dans ma voiture, une Honda Civic, dont le silencieux était défectueux. Tout au plus éclata-t-il d'un rire franc quand, à la Place des Arts, j'eus à attendre le billet de stationnement dans une pétarade à faire craquer les murs du garage. Ç'avait semblé l'amuser prodigieusement. Pas moi !

Le lendemain matin, j'enregistrais une publicité audio au studio Marko du Vieux-Montréal. À l'heure précise de mon arrivée, j'aperçus Maurice qui, à mon étonnement, me demanda les clés de ma voiture et partit avec. Comment avait-il pu savoir le lieu et mon emploi du temps ? Il revint deux heures plus tard, la réparation faite, ordre de M. Péladeau ! Pierre était comme ça. Souvent attentif à ce genre de petits détails qui vous simplifient la vie.

Je suis toujours restée rebelle vis-à-vis de lui. Parfois par provocation, le plus souvent par insoumission, occasionnellement parce qu'il le méritait bien. Je ne lui en passais pas une. D'ailleurs, il m'a souvent provoquée à son tour. Il n'aimait pas les gens fades.

À force de nous fréquenter, nous en sommes venus à éprouver un respect profondément affectueux l'un pour l'autre, mais ça ne s'est pas fait sans heurts. Et le pire était à venir. Si j'avais à résumer en une image, je dirais que j'ai eu à tuer Judas ! Rien de moins.

On se voyait de plus en plus et il me demanda éventuellement de venir lui rendre visite chez lui les fins de semaine. Il avait une immense maison un peu désuète que j'adorais. Pleine de salons, d'espace, de livres et de musique. Un peu pour ses enfants, me disait-il, et en souvenir de celle qui y avait habité la première, il avait voulu y conserver le charme de l'époque de sa première épouse, Raymonde.

« Bon, nous y sommes ! » me suis-je dit. C'est sérieux. Il passe à l'attaque. Mais pourquoi moi ? Ma célébrité, ma réputation ? En fait de célébrité et de réputation, il était certainement mieux pourvu que moi. Mon absence de malice ? Mon désintérêt pour son aisance ? Ma jeunesse ? Ça ne pouvait être que cela. Cet homme avait la ville à ses pieds.

– Je t'ai réservé une chambre à la mezzanine de la piscine, m'avait-il précisé.

« Ben oui ! Je vais croire ça moi, pensai-je. Tu y as mis le temps et tu penses que je ne vois pas clair dans ton jeu ! »

Pourtant, rien ne s'est passé. RIEN. J'ai dormi dans ma chambre de la mezzanine sans jamais être importunée.

Avec le temps, Pierre en est venu à neutraliser toutes mes appréhensions, tous mes jugements, toutes mes prévisions. Il me devenait indispensable. Il est rare qu'un homme possède à la fois des qualités de tendresse, d'attention, d'affection, d'humour, et le sens de la surprise... Pierre était de ceux-là. Mais, n'en doutez pas, les défauts étaient d'égale envergure!

Il a fallu que nous apprivoisions bien des démons tous les deux pour en arriver à développer notre complicité. Je n'ai jamais baissé les bras lorsqu'il tentait de me soumettre à des situations qui me rendaient mal à l'aise. Il n'a jamais réussi à m'imposer quoi que ce soit. Tout sentiment se négociait par l'échange jusqu'à ce que nous parvenions à un degré de quiétude apaisante, surtout après que je lui ai fait comprendre le peu d'intérêt que j'avais à me nourrir de sa gloire et de son pouvoir.

Je lui ai, en fait, rendu bien davantage de services qu'il ne m'en a lui-même rendus. De mon plein gré d'ailleurs, car j'aimais lui donner une attention gratuite, trouvant indécentes toutes ces mains tendues en permanence vers lui, alors qu'il méritait davantage. Les profiteurs étaient nombreux dans son entourage. Chaque attention de ma part, il me disait la recevoir comme un cadeau. Il était très reconnaissant envers moi et jamais il n'a trompé mon affection.

Sa tendresse et son écoute à mon égard étaient enveloppantes et rendaient jaloux tous ceux qui devaient partager avec moi ses rares moments de présence.

Pierre accordait ses auditions, comme un roi à sa cour. Je le revois, les samedis et dimanches matin, farfouillant des doigts dans le plateau du brunch que lui préparait René Trudel de l'Auberge du lac Lucerne, tandis qu'il recevait des gens, issus de divers domaines, venus profiter de son écoute, de son avis ou de son aide. Tous les potins de la ville y passaient. Les secrets ainsi dévoilés lui permettaient de faire des gestes précis, mieux adaptés à certaines situations délicates. Pierre y puisait son savoir. Peu de gens réussissaient à le surprendre. Souvent, des factions rivales, pensant y puiser des avantages, lui racontaient tout, quitte à trahir des secrets.

On pouvait rencontrer chez lui aussi bien M. Mulroney en simple short que M. Bourassa en débardeur, sans compter des ministres et députés de toutes allégeances. Il y avait aussi ses familiers et amis : souvent ses antennes sur un monde plus terre à terre. Puis, parfois, un employé de Quebecor, malade, qu'il hébergeait le temps de sa convalescence, ou une femme en fin de désintoxication, à qui il offrait sa maison et son personnel. Et tous ceux enfin qui se nourrissaient de la force de sa présence, de son aura.

Son analyse était rapide. Une fois sa décision prise, il était intransigeant, direct, juste et souvent très sensible. Pour lui, ces rencontres étaient un moyen de remercier sa bonne fortune en même temps qu'un complément aux rencontres sociales qu'il n'avait pas le temps de faire en semaine. Ces échanges lui permettaient en somme de mieux régner, en évaluant les dangers des complots, inévitables dans sa position ! Il nous donnait à tous l'indéniable impression d'être uniques et utiles à sa vie, même si cela n'en était que rarement le cas ! Et de ce fait, chacun défendait ses intérêts.

J'arrivai un jour chez lui lors d'une de ces rencontres « séances-confidences ». Il fallait voir avec quelle froideur je fus reçue par Solange Harvey, la courriériste du *Journal de Montréal* :

– J'ai pas fini avec lui. Si vous pensiez me l'enlever maintenant, c'est dommage. J'ai encore des choses à régler. Il vous verra plus tard.

À son ton méprisant, il était évident qu'elle me prenait pour la dernière et inutile conquête de l'*Homme*, la baiseuse de service… et elle n'était certes pas la seule à le croire. À ce chapitre, et sans le savoir, je suis certaine que Pierre n'a jamais dû la contredire. Cela faisait partie du personnage que de faire croire que toutes nous passions par sa couche ! Mais comment m'en offusquer ? Je n'allais certes pas m'asseoir avec elle pour définir ma relation avec Pierre. Pierre Péladeau adorait les femmes. Toutes les femmes ! Et pas seulement dans le sens biblique du terme.

Du reste, avec le temps, Solange a pu constater à quel point l'affection de Pierre m'était précieuse et indéfectible. Et surtout, que cela était réciproque. Aujourd'hui, j'adore Solange.

Il me vient à l'esprit une question lue dans une bande dessinée qui résume le tout de manière fort à propos : « Qu'est-ce qui est le plus important ? Les choses que tu sais ou les gens que tu connais ? Réponse : ni les unes ni les autres. Le plus important, c'est ce que tu sais sur ceux que tu connais. » De cette maxime, Pierre usait et abusait. Et pourquoi pas ?

J'ai donc eu le privilège de partager son quotidien : rire, manger, parler, faire des visites, sortir avec lui, voire faire les courses au marché de Sainte-Adèle. Moment sacré, au cours duquel il m'a enseigné, souvent de façon péremptoire, à acheter « fait au Québec ».

Je pourrais en rester là, mais il me faut préciser que cet élan patriotique était souvent motivé par un idéal un peu moins noble : il achetait tout simplement ce qu'il y avait de moins cher. Dans bien des domaines, il pouvait avoir une attitude « grappilleuse » parfois. Certains commis du marché Chèvrefils me parlent d'ailleurs encore des paquets de biscuits qu'il ouvrait pour les laisser entamés, sur une autre tablette, sans les payer. Ça le faisait rire. Il n'était pas question pour lui, tout millionnaire fût-il, que les commerçants s'imaginent qu'il se serait laissé avoir. Il avait de ces côtés enfantins ! Sans oublier qu'il arrivait souvent dans la demi-heure précédant la fermeture, ce qui lui permettait de dire au gérant :

– Personne ne va acheter ça à cette heure-ci. Ça va se gâter. Faites-moi un bon prix, et je le prends.

Il ne s'en cachait même pas. Combien de fois l'ai-je vu, lors de réceptions, se diriger directement vers les cuisines, pour se réserver le premier choix, voire être servi tranquillement avant les autres, afin de n'être pas bousculé par mille questions qui l'auraient empêché de manger. Combien de fois me suis-je fait répondre, si je l'invitais à quelque rencontre :

– Je vais y aller seulement si le lunch est *free* !

Et toutes ces fois, à table au restaurant, quand d'un air finaud il sortait sa calculatrice pour recompter l'addition. Trois fois plutôt qu'une.

– … Au cas où le serveur se serait trompé, croyait-il nécessaire de préciser.

Tout cela faisait partie du paradoxe Péladeau. Il n'agissait en somme que par principe, et toujours selon les gens avec lesquels il se trouvait.

En raison de son problème d'alcoolisme – avoué et guéri –, j'en ai souvent observé plusieurs limiter leur consommation d'alcool, s'abstenir même en sa présence. Un jour que nous étions tous les deux au Ritz, il me tendit la carte des vins.

– Choisis-toi un bon vin, me dit-il.

Me voyant hésitante, il me demanda :

– Quand tu bois, est-ce que le vin te rend triste ou joyeuse, Danielle ?

Tout de go, je répondis :

– Joyeuse, Pierre. Moi, je ris tout le temps. Ça fait partie de ma nature.

– Donc, t'as pas de problème avec l'alcool. Prends-toi tout ce que tu veux.

De rencontres en rendez-vous, de conversations en confidences, il m'était devenu indispensable, et mon attachement pour lui prenait une forme à la fois angoissante et apaisante.

Aimer l'autre, lorsqu'il se trouve affublé de tant de disparités, de contradictions, exige un énorme respect allié à la résistance totale au désir de le changer. Rien que d'arriver à y comprendre quelque chose demandait beaucoup d'abnégation, d'acceptation, et une bonne dose de sagesse.

Nous avions l'habitude de bavarder en marchant dans son domaine. Il aimait ces promenades par-dessus tout. Pour lui, rien n'était tabou : il me montra un jour un arbre tout près de la rivière qui traversait si joyeusement ses terres :

– C'est là qu'un jour je m'enlèverai la vie. Le jour où je serai parfaitement heureux, je prendrai le fusil que je réserve à cet effet et je me tirerai.

Horrifiée, je lui répondis que lorsqu'on est heureux, on ne s'enlève pas la vie, ce à quoi il rétorqua :

– Mais ce jour de bonheur sera tellement unique et merveilleux que je ne voudrai pas que le lendemain le ternisse.

Et comme pour confirmer son intention, il me montra l'arme puissante qu'il cachait sous son lit. Fusil à double usage, puisque c'est le même qui devait servir à le protéger en cas d'intrusion. Il n'utilisait pas de service de sécurité à domicile, confiant cette tâche à ses chiens qui gardaient la porte du domaine. Si ceux-ci aboyaient trop longtemps la nuit, il dressait l'oreille, allait voir à la fenêtre et décidait s'il devait ou non supputer un danger. Autrement...

Comme, selon ses dires, il se proposait de mettre fin à ses jours dans une période de grand bonheur, je lui promis de le rendre éternellement malheureux ou, le cas échéant, de lui tenir la main au moment du passage « vers son créateur ».

– Tu choisis Pierre!

Il s'en amusait.

Une autre de ses manies me faisait mourir de rire. Il adorait s'habiller avec des vêtements « griffés » à la marque de Quebecor.

Je lui avais même brodé un maillot avec le logo de son entreprise, en paillettes rouges. Il le portait pour recevoir chez lui. L'hiver, pour nos sorties de santé, il arborait un manteau rouge, avec une broderie bien en vue près de l'épaule.

Il me réservait souvent une surprise attendrissante : il me donnait un baladeur avec une cassette sur laquelle il avait fait enregistrer un programme de musique classique correspondant à ses goûts du moment. À ses yeux, Vivaldi me convenait parfaitement, et c'est ce que nous écoutions. Après avoir synchronisé son programme au mien, pour que nous puissions savourer les mêmes notes au même moment, nous allions nous balader sur le chemin qui porte aujourd'hui son nom à Sainte-Marguerite. Si une Mercedes, une Volvo ou toute autre voiture luxueuse avait le malheur de s'approcher, il se jetait au milieu de la route et criait en pointant son logo :

– Quebecor, c'est moi, c'est moi ! C'est à moi, ça !

J'allais de joies en découvertes, de plaisirs en surprises diverses. J'apprivoisais, effaçais peu à peu mes appréhensions, sans jamais penser à une fin possible. Je devenais de plus en plus liée à lui et, pourtant, sans tomber amoureuse au sens plat, réducteur ou aliénant du terme. Je savais – les femmes devraient savoir – qu'il est toujours inutile de créer quelque obligation que ce soit. C'eût été assurément l'erreur à faire. Mon amour pour cet homme était empreint d'une grande liberté, en ce sens que je n'entretenais aucune attente au quotidien. Aucune demande, aucune contrainte, aucun besoin ne naissait de nos fréquentations. Un plaisir pur pouvait surgir tout simplement de se savoir là au bout du fil. Il m'est même arrivé de l'attendre chez lui alors qu'il sortait avec une autre femme. Je n'oublierai jamais le jour où il m'exprima le bonheur ressenti lorsque, rentrant d'une soirée, appréhendant se faire reprocher son retard, il m'avait trouvée, au contraire, souriante, calme, confortablement assise en train de lire, en écoutant de la musique. Un verre à la main, les cheveux mouillés après m'être baignée dans la piscine, j'étais simplement heureuse du privilège d'être chez lui. J'avais vite compris, avec lui comme avec tout autre après lui, que rien ne sert de bousculer, d'essayer de changer l'autre. On en subit toujours les conséquences. Quelle prétention que de vouloir s'approprier ce qui ne nous appartient pas!

Pierre m'a permis de vivre de merveilleux moments, des moments d'une richesse et d'une rareté infinies. Un instant «sans lui» n'enlevait rien au bonheur de l'instant rempli de «ses grâces». Je louvoyais entre ces deux rives sans jamais chercher à en modifier le parcours. Ce qu'il m'a donné allait bien au-delà de ce que tout l'argent du monde peut offrir, alors qu'il aurait parfois été plus facile pour lui de payer que de me donner du temps et de l'attention.

Je finis toutefois par apprendre les raisons qui l'avaient poussé à me fréquenter. Ce n'est pas très joli comme histoire, ni très élégant. Mais ainsi était l'homme. Entre nous, ça passerait ou ça casserait!

Il me donna ainsi à nouveau le choix de lui mettre la main «sur la gueule» et de le mépriser pour de bon ou de lui apporter mon soutien. Il me laissait le choix et c'était bien là sa force. J'appréciais son audace et sa franchise, son jeu du quitte ou double qui allaient sauver cette relation unique entre nous.

C'était un beau samedi, nous étions allés marcher le long de sa rivière. Le ton était à la confidence, lorsqu'il me dit:

– C'est fou ce que les gens ne te connaissent pas, Danielle. Tu es vraiment ma plus grande découverte. On pourrait facilement penser que tu es une ravissante idiote. J'ai trouvé au contraire une femme sensée, généreuse, talentueuse... Je pense que tu ne fais pas ce que tu devrais faire dans la vie. Tu devrais être rendue beaucoup plus loin dans ta carrière.

– J'ai toujours fait de la télévision. Je ne connais rien d'autre que les communications et je suis heureuse.

– Tu devrais être en politique.

– Ah que t'es fou ! Bon, jouons le jeu. Quel ministère ?

J'étais certaine qu'il resterait sans réponse ! Au contraire rapidement il répliqua :

– À la condition féminine.

– T'as raison. Ça me conviendrait. Mais Pierre, tu te rends compte ? Moi, la *sex-star* du Québec, l'habituée des scandales, et poursuivie en justice avec ça ? Mes adversaires me couperaient en rondelles... Et les étapes à traverser pour devenir ministre, qu'en fais-tu ?

– Rien qu'une campagne médiatique, une série de bons articles bien structurés et réguliers ne pourraient arranger. De toute façon, Danielle, ce n'est pas toi qui gagnerais. C'est moi qui te ferais gagner !

Et paf ! C'était à prendre ou à laisser. J'y ai pensé un moment, puis mon côté rebelle a repris le dessus. Certes, Pierre essayait de me faire comprendre que j'étais digne d'un poste enviable, mais je risquais, en relevant le défi, de tomber sous son contrôle. *NO WAY!* Pas question ! Avec mon plus beau sourire, je le remerciai de cette marque de confiance. Il croyait en moi. N'était-ce pas là le plus beau cadeau ? Mais ça, ce n'était que la crème sur le gâteau !

Toujours en arpentant son domaine, il se mit à m'expliquer comment je lui étais progressivement devenue précieuse. Comment ma présence l'apaisait et que si ses intentions avaient été autres au départ, elles s'étaient estompées malgré leur urgence. Tant pis ! Il m'exposerait ces intentions. À moi de juger.

– J'aurais pu ne jamais t'en parler, Danielle. Je pourrais continuer à te voir comme si de rien n'était, mais je suis dans une impasse importante et je veux te demander quelque chose en espérant que cela ne ternira jamais notre amitié. Si tu refuses de me répondre, je ne t'en voudrai pas et tu ne sortiras pas de ma vie pour autant.

Je sentis un petit frisson d'inconfort me parcourir les vertèbres lombaires. Quelque chose ne sonnait pas juste. Je sus tout de suite que ça n'allait pas être agréable.

À cette époque, Pierre était en règlement de divorce et, malgré une entente civilisée, il me fit comprendre qu'il restait certaines choses à régler entre lui et sa femme. Je n'avais aucune raison d'exiger des confidences. Ce qui avait été n'était plus. Et cela ne me regardait tout simplement pas. Mais voilà : aux dires de l'entourage (et de Pierre), madame avait un nouvel amoureux qui profitait de tout, sans pour autant en assumer la charge. De plus, il semblait que, sous son influence, madame avait soudainement révisé ses demandes initiales. On parlait ici de sommes très importantes avec, en prime, une pension mensuelle plus élevée. De plus, selon les confidences de Pierre, elle retenait les enfants à la maison pour diverses raisons, malgré une entente concernant les visites, qu'elle avait respectée jusqu'alors. À tort ou à raison, Pierre attribuait ce changement à l'arrivée de cet homme dans la vie de son ex-femme. S'était-il ouvert à moi – qui sait, peut-être en exagérant l'enjeu – pour me faire comprendre l'ampleur de son problème et légitimer ce pourquoi il avait tenu à me rencontrer ?

Il ajouta que ces exigences monétaires, qu'elles soient fondées ou non, étaient personnelles, et Pierre ne pouvait certes pas demander à la compagnie, dont ses enfants étaient actionnaires, de partager les obligations de son divorce. Bref, il ne voulait pas faire les frais d'un caprice, ou de ce qu'il considérait comme tel. Il voulait rendre la vie agréable à tous, mais à l'intérieur de ses paramètres à lui. Je ne comprenais toujours pas l'utilité d'une telle confidence ou comment ma rencontre pouvait changer le cours de sa vie dans un contexte aussi personnel.

Quoi qu'il puisse faire, m'expliqua-t-il ensuite, il ne réussissait pas à comprendre les motivations de son ex et il ne pouvait attribuer son infortune qu'à la présence de ce nouvel homme. Il était évidemment en droit de se poser la question : quel pouvait être l'avantage de cet amant, qui devait en principe aimer sa femme, à la pousser à une telle guerre ?

Pour les riches, les choses ne sont jamais simples. L'entourage, quel qu'il soit, mise souvent tout sur l'opportunité. L'argent apporte aisance, notoriété, pouvoir, mais certains oublient le prix réel de ces privilèges. Pierre avait voulu en savoir davantage sur l'homme dont nul maintenant n'ignorait la présence. Or, malgré ses contacts, il n'arrivait pas à obtenir le moindre renseignement sur cette personne et il se trouvait toujours dans une impasse. Mais, lors d'un rapport de recherche, il était tombé sur une solution possible. Il était écrit : « Danielle Ouimet a fréquenté cet homme. »

En effet. Il avait partagé ma vie pendant quatre ans, jusqu'à ce qu'il m'annonce, six mois plus tôt, qu'il partait vivre avec une autre femme. Il ne m'avait pas fourni davantage de détails sur l'élue de son cœur. Ce que Pierre ignorait, c'est que le nom qu'on lui avait fourni et sur lequel portait toutes ses recherches, stériles jusque-là, n'était qu'un nom d'emprunt utilisé par cet homme pour exercer son métier. Pour mieux comprendre la situation, il lui fallait des réponses.

Je me souviens, entre autres, qu'il me demandait souvent si cet homme saurait s'occuper de ses enfants. Oh que si, il le pouvait. Peut-être y trouvait-il ombrage ? De là tout ce cirque pour me rencontrer. Les séances d'amadouement, les rencontres à répétition, les invitations chez lui, les repas n'avaient eu d'autre but que de lui en apprendre davantage.

En faisant ma connaissance, Pierre jouait davantage sur l'image de la « nounoune » qui tomberait facilement dans le panneau et déballerait tout ce qu'il avait besoin de savoir, que sur la femme qu'il se surprit à découvrir et à respecter par la suite. Cette révélation m'asséna tout un choc.

Nous en étions là à assimiler le malaise de la déclaration, à surmonter le vide qu'entraîne un tel désenchantement et à garder l'espoir de trouver une solution à son problème. Mon choix restait simple : si j'apportais une réponse à ses questions, je perdais l'envie de rester près de lui. Il ne me restait plus qu'à lui dire :

– Non, tu n'auras rien de moi. Ni maintenant ni plus tard. Et si tu tentes de me poser une seule question, je ne te reverrai plus jamais.

Il ne m'a plus jamais rien demandé, respectant mes conditions à la lettre.

Plus tard, tout allait redevenir normal. Comment lui en vouloir ? Tout ce qui traîne se salit. Et puis, il y avait les enfants et, ne serait-ce que pour eux, il fallait agir. Mais le tout ne sera pas resté sans conséquences. Pierre me confia qu'il avait tenté de faire annuler son mariage par le Vatican. Me disait-il la vérité ? Y parvint-il ? Je n'en sais rien et ça ne m'intéresse pas.

Il pouvait être aussi cruel qu'il était bon. Le simple fait de le savoir m'avait préparée à toute éventualité. De cet épisode douloureux, j'ai retenu toutefois un principe formateur : celui de pardonner à tous les hommes qui sont parvenus à me faire de la peine un jour ou l'autre, mais sans oublier, jamais. Par la suite, s'il y a eu abus, mais ce, sans léser qui que ce soit, ce sont mes besoins à moi qui feront pencher la balance. De toute façon, ces derniers, pris de remords, finiront toujours par filer doux. Les autres, ceux qui auront choisi la manière forte pour me faire agir, réagir ou obéir, n'auront plus jamais droit à mon attention. J'oublie – et je n'exagère rien – jusqu'à leur nom.

En attendant, j'ai tenu pour acquis que Pierre, en me révélant ces manœuvres, avait plus à perdre qu'à gagner. Je décidai de ne pas m'en formaliser. J'aurais pu y perdre sa tendresse. Il avait joué, il avait perdu. Il m'avait toutefois donné une leçon d'une sagesse infinie: celle d'avoir l'humilité d'admettre sa faute. Et nous sommes passés à autre chose…

À partir de ce moment, il ne fut que douceur avec moi. Il avait la manie de me téléphoner à la dernière minute pour me dire:

– Je t'emmène quelque part. Maurice (son chauffeur) passera te prendre chez toi demain matin, 11 h… On en a pour une couple d'heures.

Rien de plus. Souvent, je me retrouvais au chevet d'un mourant. Pierre avait un don pour adoucir l'inéluctable. Je me souviens en particulier d'une visite à un peintre, atteint d'un cancer en phase terminale. Je m'inquiétais et demandais:

– Qu'est-ce que je vais lui dire? Que ce n'est pas grave? Que ça fait pas mal? Est-ce que je mets le bon Dieu là-dedans? Est-ce que je parle de demain qui ne viendra pas? Tu sais bien que ce n'est pas la vérité.

Pierre me répondait:

– Donne-lui la main et tais-toi. Cet homme-là a besoin d'une présence et de paix. Parle-lui du bonheur de la non-souffrance qui s'en vient. Mais surtout, laisse-le te parler, s'il le peut.

Grâce à la présence de Pierre, j'ai vu des yeux rayonnants, des douleurs presque effacées, des mains soudées dans des silences qui révélaient beaucoup plus que tous les mots d'amour de la terre. J'ai apprivoisé un peu plus ce que pouvait être « le dernier sommeil », mais jamais je n'aurai le talent ni l'aura que Pierre dégageait quand venait le moment de partager les derniers instants d'un départ imminent. Il en parlait comme d'une grande et agréable délivrance.

Le malade que nous visitions ce jour-là était affligé d'un cancer de la gorge et ne pouvait plus parler. J'ai vu deux regards se fondre l'un dans l'autre, comme par osmose, sans qu'une seule parole ne soit dite. Pierre a répondu à toutes les demandes du malade sans jamais se tromper. Il permit au peintre de partir en paix, avec l'assurance que la femme qui partageait sa vie depuis fort longtemps ne serait pas lésée, dépossédée par les enfants qu'il avait eus d'un premier mariage et qui lui promettaient une revanche amère dès le départ de leur père. Pierre s'acquitta ensuite de cette tâche, raison pour laquelle il avait été demandé au chevet du mourant.

On demandait beaucoup à monsieur P. J'ai vu plus de mains tendues que je n'ai entendu de « merci, je vous le rendrai ».

Avec toutes ses voitures, dont une Rolls-Royce, avec l'hélicoptère et le jet privé, il était facile de l'accuser de faire étalage de ses richesses. Pourtant sa frugalité, dans la vie de tous les jours, était presque désolante. Il se contentait d'une chaise en plastique et d'une table de patio, là où des meubles de chêne massif auraient fait meilleure figure. S'il s'offrait le luxe d'un hélicoptère, c'est que les exigences de son travail lui faisaient parcourir des distances considérables. Vivre dans les Laurentides n'arrangeait du reste pas les choses. Mais un hélicoptère, ça faisait parvenu.

Pour certains, cette aisance était difficilement pardonnable. Des riches, on réclame souvent sans pudeur, et le moindre refus est perçu comme un signe d'insensibilité, de détachement, voire de mépris. On le harcelait du matin au soir, comme s'il avait été redevable à l'humanité entière d'une taxe sur sa bonne fortune. Et ce n'est pas qu'il n'était pas généreux. Il donnait beaucoup, sans rien attendre en retour. Et s'il donnait une fois, on s'offusquait de ne pas le voir répéter le geste l'année suivante.

D'ailleurs, Bernard Bujold, son bras droit en la matière, avait pour mission de recevoir les demandes et d'en faire le tri, puis d'accorder des faveurs de façon réaliste. C'était un travail à temps plein. Mais, à n'en pas douter, ce que Pierre préférait donner c'était de son temps. Comme c'était un grand luxe dans sa vie que d'en avoir, il s'agissait là sans doute de ce qu'il pouvait offrir de plus précieux. Il s'accordait un moment pour écouter et pour trouver des solutions aux demandes des quémandeurs, mais surtout pour leur donner les moyens d'utiliser eux-mêmes ces solutions. Il appliquait le proverbe chinois attribué à Lao-Tseu : « Si tu donnes un poisson à un homme, il se nourrira une fois. Si tu lui apprends à pêcher, il se nourrira toute sa vie. »

Il m'a parfois emmenée faire de courts voyages, lors de séances de partage au sein du mouvement des Alcooliques anonymes. Je me souviens d'un accueil sublime aux îles de la Madeleine. En montant dans l'avion, une brise légère dansant sous mon nez m'avait fait reconnaître l'odeur de son eau de toilette :

– Acqua di Parma ! Mon préféré, lui avais-je fait remarquer.

De retour à Montréal, il me l'avait fait livrer par son chauffeur, accompagné des mots *« I love you »*. Tout coûteux que soit ce parfum, je ne reçus jamais de somptueux cadeaux de Pierre, et j'en suis fort aise. On m'a souvent taxée d'avoir été intéressée par sa fortune. C'est normal, beaucoup l'étaient ! Mais c'est mal me connaître. J'avais déjà côtoyé beaucoup de gens aisés et si j'avais voulu profiter de l'argent des autres, ce n'est pas sur celui de Pierre que j'aurais jeté mon dévolu. Lui, c'était autre chose. Il était d'ailleurs doué d'un flair aiguisé pour détecter le profiteur, l'aventurière capricieuse ou quiconque pensait pouvoir s'offrir un petit extra en sa présence. Plus d'une fille d'ailleurs a eu à s'en mordre les doigts.

Ainsi, une amie ayant commandé pour elle seule une bouteille de vin coûteux, puisque lui ne buvait pas, eut droit à une fin de repas remplie de sous-entendus à cause de son impudence. Elle ne fut plus jamais invitée. Pendant des années, sachant bien qu'il s'agissait d'une de mes très bonnes amies, Pierre me fit des commentaires désobligeants à son égard.

Il était pourtant plein d'attentions. À preuve: un 11 avril, jour de son anniversaire, alors que je m'apprêtais à subir une opération importante, assise sur le bord de la civière devant me mener en salle d'opération, je fis attendre l'infirmier et le bloc opératoire pour joindre Pierre sur son portable, dans sa voiture, afin de lui offrir mes meilleurs vœux. Comme les infirmiers commençaient à s'impatienter, je dus lui expliquer la raison de mon empressement à le quitter. Le jour même, complètement engourdie par l'anesthésie, je vis la porte de ma chambre s'ouvrir et apparaître un immense bouquet de roses, de marguerites africaines, de lilas et de freesias. Pierre suivait derrière, ayant délaissé de nombreuses invitations en ce jour anniversaire, pour consacrer son heure de lunch à venir me rassurer, me caresser.

Le luxe qu'il appréciait, mais qu'on lui avait imposé bien plus qu'il ne l'aurait exigé, se conformait à la respectabilité demandée par sa position et son entourage. Par ailleurs, il accordait un soin particulier au choix de toiles de grands peintres québécois pour son bureau chez Quebecor et sa maison des Laurentides. Une chaîne stéréo lui permettait d'écouter de la musique classique au travail, musique qu'il aimait parfois faire jouer à tue-tête, si un visiteur raseur avait le malheur de s'attarder. Il s'offrit éventuellement un jet privé décoré de fin cuir beige.

Dans de rares moments de lubie, il lui était arrivé d'utiliser l'hélico pour faire déposer des caisses de boissons gazeuses achetées à Montréal à sa maison de Sainte-Marguerite. À maintes reprises, il en faisait profiter ses amis et j'ai souvent eu le privilège de voyager dans cet engin entre Montréal et Québec.

À sa demande et à de nombreuses occasions, il m'avait demandé d'animer la soirée bénéfice d'Yvry-sur-le-Lac, au profit de femmes nécessiteuses. Comme j'animais alors une émission enregistrée à Québec, et ce, peu de temps avant l'ouverture de la soirée, il m'y envoyait chercher à chaque occasion.

Je me souviens également d'une réception grandiose, à laquelle il m'avait demandé de l'accompagner. C'était un spectacle monté par Jacqueline Vézina et donné en l'honneur du ministre Yvon Picotte. Pierre avait assuré les dirigeants de l'événement de sa présence, si et uniquement si on lui permettait de poser l'hélicoptère sur le site même de la réception. Permission accordée.

Je lui demandai un jour :

– T'es pas tanné ? Ça sert à quoi un million de plus quand on n'a jamais le temps d'en profiter ? Sans oublier tous ces gens qui te méprisent, tous ceux qui attendent la main tendue et rien dans le cœur ?

Il me répondit :

– Ce n'est pas l'argent qui compte. Au point où j'en suis, ce n'est plus ce genre de *game* qui m'intéresse. Au-delà de l'argent, il y a le pouvoir. Et ça, c'est ce qui est grisant. On n'en a jamais assez. Je ne peux plus me passer du plaisir que ça me procure d'essayer d'en obtenir davantage.

Pierre ne s'est jamais embarrassé de faux sentiments. Du moins pas avec moi. Et pour me le prouver, sachant que la direction se faisait depuis quelque temps tiède quant à mon embauche, il m'invita un jour à l'accompagner à Télé-Métropole pour l'enregistrement d'une émission de style « bien cuit » à laquelle il devait participer. Il savait que le réalisateur de cette émission m'avait mise au chômage pour des raisons tout à fait fallacieuses.

À l'arrivée, tous les invités étaient debout. Pierre demanda qu'on nous approche deux chaises et m'intima l'ordre de m'asseoir. Ce qui était très gênant, car nous trônions, seuls, au milieu de la place. Je réalisai alors que tous, lentement mais sûrement, venaient le saluer à tour de rôle. Pas une seule fois, il n'oublia de me présenter en ajoutant, lorsque le réalisateur arriva :

– Bien sûr, vous connaissez ma TRÈS GRANDE amie, madame O. !

(Pour son entourage, il était monsieur P. Habitude acquise chez les Alcooliques anonymes. Il avait continué cette pratique de nous appeler par notre simple initiale.)

Quand je lui fis remarquer que tous se déplaçaient vers nous plutôt que nous vers eux, il me regarda d'un air espiègle en disant :

– Exact. Et c'est le but de l'exercice ! Ils sont obligés de me faire plaisir et, de ce fait, de te reconnaître alors qu'ils levaient le nez sur toi il n'y a pas si longtemps.

Ah le pouvoir ! Quelle leçon !

J'ai aussi vécu quelques moments cocasses avec lui. Un jour, il m'avait invitée à l'accompagner pour l'ouverture officielle des bureaux du *Journal de Montréal*, rue Frontenac, en précisant :

– Tu es la personne toute désignée. Pendant que nous serons là, si je ne peux m'occuper de toi tout le temps, tu ne me bouderas pas comme les autres. Toi, au moins, tu sais ce que c'est que d'être populaire et occupé. Puis, tu connais tout le monde autour de moi. Tu pourras te distraire sans être dans mes jambes et sans t'inquiéter de mon absence. Ça sera moins stressant !

Le jour dit, il m'envoya Maurice, son chauffeur, ayant précisé que je devrais être sur place entre 18 h 20 et 18 h 25 précises. M. Brian Mulroney, premier ministre à cette époque, devait arriver à 18 h 30, et il me voulait à ses côtés à ce moment-là. Maurice avait reçu l'ordre de passer les cordons de sécurité et de me déposer sur le tapis rouge à l'entrée, comme tous les dignitaires. Mais c'était sans compter sur la délégation des travailleurs de la Vickers affiliés à la FTQ, attirés par la présence du premier ministre qu'ils espéraient rencontrer. Par milliers, ils avaient envahi la rue aux abords du journal, causant un joyeux embouteillage. Voyant approcher la Rolls-Royce de Pierre et croyant voir arriver la voiture de M. Mulroney, ils se jetèrent sur le véhicule, en se piétinant les uns les autres, pancartes menaçantes au vent, provoquant un début d'émeute. Je n'étais pas préparée à tant de débordements. Les manifestants se mirent à secouer la voiture. J'entendais le bruit des placards s'abattant sur le toit, les injures qui fusaient.

– Laissez-moi sortir Maurice, je vais me rendre à pied.

– Non, M. Péladeau m'a demandé de vous laisser devant l'estrade et ce sera devant l'estrade.

– Mais ils vont briser la voiture. Les vitres sont teintées. Ouvrez-les pour qu'ils sachent qui je suis.

– Ne bougez pas et ne vous inquiétez pas. La police s'en vient.

Six policiers à moto, gyrophares allumés et sirènes hurlantes, ont alors encerclé la voiture pour la conduire à l'entrée. Eux aussi croyaient qu'il s'agissait de M. Mulroney.

De loin, je pouvais apercevoir les ministres ajuster leurs vestes. M. René Lévesque s'approchait du tapis rouge, les photographes se positionnaient. Je ratatinais à vue d'œil. Pas très loin derrière, cramoisi de plaisir, Péladeau riait, asséchant d'abondantes larmes avec un mouchoir de soie récupéré de la pochette de son costume, les épaules emportées par une sorte de houle à faire couler le Titanic. Jamais je ne le reverrai rire de si bon cœur. Plus tard, il me confiera que pour ne pas gâcher son plaisir, il n'avait rien fait pour dissiper le quiproquo.

– La plus belle entrée, c'est toi qui l'a eue, me dira-t-il. Tous les autres croyaient l'avoir, mais c'est toi qui l'as eue !

Je venais, bien involontairement, de faire le bonheur de sa journée.

Aimer Pierre était facile. On ne peut pas nécessairement dire qu'il vous le rendait bien. Ses sentiments, du moins, prenaient rarement le chemin des grandes déclarations. Il aimait ou n'aimait pas. À vous de deviner.

Pierre ne savait pas percer à jour les sentiments, les décoder, les comprendre. Il ne l'a jamais su. En avait-il peur ? Oui, peut-être ! À sa manière, il les manifestait à travers des compliments, des gestes concrets, des cadeaux-surprises. Il était, par exemple, totalement démuni, incapable d'agir devant les besoins affectifs de ses enfants. On ne devinait l'ampleur de ses sentiments qu'aux attentions qu'il nous portait. Du temps, il n'en avait pas. Deux rendez-vous en une seule semaine, c'était déjà une belle déclaration d'amour. Encore fallait-il s'en accommoder.

Je devais accompagner Pierre pour un moment de repos, une rare semaine de vacances dans l'île de Saint-Barthélemy. C'était ma toute première invitation à le suivre. Pour sa part, il avait dû devancer son départ, mais m'avait donné rendez-vous à l'aéroport de l'île, un samedi matin. Mon billet m'avait été livré la veille par son homme de confiance. J'allais me mettre au lit ce soir-là, exaltée par cette nuit promise à un réveil féerique, quand le téléphone sonna. C'était Pierre.

– Danielle. Prends ton billet, invite une amie et rends-toi à Saint-Barth. Mets tout sur mon compte, passe une belle semaine. Je ne peux pas y aller. Des événements graves m'obligent à rester à Montréal.

Le voyage n'avait plus de sens à mes yeux. Je suis restée chez moi, malgré l'alléchante invitation. J'avais tant rêvé de ce séjour. Mais j'ai refusé son offre et n'ai pas fait le voyage malgré tout.

Au téléphone, il avait refusé de me donner des explications. J'étais terrassée. Il m'expliqua plus tard, beaucoup plus tard, que son ex-femme, alertée par ma présence lors de ce voyage, séparée de son amant (mon ex), et alarmée par son avocat qui lui prédisait des jours sombres si elle ne se soumettait pas au principe du droit du divorce selon lequel la femme-ne-doit-pas-quitter-le-domicile-conjugal-quoi-qu'il-arrive, avait décidé de réintégrer le foyer. Elle exigeait de Pierre qu'il rejoignît immédiatement le domicile familial, ce qu'il fit, s'épargnant ainsi quelques désagréments tout en s'assurant de l'agréable retour des enfants à la maison ! M'avait-il dit cela pour apaiser ma déception, pour mettre un baume sur mes sentiments qu'il venait de mettre en pièces ? Je ne le saurai jamais.

Au moment de son désistement, son intention avait été de prendre les problèmes un à un et de remettre les explications à plus tard, mais je ne lui en ai pas laissé le temps, en entrant dans une colère dont il a eu à subir les soubresauts.

Pour lui, il était primordial de revoir et de ravoir ses enfants. Rien d'autre ne comptait. Me sentant mise à l'écart, en plus d'avoir été cavalièrement remerciée, je ne compris pas ses motifs et je lui en voulus.

Quelques jours plus tard, assise au bar du Ritz, je le vis entrer pour un dîner d'affaires dans la salle à manger attenante. Mon sang ne fit qu'un tour. Toujours en possession du billet, que je tenais à lui remettre à tout prix, je fonçai vers sa table et jetai l'enveloppe dans sa soupe en lui lançant que jamais je n'accepterais sa charité, ni ne l'obligerais à se séparer d'un seul de ses précieux dollars. J'ajoutai qu'il ne méritait pas mon attention et, par le regard, rajoutai quelques onces de mépris, je crois.

Il était manifeste que j'interrompais une rencontre importante. C'est d'ailleurs l'invité qui eut l'air le plus ahuri. Pierre m'avoua plus tard que mon attitude lui avait fait mal. Mal à qui ? À quoi ? À lui ? À moi ? À l'ego ? Mal d'avoir perdu la face devant son invité ? Mal de m'avoir fait de la peine ? Ou toutes ces réponses à la fois ?

Je lui écrivis ensuite une lettre, qui sera à l'origine de ce livre, comme le relate le prologue. Pierre comprit enfin l'ampleur de la peine que sa décision aussi spontanée qu'indélicate m'avait causée, et ne m'en voulut jamais pour cet esclandre. Au contraire, il s'amusa longtemps de ma rage, soulignant souvent, avec ironie, l'absurdité de mon geste.

Nous sommes restés de bons amis, éternellement complices. Mieux que cela, je crois. Mais comment nommer un sentiment qui n'englobe ni la passion ni les blessures et exigences de l'amour ? Un sentiment qui ne provoque qu'une belle grosse boule de tendresse et de chaleur quand on pense à l'autre, avec l'infinie certitude que quoi qu'il arrive, l'ami est là. Pour moi, ce sentiment est bien plus fort que l'amour, car il est inconditionnel. Seigneur, trouvez-moi un mot qui puisse exprimer d'un seul souffle le don, l'abnégation, la fidélité ! Si ce mot existe, il n'appartient qu'à Pierre.

Et pourtant, pour beaucoup d'autres, Pierre était un homme qu'on adorait haïr : un être despotique, manipulateur, fourbe, rigide et vulgaire en public. Il pouvait afficher une arrogance qui eût fait croire qu'il se prenait pour Dieu. Ma foi, je l'ai cru moi-même plus souvent qu'à mon tour et – mieux – il me l'a parfois prouvé. Je l'aimais infiniment. Il me le rendit infiniment.

Comme tout le monde, j'appris la nouvelle de son malaise par les médias. Une semaine auparavant, il m'avait confié ne pas se sentir bien.

– Je ne sais pas ce que j'ai. Des étourdissements. Je suis fatigué. Je passe des tests. Ça va aller mieux si je me repose un peu.

Cela lui ressemblait si peu. Je ne l'avais jamais vu inquiet. Pour sa famille, pour un ami malade, pour les autres, oui. Jamais pour lui-même. Malgré son état, il avait trouvé le temps de me demander d'appeler sa secrétaire pour qu'elle nous réserve un déjeuner ensemble la semaine suivante. Je m'en réjouissais, mais cette rencontre n'a jamais eu lieu.

Moi qui ne l'avais que rarement visité à l'improviste, j'eus le courage, quelques jours avant sa mort, de me présenter à l'hôpital vers 23 h, croyant à ce moment pouvoir être seule avec lui. Pierre Karl et deux de ses enfants étaient là. N'ayant jamais établi avec eux de communication très étroite sur les rapports véritables avec ses femmes, sauf évidemment ceux de l'anecdote, et eux ne connaissant pas la nature de mes relations avec Pierre, je ne voulais pas les agresser par ma présence. Mais, bien que consciente de leur imposer une visite qu'ils auraient pu percevoir comme déplacée en ces derniers moments d'intimité, rien n'aurait pu m'arrêter. On m'accueillit pourtant sans problème et c'est sans encombre que je franchis le service de sécurité.

J'arrimais ma main à celle de Pierre, sa main enfin libre de toute impatience, de toute réserve. Les moments les plus mémorables que j'ai passés avec lui resteront sans contredit ceux que j'ai vécus à son chevet, au moment de son combat contre la mort.

J'ai fait pour lui ce qu'il m'avait appris si souvent à faire pour les autres : assister un ami dans son départ. Il devait être fier de moi, car je n'ai pas eu peur. J'ai tenu sa tête qui s'abandonnait enfin, caressé son front, embrassé ses joues. Je lui ai parlé comme il m'avait appris à le faire. Mais, à l'encontre de l'exemple de sa belle maîtrise de soi au chevet des mourants, je n'ai pu m'empêcher de noyer ses draps de larmes, de toutes les peines que je n'avais plus la force de retenir. J'ai senti sa pensée me demander de le laisser partir vers cette belle dame blanche qui lui réservait enfin la paix.

Avec Pierre Karl, aussi à ses côtés, nous avons tenu en même temps, dans un silence d'union parfaite, les doigts de celui qui n'avait pas su caresser ses enfants, mais qui n'avait plus, le sentions-nous, peur de recevoir notre tendresse.

J'ai eu cette chance immense de voir son fils en paix après tant de rigueur, de petites et grandes guerres au quotidien. J'ai assisté à un moment d'abandon, d'autant plus unique que je ne l'en avais pas cru capable. Je l'ai perçu à la façon qu'avait

Pierre Karl de pencher la tête, comme lui, sur l'oreille. Je l'ai deviné dans ses regards doux et inquiets qui voulaient repousser l'inévitable. Et je l'ai cru chaque fois qu'il me disait:

– Ne pleure pas Danielle, il n'aimerait pas ça. Il se repose. Il va se réveiller bientôt. Tu le connais, c'est un *fighter*.

Et moi de lui répondre en souriant tristement:

– Profitons-en. Pour une fois, il ne chicanera pas!

Ses enfants, il les aimait tous individuellement, il me l'a dit et répété encore et encore. Souvent, je regrettais amèrement ses confidences, sachant combien elles auraient pu effacer leur tristesse. Mais il aimait Pierre Karl plus que tout, car il était le plus rétif à sa loi.

Ce soir-là, j'ai senti le poids de la charge que Pierre Karl s'apprêtait à prendre sur ses épaules. Mais surtout, j'ai senti le transfert du pouvoir d'un père à son fils. Le pouvoir de Pierre qui, en disparaissant, allait rendre le fils adulte, responsable et libéré de ses balises. Pour avoir sans doute tant voulu ce rapprochement dans ses moments de désespoir, de guerre de territoire avec son père, l'inévitable adieu le fragilisait. Regrettait-il déjà le temps perdu à ne pas avoir su comment l'atteindre autrement que par la rage? Pierre n'a pas raté son départ. Ni son fils. Ils étaient, à bien des égards, pareils tous les deux.

Lorsque le décès de Pierre fut finalement annoncé, j'écrivis dans mon cahier de confidences: «Au moment où j'écris ces lignes, on est le 25 décembre 1997 et le ciel vient de me tomber sur la tête. Pierre, mon ami Pierre, mon bel amour de toujours, vient de mourir. Tombé dans le coma le 2 décembre, j'avais l'ultime conviction qu'il reviendrait à la vie avec, au coin des yeux, les petits plis de malice qu'il affichait lorsqu'il nous avait fait un mauvais coup. Si les larmes que je verse en ce moment, au risque de faire sauter le clavier de mon ordinateur, pouvaient raconter la tendresse de cet homme et celle, inconditionnelle, que j'ai pour lui, c'est sûr j'emplirais un océan. Tu me manques Pierre. Je pense à toi souvent, mais je ne sais toujours pas comment te prier même si j'en ai besoin. Et c'est bien la seule chose que tu n'as pas réussi à m'apprendre… merveilleux vieux fou. »

Mon fils

Il a été conçu un soir de canicule, un 14 juillet, au milieu des feux d'artifice de la fête nationale des Français. Nous avions mis le matelas sur le balcon de l'appartement pour pouvoir contempler le Mont-Royal enjolivé par la fête. À minuit, je l'ai su tout de suite, son père étant Français, que la France avait gagné! De toutes nos rencontres, celle-là allait donner naissance à mon fils. Ce ne fut à ce moment-là qu'une pensée furtive mais, sans nécessairement souhaiter ce dénouement, je m'étais dit que si cela devait être, cela serait! Je n'allais pas me désister une seconde fois face à la promesse d'un être à venir. Car il y avait eu une autre fois.

En fait, c'était une pure folie. J'étais, bien sûr, amoureuse du père et, comme dans tout conte de fées, certaine qu'il n'allait pouvoir s'empêcher de changer avec la venue du petit. Je savais aussi que j'allais, à 19 ans, anéantir tous les rêves de ma mère, mais bon… J'avais tellement soif de vivre à ma manière, et je ne voyais finalement dans cette décision que l'expression de mon choix. Mon fils allait naître le 6 avril 1967.

Je savais déjà, très jeune, qu'il existait une alternative quant aux enfants: les avoir tôt dans la vie et profiter d'une plus grande liberté vers la trentaine ou s'assurer d'abord de la présence de l'« âme sœur » et, vers la quarantaine, s'offrir l'enfant de la maturité.

Ma mère s'était mariée à 30 ans, m'avait eue un an plus tard et s'était ainsi vue « libérée » à l'aube de la cinquantaine, la jeune vieillesse, selon ses critères. Avec quatre enfants à élever, elle n'avait pas eu le loisir de profiter de sa jeunesse. Était-ce là son bonheur ? C'était du moins le devoir qu'on s'imposait à l'époque. Mais la rage qu'elle mit plus tard à m'apprendre à vivre libre en dit long sur ses vrais rêves.

Michel D., Alsacien d'origine, le père de l'enfant à venir, était mon aîné de quelque six ou sept ans. Il acceptait de reconnaître l'enfant et, dans ma naïveté, je me crus acceptée, moi aussi, avec le « cadeau ». Erreur ! Mais je l'ignorais.

Le temps et les événements allaient bien me le faire comprendre mais, en attendant, il fallait annoncer la « bonne nouvelle » à ma famille. Je n'y arrivais pas. Il n'aurait pas été question d'ailleurs de la leur dévoiler plus tôt, ils m'auraient demandé d'avorter. Ils me le dirent par la suite. Ce n'est que devant l'évidence de mes six mois de grossesse révolus qu'ils se résignèrent à établir un plan d'action, en vue du « bien » de la famille.

Au sens de la loi, j'étais mineure et encore soumise à la volonté de fer de mes parents, bien déterminés à me faire subir, jusqu'à l'aube de mes 21 ans, leur indéfectible joug parental. Ce n'était pas malveillance de leur part ; ils agissaient par amour et par sens du devoir.

Je nous revois encore aujourd'hui, ma mère et moi, debout dans la cuisine, elle me demandant d'un air anxieux : « Serais-tu enceinte par hasard ? »

Le hasard, malheureusement pour elle, n'avait rien à voir là-dedans. Elle s'était mise à pleurer avant même d'avoir obtenu une réponse. Cela m'avait tellement touchée que c'est à cet instant que j'ai compris, pour la première fois, l'ampleur de ma bêtise. Il me fallait maintenant affronter la tourmente que j'avais créée. Jusque-là, j'avais agi comme si cet enfant n'existait pas. Il fallait me ressaisir et tenter quelque chose. Mais, inconséquente, je repoussais l'échéance à plus tard. Mon bébé allait venir. Je l'aimais déjà très fort. J'étais convaincue que lorsqu'il arriverait, mes parents allaient me permettre de vivre avec Michel et que tout se terminerait sans doute par un mariage. Bref, tout rentrerait dans l'ordre. Malheureusement, c'était sans compter les interdits de l'époque et les valeurs traditionnelles de ma famille.

Nous étions en novembre. Michel devait rencontrer mes parents à la maison. La rencontre promettait d'être fort animée, mais il nous fallait passer par là. En ayant été exclue, j'ignore la nature de l'entretien, mais, comme ils l'avaient fait avec moi, ils ont dû lui faire valoir que j'avais des frères et une sœur que le scandale risquait d'éclabousser, sans compter les autres membres de la famille : les oncles, les tantes, les grands-parents. Mon grand-père Ouimet en particulier avait une réputation de « terreur » face à ce genre de scandale. Par ma faute, la famille fautive risquait d'être « déshéritée ». C'est ainsi que les choses se passaient, du moins dans ma famille. Sans compter cette carrière prometteuse qui s'ouvrait devant moi et que mon inconduite risquait irrémédiablement d'entacher. J'avais tout intérêt à m'éloigner, afin d'accorder à chacun un temps de réflexion avant toute prise de décision concernant l'avenir. Avions-nous l'intention de nous marier ? Mes parents nous conseillaient fortement d'attendre. Il serait grand temps, à mon retour, de décider de la meilleure solution.

Sur la proposition de Michel, de mon père et de ma mère, il fut décidé de m'envoyer en Europe, pour que j'aille cacher mon infortune en exil. Il le fallait à tout prix. Mais il y avait un hic, un très gros hic ! Michel avait quitté l'Europe et négligeait depuis longtemps de donner signe de vie à ses parents. Noël était là. Il devait les appeler pour leur souhaiter de joyeuses fêtes et, en même temps, mine de rien, leur avouer candidement :

– J'ai rencontré une fille qui s'appelle Danielle. Elle a 19 ans. Elle est enceinte de moi et vous seriez chouettes de l'accueillir jusqu'à l'accouchement, en avril.

C'est dans ces circonstances que j'ai foulé le sol français pour la toute première fois le 27 décembre 1966. Monsieur D. père était venu m'accueillir à Orly. Nous avions ensuite pris le train pour la Côte d'Azur pour y passer le Nouvel An ; mais Strasbourg, en Alsace, devait être ma destination finale. À peine eus-je le temps de voir Paris entre Orly et la gare ; nous devions tout de suite partir, car des amis de la famille nous attendaient à Nice.

Les fêtes passées, j'allais découvrir mon univers pour les mois à venir : un superbe appartement décoré de magnifiques armoires anciennes, situé au 2, quai aux Sables, Strasbourg, face à l'Ill, à deux pas de la cathédrale, presque dans la cour du palais Rohan. Mon refuge y serait une chambre tapissée de livres non moins anciens. J'allais devoir y vivre en m'y faisant la plus petite, la moins visible possible. En fin de compte, mon arrivée ne s'était pas si mal passée. Vous dire qu'on m'attendait avec bonheur relèverait de la plus pure exagération. Mais j'avais remarqué à la tête de mon lit, en une explosion de couleurs, sur une table de bois octogonale, un petit bouquet d'anémones roses, violettes et rouges qui, à lui seul, présageait, à mon avis, du bonheur à venir.

Des deux côtés de l'Atlantique, il avait été convenu qu'on « contrôlerait » le scandale. En conséquence, je devais prétendre avoir épousé Michel sans en avoir averti nos familles respectives, être tout de suite devenue enceinte et désirer à tout prix que mon enfant soit français, comme son père.

Ma mère m'avait donné l'une de ses bagues qui devait faire office d'alliance. Pour ajouter à la crédibilité de cette fable, je devais démontrer une certaine familiarité à l'égard de ma

« belle-famille », même si je venais à peine de la rencontrer. Pourtant, malgré mes efforts de chaque instant, la tempête avait éclaté dans la voiture, au retour de la réception du Nouvel An : je n'avais pas tutoyé ma belle-mère à table, et ne l'avait pas appelée Marianne. J'étais dévastée. Tant d'animosité ! Je n'avais pas l'habitude de ces colères explosives. Chez moi, il n'y avait jamais eu de cris ni de paroles blessantes, jamais d'accusation. Il y avait des ordres, certes, mais pas d'agressivité. Dès lors, si j'avais pu me fondre dans la tapisserie, je l'aurais fait. Je m'en voulais de manquer du cran nécessaire pour quitter cette maison et me débrouiller toute seule, mais j'étais arrivée en Europe sans le sou ou presque, ayant donné à mes beaux-parents le maigre pécule dont je disposais. Mon indigence, au cœur même de cette existence dorée, m'astreignait à nombre de contraintes, ne fût-ce que pour le bébé. De ce fait, avant même de partir, on décidait de tout pour moi, à commencer par ma tenue vestimentaire. C'était l'époque des minijupes et des minirobes. Hélas, je n'avais rien d'autre à me mettre sur le dos ! Il devenait impératif de m'acheter un ensemble de maternité, avant qu'on ne voie le fond de ma culotte dans cette petite chose qui me tenait lieu de robe et qui changeait de forme au gré de la croissance de ma « bedaine ». Je n'en ai eu qu'un seul, rouge lie-de-vin, et rien d'autre.

Et j'eus froid comme jamais je n'avais eu froid de toute ma vie sur terre. L'hiver est infernal à Strasbourg. L'humidité me perçait les os jusqu'à la moelle. Mais j'aurais préféré me faire écorcher vive plutôt que de demander ne serait-ce qu'un tricot à ma fausse belle-mère qui, par ailleurs, me bichonnait de son mieux. Le soir, je filais très vite sous les édredons, prétextant un repos nécessaire au bébé, pour me gaver à satiété de ces livres magnifiques qui ornaient la chambre du fond et de chaleur. Enfin l'oubli, la diversion.

C'est là que j'ai lu la série complète des *Histoires d'amour de l'histoire de France*. Je me souviens également, avec beaucoup d'émotion, du récit de la vie d'un homme dans les camps de concentration. Tout y était décrit au quotidien. L'horreur! En fait, il s'agissait d'un manuscrit authentique, jamais mis en marché. Ces notes, cachées dans un matelas de prisonnier pendant la guerre, avait été soigneusement écrites par ce survivant, qui en avait donné des copies à sa famille pour que jamais ils n'oublient. Marianne m'avait confié sa haine des Allemands, ces gens qui avaient disséminé une partie de sa famille, qui avaient tué son frère à la guerre.

Par la force des choses, elle et moi étions devenues indispensables l'une à l'autre. Je m'ennuyais des miens. Elle était toute ma famille. Cette femme fabuleuse, couvrant la bêtise de son fils et la mienne du mieux qu'elle le pouvait, a incarné la mère attentive que j'aurais tant aimé avoir près de moi. C'était elle qui regardait avec tendresse et affection pousser l'enfant dans mon ventre. C'était beaucoup. En tout cas, c'était beaucoup plus que ce que faisaient mes parents.

La vie se poursuivait, monotone, sans qu'aucun de mes besoins, de mes rêves ne soit satisfait. Je souffrais de l'absence de mes parents et de celle du père de mon enfant, de ses caresses sur cette rondeur où grandissait « ma merveille », de ses regards fiers de futur papa, attentif au moindre désir de la femme qui porte son enfant. Et que dire de ceux qui aurait dû être au comble du bonheur de voir leur fille si belle et éclatante. Jamais ils ne m'ont demandé ce que je désirais vraiment. Jamais ils n'ont manifesté le désir de m'aider autrement qu'en m'envoyant en exil, moi qui avais toujours cru que l'amour des parents pour leur enfant devait triompher de tous les mauvais moments, qu'il suffisait d'écouter son cœur pour faire régner l'harmonie.

J'étais loin de l'homme que j'aimais, sans mariage en vue, loin des miens qui refusaient leur rôle de protecteurs, loin de mon quotidien, de mes amis, de mes habitudes… Et personne pour répondre aux questions que l'on se pose dans les moments d'incertitude d'une première grossesse. J'étais auprès de purs inconnus qui me soutenaient comme si j'étais leur fille. Le monde à l'envers, au cœur de ma vie, qui l'était tout autant.

À Strasbourg, on m'avait inscrite à des cours d'« accouchement sans douleur », donnés à la faculté de médecine.

Je ne connais pas l'imbécile qui a inventé ce nom, mais il mériterait de passer par les affres d'un accouchement. La technique n'en était à l'époque qu'à ses balbutiements, et je leur servais de cobaye. Une fois par semaine, Marianne me déposait à l'hôpital. J'attendais avec bonheur ces moments de liberté où je me retrouvais, pour quelques heures, livrée à moi-même. C'était ma seule évasion hors les murs de la maison. Il m'arrivait de me charger des courses, mais Marianne préférait généralement m'accompagner.

J'avais tout de suite aimé la France. Viscéralement ! Quoi de plus normal, puisque j'y retrouvais toute l'essence de mes études à Marie-de-France et au Collège français de Montréal. Sise près des frontières allemande et française, Strasbourg est une ville magnifique, reconnue pour son raffinement, sa culture, son savoir et sa gastronomie. J'étais comblée. Mes « envies de femme enceinte » se traduisaient par des montagnes d'escargots à l'ail, suivis d'oranges givrées – oranges évidées de leur pulpe, puis remplies de sorbet. Repue, couvée, protégée, je m'endormais chaque soir dans cette douillette quiétude, fermant les yeux et m'abandonnant au rêve, au son du tintement des cloches de la cathédrale.

Puis, tout finit par arriver. Il était 5 h du matin quand des pleurs d'enfant m'ont réveillée. On était le 6 avril. J'attendais mon enfant pour le 10. Je me suis approchée de la fenêtre d'où m'arrivaient ces bruits confus pour m'apercevoir qu'il s'agissait de cigognes juchées sur le toit. C'était la première fois de ma vie que j'en voyais. Et c'est le moment précis que choisit la nature pour me faire perdre mes eaux.

Je sais maintenant pourquoi on dit que les cigognes apportent les enfants. Elles « pleurent » comme eux. Je me suis recouchée. Après tout, il serait bien temps de me lever lorsque ça ferait mal.

Vers les 7 h, je me suis préparée et suis allée prendre un bain. Ce fut là, dans la salle de bains, inquiète, que Marianne m'a retrouvée. Elle avait déjà été infirmière et ce genre de chose ne la démontait pas outre mesure, mais cette fois c'était son premier petit-enfant. Elle voulut sans plus tarder me déposer à l'hôpital, le temps de faire jouer une dernière fois ses influences auprès de connaissances de la famille pour que je sois admise en tant que « femme mariée » – toujours pour éviter le scandale. On m'installa dans une chambre et je commençai mes exercices de respiration.

Vers les 15 h, une infirmière me fit comprendre qu'il était temps d'entrer en salle d'accouchement. Tous m'avaient abandonnée. L'infirmière me laissa dans le corridor avec de vagues explications, seule avec ce « ventre en bataille » à surveiller et des contractions qui, malgré tout, ne m'arrachaient pas encore trop les entrailles. Elle m'indiqua cependant comment faire pour atteindre, trois paliers plus bas, le « centre de toutes les douleurs ». Miraculeusement, je ne me suis pas perdue ! En arrivant au dispensaire, on m'administra une piqûre pour accélérer le travail. La carmagnole commençait.

Dans une pièce longue, entièrement vitrée, on m'allongea sur un petit lit simple. En étirant le cou, je pouvais voir la tête des gens dans la rue. Pas d'étriers, pas de mur de séparation entre les parturientes, et un paravent entre nous qui n'étouffait aucun son. Deux autres femmes occupaient la salle. Elles criaient comme des cochons qu'on égorge. Pas encore au faîte de la souffrance, je me souviens m'être étonnée de tant de relâchement. Je n'allais comprendre la douleur que quelques heures plus tard.

Je voulais être brave jusqu'au bout. À défaut d'avoir Michel, ma mère ou Marianne auprès de moi, je voulais qu'on leur dise que j'avais été parfaite. Pur orgueil et, grand bien m'en fît, car la « parfaite petite maman » avait été choisie par le médecin qui donnait les fameux cours, réputés pour éviter la douleur, comme cas clinique auquel assisterait sa classe de gynécologues en études terminales.

Il se pointa en plein travail pour obtenir mon consentement ! Ce n'était pourtant pas le moment et j'imagine qu'il dut prendre mes deux respirations maintenues, suivies de trois râles étouffés pour un acquiescement. C'est alors que je vis une dizaine de têtes curieuses se déplacer vers « le siège de ma conception » pour assister à ce qui allait être leur premier accouchement.

Mon enfant, je l'ai vu naître à travers les yeux de ces parfaits inconnus. Mais pour l'instant, et malgré mes efforts, ce petit bout de moi, qui devait se présenter rapidement, tardait à venir. Éventuellement, j'allais voir la « binette » du médecin se décomposer et l'entendre dire à la sage-femme qui m'assistait qu'il fallait me faire une incision. Prise de panique devant cette sainte sommité qui la prenait en défaut et n'ayant pas le temps de m'insensibiliser par des piqûres, elle a approché le scalpel et m'a dit de la prévenir au moment de la prochaine contraction, parce qu'en principe, en contraction, je ne devais rien ressentir au moment de l'opération. Relâchant mon souffle pour arrêter de pousser, je lui ai fait signe que j'avais bien compris. Mouvement qu'elle prit pour un : « Oui, allez-y ! » J'ai alors senti une lame brûlante m'ouvrir, comme si le nombril était sa destination finale. Du coup, mon fils a fusé hors de moi, si vite qu'on dut le retenir à huit mains pour l'empêcher de s'écraser au sol. En fait, on l'a rattrapé par la jambe. Dans la salle d'accouchement, l'un des étudiants venait de perdre connaissance, tandis qu'une autre pleurait. Tout cela pendant que les deux infirmières qui me tenaient les jambes essayaient de redresser leurs toques. Je les avais toutes deux expédiées au plancher au moment de l'« éventrement ».

Une nouvelle vedette venait de naître. Comment voulez-vous qu'il en soit autrement ? Ce n'était pas une naissance ordinaire. On m'a dit que c'était un garçon. Je le savais. Je n'en avais jamais douté une seconde. Il s'appellerait Marc.

Quelques heures plus tard, on m'apportait ma petite boule blonde dans cette chambre où je devais rester une semaine. Heureusement que mon « beau-frère », François, m'avait apporté des livres. Ma belle-mère m'offrit une merveille : un landau anglais de couleur marine. J'habillai mon fils de ce qu'on appelle en France une petite brassière (au Québec, une camisole) de laine que j'avais tricotée moi-même avec l'aide de Marianne.

Une première grande déception m'attendait en ce premier jour qu'on affirme être, avec le mariage, le plus heureux de sa vie. Je reçus un télégramme de Michel me disant : « Félicitations, je t'appelle ce soir » et de mes parents à Montréal, une autre missive qui ajoutait : « Prompt rétablissement ! » Voilà, j'avais été malade ! C'était aussi simple que ça ! Dans leur tête, que j'aie donné la vie n'était qu'un événement momentané qui, comme tout le reste, devait passer, j'imagine !

En attendant je regardais cette petite chose si parfaite et interrogeait son regard : « Qu'est-ce qu'on va bien pouvoir faire tous les deux ? Où aller ? Quelle sera notre vie ? De quoi as-tu besoin ? » Je n'avais pas l'ombre d'une réponse. A-t-on ce genre de réponse à 19 ans ?

De ce jour du 6 avril jusqu'à mon arrivée à New York, trois semaines plus tard, j'ai bien dû élaborer cent scénarios par lesquels je m'enfuyais avec lui. Je me trouvais un travail et trouvais quelqu'un pour s'en occuper le jour. On serait pauvres, mais ensemble, plutôt qu'avec ceux qui nous avaient si mal aimés, lui et moi. Ou trop, c'est selon.

Puis, je me mettais à penser à la peine que j'infligerais à tous ceux-là qui avaient voulu, à tort ou à raison, agir dans mon intérêt. Ma peine à moi ne comptait pas, puisque j'avais « fauté ». Je songeais aussi à l'injustice de séparer un enfant de son père, au bannissement que je ferais subir à mes parents et, surtout, au déchirement qu'il me faudrait faire subir à la famille qui l'avait vu naître et l'aimait déjà, indiscutablement plus que la mienne. Je n'ai pas pu.

Entre-temps, « on » avait décidé de le prénommer Jean-François. « On » n'aimait pas mon choix. On me fit comprendre que le choix du nom d'un enfant devait se faire, idéalement, dans la tradition. Ses oncles paternel et maternel s'appelaient François. Donc « on » trancha pour Jean-François.

Oui, vous avez bien lu, je suis rentrée au pays par New York. Dans leur paranoïa, mes parents n'avaient pas trouvé meilleure précaution pour parer au scandale. On craignait qu'un douanier ne s'avise d'alerter la presse. Comme je devais déclarer mon fils à l'arrivée pour qu'il obtienne sa double nationalité, le secret risquait d'être découvert. Comment ne pas me reconnaître, moi qui avais été hôtesse à *La poule aux œufs d'or*, et rien d'autre ? Ma famille prenait aussi très au sérieux mon titre de Miss Province de Québec et n'avait pas vu d'objection à ma participation au concours de Miss Canada, où je descendis la passerelle enceinte de quatre mois... Mais à ce moment-là, et à leur décharge, ils ignoraient encore ma grossesse. Il n'avait donc pas été question d'avouer l'impensable à la famille : oncles et tantes, frères et sœur. Pour eux, j'étais partie en Europe étudier le dessin de mode !

Je me souviens de mon arrivée aux États-Unis comme si c'était hier. Seule aux douanes, quelques secondes avant de les revoir, je me suis dit : « C'est maintenant ou jamais ! » La main sur le landau, j'ai suivi le corridor menant à l'extérieur, hors de leur champ de vision. Mal m'en prit puisque, au contraire, ce couloir menait directement vers eux.

Tandis que Michel contemplait son fils et l'embrassait pour la première fois en remarquant son drôle de petit nez en trompette, mes parents « s'occupaient » déjà de moi. Et le terme est faible ! J'allaitais mon fils. Selon eux, il me fallait tout de suite arrêter ça. On m'emmena sur l'heure dans un hôpital new-yorkais, où l'on m'administra un médicament destiné à tarir la montée de lait tout en me comprimant la poitrine en complément du traitement. Mon fils fut placé dans une pouponnière – choisie avant mon arrivée à Montréal – sous la supervision d'infirmières spécialisées. Pour lui rendre visite, dans cet endroit aseptisé de tout et même de sentiments, il me fallait me déguiser en momie : sarrau, masque sur la bouche, chaussettes spéciales, cheveux tirés et double lavage des mains. Les heures étaient réglementées. Déjà, cet enfant était de moins en moins le mien.

Je suis retournée vivre chez mes parents comme si rien ne s'était passé. Le mariage ? « On verra plus tard… si c'est vraiment ce que tu veux. » Prendre l'enfant avec moi ? Il n'en était pas question. Par contre, on me permettait de passer les fins de semaine chez Michel. L'appartement était grand, mais le mobilier se réduisait à un lit, une table à cartes empruntée à mes parents, des fenêtres sans rideaux, et des étagères de planches supportées par des briques empilées les unes sur les autres. Il n'y avait pas de télévision et encore moins de berceau. Schnoupi (surnom alsacien qu'il porte encore et qui veut dire petit enfant) dormait dans son landau anglais. Dans cet appartement, je n'y avais pas, davantage que lui, ma place. Rien dans ce lieu qui puisse dégager un parfum, une saveur, une intention de *nous*. Michel était professeur, avec un salaire de professeur, en un mot pas le Pérou. Comme il fallait partager les dépenses, il me fallut trouver du travail immédiatement. La garderie revenait à 60 $ par semaine, montant exact de mes gages hebdomadaires.

Il nous fallait sortir pour travailler et travailler pour payer la garderie.

L'agence d'Élaine Bédard, fort heureusement, m'envoyait à nouveau passer des auditions. J'en profitai également pour réclamer le prix offert par CJMS, à l'époque du concours Miss Province de Québec, et qui m'assurait du travail pour un an à la station. C'est ainsi que je devins l'« agent secret 1280 », en charge des rapports de circulation, deux fois par jour. Je devais me lever à 5 h, prendre le métro pour être à mon poste à 6 h 30. Même scénario le soir, où j'accomplissais le même travail de 16 h à 18 h. J'étais crevée.

Michel et moi n'étions pas des amants unis, nous n'étions même pas doués pour l'amitié et encore moins pour le rôle de parents. Nous nous retrouvions à l'appartement, totalement désœuvrés, sans argent, démunis, sans habitudes de vie avec, pour tout loisir, un enfant à sortir de la garderie les fins de semaine et à découvrir en deux jours seulement... Les tracasseries, les batailles et les affrontements verbaux, les protestations violentes fusaient facilement. Espérant absolument poursuivre mon métier d'artiste et m'attendant à un appui de sa part, je ne rencontrais qu'un mur d'indifférence. Mon manque de sérieux, de culture et mes idées de grandeur le décevaient au plus haut point, alors que ses remarques incessantes à mon égard m'horripilaient. Immature et désemparée par cette vie sans balises, je n'avais que le reproche au bout des lèvres. Michel en était venu à m'éviter quand je rentrais. Je ne pouvais que lui déplaire. Il attendait à son tour *sa* délivrance. Éventuellement, il se mit à invoquer des réunions de professeurs à propos de tout et de rien. Et pour comble, en arrivant chez lui les fins de semaine, je devais remplacer la femme de ménage qu'il n'avait pas. Ce faisant, je retrouvais des châles et des vestes de laine, des bijoux et du maquillage appartenant à d'autres femmes.

Laissée seule, avec un enfant que je ne découvrais qu'à l'instant de ces visites, et dans des conditions qui ne m'apportaient aucun espoir d'un quelconque changement dans notre vie de couple, je commençai à trouver la tâche lourde.

Comment ça fonctionne un enfant ? Il pleurait ? Quoi faire ? Comment le nourrir ? Que faire pour le distraire ? Allergique à toute forme de discipline et d'entrave s'apparentant à celles que m'avaient imposées mes parents, j'accordais une liberté totale à mon enfant, qui prit vite l'habitude de n'en faire qu'à sa tête. J'étais à sa merci. Refusait-il de dormir, il me tenait éveillée jusqu'à ce qu'il ferme les yeux. Je me demande ce qu'il serait advenu de lui s'il m'avait été donné de continuer ainsi. Heureusement, Michel saisit la situation plus rapidement que moi. Il était impératif que quelqu'un réagisse devant tant de faiblesse. Fidèle à mon habitude, je me laissais guider et penchais du côté du vent comme le roseau. J'étais vide en dedans. Vidée par tant de soumission envers tous et chacun. Exempte d'émotions pour les autres, puisque les miennes n'existaient pas pour eux. Je me contentais d'être et de rêver que, plus tard, ce serait différent. C'était devenu mon but ultime.

Mes 21 ans arrivèrent enfin. J'allais gagner de l'argent, du moins, un peu plus. C'est alors que j'aurais pu réagir et reprendre mon fils. Je me suis contentée de marquer mon indépendance de toutes les façons possibles. Par le rejet, voire par des gestes hostiles envers mes parents, dans le seul but de leur démontrer que j'étais enfin libre de mes choix. Choix qui flirtaient obstinément avec la provocation. C'est ainsi que j'ai fait le film *Valérie* sans les avertir ! Bien sûr, ça les a bouleversés. On le serait à moins, me direz-vous ! Ils baissèrent les bras, se disant que m'ayant inculqué toutes les bases de la meilleure éducation, il fallait maintenant me laisser me débrouiller. Vingt et un ans ! La majorité enfin ! On lâchait le bateau en lui laissant une ancre trop lourde. La chaîne s'est rompue… Et vogue la galère.

Dès lors que le travail m'ouvrait d'autres horizons, je voulus réussir. Pas tellement pour plaire à mes parents, qui n'avaient jamais désiré autre chose, mais pour montrer à Michel qu'il n'était plus question, pour lui non plus, de décider à ma place.

Au début, mon métier l'amusait plus ou moins. Pour lui, ce n'était guère plus qu'une distraction. Avant la naissance du bébé, j'avais été hôtesse pour une émission de Radio-Canada. Je chantais également un peu par-ci, par-là. Il lui était même arrivé de m'offrir 100 roses d'un seul coup... qu'il ne payait pas, mais bon, l'intention y était.

Il trouva quand même moyen de mettre en évidence ma petite notoriété en réalisant son rêve de devenir éditeur. Il avait écrit un livre sur moi : *Danielle, ou comment on devient une vedette*, qu'il avait signé du pseudonyme Yves d'Aspre. Arrivé à l'épisode de l'enfant, il dut écrire que j'avais quitté le pays... pour épuisement ! Cette aventure ne me rapporta jamais l'ombre d'un premier sou, mais il semblerait que c'est ainsi lorsqu'on n'est pas l'auteur de son livre. Tenant compte de tout ce qu'il fit pour notre fils par la suite, sans mon aide, je suppose que c'était de bonne guerre.

À ses yeux, ma carrière ne pouvait être qu'éphémère. Plus je fonçais de l'avant, plus nous nous éloignions, inéluctablement.

À cause de son travail de professeur, Michel avait le grand avantage de pouvoir passer ses étés sur la Côte d'Azur, où ses parents possédaient une résidence secondaire, près de Nice. Jean-François partait avec lui. Mon petit poupon revenait doré à souhait, beau et blond comme une gerbe de blé mûrie par le soleil. J'acceptais son absence avec un immense soulagement sachant que, pour trois mois au moins, il lui était permis de connaître la normalité d'une famille équilibrée. Mais le plus grand chagrin de ma vie était à venir. Un mal immense, pour un bien immense.

Septembre était là et « mes hommes » allaient revenir. Michel m'avait appelée de France pour m'annoncer leur date d'arrivée.

J'étais à l'aéroport pour les accueillir, mais Michel m'avait réservé une surprise de taille: il rentrait seul au pays. Dans la voiture, il m'annonça qu'après mûre réflexion, il avait convenu, avec sa mère, que notre fils avait besoin de stabilité, de régularité, d'une vie avec des gens aimants autour de lui. En un mot, d'une vraie famille.

Marianne, qui avait passé quelque temps avec son fils à Montréal et qui était à même de constater que cet enfant, par l'inconstance de ses parents, se dirigeait vers des problèmes émotifs, avait proposé une solution. Elle garderait l'enfant en Europe.

– Il a besoin de quelqu'un qui s'occupe de lui au réveil, qui lui fasse son petit-déjeuner, qui lui parle, qui le nourrisse à heures fixes, et d'être ailleurs que dans une garderie, entre cinq ou six enfants qu'il connaît à peine, m'avait expliqué Michel. Il a besoin d'éducation, de discipline, de chaleur, d'un coin à lui. Il a besoin de dormir sous son toit. Il a besoin de sécurité. La vie n'est pas une garderie, Danielle!

Il avait raison. Infiniment raison. Mais je perdais mon enfant. Michel m'assurait que ce n'était que temporaire. Jean-François avait trois ans et, jouissant de la double nationalité, il pourrait venir passer les mois d'été à Montréal. De plus, il était question de le rapatrier pour ses sept ans, dès l'âge scolaire, alors que Michel pourrait, tous les matins, l'emmener avec lui au collège où il enseignait. Quant à moi, je pourrais toujours aller le voir à ma convenance, en France. Il ne semblait pas comprendre l'humiliation à laquelle m'exposait cette abdication, moi qui avais tant souffert de soumettre sa famille à l'inconfort de devoir héberger une étrangère tous ces mois ayant précédé mon accouchement. Ils avaient assumé gracieusement, certes, ces obligations dont ma famille s'était déchargée, et j'avais honte de leur en imposer davantage ou d'être perçue comme une mère incompétente. En outre, si je n'avais pas l'argent pour vivre avec mon enfant, comment en aurais-je davantage pour me payer des billets d'avion ? Si seulement il n'y avait eu que cela, mais « l'affaire Mastantuono » (dont l'histoire fait l'objet d'un chapitre de ce livre), qui impliquait une intervention musclée de la justice, était survenue entre-temps et j'y engouffrais tout l'argent nécessaire à ma survie. À cause d'éventuelles poursuites, qui pouvaient venir tant des États-Unis que de la France, je devais rester au pays sous peine de sanctions graves. Désireuse de ne pas alarmer inutilement ceux qui s'occupaient de Jean-François, je n'expliquais pas ouvertement les raisons qui me faisaient rester au pays. Quoiqu'il n'en ait pas eu tous les aboutissants, présageant tout de même de possibles représailles, Michel choisit mal son moment pour me demander de signer des papiers lui donnant entièrement la garde de notre fils, qui vivait toujours en Europe. Il prétendait que ce serait plus simple pour lui de l'avoir sous son entière responsabilité, plus sain également pour la vie de mon fils, en me libérant de mes obligations. Ce n'est pas tant de moi dont il avait peur, mais des actions possibles afférentes à Mastantuono. Vu sous cet angle, tout concordait à lui faire adopter une décision drastique.

Devait s'ajouter à cet arrachement une rupture de plus. Je reçus une lettre de Michel m'informant de dispositions prises dans l'éventualité de sa mort, selon lesquelles ses parents obtiendraient la responsabilité complète de Jean-François sans que j'aie le droit de m'y opposer. En France, Michel avait tous les droits. Il avait utilisé les dispositions d'un article de loi qui existait déjà en Europe à l'époque, mais que nous n'avions pas au Québec, selon lequel il est stipulé qu'un enfant ne peut voyager sans l'autorisation du père. Résidant en France, l'enfant tombait sous le coup de cette loi. N'étant pas mariée, je n'avais aucun recours.

Il me faisait ainsi comprendre que, pour sa stabilité, il ne souhaitait pas que notre fils revienne au Québec. Il avait peur sans doute que je le lui enlève. Comme il avait fait tous les gestes nécessaires à une bonne éducation, c'était de bonne guerre. Mais je n'avais plus d'autre solution pour revoir mon enfant que celle d'aller en Alsace, et je n'avais toujours pas l'argent.

Ce n'était pas tant le voyage que les dépenses liées à l'hébergement qui m'ennuyaient. Ces événements étaient postérieurs au tournage de mon film en Belgique et déjà tout l'argent que j'y avais gagné était dilapidé. Et je n'avais que mon travail à CFGL, à l'époque.

Évidemment, la famille de Michel m'offrait le gîte, mais je voulais être seule avec mon fils. Je ne voyais pas comment il me serait possible d'être vraiment avec lui sans être constamment surveillée, voire jugée, alors que cet enfant était le mien. Je préférais l'hôtel, si désagréable pût être l'arrangement, à une cohabitation sous surveillance, même si cette solution privait mon fils de ses habitudes. On craignait peut-être que je le kidnappe là aussi, qui sait?

J'aurais pourtant eu plus d'une fois l'occasion de le faire. Lors de mes rares visites en Europe, c'est donc à l'hôtel que j'ai retrouvé mon fils. Ce n'était pas l'idéal, mais c'était au moins ça.

Bien avant cette requête en partage de droits parentaux, et mes problèmes avec la justice américaine, j'avais testé les prétentions du père selon lesquelles je pourrais prendre Jean-François à mon gré hors du territoire de sa ville. Profitant d'une offre de séjour aux Canaries avec mon fils « toutes dépenses payées pour nous trois » proposée par Mastantuono, à condition que je renonce à tourner un film qui nous aurait empêchés de prendre ces vacances, j'avais décidé d'amener Jean-François se faire dorer au soleil pendant deux semaines, sans préciser à son père qu'il y aurait un autre homme avec nous. Ce furent des moments privilégiés.

Pour la première fois, je découvrais le caractère de mon enfant, entre autres choses, un goût tout à fait raffiné pour les mets recherchés. À trois ans, il se gavait d'escargots à l'ail, de foie gras et de tartines au beurre salé sans confiture. Ainsi, plutôt que de menacer de le priver de dessert s'il refusait d'obéir, avertissement qu'il prenait en riant, il valait mieux, pour obtenir des résultats, lui refuser son roquefort. Devant mon obstination à ne pas lui servir son fromage adoré, un jour qu'il s'était mal conduit, il me fit une crise indescriptible dans un restaurant, se jetant par terre et entraînant avec lui la nappe et tous les couverts. Il avait déjà ses exigences et était très éclectique.

C'est, à son retour, la déclaration que fit mon fils à son père à l'effet que « l'autre monsieur » était plus gentil que lui qui déclencha, je crois, le questionnement.

En fait, je n'avais rien dit de la présence d'un autre homme, non pas pour l'embêter, mais bien pour mettre toutes les chances de mon côté de pouvoir partager ces vacances avec Jean-François. Lui avoir dit la vérité m'aurait sans doute exposée à un refus catégorique et, sans l'invitation de Mastantuono, je n'avais pas l'argent pour me payer de telles vacances et le luxe de les partager avec mon fils.

Pour prouver ma bonne volonté à Michel et lui assurer que l'enfant serait retourné, sain et sauf, à son contexte de stabilité, j'avais accordé beaucoup d'importance, d'une part, à la définition de mes repères de liberté et, d'autre part, au respect de la volonté de chacun. Après tout, il était évident que Michel avait quelqu'un dans sa vie. Ma vie valait bien la sienne, surtout après l'éloignement que j'avais dû m'imposer pour que notre enfant connaisse une vie équilibrée. Je n'étais peut-être pas la meilleure maman du monde, mais je dois préciser, à ma décharge, que privée de tout pouvoir décisionnel je me retrouvais, par le fait même, dépourvue de toute marge d'action. Je n'avais d'ailleurs aucune arme pour lutter, aucune manière de faire en sorte qu'il en soit autrement. Les décisions, prises en vue du bien-être de Jean-François, l'avaient été de bonne foi et de façon juste, mais c'est une justice dont j'ai dû payer le prix. Quoi qu'il en soit, je peux dire aujourd'hui qu'il avait totalement raison. Pour mon fils c'était la meilleure des solutions.

Et, à ce chapitre, combien de peines ai-je dû subir ! Je n'ai jamais été avertie de son baptême, de sa communion ou de sa confirmation. Je n'ai jamais vu un seul de ses cahiers d'écolier, jamais pu suivre ses progrès sportifs. Je n'ai jamais connu ses amis à la maison. Jamais pu apprécier son humour et ses humeurs. Jamais embrassé ses premières écorchures. Un jour cependant, en visite à la plage en France, il m'avait dit en me montrant une écorchure qu'il venait de se faire :

– T'en fais pas maman, ça va passer avant que j'aie 20 ans ! Je le savais aimé, choyé. Que demander de plus ?

Il était très doué pour le dessin et les couleurs. Son père, quoique distant dans nos rapports personnels, mais merveilleusement attachant lorsqu'il s'agissait de notre fils, m'avait envoyé un de ses dessins représentant un château et deux personnages. Ses soleils luisaient abondamment sur chaque image, et le fait de dessiner ses personnages de gabarits différents mais de structures identiques, selon les dires d'un spécialiste consulté à cet effet, dénotait malgré tout un sentiment d'assimilation à sa mère, puisqu'il nous dessinait semblables tous les deux. Quant au sport, Michel allait manifester sa bonne volonté, quelques années plus tard, lorsque Jean-François aurait 11 ans, en me l'envoyant pour un stage de hockey au camp d'été d'Yvan Cournoyer. C'était la première fois, depuis qu'il avait quitté le Québec à trois ans, qu'il y revenait. Entre-temps, je devais le revoir en une occasion un peu plus dramatique.

Nous étions en 1974. Jean Duceppe et moi venions de recevoir le prix Orange – une distinction accordée une fois l'an, par vote des journalistes, aux artistes, hommes et femmes, les plus gentils et les plus populaires du domaine artistique. Cela tombait bien car, l'année précédente, j'avais reçu le prix Citron qui était, comme vous pouvez le deviner, le contraire de l'Orange. Pourquoi le prix Citron ? Carmen Montessuit m'avait expliqué que le jury désirait ardemment décerner le prix Orange à une personne en particulier cette année-là, même si j'étais moi-même en lice. Sauf qu'il n'y avait qu'un prix ! En tant que second choix, on s'était dit que je serais toute désignée pour me faire gâter par les journalistes tout au long de l'année. Et pour me faire avaler… le citron, on m'avait affirmé que ce dernier prix aurait beaucoup plus d'impact que l'autre et m'assurerait d'une couverture journalistique considérablement plus étendue et efficace qu'un prix Orange. Si je comprends bien, on me haïssait publiquement, mais on m'élisait par amour ! Fort heureusement, on se reprit l'année suivante.

Mais ce prix tombait mal, car il était assorti d'un cadeau princier dont je ne savais que faire : un voyage de deux semaines en France, accompagnée de 10 journalistes parmi les plus importants. L'offre, pour alléchante qu'elle soit, était assortie d'une mauvaise conjoncture dans le temps puisque, comme je le mentionnais plus haut, je nageais à ce moment-là en plein drame judiciaire avec la France et les États-Unis à cause de l'affaire Mastantuono. Le moment était loin d'être idéal pour aller rendre visite à Jean-François. Je n'avais ni la force ni le courage d'aller expliquer cet imbroglio à la famille D. Du reste, je craignais qu'on puisse profiter de ma position précaire pour m'enlever mon fils définitivement. Sans compter qu'en allant en France, je pouvais être arrêtée à la frontière, questionnée, retenue. Non pas comme accusée, mais comme témoin à charge. Je détenais trop de renseignements susceptibles d'intéresser la justice française.

Ce n'était, en outre, vraiment pas le moment de débarquer, entourée d'une nuée de journalistes, et de me faire remarquer par des événements tapageurs. D'autre part, personne ne connaissait les problèmes liés à l'histoire Mastantuono, et le désir de voir Jean-François, aux frais de la princesse – occasion exceptionnelle –, était plus fort que tout. Je décidai d'y aller.

Le deuxième problème me causait autant d'appréhension. Aucun journaliste ne savait que j'avais un enfant et il n'était pas question que je quitte le groupe. Mais qu'à cela ne tienne, je voulais voir Jean-François qui avait maintenant sept ans. Et tant pis pour ma mère, ses principes et son culte des apparences. Au chapitre des scandales, le film *Valérie* avait déjà causé suffisamment de remous et nous n'en étions plus à un remous près. J'étais décidée, le cas échéant, à demander la collaboration des journalistes. Depuis le temps qu'ils déclaraient m'aimer, on verrait bien jusqu'où pouvait aller leur solidarité.

De retour au pays, on m'assura qu'on avait tenté de garder le secret, mais certaines personnes avaient parlé et la concurrence se préparait à sortir la nouvelle. Je ne pouvais plus nier. Je pris le parti de choisir *Échos Vedettes*, dont certains journalistes étaient du voyage, pour faire l'annonce officielle de ma maternité. Ça ne plut évidemment pas à tout le monde. Un journal rival avait prétendu que j'aurais monnayé mes déclarations, ce qui était tout à fait faux, et obligea Pierre Trudel (maintenant aux sports, mais longuement à l'emploi d'*Échos Vedettes*) qui avait été du voyage, à prendre ma défense.

Pour en revenir au voyage, j'avais, après de trop longues années d'absence, revu mon fils à Nice, où Marianne me l'avait amené. Nous devions tous faire une croisière sur un bateau à voile. Ma petite pomme toute blonde se frottait les yeux de gêne et de plaisir. Il portait une casquette bleue et une chemise à fines rayures. Dans ses mains brillait un quartz scintillant qu'il avait décroché d'un rocher décoratif, en grimpant sur une table du complexe hôtelier de Marina Baie des Anges. Sa grand-mère, surprise du geste qu'elle ne lui avait pas vu faire, m'avait expliqué qu'il ne voulait pas, sans doute, arriver devant sa mère les mains vides. Je regardais cet enfant comme si c'était la huitième merveille du monde. J'implorais le ciel qu'il ne me laisse pas transformer cet instant de bonheur en moment de haine contre ceux qui ne m'avaient pas donné la chance d'être une vraie mère. Mais de haine surtout contre moi-même qui me reprochais sans cesse de ne pas avoir eu le courage de tout balancer et de partir avec lui.

Tous ces visages souriants autour de moi me faisaient pourtant comprendre que le bon choix résidait dans le statu quo. Cet enfant était parfait. Poli, souriant, enjoué, il m'embrassait comme si l'on ne s'était jamais quittés. Je n'ai jamais su si je lui avais manqué. Je n'ai jamais osé le lui demander, de peur de recevoir des reproches en retour.

Je me souviens cependant d'une anecdote qui m'a profondément bouleversée. Il devait avoir cinq ou six ans. On me raconta que, lors d'un mariage, en voyant arriver la blonde mariée cachée sous ses voiles, mon fils s'était planté au milieu de l'allée et avait crié : « Maman ! » de toute la force de ses petits poumons. Il avait fait de l'effet !

Mais voyant l'attachement de cet enfant pour sa grand-mère, il était évident que je n'aurais pas su lui donner mieux. Le respect de ce statu quo n'était-il pas, d'ailleurs, la meilleure façon de lui dire : « Je t'aime. »

Pendant des années, à la suite d'une série d'événements des plus traumatisants, j'avais appris à fermer mon cœur à toute émotion qui aurait pu me pousser à agir, à faire des gestes concrets me permettant enfin de vivre selon mes désirs. Je restais paralysée par la peur de prendre la mauvaise route ou de ne pas être à la hauteur des attentes de tout un chacun. Je subissais plus que je n'agissais.

La honte, la crainte de décevoir, la certitude que je mettais tout le monde dans l'embarras par des gestes irréfléchis, l'absolue conviction que je semais le malheur et que j'étais incapable de quelque chose de bon m'ont forcée à entrer dans une sorte d'engourdissement affectif dans lequel les sentiments, qu'ils soient tristes ou joyeux, étaient sapés à la base. Ne pas ressentir la tristesse constituait peut-être une protection en soi, mais ne plus éprouver de bonheur constituait une menace d'autodestruction.

Je ne me sentais plus digne de bonheur. Je m'amusais, je riais, je m'étourdissais, mais le cœur n'y était pas. Seule une longue thérapie m'a permis de me réconcilier avec moi-même. Une thérapie où, plus souvent qu'autrement, chaque mot, chaque émotion s'est noyé dans les larmes.

Je connais quantité de gens qui prétendent être capables de se sortir par eux-mêmes de leurs moments d'extrême confusion. Je crois qu'ils font erreur. Ce n'est ni faiblesse ni abdication que de s'exposer devant un inconnu et d'accepter de se voir enfin tel qu'on est. Le courage nécessaire pour arriver à se rencontrer, à se subir, à s'évaluer, à se pardonner soi-même relève parfois de l'exploit surhumain. Ce qui me permet de comprendre et d'accepter que l'on puisse refuser l'aide d'une thérapie: ça fait plus mal que le mal lui-même. C'est pourtant la meilleure façon d'apprendre à s'aimer. C'est fou ce qu'on aime les autres quand on est en paix avec soi-même. C'est fou ce qu'on ne leur permet plus de nous faire. S'il est vrai que la maturité embellit, c'est souvent en passant par la douleur.

Dans les faits, mon fils a eu trois mères. Car, entre-temps, à Montréal, Michel avait rencontré Sheena, une magnifique Anglaise arrivée au Québec très jeune et qu'il a épousée. Ils ont alors décidé de s'établir à Strasbourg, dans l'immeuble appartenant à monsieur et madame D. Sheena vint donc alléger les tâches de sa belle-mère en devenant également une mère de soutien, une écoute, une complice pour Jean-François. Éventuellement, ils devaient donner deux autres enfants à la famille.

Jean-François vivait une situation idéale: son père, sa belle-mère, sa demi-sœur et son demi-frère au premier, sa grand-mère à l'étage supérieur et, enfin, ses parrain et marraine au troisième palier. Sans parler du mini-appartement, dans la cour intérieure, où vivait son oncle François, producteur de cinéma. Avec une mère au Québec en plus, il avait ses entrées partout.

Quelques années plus tard, toute la petite famille revint à Montréal. Jean-François, alors, vivait déjà en appartement et vaquait d'une maison à l'autre sans acrimonie.

Petite anecdote assez amusante. Pour les 30 ans de mon fils, nous avions fait venir sa grand-mère d'Europe; Sheena et moi avions réuni les amis de mon fils au restaurant. Son père était malheureusement absent, dommage! Il aurait été très fier de nous voir toutes les trois, si profondément heureuses de célébrer « notre fils ». Plus récemment, de retour d'un voyage d'Italie, j'arrêtais à Lyon dîner avec Sheena et son nouvel époux, heureuse de constater que jamais les événements n'ont pu entacher cette complicité de deux femmes ayant partagé la vie d'un enfant et un amoureux. Quelle femme merveilleuse!

À 18 ans, mon fils se décida à venir vivre au Québec avec moi. Je l'inscrivis au Collège français; le choc ne serait pas trop grand et j'y avais moi-même fait mes études « à la française ». En fait, des problèmes de lycée et d'études étaient les raisons officielles de sa venue au Québec. Jamais Jean-François ou son père n'auraient admis de raison autre que celles-là. Son choc à lui fut donc moins grand que le mien qui me retrouvais avec un adolescent, venu sans mode d'emploi. Quoi lui permettre? Quoi lui interdire? Comment le divertir? Qu'est-ce que ça fait, un ado, dans la vie? J'ai pris le parti de le laisser exprimer ses désirs. Le reste viendrait sans doute au rythme de la cohabitation.

Malgré une aisance restreinte, j'étais particulièrement contente de lui donner sa chambre, dans une maison que j'avais achetée à Notre-Dame-de-Grâce pour un prix plus que dérisoire. Je l'observais prendre son espace et sa vie en main. Voilà sans doute ce qu'il désirait faire en s'extirpant volontairement du cocon douillet de Strasbourg. Je le regardais grandir et faire sa vie, libre de toute contrainte, ce que je n'avais jamais pu faire moi-même. Cela, évidemment, m'incitait à tout lui permettre.

Je me souviens de l'avoir retrouvé, au lendemain d'une réception d'anniversaire, couché nu sous une couverture, sur le tapis du salon, un bol à salade près de la tête, au cas où... Et autour de lui, sur les divans, trois filles comme des odalisques dormant autour du pacha. Cela m'avait fait rire, et je me suis félicitée d'avoir réussi à apprendre à vivre la normalité auprès d'un ado, plutôt que de parsemer son chemin de contraintes et d'interdictions qui auraient immanquablement causé des frictions entre nous.

Même si je n'avais pas su l'élever, j'avais chaque jour devant moi l'image d'un jeune homme qui, par son équilibre, me permettait d'assumer une ouverture d'esprit peu commune. Je sais qu'il peut être facile d'en douter. J'avais été peu douée pour la maternité, mais mon amour maternel n'en était pas moins bien vivant. Pour notre bien commun à Jean-François et à moi, on nous avait enlevé tous les éléments nécessaires à la relation mère-fils; je m'étais efforcée d'en bloquer toutes les pulsions en m'obligeant à prendre une autre direction. Cela avait été instructif.

Encore une fois, je tiens à préciser que ma famille n'avait certes pas agi avec l'intention de me nuire ou de me punir. Quoique très liée, l'attitude « hors de la famille, point de salut! » n'existait pas chez nous. Au contraire, mes parents m'ont toujours invitée à revenir à la maison, où ils s'occuperaient de moi en cas de besoin. On ne m'offrait pas d'argent mais, en tout temps, le refuge d'une famille. Lorsque j'avais eu mon premier travail, à 16 ans, mon père, s'était empressé de me déclarer :

– Parfait! Puisque tu es maintenant responsable, tu vas payer pour tous tes besoins hors de la maison.

On m'offrait le gîte et le couvert. Tout le reste était à ma charge et je les remercie à genoux de m'avoir inculqué cette discipline. Mais pour eux, s'occuper de moi revenait à le faire uniquement selon leurs critères à eux, et ça…

Si seulement ils avaient pu faire montre de compassion. C'est vraiment la seule chose que je puisse leur reprocher, ce manque total de sensibilité et de volonté à me donner voix au chapitre. Ils m'ont aimée, entourée, protégée, mais nous n'avons jamais décidé « en commun » et selon mes besoins. Les émotions ! Ça n'existait pas. Ils m'imposaient leurs choix. C'est ainsi qu'en réaction à l'exercice de tant de contrôle, à une telle mainmise sur ma vie, je m'empressai de prendre, dès que j'en eus l'occasion, toutes mes décisions moi-même, sans jamais quémander le moindre assentiment. C'est en raison de cet état de fait et de cette ligne de conduite que le film *Valérie* est né. Mes succès m'appartenaient, puisque j'en devenais l'unique responsable.

Je n'ai pas tout de suite compris qu'il me fallait faire de même avec les défaites. Mais je l'ai vite appris avec l'affaire Mastantuono. J'avais réclamé l'émancipation avec tant de verve que j'aurais eu mauvaise conscience de leur imposer ma faiblesse à l'heure des « tremblements de terre ».

Et pourtant, j'aurais tant aimé que mes parents soient davantage présents au moment de la naissance de mon fils, cet événement qui changea irrémédiablement ma vie. Je leur concède qu'il n'était pas facile, dans le climat de conflit qui entoura ma grossesse, de garder la tête froide et de prendre des décisions intelligentes. La charge émotive était si lourde à porter. Mais debout ils me voulaient, et debout je suis restée. Je peux dire fièrement que je ne les ai jamais emmerdés avec mes états d'âme. Ils ont fait de moi une femme forte, fière, fiable. Ils l'étaient, eux aussi. Dieu qu'on faisait bien son travail dans notre famille !

En tant que père, Michel a été irréprochable. Dur parfois, indépendant dans ses choix, et même si je l'ai senti détaché de mes besoins, grâce à lui notre fils est impeccable.

J'ai écrit un jour à Marianne pour lui expliquer qu'une mère, c'est celle qui voit l'enfant grandir et qui l'aime assez pour s'en occuper tous les jours. Puisque c'est elle qui avait accompli cette si grande tâche, je la considérais comme la mère de mon fils. C'était lui rendre un hommage bien modeste, à côté de toutes ces années à élever un nouveau rejeton à l'âge où elle aurait pu songer à une retraite bien méritée. Toutefois, en héritant des problèmes inhérents à l'éducation, elle en hérita aussi des joies.

C'est sans doute la raison pour laquelle j'ai le cœur à la tristesse parfois lorsque je vois un enfant marcher pour la première fois, parler ou s'habiller seul. Quand j'en vois un autre tenter un brin d'humour, dessiner des becs et des cœurs, courir, jouer sur la plage, écrire maladroitement son nom, pleurer, faire des colères, apprécier une friandise, perdre sa première dent… Tout ce temps qui ne reviendra pas.

Mes neveux, Jonathan, Zacharie, Olivier et Vincent, et particulièrement ma nièce, Valérie, première à naître après mon fils, me sont précieux. Je les ai vus grandir, eux, alors que j'ai été privée de ce plaisir avec mon propre fils.

En songeant à ce revers que la vie m'a imposé, vis-à-vis de mon fils, je me rends bien compte, aujourd'hui, que j'ai eu là un geste de soumission pour essayer de racheter ce que je percevais comme ma faute. Je me rappelle, entre autres, une conversation lors de la première visite de Jean-François au Québec, à 11 ans. Je lui avais parlé de mon désir d'essayer de faire une petite fille avant « de fermer l'usine ». Il m'avait regardée du haut de sa première décennie d'existence pour me dire :

– Ça ne serait pas juste pour moi. Elle, elle serait avec toi. Moi, je n'ai pas eu ce choix.

Il avait raison. Je ne voulais pas lui retirer une place qu'il aurait été en droit de considérer comme perdue une seconde fois. Présente, je le fus donc, mais pas en tant que mère. Comme si personne, ni même mon destin, ne l'avait voulu.

Mon amour pour mon fils n'est pas conventionnel, mais je l'aime au-delà de tout et ne sais pourtant comment le lui dire, comment le lui montrer. Tout ce que je sais, c'est que je l'aime.

Ne sachant comment exprimer cet amour, j'avais essayé un jour, en thérapie, d'expliquer comment, pour tout ce qui concernait mon enfant, je sentais un grand trou noir m'aspirer la moindre parcelle de bon sens. Je m'en retrouvais déconnectée de mes sentiments, un peu à la manière des autistes. Ma thérapeute avait fondu en larmes. Elle pleurait à ma place. Elle pleurait ce trouble qu'elle devinait sans doute étouffant. En s'excusant, elle m'avait glissé qu'à chaque fois qu'on parlait d'enfant, cela la touchait beaucoup. Peut-être avait-elle vécu de semblables moments. Ce fut la toute première fois et la seule où je me suis sentie comprise. Et, qui plus est, comprise sans être jugée. J'en tirai un véritable bienfait, une grande paix intérieure.

Plus que ma mère, que mon entourage et plus que moi-même qui ai mis des années à me faire une raison, elle avait pris ma douleur et l'avait faite sienne. Enfin… Je me libérais. Toute ma vie j'avais attendu qu'une personne, au moins une, comprenne. Et ce fut cette approbation, de la part d'une étrangère, qui vint prendre la forme du pardon.

J'avais tellement besoin de ce pardon. Il était temps, pour moi et pour mon fils, que j'apprivoise enfin cet état d'âme qui ne connaîtrait sans doute jamais l'oubli ni l'apaisement total. Je ne m'attendais pas à ce que tous approuvent. Je cherchais tout juste que quelqu'un me dise : je comprends.

Il a pourtant fallu attendre la mort de ma mère pour que le père de mon fils me donne enfin le dernier fragment de cette paix qui m'était si nécessaire, pour ne pas dire vitale. Michel est venu voir maman dans son cercueil. Et sans que je m'y attende, il m'a dit :

– Il faut lui pardonner. Ce n'était pas sa faute. Elle a fait avec les exigences et l'éducation de son époque. Le scandale était énorme et aurait pu tout détruire autour d'elle. À sa façon elle a été, elle aussi, une victime. Ce n'était pas méchant et elle n'était pas méchante. Elle pensait bien faire.

Merci Michel. Merci de m'avoir fait cet enfant, même si j'ai été une mère… non conventionnelle. N'est-ce pas le terme généralement utilisé dans ce genre de situation ? Merci d'en avoir fait un enfant heureux, un homme magnifique et talentueux, un être à part. Merci de me l'avoir rendu libre, équilibré et sans trop de rancœur. Merci de m'avoir donné l'occasion de « nous » reproduire en lui. Je n'attends plus maintenant que l'enfant de cet enfant, pour qu'il sache à quel point la femme que je suis sait démesurément aimer les enfants. Et, par compensation peut-être, le sien plus que tout autre, ne serait-ce que pour calmer ses doutes quant à l'orientation de mon âme envers lui. Je t'aime infiniment Jean-François. N'en doute jamais.

Mon fils est aujourd'hui en cinéma. Premier assistant sur le plateau de nombreux films américains importants tournés ici au Québec. Qu'il ait reçu en cadeau à la fin de certains tournages une nouvelle montre ou un stylo en or, il me dira presque timidement qu'il s'agit là d'un cadeau de Stephen Baldwin ou de John Travolta. Donald Sutherland lui donne ses numéros privés.

Il a cependant commencé dans le métier au bas de l'échelle, comme chauffeur d'Isabelle Adjani dans *La reine Margot*. Puis avec Angelina Jolie. C'est au cours de conversations anodines que j'apprends tous ces détails qui font désormais partie de son quotidien.

Mais une autre immense fierté vient s'ajouter à mon quotidien : Jean-François désire depuis toujours devenir réalisateur. Il y a un an, il est arrivé – avec un budget fort modeste certes, et des difficultés énormes, mais surtout avec l'attention dévouée de tous ceux qui ont inconditionnellement supporté son rêve – à réaliser son premier court métrage.

Ce matin-là, il était tôt ; je me levais à peine. Le téléphone sonna. Mon fils m'annonça que son film venait d'être accepté à Los Angeles dans un festival de courts métrages. Ça y était, l'oiseau avait ouvert ses ailes. Et comme ses plumes sont belles !

Mais ce n'est pas fini. Car il vient de me montrer l'ébauche visuelle du prochain film qu'il désire réaliser. Mon fils désire graver sur pellicule l'histoire de la vie de sa mère. N'est-ce pas qu'il est magnifique, cet enfant ?

Ma mère

Ma mère était âgée de 84 ans lorsque le foyer pour personnes âgées et semi-autonomes où elle vivait nous avertit qu'elle était tombée dans sa salle de bains. Fracture de la hanche. À l'encontre de son choix – elle aurait préféré l'hôpital Queen-Mary où on l'a reçue souvent et où elle connaissait les gens –, on l'envoya à l'hôpital Charles-Lemoyne.

Dès mon arrivée dans l'établissement hospitalier, je l'aperçus dans le couloir de l'urgence. Elle y était étendue, la jambe en traction, supportant un poids à peine plus léger que ses 98 lb. Comme elle était très souffrante, on lui avait administré de la morphine qui soulageait son mal, mais qui avait aussi pour effet de la désorienter complètement. De la morphine pour patienter aussi ! Après tout, il y avait d'autres urgences à traiter avant elle. « Ils sont débordés », m'affirmait-on. Et pas question de rencontrer ses médecins tout de suite, car il existe, voyez-vous, une méthode sélective érigée en *code* et à laquelle nul ne peut échapper.

CODE : toute personne dont la vie est en danger passe en premier. Ma mère n'a qu'une hanche cassée. Cela arrive si souvent que c'en est banal !

Un jour passa. Puis deux. Puis trois. À la moindre plainte, hop! encore un peu de morphine. Elle n'avait plus mal, et à part quelques râlements vite ajustés par une nouvelle dose de médicament, on ne l'entendait plus. Ça rendait l'attente plus « confortable »...

Le quatrième jour, je me décidai à appeler un ami chirurgien, le suppliant qu'il l'accueille dans son hôpital. « Impossible! » me répondit-il, m'expliquant que même si je parvenais à la faire admettre chez lui en payant tous les frais, voire l'opération – ce qui ne se fait pas –, le procédé de sélection devrait être repris à zéro et il faudrait attendre à nouveau son tour. Ce qui voulait dire quelque part entre maintenant ou peut-être encore trois ou quatre jours. Toujours les *codes*!

Au cours de notre conversation, conscient de mon impuissance et de ma rage, il ajouta, le plus simplement du monde, ces paroles fatalistes:

– Ta mère va mourir, Danielle. Avec la morphine, à son âge, les complications vont s'ajouter. Le cœur ne tiendra pas. Elle perd 10 % de chance de survie par jour d'attente. Ça fait quatre jours qu'elle est à l'urgence? Elle est donc à moitié morte. Prépare-toi à cette éventualité.

Je décidai tout de même d'espérer. Ma mère n'allait tout de même pas mourir d'avoir glissé sur le parquet!

– Le mieux que je puisse faire, ajouta-t-il, c'est d'essayer de m'adresser au directeur de l'hôpital, mais ce n'est pas une pression souhaitable. Il y a de fortes chances qu'on considère que c'est là de l'ingérence et qu'on m'envoie paître.

Ce qu'il fit tout de même et sans résultat, tel que prévu.

Épuisée par les démarches, excédée par tant d'indifférence, démunie devant la fragilité de cette vie qui s'étiolait sous mes yeux, je décidai de piquer une crise et d'exiger de rencontrer le médecin qui devait s'occuper de ma mère, celui à qui je n'avais toujours pas réussi à parler en quatre jours.

Il se présenta donc quelques heures plus tard, furieux :

– Pour venir vous voir, j'ai sacrifié ma demi-heure de repas. J'ai 12 heures de service encore à faire et des cas lourds en attente...

Ébranlée, je lui dis tout de même :

– Vous pouvez repartir docteur. En fait, je voulais juste voir la tête de celui qui est en train de tuer ma mère.

On s'est un peu calmés. Je lui ai répété ce que m'avait dit mon ami chirurgien. Sans se démonter, et de manière tout aussi fataliste, il confirma les propos de l'autre :

– Dans les faits, oui il a raison, elle a de « bonnes chances » de mourir.

Il prit alors le temps de m'expliquer les *codes*, les coupures, les longues heures, l'épuisement, les choix déchirants, le manque de personnel...

– Et maintenant, a-t-il poursuivi, qu'est-ce que je fais, moi, avec votre mère ? Ma prochaine patiente est une petite fille de huit ans qui a une fracture ouverte à un bras. Elle est en attente depuis trois jours.

En quelques secondes, je me suis sentie aussi lasse et impuissante que lui. Évidemment, la petite devait avoir priorité.

Il finit quand même par opérer ma mère. Trop faible pour qu'on la médicamente davantage, on lui administra plutôt une épidurale. Complètement lucide, elle en fut réduite à voir et à entendre le marteau lui refracturer la jambe. La soudure des os s'était faite grossièrement et il fallut lui enlever un demi-pouce d'os et de cartilage.

– Bon, ce n'est pas très grave, m'expliqua-t-on tout de suite après l'opération. Elle va boiter un peu. Elle a 84 ans après tout ! Elle est chanceuse d'être en vie.

Enfin, pas tout à fait, car une complication cardiaque se développa. Je la vis s'étouffer, petit à petit, en raison de l'eau qui remplissait ses poumons. Ses beaux yeux noisette me demandant si c'était vraiment ça, partir ? Mais, brave petit soldat, elle allait encore une fois s'en sortir.

Elle a ensuite passé quelques mois dans un centre de réadaptation. Elle trottinait avec l'aide d'une « marchette ». Exercices, jasette avec ses compagnes de chambre, un peu de télé, sa vie s'organisait sans qu'elle ne se plaigne trop.

Un an plus tard, son dos lui faisait de plus en plus mal. J'essayai de la rassurer :

– C'est normal maman. Tu as subi une opération, la physiothérapie modifie tes mouvements. Tu ne marches pas assez parce que tu as mal et tu t'ankyloses. Est-ce que les médecins ne t'ont pas expliqué tout ça ? C'est bien ce qu'ils m'ont dit à moi.

Mon impuissance à la soulager me perturbait et m'irritait. Je réussissais à dissimuler mon exaspération – et Dieu sait qu'elle pouvait m'énerver quand elle refusait de faire ses exercices – en lui disant, le sourire aux lèvres, qu'on ne faisait pas du neuf avec du vieux. Elle riait et prenait son mal en patience.

Elle était de retour chez elle lorsque les infirmières me laissèrent savoir qu'on la retournait à l'hôpital passer des tests.

– Elle se plaint trop souvent au sujet de son dos. Elle est très affaiblie. Ce n'est pas normal.

C'est vrai qu'elle se plaignait beaucoup. Mais comme elle avait de longues périodes durant lesquelles le mal semblait disparaître, j'en arrivais à croire que c'était une manière pour elle de se distraire. J'avais lu quelque part que les vieux qui s'ennuient s'inventent parfois des maladies pour qu'on s'occupe davantage d'eux. Ses quatre enfants la visitaient pourtant régulièrement.

Les tests ne révélèrent rien. Et on la faisait parfois venir à l'hôpital pour rien, car dans la cohue des arrivées plus urgentes, on n'avait plus le temps de la recevoir. Il faut croire qu'elle n'était toujours pas un sujet à *code* !

Chez elle, elle ne voulait plus ni se lever, ni manger, ni même se laver. Tout devenait d'un effort insurmontable. Elle ne désirait plus que la visite des siens, leur parler, dormir et ne pas être seule. Elle souffrait continuellement. Il y avait bien des moments d'accalmie, mais la douleur était devenue l'unique thème de son laïus quotidien. Le temps ne passait plus que dans la douleur.

Le 1er janvier 2000, mes frères et ma sœur étant occupés par des obligations familiales, nous nous sommes retrouvées toutes les deux dans son appartement. J'avais apporté des pâtés, des tourtières, des gâteaux, tout ce qu'elle aimait. Céline Dion chantait au Centre Bell et le spectacle était télédiffusé. Mais ma mère ne vit pas minuit arriver, car elle dormait. Le corps droit, la tête légèrement appuyée sur l'épaule, comme si elle ne voulait pas que je sache qu'elle n'avait plus la force d'être avec moi qui étais venue partager avec elle le passage au troisième millénaire. L'émission terminée, j'effleurai légèrement son épaule. Elle eut un soubresaut et me dit, un peu lasse :

– Ta mère est bien ennuyante, hein, Danielle ?

Je ne l'avais jamais vue aussi belle et démunie.

Je l'ai souvent emmenée à l'hôpital. Ma sœur plus souvent que moi d'ailleurs. On nous disait, chaque fois, qu'elle souffrait des séquelles de l'opération. Mais, aussi dérisoire que cela puisse paraître, on insistait pour lui faire subir de nombreux tests afin de vérifier si elle ne souffrait pas de sénilité. La malheureuse s'empêtrait dans les réponses les plus simples. La réponse, elle l'avait, mais elle était à tel point paniquée qu'elle cherchait désespérément l'attrape derrière la question la plus banale. Face aux conséquences possibles d'une erreur, elle n'avait d'autre route à prendre que celle de l'hésitation.

– Combien d'enfants avez-vous ? Quel jour sommes-nous ? En quelle année sommes-nous ?

Elle me regardait comme s'ils auraient dû avoir honte de penser qu'elle ne pouvait répondre.

Elle retourna éventuellement à l'hôpital, mais pour y rester cette fois. L'infirmière de son foyer m'avait dit que la douleur était si intense que ma mère faisait peine à voir. La direction de sa résidence avait dû beaucoup insister pour la faire admettre et obtenir qu'on la soumette à des tests plus poussés. On avait fini par comprendre à quel point il était important de l'admettre dans une chambre.

Elle était presque dans le coma lorsque j'arrivai. On lui administrait à nouveau de la morphine. J'étais placée devant un dilemme déchirant : sans morphine, elle souffrait au point d'en délirer, mais sous l'effet de la drogue, c'est à peine si elle arrivait à reconnaître ses enfants. Elle n'était plus avec nous que pour de brefs moments, intercalés entre la piqûre et l'effet de la piqûre. C'était l'entre-deux-vies, déjà presque la mort.

Je suis l'aînée. C'est au cours de l'un de ces moments d'accalmie qu'elle me remit la bague de mariage que mon père lui avait offerte 56 ans plus tôt. Elle ne l'avait jamais retirée de son doigt.

– C'est à ton tour Danielle...

– Non, pas encore maman, pas maintenant.

Elle pleurait désormais sans arrêt, le regard de plus en plus vide et auréolé d'un curieux reflet bleu ciel. Je la sentais déjà près de mon père, parti beaucoup plus tôt, dans des circonstances tout aussi dramatiques. Lorsqu'un médecin vint enfin me confirmer ce sombre présage, je réalisai que c'était la première fois qu'un médecin venait me parler sans que j'aie eu à le faire venir sur demande. Enfin un peu d'empathie !

– Vous ne vous souvenez pas de moi, madame Ouimet ? me demanda-t-il. C'est moi qui me suis occupé de votre père, il y a près de 25 ans, à l'hôpital Saint-Luc.

En effet, c'était ce même médecin qui m'avait prévenue, dans les années 80, que mon père, hospitalisé et sérieusement malade, devait partir en paix et qu'il était préférable de ne pas faire preuve d'acharnement thérapeutique. Et c'était encore lui, cette fois pour ma mère, qui m'acculait à la même question : fallait-il continuer à la maintenir en vie coûte que coûte, ou la laisser partir paisiblement ? Quel fardeau inhumain que celui de prendre une telle décision ! Non seulement j'avais dû le faire pour mon père, mais c'était encore à moi qu'incombait la déchirante responsabilité de disposer du sort de ma mère. Il ajouta :

– J'ai demandé que l'on fasse subir des tests plus poussés à votre mère. Mais cela ne lui donnerait que quelques jours de vie de plus, même avec un diagnostic précis sur le mal que l'on n'a pas encore réussi à cerner. Et une biopsie ne lui causerait que des souffrances inutiles, car elle est trop faible pour qu'on puisse l'endormir. Entre-temps, on n'a pas le choix que de continuer la morphine pour atténuer la douleur.

Nous avons parlé de la difficulté du renoncement. Il m'a confié combien il lui avait été insoutenable de faire ce même choix pour sa propre mère. Enfin quelqu'un qui me parlait de ma peur et de ma peine avec compassion. Si seulement j'avais su pourquoi ma mère souffrait tant, cela aurait pu donner un sens à ma décision. Mais en attendant, la morphine restait l'unique solution et en acceptant d'en augmenter la dose, sachant que son cœur flancherait éventuellement, je me sentais presque responsable de la tuer.

Je n'en pouvais plus de ce sourd sentiment de culpabilité, de cette confrontation quotidienne à sa douleur, de ce déchirement de chaque instant qui me comprimait la poitrine, me coupait le souffle, de cette privation de ma mère, de son regard, de ses caresses, de son sourire.

On lui fit tout de même subir la biopsie, à la source même de son mal. Ironiquement, le résultat des tests ne devait arriver que le jour même de sa mort. Cancer du poumon. Ça ne faisait pas partie des *codes*, ça, cancer du poumon ! Mais ça n'avait plus d'importance, elle avait au moins bien vécu. Elle avait 84 ans après tout ! Et le *code* avait été respecté.

– Pauvre femme. C'était son tour ! s'est-on excusé.

Elle est morte à 20 h. On était tous là, ses enfants, sa richesse, son orgueil. Avant son départ, et depuis le couloir où nous étions sortis pour ne pas la déranger avec nos babillages, je revins la voir quelques secondes. Apaisée, elle respirait calmement. Avant de retourner dans le couloir rejoindre le reste de la famille, je lui caressai le front et remontai son drap, souriant à l'idée de ne plus la voir souffrir. Une minute plus tard... une seule, pas plus, un infirmier venait nous dire :

– Vous devriez aller la voir, je crois que...

Je n'ai pas pleuré. Ce n'est pas que je ne voulais pas, mais plutôt que je ne pouvais pas. Le lendemain matin à 5 h, on m'attendait sur le plateau pour la réalisation d'une publicité pour les biscuits « Le Choix du Président ». Le scénario illustrait la nuit de Noël : une scène d'hiver en plein mois de septembre. Un décor hallucinant de sapins enfarinés de neige artificielle autour d'une maison décorée pour la circonstance. Une cinquantaine de techniciens m'attendaient pour le tournage. Il fallait le faire !

– Relève tes manches Danielle, me suis-je dit, la vie continue. C'est bien connu, des biscuits, ça ne se vend pas avec une mine triste et des yeux globuleux à la façon d'un poisson mort !

Je sais que ma mère aurait été fière de moi ! J'étais « debout » encore une fois. Debout, comme elle l'aurait voulu. Debout, mais sans elle, pour la première fois.

Comme tu me manques, maman.

Texte que j'ai lu au moment où elle était mise en terre :

Prière indienne, auteur inconnu
N'allez pas sur ma tombe pour pleurer,
Je ne suis pas là, je ne dors pas.
Je suis les mille vents qui soufflent,
Je suis le scintillement des cristaux de neige,
Je suis la lumière qui traverse le champ de blé,
Je suis la douce pluie d'automne,
Je suis l'éveil des oiseaux dans le calme du matin,
Je suis l'étoile qui brille dans la nuit.
N'allez pas sur ma tombe pour pleurer,
Je ne suis pas là, je ne suis pas morte.

Mes frères et ma sœur

J'ai très peu parlé de mes frères et de ma sœur dans ce récit. Ce n'est certainement pas par manque d'affection pour eux. J'aurais du mal à nous imaginer autres que nous sommes, parfaits l'un pour l'autre.

Curieusement, nous avons été élevés très différemment les uns des autres et, si nous avions écrit ce livre ensemble, je suis persuadée que vous auriez quatre versions différentes d'une même histoire.

Ma vie a pu être dérangeante, parfois, pour ceux qui m'entouraient, mais jamais les soubresauts qui ont pu les atteindre, eux si tolérants à mon égard, n'ont-ils été commentés, reprochés, voire célébrés dans notre famille.

Nous soulignons notre attachement à travers les anniversaires, les réunions familiales, les deuils et les malheurs personnels, mais le travail, la réussite et les compétences professionnelles appartiennent au domaine privé. C'est souvent après coup qu'il nous arrive d'apprendre qu'un tel a accompli tel exploit, rencontré telle personne ou visité un autre continent.

Par exemple, c'est au détour d'une photo, épinglée chez elle à un babillard, que j'ai récemment découvert que ma belle-sœur Irène, qui travaille en cinéma et que j'aime comme une sœur, avait été productrice exécutive d'un film réalisé par Spielberg.

La photo les représentait tous les deux sur le plateau en fin de tournage.

C'est pour dire que j'aurais du mal à commenter les réactions de ma famille à chacun des événements qui ont composé ma vie, pour la bonne raison que je n'en sais rien. Ils sont là. Ils sont ma richesse, ma force, ma vie. Et pour reprendre la chanson de Ferland: « que personne ne vienne te faire de la peine, sans d'abord me passer sur le corps… »

Chacun, à sa façon, représente un des piliers du temple. Si les piliers ne se touchent pas, ils peuvent cependant supporter le poids de la terre. Ainsi est ma famille.

Judith, née 13 mois après ma naissance, a toujours été ma « petite sœur ». Et jamais, je crois, n'a-t-elle compris toute la tendresse qui se cache derrière ce tendre vocable. Devant ma « flamboyance », je soupçonne qu'elle ait pu croire que « petite » voulait dire inférieure, alors qu'on voulait plutôt dire « fragile ». On ne me laissait d'ailleurs pas souvent l'approcher du fait qu'à sa naissance elle a failli mourir. Jumelle d'un garçon que ma mère avait perdu à la suite d'une chute au retour d'une course à la banque, Judith, née à sept mois de grossesse, avait été rescapée et placée en couveuse pendant plusieurs mois. On avait craint pour sa vie. De retour à la maison, on continua à la bichonner de peur de la perdre. Aussi lui réservait-on, avec raison d'ailleurs, l'attention nécessaire à rassurer mes parents quant à ses chances de survie, attention qui m'a peut-être donné l'impression d'être négligée. Je ne l'étais certes pas. Mais je ne crois pas me tromper en affirmant qu'à chaque effort on devait solliciter Danielle, pensant que Judith n'y arriverait pas. On la croyait à l'article de la mort à chaque rhume, la protégeait de tout changement, assumant que Danielle, elle, se débrouillerait tout naturellement. C'est donc ainsi qu'elle est devenue ma « petite sœur ».

Par l'exemple, j'allais donc, moi aussi, la protéger. Pour elle, j'aurais traversé des montagnes et tué tous les dragons qui auraient osé lui faire peur. Je n'ai jamais toléré qu'on puisse lui faire mal, ne serait-ce qu'en pensée. Vous n'avez qu'à vérifier auprès de ceux qui s'y sont risqués, comment j'y allais de mes poings pour régler le problème.

Très jeune, je me suis sentie responsable d'elle tout en étant jalouse, sans doute, que mes parents ne pardonnent pas mes faiblesses aussi aisément que les siennes. On me considérait capable de faire tout ce que ma sœur avait des raisons de ne pas faire. Judith, c'était la poupée de porcelaine. Elle était ma poupée, même si parfois je trouvais la « poupée lourde », car je travaillais pour deux.

Quand vint le temps de nous inscrire à divers cours de perfectionnement, marotte de ma mère, je dus sans cesse changer de discipline, l'excédent de travail me laissant trop peu de temps pour moi-même. J'en vins à exécrer toute obligation. Dans les faits, tout m'intéressait, hormis l'ennui de la répétition et des horaires fixes qui m'enlevait tout plaisir. Alors que Judith, plus studieuse, plus appliquée, se pliait plus facilement aux devoirs.

On nous dirigea vers des cours de danse. À cinq et six ans, nous étions donc à l'école de ballet de Mme Aline Legris.

En fait, Judith me raconte cette anecdote que je mets souvent en doute, mais qui doit être réelle puisque l'histoire n'a jamais changé. Il semblerait que j'avais découvert que le collège Marie-de-France, où j'étudiais, donnait également des cours de ballet et que je m'y serais inscrite sans demander l'avis de personne. Paniquée par ma disparition à la fin des classes, ma mère m'avait retrouvée dansant, toute joyeuse et insouciante de la commotion qu'avait provoquée ma disparition.

C'est tout de même Judith qui fut la plus tenace, faisant de la danse un métier qui la mènerait, grâce aux Grands Ballets canadiens et aux Feux follets, un peu partout dans le monde, alors que j'abandonnai le ballet pour le dessin en m'inscrivant à l'École des beaux-arts de Montréal. Ma mère, inquiète de mon manque de persévérance et d'intérêt pour les disciplines de son choix, se ruina en tests d'orientation, à l'époque bénie où le Dr Spock prêchait aux mères qu'un enfant, pour être heureux, devait être occupé intellectuellement. Ça s'appelait la stimulation sensorielle et ça devait faire de nous des êtres libérés.

Judith, qui a toujours vécu dans un monde de discipline hyper-exigeant, reste convaincue que tout passe par l'attention à soi-même. Elle se nourrit mieux que moi, s'est occupée seule de ma nièce, tout en exerçant un métier exigeant, ce que je n'ai pas réussi à faire avec mon fils. Elle a ouvert une école de danse, s'astreignant à de longs exercices physiques. La santé pour elle est primordiale ; elle dort ses 8 à 10 heures alors que je n'en dors que 5, bref, elle est plus consciente que moi du bien-vivre.

Toutes différentes que nous soyons, s'il est une chose que ni elle ni moi n'avons pu réussir, ce sont nos amours. Judith met toutefois beaucoup plus d'urgence que moi à essayer de trouver le bonheur à travers « l'autre ». Il faut une sacrée dose de générosité et d'abnégation pour pouvoir s'abandonner à un être qui peut influencer et changer toute votre vie. J'ai toujours été celle qui se laissait choisir. Il faut dire cependant que, contrairement à ma sœur, mon métier m'a facilité la chose. Quoique mariées une seule fois l'une et l'autre, on ne s'est jamais véritablement casées, ni l'une ni l'autre. Est-ce notre façon à nous de vivre un désir inavoué de profonde indépendance, ou est-ce la vie qui s'est ainsi organisée autour de nous ? Quant à nos frères, ils dépassent largement les 15 ans de vie commune avec leurs conjointes respectives.

Judith était tout de même assurément plus stable que moi ; elle avait épousé le fils de Mme Ludmilla Chiriaeff, la fondatrice des Grands Ballets canadiens, avec qui elle a eu une fille que je chéris aveuglément et qui, comme par hasard, s'appelle Valérie.

Je ne peux songer à plus belle offrande et plus belle abnégation que le cadeau que me fit ma sœur le jour de la naissance de Valérie. Sachant combien le bonheur d'être mère m'avait manqué, Judith m'a présenté sa fille cinq minutes après sa naissance. La porte s'est entrouverte et j'ai contemplé pour la première fois ce bout de bébé tout fripé, bien emmailloté dans sa couverture et placé sur le ventre de sa mère. Ma sœur s'est tournée vers moi et m'a dit:

– Danielle, TA fille est là, Valérie est arrivée.

Pour ma sœur, il m'est arrivé de me munir d'un marteau, dans l'idée de tout démolir autour de nous, alors qu'on essayait, lors d'un événement désastreux, de nous empêcher de rejoindre ma nièce.

J'avais, à d'autres occasions, « pris les armes pour elle ». Je me souviens d'un flirt qui, sachant que je ne l'aimais pas, lui avait donné rendez-vous à un coin de rue, caché de la maison familiale. Judith ne sachant pas comment se débarrasser de cet intrigant, je m'en étais chargée. Le quartier s'en rappelle encore!

Malgré tout, ça n'a pas dû être facile d'être la sœur de... toute sa vie. Pas plus pour elle que pour mes frères, malgré notre grand écart d'âge.

Ma famille a dû subir l'injustice qu'occupée à vivre ma vie, sans le réaliser vraiment, par instinct de survie sans doute, j'ai totalement fait abstraction de la leur pour réussir. Pense-t-on objectivement, à 18 ans, aux conséquences de nos actes sur notre entourage quand nous en connaissons à peine l'issue sur nous-mêmes? Après, il est trop tard. Tout s'enchaîne et il faut survivre. Mais je conçois que le prix en ait été un d'amer désenchantement pour ma sœur et mes frères. Cruelle la récurrente comparaison à la « grande sœur », comparaison du reste tout à fait injustifiée.

Et je ne pourrais mieux vous faire comprendre le pourquoi de la « séparation » de nos univers professionnels autrement qu'en vous expliquant qu'ils devaient se détacher de ma sphère pour mieux créer la leur. Ils sont extraordinaires chacun à leur façon.

Judith est maintenant spécialisée en publicités radio-télévision. Il n'y a pas si longtemps, alors que je faisais pour Jacqueline Vézina une narration destinée à recueillir des fonds pour l'hôpital du Sacré-Cœur de Montréal, je me retrouvai dans des studios de son où ma sœur avait très souvent travaillé. Tous les techniciens m'ont appelée Judith durant les heures qu'a duré mon travail en studio.

En définitive, nous faisons tous partie du domaine artistique et je me gonfle toujours de fierté quand on me vante – sans connaître notre lien de parenté – les performances et réalisations de mes frères, de ma sœur… ou de mon fils.

Huit ans après la naissance de Judith, mon père voulut un fils et François fit son apparition. Après avoir habité le boulevard Décarie, puis la rue Maplewood, nous habitions au 3462 de la rue Kent, juste en face du parc. François reçut la chambre du devant, avec vue sur la verdure. Il eut un premier petit lit de fer blanc, comme ceux des pouponnières de l'époque. Pour aller contempler mon frère, je devais monter sur le rebord de la tablette métallique du bas, risquant de faire chavirer l'enfant à chaque fois.

Mon frère avait reçu en cadeau une minuscule paire de gants de boxe en cuir beige et rouge, emblème sans doute de sa « mâlitude », de même qu'un jouet en forme de singe avec une grande queue qui s'accrochait partout, une horreur en caoutchouc malléable qui faisait des « squitch » chaque fois qu'on lui pesait sur le ventre. Le punir consistait à lui retirer ce singe qu'il adorait par-dessus tout.

Cet enfant était la passion de mon père, mais jamais je n'ai senti moins d'amour pour nous, les filles. Tout était partagé équitablement. Même les combats avec clé de bras, parfois douloureux, que mon père, grand amateur de lutte télévisée, nous faisait subir dans des tiraillements affectueux.

Le jeu consistait à nous faire dire «*shut*» ou à implorer le pardon. Beaucoup trop orgueilleuse pour céder, je pleurais plutôt que de me plier à sa demande. Ma mère s'embarquait dans des récriminations sans fin:

– Lâche-la Georges, elle est bien trop petite.

– Elle va apprendre à se défendre dans la vie…

De quoi? Je n'en savais rien! Mais c'est peut-être ce qui me permit, à 18 ans, d'échapper à un viol dans le métro.

À 6 h le matin, en route pour mes bulletins de circulation à CJMS, je croisais toutes sortes de tarés. Je me souviens, entre autres, d'un «habitué» qui, tous les matins, faisait semblant de lire *La Presse* qu'il soulevait dès que je passais devant lui, pour dévoiler sa virilité toute nue, ma foi, fort impressionnante.

Puis, un matin, dans un corridor complètement désert, un homme m'avait attaquée en me projetant contre le mur. L'ayant entendu se presser derrière moi, j'avais eu le temps de laisser monter ma colère. Je m'étais retournée abruptement et, loin de me soumettre, lui avais planté mon poing sous la gorge en lui lançant, les yeux dans les yeux: «Essaie-toi, juste pour voir.» Il était parti en courant, sentant sans doute que la lutte serait dure. Merci papa de m'avoir appris que la peur est pire que le mal lui-même.

De l'enfance de mes frères, je me souviens de peu. Il est vrai qu'à 14 ans, lorsque je rencontrai mon premier amoureux,

François n'avait encore que 6 ans et Jacques 3. Nous n'avions rien à nous raconter. Nous vivions des vies parallèles sous le même toit. Je ne me rappelle même pas que ma mère nous ait demandé, à ma sœur ou à moi, de les garder.

Mais je me souviens davantage de l'adolescence de François, qui avait profité d'un moment d'inattention pour faire faire un double des clés de ma voiture et de mon appartement qu'il venait « emprunter » lors de mes voyages à l'étranger. Il m'a avoué s'être terriblement amusé avec ma Citroën dont il retirait une roue, puis se rendait au garage demander au pompiste de vérifier le tiraillement sur le côté arrière gauche. Il faut préciser que, grâce à un système hydraulique sophistiqué, cette voiture avait la capacité de rouler sur trois roues. Moins drôle toutefois fut l'accident dans lequel il cassa l'essieu avant de ma Corvette (aaahh, quelle belle voiture c'était !) sans m'en avertir. J'aurais pu me tuer et, pour ajouter l'insulte à l'injure, c'est moi qui payais les dommages sans me rendre compte que je n'en étais pas responsable.

Allez savoir pourquoi, François s'intéressait au cinéma. Il me dit s'être d'abord intéressé à la télévision, mais au détour d'une figuration dans un film, c'est sur le cinéma qu'il décida de jeter son dévolu. Avec l'aide de Pierre David, ancien directeur de la programmation à CJMS et distributeur, puis producteur de films à Los Angeles, il décida de partir pour L.A. et de s'inscrire à un cours en cinéma.

Débrouillard, il se présenta à l'université le jour même de la rentrée scolaire. D'une question à l'autre, il finit par découvrir la classe où l'on donnait un cours de montage, s'y installa... et y passa l'année sans que rien ne lui soit jamais demandé. On attribua l'erreur à une faute d'inscription sur la liste des étudiants.

Pour survivre, il tondait des pelouses, promenait les chiens, bref il se débrouillait. Il rencontra Ginette Reno, qui m'en parle encore avec un sourire dans la voix. Il nous présentait aussi à l'occasion de fort jolies filles, dont Véronique Béliveau qui, à notre grande surprise, était apparue à son bras lors du mariage de ma sœur.

Il épousa finalement Irène, avec qui il est toujours et qui lui donna deux beaux garçons, partagés entre la culture anglaise et française : Jonathan et Zacharie. Je suis marraine de Zacharie, qui deviendra sûrement le nouvel artiste de la famille puisqu'il a, depuis ses 14 ans, sa propre formation de musiciens avec laquelle il donne déjà des spectacles. Comme ils sont juifs par leur mère, c'est avec beaucoup d'émotion que j'ai assisté à la cérémonie de circoncision de mes neveux. C'est un réel privilège que de vivre le multiculturalisme au sein même de notre famille. Mon fils a été baptisé dans la religion protestante et j'ai également épousé Hubert, mon premier et seul mari, à l'église protestante, car il était divorcé.

Ma sœur s'est mariée dans l'église russe orthodoxe et mon frère au palais de justice. Jacques, lui, n'est pas marié. À Noël, nous avons un beau mélange de nourritures et de rites traditionnels à toutes ces religions.

François et moi sommes semblables. Rien ne nous fait peur ! Recommencer quand plus rien ne va, ça va de soi. Le découragement ne nous atteint que quelques heures. Dans la tête, des projets en pagaille, mais jamais assez de temps pour les réaliser tous. Une belle inconscience nous anime et nous porte vers l'avant, sans jamais nous faire perdre notre perspective face aux responsabilités. Une belle insouciance qui nous mène à commettre des gestes de grande audace… qu'il faut réparer par la suite. « Les douze travaux d'Hercule » font partie de notre quotidien ! Y renoncer mettrait notre équilibre émotif en péril.

François est aujourd'hui en production-réalisation. Il est responsable de plusieurs des publicités que vous voyez à l'écran. Pour vous en donner un aperçu, allez voir Productions Auriga dans Internet. Les pubs de Club Piscine, Cool FM, la Cage aux sports, pour ne nommer que celles-là, font partie de ses réalisations. François est un être extrêmement doué.

La naissance de mon frère Jacques, un 24 juillet, fut marquée par mon premier voyage à New York, en visite chez M. Émil Baptiste, un « Français de France », ancien petit ami de ma mère et joaillier de profession, installé aux États-Unis. « Oncle Émil » était un joaillier dans la plus grande tradition. C'est lui qui trouva la bague que ma mère reçut de mon père à ses fiançailles et que je porte aujourd'hui sans jamais la retirer. Il avait créé des bijoux pour Jacqueline Kennedy et j'ai encore les dessins de certaines de ses broches en diamants et saphirs.

Pour l'occasion, je devais faire seule le voyage en avion, ce qui, à l'époque, était encore tout un événement. Toute la famille endimanchée m'accompagna à l'aéroport de Dorval, comme s'ils envisageaient un improbable retour !

J'avais huit ans, et plusieurs aventures traumatisantes allaient gâcher ce beau voyage et marquer mon caractère, qui ne serait plus le même par la suite. Ce séjour avait pour but de me faire apprendre l'anglais. La fille d'Émil, Maryse, une fillette ennuyeuse et vraiment peu dégourdie, ne me parlait que dans la langue de Shakespeare. Je n'y comprenais évidemment rien. Quant à Emil, il ne m'adressait la parole en français que pour me reprocher quelque chose.

Mais l'horreur se manifesta, un soir, sous la forme d'une langue. Nous étions à table quand sa femme y déposa une langue de bœuf. Je contemplai l'appendice déployé en entier sur le plat de service, fis la grimace et refusai de touchai à la portion qu'on m'avait servie. Émil me prit alors par la main, et m'envoya sans ménagement dans ma chambre.

– Tu ne reviendras à table que lorsque tu auras décidé d'en manger !

Je ne revins évidemment pas. Aguerrie à une sévérité exemplaire à la maison, j'avais rencontré plus coriace ! Pire, le lendemain, je refusai de déjeuner, ce qui le mit à nouveau dans une belle rage. Il m'accusa de le manipuler.

Le seul beau souvenir que je garde de ce séjour à New York est notre visite à Radio City Music Hall où je vis un film pour la première fois. C'était *The King and I* avec Deborah Kerr et Yul Brynner qui devinrent instantanément mes idoles. De même qu'Annette Funicello qui m'apprit, mieux qu'Émil et Maryse, à parler anglais, car j'écoutais et apprenais toutes ses chansons dans les émissions de télé consacrées au fan-club de Mickey Mouse.

Je me rappelle le jour de mon départ comme si c'était hier. Je déjeunais d'un bol de céréales à la table de la cuisine lorsque Émil, rentrant de l'extérieur, me dit :

– J'ai aussi hâte de te voir partir que les poubelles que je viens de mettre au chemin.

Quelque 10 ans plus tard, ma mère, à qui je n'avais rien raconté, pensant me faire plaisir, le fit venir à Montréal (à Sherbrooke plus précisément) pour l'émission *Avis de recherche*, où l'on organisait des retrouvailles afin de surprendre les invités. Il m'offrit alors un bijou représentant une chouette, expliquant que c'était le petit nom qu'il me donnait lors de mon séjour chez lui. Grand farceur, va !

Le plaisir du retour de New York fut double. En plus de rentrer enfin chez moi, j'avais aussi un nouveau petit frère. Jacques allait devenir, comme tous les cadets mâles d'une famille, le camarade et souffre-douleur de mon frère François. Quant à nous, les filles, nous les regardions se chamailler, encouragés par mon père pour qui la masculinité était d'abord affaire de force physique et d'agressivité. Il nous semblait n'avoir rien en commun avec eux. En réalité, la bagarre ne faisait pas vraiment partie du caractère de Jacques qui, dès lors, se vit imposer par mon père des tâches ayant pour but de l'endurcir. À 15 ans, mon père l'enrôla dans un camp de l'armée à

Val-Cartier, où il resta six semaines, ce qui était illégal en raison de son âge.

Curieusement, si je me souviens, moi, des caresses qui lui furent prodiguées, des disputes pour savoir qui aurait le privilège de le prendre dans ses bras, sa perception à lui est tout autre.

Il me confiait, lors d'une récente conversation, avoir très longtemps eu l'impression d'avoir usurpé sa place dans la famille, de n'avoir pas été désiré. Cette perception peut venir du fait qu'au tout début de sa vie, mon frère François avait été atteint d'un malaise que l'on n'arrivait pas à identifier et qui se manifestait de façon inquiétante par une prolifération des globules blancs. Les médecins parlaient de leucémie et évoquaient la possibilité de son décès. Une étude plus poussée des habitudes de mon frère fit découvrir l'étonnante raison de sa maladie. Notre voisin, M. Duval, adorait nous donner des bonbons. Or, il avait remarqué que mon frère appréciait plus particulièrement les pastilles contre les maux de gorge. François en mangeait comme s'il s'agissait de bonbons et le médicament contenu dans la pastille avait vite fait d'attaquer son système encore immature – il était à peine âgé de deux ans.

Entre-temps, ma mère était à nouveau devenue enceinte, ce qui mena Jacques à croire qu'on l'avait conçu en tant qu'enfant de « remplacement », dans l'éventualité du décès de François. Ce n'est pas impossible, mais l'attention qu'il reçut par la suite est bien manifeste du fait qu'on n'ait jamais regretté sa venue.

Je soupçonne même que l'attitude excessivement sévère de mon père à son égard ait pu être une réaction à l'attention soutenue, la protection excessive que ma mère déployait pour lui.

Jacques, contrairement à nous tous, eut beaucoup de succès dans ses études. Je suis particulièrement fière de ses diplômes en récréologie – seuls diplômes de la famille – qu'il est allé chercher péniblement en s'expatriant à Ottawa, et en payant lui-même ses études.

À la fin de sa vie, mon père, dépossédé de son travail par son propre père qui, dans sa fourberie, avait vendu le commerce sans en avertir ses fils, se retrouva dans le besoin. Nous faisions chacun notre part, mais Jacques, le malheureux, hérita de la queue de la comète de ce qui avait été l'aisance familiale. Injustement, quand vint son tour d'en bénéficier, la prospérité était histoire du passé, ce qui décuple son mérite d'avoir si bien su se tirer d'affaire par ses propres moyens.

À son tour, mon petit frère s'est spécialisé en productions télévisuelles et cinématographiques. Faire un budget, monter une équipe, trouver des locations, créer un horaire, tout ce qu'il touche devient excessivement précis. Je ne dis pas que la bataille pour y arriver ne lui donne pas de fil à retordre, mais faites-lui confiance, et jamais vous n'aurez de réalisation mieux accomplie. Jacques est tatillon, « discutailleux » ; devant un défi, sa première réaction est d'en souligner l'impossibilité. Puis, à force d'insister, il finit par entrer dans votre jeu et accomplit un travail supérieur à ce que vous aviez exigé au départ.

S'il en est un dans notre famille qui puisse clamer la polyvalence, c'est bien Jacques. Il sait tout faire dans une maison. Lui et moi avons une passion en commun… je vous vois rire : les outils. Rien ne me fait plus plaisir que le dernier gadget pour faciliter un travail manuel, et je suis terriblement jalouse d'un cadeau que JE lui ai offert avec mon frère : un compresseur qui nous permettra de repeindre tous mes meubles quand il en aura le temps. Le voir travailler est un plaisir. Rona et Réno sont nos terrains de jeux ! Et, lorsque nous entreprenons un travail de rénovation chez moi, j'adore nos conversations à l'heure du lunch quand, crasseux tous les deux, on s'assied devant un repas que j'ai préparé (ce qui est rare) avant de reprendre le travail. Je ne me lasse pas de sa présence. Mais la paternité est assurément la plus belle de ses réalisations. Avec Carole, sa conjointe, il forme une équipe admirable. Ils ont deux enfants absolument sublimes. Olivier et Vincent sont encore tout petits, ce qu'ils resteront toujours à mes yeux, puisque ce sont eux qui « ferment » la lignée de la famille. Et s'ils continuent, même à 30 ans, de fêter l'halloween, « Tata Dada » ira comme chaque année célébrer avec eux et attendre qu'Olivier m'envoie, par Internet, les photos qu'il aura prises de l'événement.

Pourrais-je demander mieux ? Certes pas. Je n'ai pas choisi l'ordre de ma naissance et n'y pourrai jamais rien, mais c'est moi la plus chanceuse, ayant eu la chance de profiter de leur présence la première et le plus longtemps, avec tout ce que ça comporte de tendresse renouvelée !

Bien que très différents les uns des autres, nous sommes par ailleurs unis par des liens étroits, généralement associés aux « sociétés mafieuses ». Que l'un de nous subisse une peine, un trouble, une irrégularité dont il ne se plaindra même pas, les trois autres se réuniront pour former un front de défense et de soutien du membre vulnérable ou affaibli. Je me rappelle d'ailleurs que mes frères, à la sortie de *Valérie*, avaient dû affronter à l'école les sarcasmes et les mots orduriers de certains de leurs camarades.

Dans le climat encore puritain des années 60, il était facile de me blâmer de m'être dénudée et d'en faire supporter les conséquences à ma famille. Cela avait pourtant eu l'effet de nous unir davantage. Mes frères ont tout simplement cassé la gueule à tous ceux qui m'attaquaient, à une époque où deux taloches bien senties ne menaient pas nécessairement en cour. J'aurais fais la même chose. Personne ne peut toucher à ma famille.

Comment finir ce livre ?

Durant tout ce récit, je vous ai raconté des bouts de ma vie, un peu comme je l'aurais fait à quelqu'un que je voudrais séduire. Parler est facile. Parler de soi l'est moins. Mais écrire sur soi, c'est vraiment tout autre chose ! Tout au long de cet exercice, je me suis découverte, tout autant et peut-être même plus que je ne me suis expliquée. Un peu comme si je devenais l'unique lectrice de ma propre vie.

Plus jeune, je trouvais normal d'ouvrir toutes grandes les portes derrière lesquelles se tenaient mes secrets. Le métier, tel que je l'ai appris, demandait une certaine impudeur. Mais, avec le temps, au fur et à mesure que les pensées se complexifient, que les incertitudes se multiplient, on n'ose plus affirmer aujourd'hui ce qu'on pourrait être tenté de désavouer demain. Comme il n'est pas dans mes habitudes de me récuser quand vient le temps de rendre un projet à terme et que j'avais accepté de faire ce livre, j'ai bien dû prendre la plume et faire l'inventaire. N'eût été de cette promesse, je n'aurais probablement jamais entrepris tel projet. Et j'y ai mis le temps. Quatre longues années se sont écoulées depuis les premiers mots de la première ligne.

Tout cet effort était-il vraiment nécessaire ? Comment répondre si ce n'est que ce livre est devenu, avec le temps et au-delà des mots, un exutoire, une manière de me parler à moi-même, de scruter des coins et recoins auxquels je ne m'étais jamais attardée.

La fébrilité, le doute, le questionnement se sont installés à chaque ligne. L'évocation des joies et des tristesses m'a fait frissonner. Et parfois même, c'est la frustration et l'envie de tout laisser en plan qui sont venues me hanter. Je délaissais alors l'écriture, cette nouvelle amie devenue encombrante, pour vaquer à d'autres occupations, pour me distraire de moi-même. Mais j'y revenais toujours, vaincue par le malaise d'avoir délaissé mes envies de dire.

Tout ça était normal, m'avait-on expliqué : en écriture, chaque période est une étape, et le chemin est ardu.

Je me suis sentie prête, en écrivant ce livre, à affronter la critique. On ne l'est pourtant jamais vraiment tout à fait, ni dans ce métier ni nulle part ailleurs du reste. Ma plus grande crainte en vous livrant tous mes secrets résidait dans la manière. J'imaginais un membre de ma famille venant me dire : « Mais Danielle, c'est pas du tout comme ça que ça s'est passé » et d'y aller de sa version à lui que je ne saurais dédire, car à chacun sa vérité. S'il est pourtant une chose sur laquelle je n'ai voulu faire aucune concession, c'est bien sur la vérité. Ou plutôt ma vérité. S'il est un seul reproche, du reste, devant lequel je me rebifferais, ce serait bien celui qui m'accuserait d'avoir menti. Car je suis, pour la vérité, prête à payer le prix de quelques amitiés, de quelques alliances. Qu'on sache toutefois que je n'ai parlé que de ceux que j'aime profondément. Que nous ayons vu les choses différemment n'altère en rien l'amour que je leur porte. Et si j'en dis du mal, eh bien c'est par amour aussi ! J'adore vous haïr, l'indifférence ne serait-elle pas infiniment plus meurtrière ?

Que dire de tous ceux dont je n'ai pas parlé et qui, d'une façon ou d'une autre, ont joué un rôle important dans ma vie? Alvaro par exemple, mon ami, mon coiffeur, mon confident, à sa manière tout ce que je ne suis pas et aimerais être. L'homme le plus présent dans ma vie à part mon fils. Alvaro qui a accompagné 30 ans de mon existence sans jamais un reproche, sans jamais la moindre étincelle d'animosité. Alvaro qui lira ce livre en prétendant que c'est un chef-d'œuvre. Ce qui n'est pas vrai et il le sait, et je le sais moi aussi, mais qu'importe. Nous nous aimons inconditionnellement et jamais il ne se permettra l'ombre d'une critique à mon égard… ni moi au sien. Nous nous aimons aveuglément et cet amour est un cadeau du ciel. Et pourtant, c'est à peine si je vous ai parlé de lui et de tant d'autres encore.

J'ai beaucoup parlé, par contre, de mon personnage public, de celui que vous regardez peut-être avec des points d'interrogation dans les yeux. Mais une fois ce livre déposé chez mon éditrice, ce sera à mon tour de vous regarder de cette façon.

– Cou'donc Germaine, qu'est-ce que t'en penses?

Aussi longtemps que vous n'aviez de moi qu'une image, je n'avais pas à l'expliquer et jamais ne m'étais-je donné la peine de le faire. Maintenant, rien n'est plus pareil. J'ai déballé d'autres « versions », d'autres aspects de « Danielle », et l'image ne sera plus jamais aussi simple.

Le titre que j'ai choisi pour ce livre évoque un bilan que je serais tentée de résumer en quelques mots. Non, plus jamais je ne permettrai qu'on touche à mon fils, plus jamais je ne vivrai ce que m'a fait vivre Mastantuono. Plus jamais je ne tolérerai la manipulation. C'est sans équivoque. Et si je n'avais rien appris d'autre de ces épisodes douloureux qu'il vaut la peine de serrer les dents et les poings et de recommencer, ce serait déjà énorme. Celle que je suis aujourd'hui n'aurait pu exister sans ce pénible apprentissage.

À la fin de chaque chapitre, j'ai demandé à Andrée, ma correctrice, de me donner ses commentaires sur ce qui s'en dégageait. Elle m'a souvent répondu que c'était ma résilience, ma capacité de survivre en retombant toujours sur mes pieds, à la manière des chats, qui l'étonnait à chaque fois. « Une fille aussi batailleuse que toi, on ne trouve pas ça à tous les coins de rue. »

Je n'ai pourtant pas l'impression de me battre ! Je trouve des solutions, je change ma façon de voir les choses afin d'améliorer le quotidien, je révise mes options, mes besoins et mes envies. J'essaie d'accepter mes erreurs sans m'en désespérer, et je ne m'avoue pas vaincue tant que je n'ai pas trouvé la solution, le moyen de m'en sortir. Alors oui, au fond, peut-être faut-il être batailleur pour ne pas se laisser abattre ! Mais comment vivre et survivre autrement ? Je suis d'ailleurs loin d'être la seule, étant entourée de gens au moins aussi « batailleurs » que moi, sinon plus.

On ne tire pas sur la tige des fleurs pour qu'elles poussent plus vite. Enfin, tout dépend du jardin qu'on veut avoir et du temps qu'on est prêt à y mettre. Batailleuse peut-être, mais patiente aussi et, oui, prête à y mettre le temps. Il reste tant à faire. Une seule vie, c'est bien court pour avoir vécu tout ce que j'ai vécu, pour avoir connu tant de gens auprès desquels j'ai tant appris et pour continuer de regarder devant, dans la direction des projets à venir.

Il fut un temps où je ne voyais plus le soleil, si joyeux aujourd'hui quand il danse dans mon jardin et que je valse avec lui.

Si c'était à refaire ?... et pourquoi pas !